AS 48 LEIS DO PODER

ROBERT GREENE

Projeto de
JOOST ELFFERS

AS
48
LEIS
DO
PODER

Tradução de
Talita M. Rodrigues

Título original
THE 48 LAWS OF POWER

Primeira publicação na Grã-Bretanha em 1998 por
Profile Books e nos EUA por Vicking, uma divisão da Penguin Putnam Inc.

Copyright © Robert Greene e Joost Elffers, 1998

Design de capa: Bruno Moura

Todos os direitos reservados.
Nenhuma parte desta obra pode ser reproduzida ou transmitida
por meio eletrônico, mecânico, fotocópia, ou sob
qualquer outra forma sem a prévia autorização do editor.

Direitos para a língua portuguesa reservados
com exclusividade para o Brasil à
EDITORA ROCCO LTDA.
Rua Evaristo da Veiga, 65 – 11º andar
Passeio Corporate – Torre 1
20031-040 – Rio de Janeiro – RJ
Tel.: (21) 53525-2000 – Fax: (21) 53525-2001
rocco@rocco.com.br |www.rocco.com.br

Printed in Brazil/Impresso no Brasil

Preparação de originais
RYTA VINAGRE

CIP-Brasil. Catalogação na publicação.
Sindicato Nacional dos Editores de Livros, RJ.

G831q	Greene, Robert, 1959- As 48 leis do poder / Robert Greene; projeto de Joost Elffers; [tradução de Talita M. Rodrigues]. – 1ª ed. – Rio de Janeiro: Rocco, 2021. Tradução de: The 48 laws of power ISBN 978-65-5532-051-0 1. Sucesso nos negócios. 2. Poder (Filosofia). 3. Controle (Psicologia). 4. Técnicas de autoajuda. I. Elffers, Joost. II. Rodrigues, Talita M. III. Título.	
20-66826	CDD-650.1 CDU-005.336

Camila Donis Hartmann – Bibliotecária – CRB-7/6472

O texto deste livro obedece às normas do Acordo Ortográfico da Língua Portuguesa

Para Anna Biller, e meus pais
R. G.

Para Pat Steir, Andreas Landshoff e Mien Elffers
J. E.

A Treasury of Jewish Folklore, Nathan Ausubel. *Copyright* ©1948, 1976 *by* Crown Publishers, Inc. Reedição autorizada por Crown Publishers, Inc.

The Chinese Looking Glass, Dennis Bloodworth. *Copyright* © 1966, 1967 *by* Dennis Bloodworth. Com autorização de Ferrar, Straus and Giroux.

The Book of the Courtier, Baldesar Castiglione, tradução para o inglês de George Bull; Penguin Books (Londres). *Copyright* © George Bull, 1967.

The Golden Dream: Seekers of El Dorado, Walker Chapman; Bobbs-Merrill. *Copyright* © 1967 *by* Walker Chapman.

The Borgias, Ivan Cloulas, tradução para o inglês de Gilda Roberts; Franklin Watts, Inc. *Copyright* © 1987 *by* Librairie Artheme Fayard. Translation *Copyright* © 1989 *by* Franklin Watts, Inc.

Various Fables from Various Places, organizado por Diane Di Prima; Capricorn Books / G. P. Putnam's Sons. © 1960 G. P. Putnam's Sons.

Armenian Folk-tales and Fables, tradução para o inglês de Charles Downing; Oxford University Press. © Charles Downing, 1972.

The Little Brown Book of Anecdotes, organizado por Clifton Fadiman; Little, Brown and Company. *Copyright* © 1985 *by* Little, Brown and Company (Inc.).

The Power of the Charlatan, Grete de Francesco, tradução para o inglês de Miriam Beard. *Copyright* © 1939 *by* Yale University Press. Com autorização de Yale University Press.

The Oracle: A Manual of the Art of Discretion, Baltasar Gracián, tradução para o inglês de L. B. Walton; Orion Press.

Behind the Scenes of Royal Palaces in Korea (Yi Dynasty), Ha Tae-hung. *Copyright* © 1983 *by* Ha Tae-hung. Com autorização de Yonsei University Press, Seul.

The Histories, Heródoto, tradução para o inglês de Aubrey de Sélincourt, revista por A. R. Burn; Penguin Books (Londres). *Copyright* © the Estate of Aubrey de Sélincourt, 1954. *Copyright* © A. R. Burn, 1972.

Hollywood, Garson Kanin (Viking). *Copyright* © 1967, 1974 *by* T. F. T. Corporation.

Fables from Africa, coletadas por Jan Knappert; Evan Brothers Limited (Londres). Collection © 1980 Jan Knappert.

The Great Fables of All Nations, selecionadas por Manuel Komroff; Tudor Publishing Company. *Copyright* © 1928 *by* Dial Press, Inc.

Selected Fables, Jean de La Fontaine, tradução para o inglês de James Michie; Penguin Books (Londres). Translation *copyright* © James Michie, 1979.

The Romance of the Rose, Guillaume de Lorris, tradução para o inglês de Charles Dahlberg; Princeton University Press.

The Complete Essays, Michel de Montaigne, tradução para o inglês de M. A. Screech; Penguin Books (Londres). Translation *copyright* © M. A. Screech, 1987, 1991.

A Book of Five Rings, Miyamoto Musashi, tradução para o inglês de Victor Harris; Overlook Press. *Copyright* © 1974 *by* Victor Harris.

The New Oxford Annotated Bible with the Apocrypha, versão standard revista, organizada por Herbert G. May and Bruce M. Metzger; Oxford University Press. *Copyright* © 1973 *by* Oxford University Press, Inc.

Makers of Rome: Nine Lives, Plutarco, tradução para o inglês de Ian Scott-Kilvert; Penguin Books (Londres). *Copyright* © Ian Scott-Kilvert, l965.

The Rise and Fall of Athens: Nine Greek Lives, Plutarco, tradução para o inglês de Ian Scott-Kilvert; Penguin Books (Londres). *Copyright* © Ian Scott-Kilvert, l960.

Cha-no-yu: The Japanese Tea Ceremony, A. L. Sadler; Charles E. Tuttle Company. © 1962 *by* Charles E. Tuttle Co.

Amoral Politics: The Persistent Truth of Machiavellism, Ben-Ami Scharfstein; State University of New York Press. © 1995 State University of New York.

Caravan of Dreams, Idries Shah; Octagon Press (Londres). *Copyright* © 1970, 1980 *by* Idries Shah.

Tales of the Dervishes, Idries Shah. *Copyright* © Idries Shah, 1967. Usado com autorização de Penguin Putnam Inc. and Octagon Press (Londres).

The Craft of Power, R. G. H. Siu; John Wiley & Sons. *Copyright* © 1979 *by* John Wiley & Sons, Inc.

The Subtle Ruse: The Book of Arabic Wisdom and Guile, tradução para o inglês de Rene R. Khawam; East-West Publications. *Copyright* © 1980 tradução inglesa East-West Publications (U.K.) Ltd.

The Art of War, Sun Tzu, tradução para o inglês de Thomas Cleary; Shambhala Publications. © 1988 *by* Thomas Cleary.

The Art of War, Sun Tzu, tradução para o inglês de Yuan Shibing. © 1987 *by* General Tao Hanshang. Usada com autorização de Sterling Publishing Co., Inc., 387 Park Avenue South, Nova York, NY 10016.

The History of the Peloponnesian War, Tucídides, tradução para o inglês de Rex Warner; Penguin Books (Londres). Translation *copyright* Rex Warner, 1954.

The Thurber Carnival, James Thurber; HarperCollins. *Copyright* 1945 *by* James Thurber.

The Court Artist: On the Ancestry of the Modern Artist, Martin Warnke, tradução para o inglês de David McLintock. Translation © Maison des Sciences de l'Homme and Cambridge University Press, 1993. Com autorização de Cambridge University Press.

The Con Game and "Yellow Kid" Weil: The Autobiography of the Famous Con Artist conforme relatada a W. T. Brannon; Dover Publications. *Copyright* © 1948 *by* W. T. Brannon.

AGRADECIMENTOS

Primeiro gostaria de agradecer a Anna Biller, que me ajudou na edição e nas pesquisas necessárias para este livro, e cujas ideias inestimáveis foram essenciais na definição da forma e do conteúdo de *As 48 leis*. Sem ela, nada disto teria sido possível.

Tenho que agradecer também ao meu querido amigo, Michiel Schwarz, responsável por me incluir na escola de arte Fabrika, na Itália, e lá me apresentar a Joost Elffers, meu sócio e produtor de *As 48 leis do poder*. Foi no mundo intrigante de Fabrika que Joost e eu vimos a intemporalidade de Maquiavel, e, de nossas discussões em Veneza, na Itália, nasceu este livro.

Gostaria de agradecer a Henri Le Goubin, que durante anos me abasteceu com muitas histórias maquiavélicas, particularmente no que se refere aos inúmeros personagens franceses cujo papel é tão importante neste livro.

Gostaria também de agradecer a Les e Sumiko Biller, que me emprestaram a sua biblioteca sobre os japoneses e me ajudaram com a parte da cerimônia do chá. Igualmente, devo agradecer a minha boa amiga Elizabeth Yang, que me assessorou a respeito da história da China.

Um livro como este dependia em grande parte da pesquisa do material disponível e sou particularmente grato à Biblioteca de Pesquisa da UCLA; passei vários dias prazerosos percorrendo suas incomparáveis coleções.

Meus pais, Laurette e Stanley Greene, merecem o meu eterno agradecimento pelo apoio e paciência.

E não devo esquecer de prestar uma homenagem ao meu gato, Boris, que me fez companhia nos dias intermináveis em que passei escrevendo.

Finalmente, das pessoas que na minha vida foram tão hábeis no jogo do poder manipulando, torturando e me fazendo sofrer por anos a fio, não guardo rancor e agradeço a elas por me terem dado inspiração para *As 48 leis do poder*.

Robert Greene

Além disso, gostaríamos de agradecer a Susan Petersen e Barbara Grossman, editoras da Penguin, por acreditarem neste livro; a Molly Stern, editora de texto, por supervisionar todo o projeto para a Viking Penguin. A Sophia Murer, por seu design clássico e inovador. David Frankel, por editar o texto. A Roni Axelrod, Barbara Campo, Jaye Zimet, Joe Eagle, Radha Pancham, Marie Timell, Michael Fragnito e Eng-San Kho.

Robert Greene e Joost Elffers

SUMÁRIO

PREFÁCIO página 23

LEI 1 página 31

NÃO OFUSQUE O BRILHO DO MESTRE

Faça sempre com que as pessoas acima de você se sintam confortavelmente superiores. Querendo agradar ou impressionar, não exagere exibindo seus próprios talentos ou poderá conseguir o contrário – inspirar medo e insegurança. Faça com que seus mestres pareçam mais brilhantes do que são na realidade e você alcançará o ápice do poder.

LEI 2 página 39

NÃO CONFIE DEMAIS NOS AMIGOS, APRENDA A USAR OS INIMIGOS

Cautela com os amigos – eles o trairão mais rapidamente, pois são com mais facilidade levados à inveja. Eles também se tornam mimados e tirânicos. Mas contrate um ex-inimigo e ele lhe será mais fiel do que um amigo, porque tem mais a provar. De fato, você tem mais o que temer por parte dos amigos do que dos inimigos. Se você não tem inimigos, descubra um jeito de tê-los.

LEI 3 página 49

OCULTE AS SUAS INTENÇÕES

Mantenha as pessoas na dúvida e no escuro, jamais revelando o propósito de seus atos. Não sabendo o que você pretende, não podem preparar uma defesa. Leve-as pelo caminho errado até bem longe, envolva-as em bastante fumaça e, quando elas perceberem as suas intenções, será tarde demais.

LEI 4 página 67

DIGA SEMPRE MENOS DO QUE O NECESSÁRIO

Quando você procura impressionar as pessoas com palavras, quanto mais você diz, mais comum aparenta ser, e menos controle da situação parece ter. Mesmo que você esteja dizendo algo banal, vai parecer original se você o tornar vago, amplo e enigmático. Pessoas poderosas impressionam e intimidam falando pouco. Quanto mais você fala, maior a probabilidade de dizer uma besteira.

LEI 5 página 74

MUITO DEPENDE DA REPUTAÇÃO – DÊ A PRÓPRIA VIDA PARA DEFENDÊ-LA

A reputação é a pedra de toque do poder. Com a reputação apenas você pode intimidar e vencer; um deslize, entretanto, e você fica vulnerável, e será atacado por todos os lados. Torne a sua reputação inexpugnável. Esteja sempre alerta aos ataques em potencial e frustre-os antes que aconteçam. Enquanto isso, aprenda a destruir seus inimigos minando as suas próprias reputações. Depois, afaste-se e deixe a opinião pública acabar com eles.

LEI 6 página 83

CHAME ATENÇÃO A QUALQUER PREÇO

Julga-se tudo pelas aparências; o que não se vê não conta. Não fique perdido no meio da multidão, portanto, ou mergulhado no esquecimento. Destaque-se. Fique visível, a qualquer preço. Atraia as atenções parecendo maior, mais colorido, mais misterioso do que as massas tímidas e amenas.

LEI 7 página 97

FAÇA OS OUTROS TRABALHAREM POR VOCÊ, MAS SEMPRE FIQUE COM O CRÉDITO

Use a sabedoria, o conhecimento e o esforço físico dos outros em causa própria. Não só essa ajuda lhe economizará um tempo e uma energia valiosos, como lhe dará uma aura divina de eficiência e rapidez. No final, seus ajudantes serão esquecidos e você será lembrado. Não faça você mesmo o que os outros podem fazer por você.

LEI 8 página 104

FAÇA AS PESSOAS VIREM ATÉ VOCÊ – USE UMA ISCA, SE FOR PRECISO

Quando você força os outros a agir, é você quem está no controle. É sempre melhor fazer o seu adversário vir até você, abandonando seus próprios planos no processo. Seduza-o com a possibilidade de ganhos fabulosos – depois ataque. É você quem dá as cartas.

LEI 9 página 112

VENÇA POR SUAS ATITUDES, NÃO DISCUTA

Qualquer triunfo momentâneo que você tenha alcançado discutindo é na verdade uma vitória de Pirro: o ressentimento e a má vontade que você desperta são mais fortes e permanentes do que qualquer mudança momentânea de opinião. É muito mais eficaz fazer os outros concordarem com você por suas atitudes, sem dizer uma palavra. Demonstre, não explique.

LEI 10   página 120
CONTÁGIO: EVITE O INFELIZ E AZARADO
A miséria alheia pode matar você – estados emocionais são tão contagiosos quanto as doenças. Você pode achar que está ajudando o homem que se afoga, mas só está precipitando o seu próprio desastre. Os infelizes às vezes provocam a própria infelicidade; vão provocar a sua também. Associe-se, ao contrário, aos felizes e afortunados.

LEI 11   página 128
APRENDA A MANTER AS PESSOAS DEPENDENTES DE VOCÊ
Para manter a sua independência você deve sempre ser necessário e querido. Quanto mais dependerem de você, mais liberdade você terá. Faça com que as pessoas dependam de você para serem felizes e prósperas, e você não terá nada o que temer. Não lhes ensine o bastante a ponto de poderem se virar sem você.

LEI 12   página 137
USE A HONESTIDADE E A GENEROSIDADE SELETIVAS PARA DESARMAR A SUA VÍTIMA
Um gesto sincero e honesto encobrirá dezenas de outros desonestos. Até as pessoas mais desconfiadas baixam a guarda diante de atitudes francas e generosas. Uma vez que a sua honestidade seletiva as desarma, você pode enganá-las e manipulá-las à vontade. Um presente oportuno – um cavalo de Troia – será igualmente útil.

LEI 13   página 145
AO PEDIR AJUDA, APELE PARA O EGOÍSMO DAS PESSOAS, JAMAIS PARA A SUA MISERICÓRDIA OU GRATIDÃO
Se precisar pedir ajuda a um aliado, não se preocupe em lembrar a ele a sua assistência e boas ações no passado. Ele encontrará um meio de ignorar você. Em vez disso, revele algo na sua solicitação, ou na sua aliança com ele, que o vá beneficiar, e exagere na ênfase. Ele reagirá entusiasmado se vir que pode lucrar alguma coisa com isso.

LEI 14   página 153
BANQUE O AMIGO, AJA COMO ESPIÃO
Conhecer o seu rival é importantíssimo. Use espiões para colher informações preciosas que o colocarão um passo à frente. Melhor ainda: represente você mesmo o papel de espião. Em encontros sociais, aprenda a sondar. Faça perguntas indiretas para conseguir que as pessoas revelem seus pontos fracos e intenções. Todas as ocasiões são oportunidades para uma ardilosa espionagem.

LEI 15   página 160
ANIQUILE TOTALMENTE O INIMIGO
Todos os grandes líderes, desde Moisés, sabem que o inimigo perigoso deve ser esmagado totalmente. (Às vezes, eles aprendem isso da maneira mais difícil.) Se restar uma só brasa, por menor que seja, acabará se transformando numa fogueira. Perde-se mais fazendo concessões do que pela total aniquilação: o inimigo se recuperará e quererá vingança. Esmague-o, física e espiritualmente.

LEI 16   página 169
USE A AUSÊNCIA PARA AUMENTAR O RESPEITO E A HONRA
Circulação em excesso faz os preços caírem: quanto mais você é visto e escutado, mais comum vai parecer. Se você já se estabeleceu em um grupo, ao se afastar temporariamente você se tornará uma figura mais comentada, até mais admirada. Você deve saber quando se afastar. Crie valor com a escassez.

LEI 17   página 178
MANTENHA OS OUTROS EM UM ESTADO LATENTE DE TERROR: CULTIVE UMA ATMOSFERA DE IMPREVISIBILIDADE
Os homens são criaturas de hábitos com uma necessidade insaciável de ver familiaridade nos atos alheios. A sua previsibilidade lhes dá um senso de controle. Vire a mesa: seja deliberadamente imprevisível. O comportamento que parece incoerente ou absurdo os manterá desorientados, e eles vão ficar exaustos tentando explicar seus movimentos. Levada ao extremo, esta estratégia pode intimidar e aterrorizar.

LEI 18   página 186
NÃO CONSTRUA FORTALEZAS PARA SE PROTEGER – O ISOLAMENTO É PERIGOSO
O mundo é perigoso e os inimigos estão por toda parte – todos precisam se proteger. Uma fortaleza parece muito segura. Mas o isolamento expõe você a mais perigos do que o protege deles – você fica isolado de informações valiosas, transforma-se num alvo fácil e evidente. Melhor circular entre as pessoas, descobrir aliados, se misturar. A multidão serve de escudo contra os seus inimigos.

LEI 19   página 194
SAIBA COM QUEM ESTÁ LIDANDO – NÃO OFENDA A PESSOA ERRADA
No mundo há muitos tipos diferentes de pessoas, e você não pode esperar que todas reajam da mesma forma às suas estratégias. Engane ou passe a perna em certas pessoas e elas vão passar o

resto da vida procurando se vingar de você. São lobos em pele de cordeiro. Cuidado ao escolher suas vítimas e adversários, portanto, e jamais ofenda ou engane a pessoa errada.

LEI 20   página 203

NÃO SE COMPROMETA COM NINGUÉM

Tolo é quem se apressa a tomar um partido. Não se comprometa com partidos ou causas, só com você mesmo. Mantendo-se independente, você domina os outros – colocando as pessoas umas contra as outras, fazendo com que sigam você.

LEI 21   página 216

FAÇA-SE DE OTÁRIO PARA PEGAR OS OTÁRIOS – PAREÇA MAIS BOBO DO QUE O NORMAL

Ninguém gosta de se sentir mais idiota do que o outro. O truque, portanto, é fazer com que suas vítimas se sintam espertas – e não só espertas, como também mais espertas do que você. Uma vez convencidas disso, elas jamais desconfiarão que você possa ter segundas intenções.

LEI 22   página 224

USE A TÁTICA DA RENDIÇÃO: TRANSFORME A FRAQUEZA EM PODER

Se você é o mais fraco, não lute só por uma questão de honra; é preferível se render. Rendendo-se, você tem tempo para se recuperar, tempo para atormentar e irritar o seu conquistador, tempo para esperar que ele perca o seu poder. Não lhe dê a satisfação de lutar e derrotar você – renda-se antes. Oferecendo a outra face, você o enraivece e desequilibra. Faça da rendição um instrumento de poder.

LEI 23   página 233

CONCENTRE AS SUAS FORÇAS

Preserve suas forças e sua energia concentrando-as no seu ponto mais forte. Ganha-se mais descobrindo uma mina rica e cavando fundo do que pulando de uma mina rasa para outra – a profundidade derrota a superficialidade sempre. Ao procurar fontes de poder para promovê-lo, descubra um patrono-chave, a vaca cheia de leite que o alimentará durante muito tempo.

LEI 24   página 241

REPRESENTE O CORTESÃO PERFEITO

O cortesão perfeito prospera num mundo onde tudo gira em torno do poder e da habilidade política. Ele domina a arte da dissimulação; ele adula, cede aos superiores e assegura o seu poder sobre os outros da forma mais gentil e dissimulada. Aprenda e aplique as leis da corte e não haverá limites para a sua escalada na corte.

LEI 25   página 257
RECRIE-SE
Não aceite os papéis que a sociedade lhe impinge. Recrie-se forjando uma nova identidade, uma que chame atenção e não canse a plateia. Seja senhor da sua própria imagem, em vez de deixar que os outros a definam para você. Incorpore artifícios dramáticos aos gestos e ações públicas – seu poder se fortalecerá e sua personagem parecerá maior do que a realidade.

LEI 26   página 267
MANTENHA AS MÃOS LIMPAS
Você deve parecer um modelo de civilidade e eficiência: suas mãos não se sujam com erros e atos desagradáveis. Mantenha essa aparência impecável fazendo os outros de joguete e bode expiatório para disfarçar a sua participação.

LEI 27   página 285
JOGUE COM A NECESSIDADE QUE AS PESSOAS TÊM DE ACREDITAR EM ALGUMA COISA PARA CRIAR UM SÉQUITO DE DEVOTOS
As pessoas têm um desejo enorme de acreditar em alguma coisa. Torne-se o foco desse desejo oferecendo a elas uma causa, uma nova fé para seguir. Use palavras vazias de sentido, mas cheias de promessas; enfatize o entusiasmo de preferência à racionalidade e à clareza de raciocínio. Dê aos seus novos discípulos rituais a serem cumpridos; peça-lhes que se sacrifiquem por você. Na ausência de uma religião organizada e de grandes causas, o seu novo sistema de crença lhe dará um imensurável poder.

LEI 28   página 299
SEJA OUSADO
Inseguro quanto ao que fazer, não tente. Suas dúvidas e hesitações contaminarão os seus atos. A timidez é perigosa: melhor agir com coragem. Qualquer erro cometido com ousadia é facilmente corrigido com mais ousadia. Todos admiram o corajoso; ninguém louva o tímido.

LEI 29   página 309
PLANEJE ATÉ O FIM
O desfecho é tudo. Planeje até o fim, considerando todas as possíveis consequências, obstáculos e reveses que possam anular o seu esforço e deixar que os outros fiquem com os louros. Planejan-

do tudo até o fim, você não será apanhado de surpresa e saberá quando parar. Guie gentilmente a sorte e ajude a determinar o futuro pensando com antecedência.

LEI 30   página 319
FAÇA AS SUAS CONQUISTAS PARECEREM FÁCEIS
Seus atos devem parecer naturais e fáceis. Toda a técnica e o esforço necessários para a sua execução, e também os truques, devem estar dissimulados. Quando você age, age sem se esforçar, como se fosse capaz de muito mais. Não caia na tentação de revelar o trabalho que você teve – isso só despertará dúvidas. Não ensine a ninguém os seus truques ou eles serão usados contra você.

LEI 31   página 329
CONTROLE AS OPÇÕES: QUEM DÁ AS CARTAS É VOCÊ
As melhores trapaças são as que parecem deixar ao outro uma opção: suas vítimas acham que estão no controle, mas na verdade são suas marionetes. Dê às pessoas opções que sempre resultem favoráveis a você. Force-as a escolher entre o menor de dois males, ambos atendem ao seu propósito. Coloque-as num dilema: não terão escapatória.

LEI 32   página 339
DESPERTE A FANTASIA DAS PESSOAS
Em geral evita-se a verdade porque ela é feia e desagradável. Não apele para o que é verdadeiro ou real se não estiver preparado para enfrentar a raiva que vem com o desencanto. A vida é tão dura e angustiante que as pessoas capazes de criar romances ou invocar fantasias são como oásis no meio do deserto: todos correm até lá. Há um enorme poder em despertar a fantasia das massas.

LEI 33   página 348
DESCUBRA O PONTO FRACO DE CADA UM
Todo mundo tem um ponto fraco, uma brecha no muro do castelo. Essa fraqueza, em geral, é uma insegurança, uma emoção ou necessidade incontrolável; pode também ser um pequeno prazer secreto. Seja como for, uma vez encontrado esse ponto fraco, é ali que você deve apertar.

LEI 34   página 361

SEJA ARISTOCRÁTICO AO SEU PRÓPRIO MODO; AJA COMO UM REI PARA SER TRATADO COMO TAL

A maneira como você se comporta, em geral, determina como você é tratado: no longo prazo, aparentando ser vulgar ou comum, você fará com que as pessoas o desrespeitem. Pois um rei respeita a si próprio e inspira nos outros o mesmo sentimento. Agindo com realeza e confiança nos seus poderes, você se mostra destinado a usar uma coroa.

LEI 35   página 371

DOMINE A ARTE DE SABER O TEMPO CERTO

Jamais demonstre estar com pressa – a pressa trai a falta de controle de si mesmo e do tempo. Mostre-se sempre paciente, como se soubesse que tudo acabará chegando até você. Torne-se um detetive do momento certo; fareje o espírito dos tempos, as tendências que o levarão ao poder. Aprenda a esperar quando ainda não é hora, e atacar ferozmente quando for propício.

LEI 36   página 382

DESPREZE O QUE NÃO PUDER TER: IGNORAR É A MELHOR VINGANÇA

Reconhecendo um problema banal, você lhe dá existência e credibilidade. Quanto mais atenção você der a um inimigo, mais forte você o torna; e um pequeno erro às vezes se torna pior e mais visível se você tentar consertá-lo. Às vezes, é melhor deixar as coisas como estão. Se existe algo que você quer, mas não pode ter, mostre desprezo. Quanto menos interesse você revelar, mais superior vai parecer.

LEI 37   página 393

CRIE ESPETÁCULOS ATRAENTES

Imagens surpreendentes e grandes gestos simbólicos criam uma aura de poder – todos reagem a eles. Encene espetáculos para os que o cercam, repletos de elementos visuais interessantes e símbolos radiantes que realcem a sua presença. Deslumbrados com as aparências, ninguém notará o que você realmente está fazendo.

LEI 38   página 403

PENSE COMO QUISER, MAS COMPORTE-SE COMO OS OUTROS

Se você alardear que é contrário às tendências da época, ostentando suas ideias pouco convencionais e modos não ortodoxos, as pessoas vão achar que você está apenas querendo chamar atenção e se julga superior. Acharão um jeito de punir você por fazê-las se sentir inferiores. É muito mais seguro juntar-se a elas e desenvolver um toque comum. Compartilhe a sua originalidade só com os amigos tolerantes e com aqueles que certamente apreciarão a sua singularidade.

LEI 39   página 413

AGITE AS ÁGUAS PARA ATRAIR OS PEIXES

Raiva e reações emocionais são contraproducentes do ponto de vista estratégico. Você precisa se manter sempre calmo e objetivo. Mas, se conseguir irritar o inimigo sem perder a calma, você ganha uma inegável vantagem. Desequilibre o inimigo: descubra uma brecha na sua vaidade para confundi-lo e é você quem fica no comando.

LEI 40   página 422

DESPREZE O QUE VIER DE GRAÇA

O que é oferecido de graça é perigoso – normalmente é um ardil ou tem uma obrigação oculta. Se tem valor, vale a pena pagar. Pagando, você se livra de problemas de gratidão e culpa. Também é prudente pagar o valor integral – com a excelência não se economiza. Seja pródigo com seu dinheiro e o mantenha circulando, pois a generosidade é um sinal e um ímã para o poder.

LEI 41   página 439

EVITE SEGUIR AS PEGADAS DE UM GRANDE HOMEM

O que acontece primeiro sempre parece melhor e mais original do que o que vem depois. Se você substituir um grande homem ou tiver um pai famoso, terá de fazer o dobro do que eles fizeram para brilhar mais do que eles. Não fique perdido na sombra deles, ou preso a um passado que não foi obra sua: estabeleça o seu próprio nome e identidade mudando de curso. Mate o pai dominador, menospreze o seu legado e conquiste o poder com a sua própria luz.

LEI 42   página 452

ATAQUE O PASTOR E AS OVELHAS SE DISPERSAM

Em geral, a origem dos problemas pode estar num único indivíduo forte – o agitador, o subalterno arrogante, o envenenador da boa vontade. Se você der espaço para essas pessoas agirem, outros sucumbirão a sua influência. Não espere os problemas que eles causam se multiplicarem, não tente negociar com eles – eles são irredimíveis. Neutralize a sua influência isolando-os ou banindo-os. Ataque a origem dos problemas e as ovelhas se dispersarão.

LEI 43   página 462

CONQUISTE CORAÇÕES E MENTES

A coerção provoca reações que acabam funcionando contra você. É preciso atrair as pessoas para que queiram vir até você. A pessoa seduzida torna-se um peão fiel. Seduzem-se os outros atuando individualmente em suas psicologias e pontos fracos. Amacie o resistente atuando em suas emoções, jogando com aquilo de que ele gosta muito ou teme. Ignore os corações e as mentes dos outros e eles o odiarão.

LEI 44   página 472

DESARME E ENFUREÇA COM O EFEITO ESPELHO

O espelho reflete a realidade, mas também é a ferramenta perfeita para a ilusão. Quando você espelha os seus inimigos, agindo exatamente como eles agem, eles não entendem a sua estratégia. O Efeito Espelho os ridiculariza e humilha, fazendo com que reajam exageradamente. Colocando um espelho diante das suas psiques, você os seduz com a ilusão de que compartilha os seus valores; ao espelhar as suas ações, você lhes dá uma lição. Raros são os que resistem ao poder do Efeito Espelho.

LEI 45   página 491

PREGUE A NECESSIDADE DE MUDANÇA,
MAS NÃO MUDE MUITA COISA AO MESMO TEMPO

Teoricamente, todos sabem que é preciso mudar, mas na prática as pessoas são criaturas de hábitos. Muita inovação é algo traumático e conduz à rebeldia. Se você é novo numa posição de poder, ou alguém de fora tentando construir a sua base de poder, mostre explicitamente que respeita a maneira antiga de fazer as coisas. Se a mudança é necessária, faça-a parecer uma suave melhoria do passado.

LEI 46   página 501

NÃO PAREÇA PERFEITO DEMAIS

Parecer melhor do que os outros é sempre perigoso, mas o que é perigosíssimo é parecer não ter falhas ou fraquezas. A inveja cria inimigos silenciosos. É sinal de astúcia exibir ocasionalmente alguns defeitos e admitir vícios inofensivos, para desviar a inveja e parecer mais humano e acessível. Só os deuses e os mortos podem parecer perfeitos impunemente.

LEI 47   página 513

NÃO ULTRAPASSE A META ESTABELECIDA;
NA VITÓRIA, APRENDA A PARAR

O momento da vitória é quase sempre o mais perigoso. No calor da vitória, a arrogância e o excesso de confiança podem fazer você avançar além da sua meta e, ao ir longe demais, você conquista mais inimigos do que derrota. Não deixe o sucesso lhe subir à cabeça. Nada substitui a estratégia e o planejamento cuidadoso. Fixe a meta e, ao alcançá-la, pare.

LEI 48   página 523
EVITE TER UMA FORMA DEFINIDA

Ao assumir uma forma, ao ter um plano visível, você se expõe ao ataque. Em vez de assumir uma forma que o seu inimigo possa agarrar, mantenha-se maleável e em movimento. Aceite o fato de que nada é certo e nenhuma lei é fixa. A melhor maneira de se proteger é ser tão fluido e amorfo como a água; não aposte na estabilidade ou na ordem permanente. Tudo muda.

BIBLIOGRAFIA   página 539

PREFÁCIO

A sensação de não ter nenhum poder sobre pessoas e acontecimentos é, em geral, insuportável – quando nos sentimos impotentes, ficamos infelizes. Ninguém quer menos poder; todos querem mais. No mundo atual, entretanto, é perigoso parecer ter muita fome de poder, ser muito premeditado nos seus movimentos para conquistar o poder. Temos de parecer justos e decentes. Por conseguinte, precisamos ser sutis – agradáveis, porém astutos; democráticos, mas não totalmente honestos.

Este jogo de constante duplicidade mais se assemelha à dinâmica de poder que existia no mundo ardiloso da antiga corte aristocrática. Em toda a história, sempre houve uma corte formada em torno de uma pessoa no poder – rei, rainha, imperador, líder. Os cortesãos que compunham esta corte ficavam numa posição muito delicada: tinham de servir aos seus senhores, mas, se a bajulação fosse muito óbvia, os outros cortesãos notariam e agiriam contra eles. As tentativas de agradar ao senhor, portanto, tinham de ser sutis. E até mesmo os cortesãos hábeis e capazes de tal sutileza ainda tinham de se proteger de seus companheiros que a todo momento tramavam tirá-los do caminho.

Enquanto isso, supunha-se que a corte representasse o auge da civilização e do refinamento. Desaprovavam-se as atitudes violentas ou declaradas de poder; os cortesãos trabalhavam em silêncio e sigilosamente contra aquele, entre eles, que usasse a força. Este era o dilema do cortesão: aparentando ser o próprio modelo de elegância, ele tinha ao mesmo tempo de ser o mais esperto e frustrar os movimentos dos seus adversários da maneira mais sutil possível. Com o tempo, o cortesão bem-sucedido aprendia a agir sempre de forma indireta; se apunhalava o adversário pelas costas, era com luva de pelica na mão e, no rosto, o mais gentil dos sorrisos. Em vez de coagir ou trair explicitamente, o cortesão perfeito conseguia o que queria seduzindo, usando o charme, a fraude e as estratégias sutis, sempre planejando várias ações com antecedência. A vida na corte era um jogo interminável que exigia vigilância constante e pensamento tático. Era uma guerra civilizada.

> As cortes são, inquestionavelmente, as sedes da polidez e da boa educação; não fosse assim, elas seriam a sede de matanças e desolação. Os que hoje sorriem e se abraçam, se enfrentariam e apunhalariam, uns aos outros, se os bons modos não se interpusessem...
> LORD CHESTERFIELD, 1694-1773

> Não é de estranhar que as ovelhas não gostem de aves predadoras, mas isso não é motivo para culpar as grandes aves predadoras de carregarem as ovelhas. E não há nada intrinsecamente errado no argumento das ovelhas quando elas sussurram entre si: "Estas aves predadoras são más; não podemos dizer, portanto, que o oposto de ave predadora deve ser bom?" As aves predadoras ficam um tanto intrigadas e dizem: "Não temos nada contra estas boas ovelhas; de fato, nós gostamos muito delas; nada é mais saboroso do que uma ovelha de carne macia."
> FRIEDRICH NIETZSCHE, 1844-1900

Hoje enfrentamos um paradoxo peculiarmente semelhante ao do cortesão: tudo deve parecer civilizado, decente, democrático e justo. Mas se obedecemos com muita rigidez a essas regras, se as tomamos de uma forma por demais literal, somos esmagados pelos que estão ao nosso redor e que não são assim tão tolos. Como escreveu o grande cortesão e diplomata renascentista Nicolau Maquiavel: "O homem que tenta ser bom o tempo todo está fadado à ruína entre os inúmeros outros que não são bons." A corte se imaginava o pináculo do refinamento, mas sob a superfície cintilante fervilhava um caldeirão de emoções escusas – ganância, inveja, luxúria, ódio. Nosso mundo, hoje, igualmente se imagina o pináculo da justiça, mas as mesmas feias emoções continuam fervendo dentro de nós, como sempre. O jogo é o mesmo. Por fora, você deve aparentar que é uma pessoa de escrúpulos, mas, por dentro, a não ser que você seja um tolo, vai aprender logo a fazer o que Napoleão aconselhava: calçar a sua mão de ferro com uma luva de veludo. Se, como o cortesão de idos tempos, você for capaz de dominar a arte da dissimulação, aprendendo a seduzir, encantar, enganar e sutilmente passar a perna nos seus adversários, você alcançará os píncaros do poder. Vai conseguir dobrar as pessoas sem que elas percebam o que você está fazendo. E se elas não perceberem o que você está fazendo, também não ficarão ressentidas nem lhe oferecerão resistência.

Para algumas pessoas, a ideia de participar conscientemente de jogos de poder – não importa se de forma indireta ou não – parece maldade, pouco social, uma relíquia do passado. Elas acreditam que podem optar por ficar fora do jogo, comportando-se como se não tivessem nada a ver com o poder. É preciso cuidado com pessoas assim, pois, embora exteriorizem essas opiniões, com frequência são as maiores especialistas no jogo do poder. Utilizam estratégias que disfarçam com habilidade a natureza manipuladora. Tais tipos, por exemplo, costumam exibir a sua fraqueza e falta de poder como uma espécie de virtude moral. Mas a verdadeira impotência, sem que haja um motivo de interesse pessoal, não divulga a sua própria fraqueza para conquistar respeito ou simpatia. Alardear a própria fraqueza é na verdade uma estratégia muito eficaz, sutil e fraudulenta, no jogo de poder (ver Lei 22, a Tática da Rendição).

Outra estratégia daquele que se diz fora do jogo é a de exigir igualdade em todas as áreas da vida. Todos têm de ser tratados igualmente, seja qual for o seu status ou força. Mas se, para evitar o estigma do poder, você quiser tratar todos com igualdade e justiça vai se defrontar com o problema de que algumas pessoas fazem certas coisas melhor do que outras. Tratar a todos igualmente significa ignorar as suas diferenças, elevar o patamar dos menos capazes e rebaixar o daqueles que se sobressaem. Mais uma vez, muitos dos que se comportam assim estão na verdade usando uma outra estratégia de poder, redistribuindo os prêmios da maneira como eles próprios determinam.

Uma outra forma ainda de evitar o jogo seria a total honestidade e franqueza, visto que uma das principais técnicas dos que buscam o poder é a fraude e o sigilo. Mas a total honestidade acaba inevitavelmente por magoar e ofender um grande número de pessoas, e algumas vão querer pagar na mesma moeda. Ninguém verá a sua declaração honesta como totalmente objetiva e livre de alguma motivação pessoal. E estarão certos: na verdade, a honestidade é uma estratégia de poder, cuja intenção é convencer os outros de que se tem um caráter nobre, bom e altruísta. É uma forma de persuasão, até uma forma sutil de coagir as pessoas.

Finalmente, os que alegam não serem jogadores afetam um ar de ingenuidade para se protegerem da acusação de que estão atrás do poder. Mais uma vez, cuidado, pois a aparência de ingenuidade pode ser um meio eficaz de enganar os outros (ver Lei 21, Pareça mais bobo do que o normal). E até a ingenuidade autêntica não está livre das armadilhas de poder. As crianças podem ser muito ingênuas, mas com frequência agem por uma necessidade básica de controlar os que estão ao seu redor. Elas sofrem muito sentindo-se impotentes no mundo adulto, e usam os meios disponíveis para conseguir o que querem. Pessoas genuinamente inocentes também podem estar no jogo do poder e costumam ser terrivelmente eficazes nisso, visto que a reflexão não é um obstáculo para elas. De novo, aqueles que fazem alarde ou dão demonstrações de inocência são os menos inocentes de todos.

Você pode reconhecer estes supostos não jogadores pela maneira como ostentam suas qualidades morais, sua piedade, o seu raro senso de justiça. Mas como todos nós queremos o poder, e quase todas as nossas ações visam a obtê-lo, os não jogadores estão simplesmente jogando areia nos nossos olhos, nos distraindo de suas cartas com seu ar de superioridade moral. Observando bem, você verá de fato que são eles os mais hábeis na manipulação dissimulada, mesmo que alguns a pratiquem sem ter consciência disso. E se ressentem muito de qualquer publicidade que se dê às táticas que usam todos os dias.

Se o mundo é como uma gigantesca corte fraudulenta e estamos presos nela, não adianta optar por ficar fora do jogo. Isso só vai deixar você impotente, e a impotência vai deixá-lo infeliz. Em vez de lutar contra o inevitável, em vez de ficar discutindo, se lamentando e cheio de culpa, é muito melhor sobressair no poder. De fato, quanto melhor você lidar com o poder, melhor será como pessoa, amigo ou amiga, aman-

> *Os únicos meios de conseguir o que se quer das pessoas são a força e a astúcia. O amor também, dizem; mas isso significa esperar que o sol brilhe, e a vida precisa de todos os momentos.*
> JOHANN VON GOETHE, 1749-1832

> *A flecha lançada pelo arqueiro pode ou não matar uma única pessoa. Mas os estratagemas inventados por um homem sábio podem matar até os bebês no ventre da mãe.*
> KAUTILYA, FILÓSOFO INDIANO DO SÉC. 3 a.C.

Pensei comigo mesmo com que meios, com que trapaças, com quantas artes diversas, com que habilidade um homem aprimora a sua inteligência para enganar outro, e com estas variações o mundo se faz mais belo.
FRANCESCO VETTORI, AMIGO E CONTEMPORÂNEO DE MAQUIAVEL, INÍCIO DO SÉC. XVI

te, marido ou esposa. Seguindo os passos do perfeito cortesão (ver Lei 24), você aprende a fazer os outros se sentirem melhor a respeito deles mesmos, tornando-se uma fonte de prazer para eles. Eles se tornarão dependentes de suas habilidades e desejarão a sua presença. Dominando as 48 leis deste livro, você poupa aos outros a dor de não saber lidar com o poder – de brincar com o fogo sem saber que ele queima. Se o jogo de poder é inevitável, melhor ser um artista do que negar ou agir desastradamente.

Para aprender o jogo do poder é preciso ver o mundo de uma certa maneira, mudar de perspectiva. É preciso esforço e anos de prática, pois grande parte do jogo talvez não surja naturalmente. São necessárias certas habilidades básicas, e uma vez dominando-as você será capaz de aplicar as leis do poder com mais facilidade.

A mais importante, e fundamento crucial do poder, é a habilidade de dominar as suas emoções. Reagir emocionalmente a uma situação é a maior barreira ao poder, um erro que custará a você muito mais do que qualquer satisfação temporária que possa obter expressando o que sente. As emoções embotam a razão, e se você não consegue ver com clareza, não pode estar preparado e reagir com um certo controle da situação.

Não existem princípios; apenas fatos. Não existe o bem e o mal, apenas circunstâncias. O homem superior apoia fatos e circunstâncias a fim de guiá-los. Se houvesse princípios e leis fixas, as nações não as mudariam como mudamos de camisa, e não se pode esperar de um homem que seja mais sábio do que uma nação inteira.
HONORÉ DE BALZAC, 1799-1850

A raiva é a reação emocional mais destrutiva, pois é a que mais turva sua visão. Também tem um efeito cascata que invariavelmente torna as situações menos controláveis e acentua a decisão do seu inimigo. Se você está tentando destruir um inimigo que o magoou, é bem melhor desarmá-lo fingindo amizade do que mostrando que está com raiva.

Amor e afeto também são potencialmente destruidores, quando não permitem que você enxergue os interesses quase sempre egoístas daqueles de quem você menos desconfia de estar fazendo o jogo do poder. Você não pode reprimir a raiva ou o amor, ou evitar sentir raiva ou amor, e nem deve tentar. Mas cuidado com a maneira como você expressa esses sentimentos e, o que é mais importante, eles não devem jamais influenciar seus planos e estratégias.

Relacionada com o controle das suas emoções está a habilidade para se distanciar do momento presente e pensar de forma objetiva no passado e no futuro. Como Janus, a divindade da mitologia romana com duas faces e guardiã de todos os portões e entradas, você deve ser capaz de olhar em ambas as direções ao mesmo tempo, para saber lidar melhor com o perigo, seja lá de onde ele vier. É esse o rosto que você deve criar para si próprio – um que olha sempre para o futuro e o outro, para o passado.

Para o futuro, o lema é "Sempre alerta, todos os dias". Nada deve apanhá-lo de surpresa, porque você está constantemente imaginando problemas antes que eles surjam. Em vez de perder tempo sonhando com o final feliz para o seu plano, você deve calcular todas as possíveis combinações e armadilhas que possam surgir. Quanto melhor a sua visão, quanto mais você planejar etapas com antecedência, mais poderoso se tornará.

A outra face de Janus olha constantemente para o passado – mas não para se lembrar de mágoas passadas ou guardar rancores. Isso só limitaria o seu poder. A parte mais importante do jogo é aprender a esquecer essas coisas que aconteceram no passado e que vão consumindo as suas energias e turvando o seu raciocínio. O verdadeiro propósito do olho que espia para trás é o de constantemente se educar – você olha para o passado para aprender com quem viveu antes de você. (Os vários exemplos históricos neste livro serão muito úteis nesse processo.) Depois, tendo visto o passado, você olha mais perto as suas próprias ações e as dos seus amigos. Esta é a escola mais importante para você, porque se baseia na experiência pessoal.

Você começa examinando os erros que cometeu no passado, aqueles que mais dolorosamente o impediram de progredir. Você os analisa de acordo com os termos das 48 leis do poder, e extrai daí uma lição e um juramento: "Nunca mais cometo esse erro; não caio mais nessa arapuca." Se você for capaz de se avaliar e observar assim, vai aprender a romper com os modelos do passado – uma habilidade de enorme valor.

O poder requer a capacidade de jogar com as aparências. Com este objetivo, você tem de aprender a usar muitas máscaras e ter uma cartola cheia de truques. A fraude e o disfarce não devem ser vistos como feios e imorais. Todas as interações humanas exigem que se trapaceie em muitos níveis, e de certa forma o que distingue os humanos dos animais é a nossa capacidade de mentir e enganar. Nos mitos gregos, no ciclo do Mahabharata indiano, no épico de Gilgamesh do Oriente Médio, as artes ilusórias são privilégio dos deuses; um grande homem, Ulisses, por exemplo, era julgado por sua capacidade de rivalizar com a astúcia dos deuses, roubando parte do seu poder divino quando a eles se igualava na esperteza e na trapaça. A fraude é uma arte que a civilização desenvolveu e a arma mais potente no jogo do poder.

Você não consegue trapacear bem se não se distanciar um pouco de si próprio – se não puder ser muitas pessoas diferentes, vestindo a máscara que o dia e o momento exigem. Com essa abordagem flexível a todas as aparências, inclusive a sua, você perde muito do peso interno que mantém as pessoas presas ao chão. Faça com que seu rosto seja tão maleável quanto o de um ator, trabalhe para esconder dos outros as suas intenções, pratique atrair as pessoas para armadilhas. Jogar com as aparências e dominar a arte da ilusão são um dos prazeres estéticos da vida. São também os componentes-chave para conquistar o poder.

Se a fraude é a arma mais potente do seu arsenal, então a paciência em tudo é o seu maior escudo. Ela impedirá que você cometa burrices. Como o controle das suas emoções, a paciência é uma arte – ela não surge naturalmente. Mas nada quando se trata de poder é natural; poder é a coisa mais divina no mundo natural. E paciência é a suprema virtude dos deuses, que nada possuem a não ser tempo. Tudo de bom acontecerá – a grama crescerá de novo se você lhe der tempo e prever antecipadamente várias etapas no futuro. A impaciência, por outro lado, só faz você parecer fraco. É o principal empecilho ao poder.

O poder é essencialmente amoral e a principal habilidade a adquirir é a de ver as circunstâncias, e não o bem ou o mal. O poder é um jogo – nunca é demais repetir –, e no jogo não se julgam os adversários por suas intenções, mas pelo efeito de suas ações. Você mede a estratégia e o poder deles pelo que pode ver e sentir. Quantas vezes as intenções de alguém serviram apenas para perturbar e enganar! O que importa se outro jogador, seu amigo ou rival, tinha boas intenções e só estava pensando no seu interesse, se os efeitos das ações dele levaram a tanta ruína e confusão? É natural que as pessoas disfarcem suas ações com todos os tipos de justificativas, alegando sempre terem agido por generosidade. Você precisa aprender a rir interiormente sempre que ouvir isto e jamais cair na armadilha de avaliar os atos e intenções de alguém usando julgamentos morais que são na verdade uma desculpa para o acúmulo de poder.

É um jogo. O seu adversário senta-se na sua frente. Ambos comportam-se como damas ou cavalheiros, observando as regras do jogo e sem levar nada para o lado pessoal. Você joga com a estratégia e observa os movimentos do seu adversário com toda a calma possível. No final, você aprecia a educação de quem está jogando com mais do que boas intenções. Treine o seu olho para acompanhar os resultados dos movimentos dele, as circunstâncias externas, e não se distraia com mais nada.

Metade do seu controle do poder vem do que você *não* faz, do que você *não* se permite ser arrastado a fazer. Para isso, você deve aprender a julgar todas as coisas pelo preço que terá que pagar por elas. Como Nietzsche escreveu: "O valor de uma coisa às vezes não está no que se consegue com ela, mas no que se paga por ela – o que ela nos *custa*." Talvez você alcance o seu objetivo, e um objetivo digno de ser alcançado, mas a que preço? Use este critério para tudo, inclusive para saber se deve colaborar com outras pessoas ou correr em seu auxílio. Afinal, a vida é curta, as oportunidades são poucas, e a sua energia tem limite. E, neste sentido, o tempo é tão importante quanto qualquer outro fator. Não desperdice tempo valioso, ou paz de espírito, com assuntos alheios – o preço é muito alto.

O poder é um jogo social. Para aprender a dominá-lo, você deve desenvolver a capacidade de estudar e compreender as pessoas. Como escreveu o grande pensador e cortesão do século XVII Baltasar Gracián: "Muita gente gasta o seu tempo estudando as propriedades dos animais e das ervas; muito mais importante seria estudar as características das pessoas, com quem temos de viver e morrer!" Para ser um mestre no jogo você deve ser também um mestre na psicologia. Deve reconhecer as motivações e ver através da nuvem de poeira com que as pessoas cercam suas ações. Compreender os motivos ocultos das pessoas é o maior conhecimento de que se precisa para conquistar o poder. É o que abre incontáveis possibilidades de logro, sedução e manipulação.

As pessoas são de uma complexidade infinita e você pode passar a vida inteira observando-as sem nunca chegar a entendê-las. Portanto, é importantíssimo começar a aprender agora mesmo. E, ao fazer isso, você também tem de ter em mente um princípio: Jamais discrimine quem você estuda e em quem você confia. Jamais confie totalmente em alguém e estude todos, inclusive amigos e pessoas queridas.

Finalmente, você precisa aprender sempre a pegar o caminho indireto para chegar ao poder. Disfarce a sua astúcia. Como uma bola de bilhar que ricocheteia várias vezes antes de acertar o alvo, seus movimentos devem ser planejados e desenvolvidos da maneira menos óbvia possível. Treinando para ser dissimulado, você prospera na corte moderna, aparentando ser um modelo de decência enquanto está sendo um consumado manipulador.

Considere *As 48 leis do poder* como uma espécie de manual das artes da dissimulação. As leis baseiam-se nos escritos de homens e mulheres que estudaram e dominaram o jogo do poder. Estes textos cobrem um período de mais de mil anos e foram criados em civilizações tão díspares quanto a antiga China e a Itália renascentista; e, no entanto, elas compartilham fios e meadas, sugerindo em conjunto uma essência de poder que ainda tem de ser plenamente formulada. *As 48 leis do poder* são uma destilação desta sabedoria acumulada, reunida nos escritos dos mais ilustres estrategistas (Sun Tzu, Clausewitz), estadistas (Bismarck, Talleyrand), cortesãos (Castiglione, Gracián), sedutores (Ninon de Lenclos, Casanova) e charlatães ("Yellow Kid" Weil) da história.

As leis possuem uma premissa simples: Certas ações quase sempre aumentam o poder de alguém (o cumprimento da lei), enquanto outras o diminuem e até o arruínam (o desrespeito à lei). Estas transgressões e obediências são ilustradas com exemplos históricos. As leis são eternas e definitivas.

As 48 leis do poder podem ser usadas de várias maneiras. Lendo o livro do princípio ao fim, você aprenderá sobre o poder em geral. Embora várias leis possam não parecer diretamente ligadas à sua vida, com o tempo você provavelmente descobrirá que todas têm alguma aplicação e que de fato elas estão inter-relacionadas. Com uma visão geral do assunto você será capaz de avaliar melhor as suas próprias ações no passado e alcançar um grau maior de controle sobre seus problemas imediatos. A leitura completa do livro vai continuar lhe inspirando ideias e reavaliações durante muito tempo ainda.

O livro também foi projetado para consultas e exame da lei que no momento lhe parecer mais pertinente ao seu caso. Digamos que você esteja tendo problemas com um superior e não consiga entender por que seus esforços não resultaram num sentimento maior de gratidão ou numa promoção. Várias leis tratam especificamente do relacionamento entre o chefe e o subalterno, e é quase certo você estar transgredindo uma delas. Folheando os parágrafos iniciais sobre as 48 leis no sumário, você identificará a lei pertinente.

Por fim, o livro pode ser folheado e lido ao acaso como diversão, como um passeio agradável por entre as fraquezas e grandes feitos de nossos antepassados no poder. Um aviso, entretanto, aos que usarem o livro com este propósito: É melhor voltar atrás. O poder por si só é infinitamente sedutor e ilusório. É um labirinto – sua mente se consumirá na solução de problemas que nunca acabam, e você logo perceberá que está agradavelmente perdido. Em outras palavras, é muito divertido levá-lo a sério. Não seja leviano com um assunto tão importante. Os deuses do poder desaprovam a frivolidade; eles só satisfazem aos que estudam e refletem, e castigam os que procuram se divertir nas espumas flutuantes.

> *O homem que tenta ser bom o tempo todo está fadado à ruína entre os inúmeros outros que não são bons. Por conseguinte, o príncipe que desejar manter a sua autoridade deve aprender a não ser bom, e usar esse conhecimento, ou abster-se de usá-lo, segundo a necessidade.*
>
> *O Príncipe*, Nicolau Maquiavel, 1469-1527

LEI

1

NÃO OFUSQUE O BRILHO DO MESTRE

JULGAMENTO

Faça sempre com que as pessoas acima de você se sintam confortavelmente superiores. Querendo agradar ou impressionar, não exagere exibindo seus próprios talentos ou poderá conseguir o contrário – inspirar medo e insegurança. Faça com que seus mestres pareçam mais brilhantes do que são na realidade e você alcançará o ápice do poder.

A LEI TRANSGREDIDA
Nicolas Fouquet, ministro das finanças de Luís XIV nos primeiros anos do seu reinado, era um homem generoso que gostava de festas pródigas, mulheres bonitas e poesia. Gostava também de dinheiro, visto o seu estilo de vida extravagante. Fouquet era inteligente e indispensável para o rei, portanto, quando o primeiro-ministro, Jules Mazarin, morreu em 1661, o ministro das finanças esperava ser nomeado seu sucessor. Mas o rei decidiu abolir esse posto. Este e outros sinais levaram Fouquet a desconfiar de que estava perdendo prestígio, e ele então decidiu agradar ao rei organizando a festa mais espetacular jamais vista no mundo. Aparentemente, a festa era para comemorar o término da construção do castelo de Fouquet, Vaux-le-Vicomte, mas a sua verdadeira função era prestar uma homenagem ao rei, convidado de honra.

A nobreza mais ilustre da Europa e alguns dos grandes intelectuais da época – La Fontaine, La Rochefoucauld, Madame de Sévigné – estavam presentes. Molière escreveu uma peça para a ocasião, na qual ele mesmo deveria representar no encerramento da noite. A festa começou com um farto jantar com sete pratos, alguns vindos do Oriente e jamais provados na França, assim como outros criados especialmente para aquela noite. A refeição foi acompanhada de música encomendada por Fouquet para homenagear o rei.

Depois do jantar, havia um passeio pelos jardins do castelo. Os pátios e fontes de Vaux-le-Vicomte seriam a inspiração para Versalhes.

Fouquet acompanhou pessoalmente o jovem rei pelos canteiros de flores e arbustos alinhados geometricamente. Chegando aos canais dos jardins, eles assistiram a um espetáculo de fogos de artifício, seguido da representação da peça de Molière. A festa entrou pela noite adentro e todos concordaram que nunca tinham visto nada mais espantoso.

No dia seguinte, Fouquet foi preso pelo chefe dos mosqueteiros do rei, D'Artagnan. Três meses depois foi a julgamento sob a acusação de ter roubado o tesouro do país. (Na verdade, a maior parte do roubo de que estava sendo acusado ele havia cometido em benefício do rei e com a sua permissão.) Fouquet foi considerado culpado e enviado para a prisão mais isolada da França, no alto dos Pireneus, onde passou os últimos vinte anos da sua vida na solitária.

Interpretação
Luís XIV, o rei-sol, era um homem orgulhoso e arrogante que desejava ser o centro das atenções sempre; não suportava ser superado em prodigalidade por ninguém, e certamente não por seu ministro das finanças. Para o lugar de Fouquet, Luís escolheu Jean-Baptiste Colbert, um ho-

mem famoso por sua parcimônia e por promover as festas mais insípidas de Paris. Colbert garantiu que todo o dinheiro liberado do tesouro fosse parar direto nas mãos de Luís. Com o dinheiro, Luís construiu um palácio ainda mais magnífico do que o de Fouquet – o glorioso palácio de Versalhes. Ele usou os mesmos arquitetos, decoradores e paisagistas. E em Versalhes, Luís deu festas ainda mais extravagantes do que aquela que custou a Fouquet a sua liberdade.

Vamos examinar a situação. Na noite da festa, quando Fouquet ia apresentando a Luís um espetáculo após outro, cada um mais imponente do que o anterior, ele imaginava estar demonstrando a sua lealdade e devoção ao rei. Não só ele achava que a festa o faria cair de novo nas graças do rei, como pensava que ela mostraria o seu bom gosto, as suas relações e popularidade, tornando-o uma figura indispensável ao rei e provando que ele seria um excelente primeiro-ministro. Mas, cada novo espetáculo, cada sorriso de apreço dos convidados dirigido a Fouquet, fazia Luís achar que seus próprios amigos e súditos estavam mais encantados com o ministro das finanças do que com o próprio rei e que Fouquet estava na verdade ostentando a sua riqueza e poder. Em vez de lisonjear Luís XIV, a sofisticada festa de Fouquet ofendeu a vaidade do rei. Luís não reconheceria isso diante de ninguém, é claro – pelo contrário, ele encontrou uma desculpa conveniente para se livrar do homem que, inadvertidamente, o fizera se sentir inseguro.

É este o destino, de uma forma ou de outra, de todos aqueles que desestabilizam a noção de identidade do mestre, cutucam a sua vaidade ou o fazem desconfiar da própria superioridade.

No início da noite, Fouquet estava no topo do mundo.
Quando ela terminou, ele estava no chão.
Voltaire, 1694-1778

A LEI OBSERVADA

No início do século XVII, o matemático e astrônomo italiano Galileu se viu numa situação precária. Ele dependia da generosidade dos grandes governantes para apoiar a sua pesquisa e, portanto, como todos os cientistas do Renascimento, às vezes presenteava com suas invenções e descobertas os principais patronos da época. Certa ocasião, por exemplo, ele ofereceu uma bússola militar que havia inventado ao duque de Gonzaga. Depois dedicou um livro explicando o uso da bússola aos Medici. Ambos os governantes ficaram gratos, e por intermédio deles Galileu conseguiu arranjar mais alunos. Mas, não importava o tamanho da descoberta, seus patronos costumavam lhe pagar com presentes, não com dinheiro. Isto resultava numa vida de constante insegurança e dependência. Devia haver um jeito mais fácil, ele pensou.

Galileu achou uma nova estratégia em 1610, quando descobriu as luas de Júpiter. Em vez de dividir a descoberta entre seus patronos como havia feito no passado – dando a um o telescópio que havia usado, dedicando a outro um livro, e assim por diante –, ele decidiu se concentrar exclusivamente nos Medici. Ele os escolheu por um motivo: pouco depois de estabelecer a dinastia dos Medici, em 1540, Cosimo I tinha escolhido Júpiter, o mais poderoso dos deuses, como seu símbolo – um símbolo de poder que ia além da política e dos bancos, um símbolo que estava associado à Roma Antiga e às suas divindades.

Galileu transformou a sua descoberta das luas de Júpiter num acontecimento cósmico homenageando a grandiosidade dos Medici. Logo após a descoberta, ele anunciou que "as estrelas brilhantes [as luas de Júpiter] se apresentaram nos céus" ao seu telescópio ao mesmo tempo que Cosimo II era entronizado. Ele disse que o número de luas – quatro – se harmonizava com o número dos Medici (Cosimo II tinha três irmãos) e que as luas giravam em torno de Júpiter como estes quatro filhos giravam em torno de Cosimo I, fundador da dinastia. Mais do que uma coincidência, isto mostrava que os próprios céus refletiam a ascendência da família Medici. Depois de dedicar a descoberta aos Medici, Galileu encomendou um emblema representando Júpiter sentado numa nuvem com as quatro estrelas girando em torno dele, e o presenteou a Cosimo II como um símbolo do seu vínculo com as estrelas.

Em 1610, Cosimo II nomeou Galileu filósofo e matemático oficial da corte, com um ótimo salário. Para um cientista este era o golpe da sua vida. Os dias de mendicância por um patrocínio tinham chegado ao fim.

Interpretação
De uma tacada só, Galileu ganhou mais com sua nova estratégia do que com todos os anos de mendicância. A razão é simples: todos os mestres querem brilhar mais do que os outros.

Eles não estão preocupados com a ciência ou a verdade empírica, ou a mais recente invenção; estão interessados é no seu próprio nome e na sua própria glória. Galileu deu aos Medici infinitamente mais glória associando o nome deles a forças cósmicas do que os fazendo patronos de alguma nova engenhoca ou descoberta científica.

Os cientistas não estão livres dos caprichos da vida na corte e da proteção de um patrono. Eles também precisam servir a senhores que controlam os cordões da bolsa. E os seus grandes poderes intelectuais podem fazer o senhor se sentir inseguro, como se estivesse ali apenas para suprir fundos – uma tarefa feia, ignóbil. O produtor de uma grande obra quer sentir que é mais do que apenas o financiador. Ele quer parecer criativo e poderoso, e também mais importante do que a obra produzida em seu nome. Em vez de insegurança, você deve lhe dar glória. Galileu não desafiou a autoridade intelectual dos Medici com a sua descoberta, ou os fez se sentirem inferiores de alguma forma; ao associá-los com as estrelas, ele os fez resplandecer fulgurantes entre as cortes italianas. Ele não ofuscou o brilho do seu senhor, ele o fez brilhar mais do que todos.

AS CHAVES DO PODER

Todos têm as suas inseguranças. Quando você se expõe ao mundo e mostra os seus talentos, é natural que isso desperte todos os tipos de ressentimentos, invejas e outras manifestações de insegurança. É de se esperar que isto aconteça. Você não pode passar a vida se preocupando com os sentimentos mesquinhos dos outros. Mas, com quem está acima de você, é preciso adotar outra abordagem: quando se trata de poder, brilhar mais do que o mestre talvez seja o maior erro.

Não se iluda pensando que a vida mudou muito desde a época de Luís XIV e dos Medici. Quem conquista um alto status na vida é como os reis e as rainhas: quer se sentir seguro da sua posição e superior aos que o cercam em inteligência, perspicácia e charme. Embora comum, é uma falha de percepção mortal, acreditar que exibindo e alardeando os seus dons e talentos você está conquistando o afeto do senhor. Ele pode fingir apreço, mas na primeira oportunidade vai substituir você por alguém menos brilhante, menos atraente, menos ameaçador, assim como Luís XIV substituiu o reluzente Fouquet pelo apagado Colbert. E, como no caso de Luís XIV, ele não admitirá a verdade, mas arranjará uma desculpa para se livrar da sua presença.

Esta Lei implica duas regras que você precisa entender. Primeiro, é possível inadvertidamente brilhar mais do que o senhor sendo simplesmente você mesmo. Existem senhores que são mais inseguros do que outros, monstruosamente inseguros; você pode naturalmente brilhar mais do que eles com seu charme e a sua graça.

Ninguém possuía mais talentos naturais do que Astorre Manfredi, príncipe de Faenza. O mais belo de todos os jovens príncipes da Itália, ele cativava seus súditos com sua generosidade e espírito liberal.

Em 1500, César Bórgia sitiou Faenza. Quando a cidade se rendeu, os cidadãos esperaram o pior do cruel Bórgia, que, entretanto, resolveu poupá-la: ele simplesmente ocupou a sua fortaleza, não executou nenhum dos seus cidadãos e permitiu que o príncipe Manfredi, com dezoito anos na época, permanecesse com a sua corte em total liberdade.

Mas, poucas semanas depois, os soldados arrastaram Astorre Manfredi para uma prisão romana. Passou-se um ano e o seu corpo foi pescado no rio Tibre, com uma pedra amarrada no pescoço. Bórgia justificou o ato terrível com uma história inventada de traição e conspiração, mas o verdadeiro problema foi que ele era notoriamente fútil e inseguro. O jovem brilhava mais do que ele sem fazer nenhum esforço. Devido aos talentos naturais de Manfredi, a sua simples presença fazia Bórgia parecer menos atraente e carismático. A lição é simples: se não for possível evitar ser charmoso e superior, você deve aprender a evitar esses monstros de vaidade. É isso, ou descobrir um jeito de apagar as suas boas qualidades quando estiver na companhia de um César Bórgia.

Segundo, não imagine que pode fazer tudo que quiser porque o senhor gosta de você. Livros inteiros poderiam ser escritos sobre favoritos que caíram em desgraça por considerar garantido o seu status, por ousar brilhar. No Japão do final do século XVI, o favorito do imperador Hideyoshi era um homem chamado Sem no Rikyu. Principal artista da cerimônia do chá, que tinha se tornado uma obsessão da nobreza, ele era um dos conselheiros de maior confiança de Hideyoshi, tinha o seu próprio apartamento no palácio e era homenageado por todo o Japão. Mas, em 1591, Hideyoshi mandou prendê-lo e condenou-o à morte. Rikyu preferiu se suicidar. A causa desta repentina mudança de sorte foi descoberta mais tarde: parece que Rikyu, antes um camponês e depois favorito da corte, tinha mandado esculpir uma estátua de madeira retratando-o de sandálias (sinal de nobreza) e com uma pose arrogante. Ele tinha mandado colocar a estátua no templo mais importante dentro dos muros do palácio, bem à vista da realeza que costumava passar por ali. Para Hideyoshi, isto significava que Rikyu não tinha senso de limite. Presumindo ter os mesmos direitos da mais alta nobreza, ele se esqueceu de que a sua posição dependia do imperador, e chegou a acreditar que a havia conquistado por si próprio. Este foi um erro de cálculo imperdoável, e ele pagou com a vida. Lembre-se do seguinte: não considere garantida a sua posição e jamais deixe que um favor recebido lhe suba à cabeça.

Sabendo dos perigos de brilhar mais do que o seu senhor, você pode tirar vantagem desta Lei. Primeiro, você precisa elogiar e cortejar o seu senhor. A bajulação explícita pode ser eficaz, mas tem seus limites; é por demais direta e óbvia, e causa má impressão nos outros cortesãos. Cortejar discretamente é muito mais eficaz. Se você é mais inteligente do que o seu senhor, por exemplo, aparente o oposto: deixe que ele pareça mais inteligente do que você. Mostre ingenuidade. Faça parecer que você precisa da habilidade dele. Cometa erros inofensivos que não afetarão você no longo prazo, mas lhe darão chance de pedir a sua ajuda. Os senhores adoram essas solicitações. O mestre que não conseguir presenteá-lo com a sua experiência pode deixar cair sobre você a sua ira e a sua má vontade.

Se as suas ideias são mais criativas do que as do seu mestre, atribua-as a ele, da maneira mais pública possível. Deixe claro que o *seu* conselho está simplesmente repetindo um conselho *dele*.

Se você for mais esperto do que o seu mestre, tudo bem em representar o papel do bobo da corte, mas não o faça parecer frio e mal-humorado em comparação. Apague um pouco o seu senso de humor, se necessário, e descubra como fazer parecer que é ele que está divertindo e alegrando os outros. Se você for naturalmente mais sociável e generoso do que seu senhor, atenção para não ser a nuvem que vai toldar o seu brilho aos olhos dos outros. Ele deve parecer como o sol em torno do qual todos giram, irradiando poder e brilho, o centro das atenções. Se você for responsável por distraí-lo, a exibição dos seus meios limitados conquistará a simpatia dele. Qualquer tentativa de impressioná-lo com a sua graça e generosidade pode ser fatal; aprenda com Fouquet ou arque com as consequências.

Em todos estes casos, não é fraqueza disfarçar a sua força se, no final, eles o levarem ao poder. Deixando que os outros empanem o seu brilho, você permanece no controle da situação, em vez de ser vítima da insegurança deles. Isto será muito útil no dia em que você decidir elevar o seu status inferior. Se, como Galileu, você conseguir que o seu senhor brilhe ainda mais aos olhos dos outros, então você é um enviado dos deuses e será imediatamente promovido.

Imagem:
As Estrelas no Céu.
Só pode haver um sol de
cada vez. Não ofusque a luz
do sol, ou rivalize com seu
brilho; pelo contrário, vá desaparecendo no céu e des-
cubra como tornar mais
intensa a luz do
mestre.

Autoridade: Evite brilhar mais do que o senhor. Toda superioridade é odiosa, mas a superioridade de um súdito com relação ao seu príncipe não só é estúpida, como fatal. Esta é uma lição que as estrelas no céu nos ensinam – elas podem ser aparentadas com o sol, e tão brilhantes quanto ele, mas nunca aparecem em sua companhia. (Baltasar Gracián, 1601-1658)

O INVERSO
Você não pode ficar se preocupando em não aborrecer todas as pessoas que cruzam o seu caminho, mas deve ser seletivamente cruel. Se o seu superior é uma estrela cadente, não há perigo nenhum em brilhar mais do que ele. Não tenha misericórdia – seu senhor não teve escrúpulos na sua própria ascensão a sangue-frio até o topo. Calcule a força dele. Se for fraco, apresse discretamente a sua queda: supere-o, seja mais encantador, mais inteligente do que ele nos momentos-chave. Se ele for *muito* fraco e estiver prestes a cair, deixe a natureza seguir o seu curso. Não arrisque brilhar mais do que um superior frágil – pode parecer crueldade ou despeito. Mas se o seu senhor está firme na sua posição, e você sabe que é mais capaz do que ele, tenha paciência e espere o momento mais propício. O curso natural das coisas é o poder acabar enfraquecendo. O seu senhor cairá um dia e, se jogar direito, você vai sobreviver e, um dia, brilhar mais do que ele.

LEI

2

NÃO CONFIE DEMAIS NOS AMIGOS, APRENDA A USAR OS INIMIGOS

JULGAMENTO

Cautela com os amigos – eles o trairão mais rapidamente, pois são com mais facilidade levados à inveja. Eles também se tornam mimados e tirânicos. Mas contrate um ex-inimigo e ele lhe será mais fiel do que um amigo, porque tem mais a provar. De fato, você tem mais o que temer por parte dos amigos do que dos inimigos. Se você não tem inimigos, descubra um jeito de tê-los.

A LEI TRANSGREDIDA

Em meados do século IX, um jovem chamado Miguel III assumiu o trono do Império Bizantino. Sua mãe, a imperatriz Teodora, fora banida para um convento, e seu amante, Teoctisto, assassinado; encabeçando a conspiração para depor Teodora e colocar no trono Miguel estava o tio de Miguel, Bardas, homem inteligente e ambicioso. Miguel era agora um jovem e inexperiente soberano, rodeado de conspiradores, assassinos e devassos. Neste momento de perigo, ele precisava de alguém em quem pudesse confiar para seu conselheiro, e pensou em Basílio, seu melhor amigo. Basílio não tinha nenhuma experiência em governo e política – de fato, ele era o chefe dos estábulos reais –, mas tinha provado o seu amor e gratidão diversas vezes.

Os dois haviam se conhecido fazia poucos anos, quando Miguel estava visitando os estábulos na hora em que um cavalo selvagem se soltou. Basílio, jovem cavalariço de uma família de camponeses da Macedônia, salvou a vida de Miguel. A força e a coragem do rapaz impressionaram Miguel, que imediatamente elevou Basílio da sua função obscura de treinador de cavalos para a de chefe dos estábulos. Ele cobriu o amigo de presentes e favores, e os dois se tornaram inseparáveis. Basílio foi mandado para a melhor escola de Bizâncio, e o rude camponês se transformou num cortesão culto e sofisticado.

Agora Miguel era imperador e precisava de alguém fiel. A quem mais ele poderia confiar o posto de camareiro-mor e conselheiro-chefe senão ao jovem que lhe devia tudo?

Basílio poderia ser treinado para a função e Miguel o amava como a um irmão. Ignorando os conselhos de quem recomendava Bardas, muito mais qualificado, Miguel preferiu o amigo.

Basílio aprendeu bem e em breve estava aconselhando o imperador em todas as questões de Estado. O único problema parecia ser o dinheiro – Basílio nunca tinha o suficiente. A exposição aos esplendores da corte bizantina o tornaram ávido pelos privilégios do poder. Miguel dobrou, depois triplicou o seu salário, deu-lhe um título de nobreza e o casou com sua própria amante, Eudóxia Ingerina. Um amigo e conselheiro tão confiável valia qualquer preço. Mas os problemas não pararam por aí. Bardas estava chefiando o exército, e Basílio convenceu Miguel de que o homem era ambicioso demais. Com a ilusão de que poderia controlar o sobrinho, Bardas havia conspirado para colocá-lo no trono, e poderia conspirar novamente, desta vez para se livrar de Miguel e assumir ele mesmo a coroa. Basílio destilou veneno nos ouvidos de Miguel até que o imperador concordou em mandar assassinar o tio. Durante uma importante corrida de cavalos, Basílio se acercou de Bardas no meio da multidão e matou-o com uma punhalada. Logo depois, Basílio pediu

---

Para um bom inimigo, escolha um amigo. Ele sabe onde atacar.
DIANE DE POITIERS, 1499-1566, AMANTE DE HENRIQUE II, DA FRANÇA

Sempre que ofereço um posto vago, faço centenas de descontentes e um ingrato.
LUÍS XIV, 1638-1715

Assim, eu mesmo já fui mais de uma vez iludido pela pessoa a quem mais amava e em cujo amor, acima de qualquer outra pessoa, eu mais confiava. Acredito, portanto, que seja certo amar e servir a uma pessoa mais do que a todas as outras, segundo o mérito e o valor, porém jamais confiar tanto nesta tentadora armadilha da amizade a ponto de ter de se arrepender mais tarde.
BALDASSARE CASTIGLIONE, 1478-1529

para substituir Bardas no posto de chefe do exército, de onde poderia controlar o reino e sufocar as rebeliões. Isso lhe foi concedido.

Ora, o poder e a riqueza de Basílio só aumentavam, e, passado algum tempo, Miguel, em dificuldades financeiras por causa das suas próprias extravagâncias, pediu ao amigo que lhe devolvesse parte do dinheiro que durante vários anos lhe emprestara. Para espanto de Miguel, Basílio recusou com tamanha desfaçatez que o imperador percebeu de repente a encrenca em que se metera: o ex-cavalariço tinha mais dinheiro, mais aliados no exército e no senado e, no final, mais poder do que o próprio imperador. Passadas algumas semanas, depois de uma noitada bebendo muito, Miguel acordou cercado de soldados. Basílio assistiu enquanto eles matavam a punhaladas o imperador. E aí, proclamando-se imperador, ele atravessou a cavalo as ruas de Bizâncio, brandindo a cabeça do seu ex-benfeitor e melhor amigo espetada numa lança.

Interpretação
Miguel III apostou o seu futuro na gratidão que ele achava que Basílio deveria sentir por ele. Sem dúvida, Basílio lhe serviria melhor; ele devia ao imperador a sua fortuna, a sua educação e a sua posição. Depois, uma vez Basílio no poder, tudo que ele precisasse era melhor lhe dar, reforçando os vínculos entre os dois homens. Só naquele dia fatídico, ao ver o sorriso descarado no rosto de Basílio, é que o imperador percebeu o erro fatal que tinha cometido.

Havia criado um monstro. Tinha permitido que um homem visse o poder de perto – um homem que depois quis mais, que pediu tudo e conseguiu, que se sentiu carregando o peso da caridade que recebera e simplesmente fez o que muita gente faz nessa situação: esqueceu os favores que recebeu e imaginou ter conquistado o sucesso por seus próprios méritos.

No momento da revelação, Miguel ainda poderia ter salvado a sua vida, mas a amizade e o amor cegam os homens e eles não enxergam o que é do seu próprio interesse. Ninguém acredita que um amigo possa trair. E Miguel continuou não acreditando até o dia em que a sua cabeça foi parar na ponta de uma lança.

Senhor, proteja-me dos meus amigos;
que dos meus inimigos, cuido eu.
Voltaire, 1694-1778

A SERPENTE, O FAZENDEIRO E A GARÇA

Uma serpente perseguida pelos caçadores pediu a um fazendeiro que salvasse a sua vida. Para escondê-la de seus perseguidores, o fazendeiro se agachou e permitiu que a serpente rastejasse para dentro da sua barriga. Mas, quando o perigo passou e o fazendeiro pediu para a serpente sair, ela se recusou. Estava quente e seguro lá dentro. No caminho de casa, o fazendeiro viu uma garça, aproximou-se dela e lhe contou baixinho o que tinha acontecido. A garça lhe disse para se agachar e fazer força para botar o bicho para fora. Assim que a serpente espichou a cabeça, a garça agarrou-a com o bico e, puxando-a lá de dentro, matou-a. O fazendeiro ficou preocupado, com medo de que o veneno da serpente ainda estivesse na sua barriga, e a garça lhe disse que para curar veneno de cobra era preciso cozinhar e comer seis aves brancas. "Você é uma ave branca", disse o fazendeiro. "Para começar, serve." Agarrou a garça, colocou-a numa sacola e a levou para casa, onde a pendurou enquanto contava para a mulher o que tinha acontecido. "Você me surpreende", disse a mulher. "A ave é boa com você, o livra de uma coisa ruim dentro da sua barriga, na verdade salva a sua vida, e você a traz até aqui para matá-la." E imediatamente soltou a garça, que saiu voando. Mas, no caminho, lhe bicou os olhos. Moral: Se você vir o rio subindo o morro, é sinal de que alguém está retribuindo uma gentileza.

CONTO FOLCLÓRICO AFRICANO

A LEI OBSERVADA

Durante vários séculos após a queda da dinastia Han (222 d.C.), a história da China seguiu o mesmo modelo de violência e golpes sangrentos, um após o outro. O exército conspirava para matar um imperador fraco, depois o substituía no Trono do Dragão por um general forte. O general iniciava uma nova dinastia e se coroava imperador; para garantir a própria sobrevivência ele matava os generais, seus companheiros. Alguns anos depois, entretanto, o modelo voltava a funcionar: novos generais se sublevavam e o matavam, ou matavam seus filhos. Ser imperador da China era ser uma pessoa solitária, cercada por um bando de inimigos – era o posto de menos poder, de menos segurança do reino.

Em 959 d.C., o general Chao K'uang-yin se tornou imperador Sung. Ele sabia das suas chances, da probabilidade de em um ano ou dois ser assassinado; como romper com esse modelo? Logo depois de se tornar imperador, Sung ordenou um banquete para comemorar a nova dinastia e convidou os comandantes mais poderosos do exército. Depois de beberem muito vinho, ele dispensou os guardas e todos os outros, exceto os generais, que agora temiam que ele os assassinasse a todos de um só golpe. Em vez disso, ele falou: "Passo o dia inteiro com medo, e me sinto infeliz tanto à mesa quanto na minha cama. Pois quem de vocês não sonha em subir ao trono? Não duvido da sua aliança, mas se por acaso seus subordinados, em busca de riqueza e posição, insistirem em colocar sobre seus ombros o manto amarelo, como vocês poderiam recusar?" Bêbados e temendo por suas vidas, os generais proclamaram sua inocência e fidelidade. Mas Sung tinha outras ideias: "A melhor maneira de viver é usufruir pacificamente de riquezas e homenagens. Se vocês estiverem dispostos a renunciar aos seus comandos, estou pronto para lhes dar as melhores terras e as moradias mais belas, onde poderão ter o prazer da companhia de cantores e de moças."

Os atônitos generais perceberam que, em vez de uma vida de lutas e ansiedades, Sung estava lhes oferecendo riqueza e segurança. No dia seguinte, todos os generais entregaram os seus pedidos de demissão e se retiraram para as terras que Sung lhes deu.

De um só golpe, Sung transformou um bando de "lobos", que se diziam amigos mas provavelmente o teriam traído, num grupo de dóceis ovelhas, afastados de todo o poder.

Nos anos seguintes, Sung continuou a campanha para garantir o seu governo. Em 971 d.C., o rei Liu de Han do Sul finalmente se rendeu, depois de anos de rebelião. Para espanto de Liu, Sung lhe ofereceu um posto na corte imperial e o convidou a ir até o palácio para selarem com vinho a nova amizade. Segurando o copo que Sung lhe oferecia, o rei Liu hesitou, com medo de que estivesse envenenado. "Os crimes de seus súditos certamente merecem a morte", gritou ele, "mas eu imploro a Sua Majestade que poupe a vida do seu súdito. Na verdade, não ouso beber este vinho." O imperador Sung riu, pegou o copo de Liu e bebeu. Não estava envenenado. A partir daí, Liu se tornou o seu amigo mais leal e confiável.

Na época, a China se dividira em muitos reinos menores. Quando Ch'ien Shu, rei de um deles, foi derrotado, os ministros de Sung aconselharam o imperador a trancafiar este rebelde. Eles apresentaram documentos provando que ele ainda conspirava para matar Sung. Quando Ch'ien Shu foi visitar o imperador, entretanto, em vez de prendê-lo, Sung o homenageou. Deu-lhe também um pacote, que disse para o ex-rei abrir no caminho de casa. Ch'ien Shu abriu o pacote na viagem de volta e viu que continha todos os documentos sobre a sua conspiração. Percebeu que Sung sabia dos seus planos assassinos, mas mesmo assim o havia poupado. Esta generosidade o conquistou, e ele também passou a ser um dos súditos mais leais de Sung.

Interpretação

Um provérbio chinês compara os amigos aos dentes e mandíbulas de um animal perigoso: se você não tomar cuidado, eles acabam mastigando você. O imperador Sung conhecia as mandíbulas por entre as quais estava passando ao assumir o trono: seus "amigos" no exército o mastigariam como um pedaço de carne e, se ele conseguisse sobreviver, seus "amigos" no governo o jantariam. O imperador Sung não quis saber de truques com "amigos" – subornou os colegas generais com esplêndidas terras e os manteve afastados. Esse foi um jeito bem melhor de enfraquecê-los sem os matar, o que só levaria os outros generais a buscar vingança. E Sung não quis nada com ministros "amistosos". Com mais frequência, eles acabariam bebendo o seu famoso copo de vinho.

Em vez de confiar em amigos, Sung usou seus inimigos, um após o outro, transformando-os em súditos muito mais confiáveis. Enquanto um amigo espera receber cada vez mais favores e ferve de inveja, esses antigos inimigos não esperavam nada e conseguiram tudo. Um homem que se vê poupado de repente da guilhotina é um homem grato, não há dúvida, e fará o impossível pelo homem que lhe perdoou. Com o tempo, estes ex-inimigos se tornaram os amigos mais fiéis de Sung.

E Sung conseguiu finalmente romper com o modelo de golpes, violências e guerras civis – a dinastia Sung governou a China por mais de trezentos anos.

Muita gente pensa que um príncipe sábio deveria, tendo oportunidade, incentivar astuciosamente uma inimizade, de forma que, ao eliminá-la, ele possa aumentar a sua grandeza. Os príncipes, especialmente os novos, encontraram mais fé e utilidade naqueles homens a quem, no início do seu poder, viam com suspeita do que naqueles em quem começaram confiando. Pandolfo Petrucci, príncipe de Siena, governou seu Estado mais com aqueles de quem desconfiava do que com os outros.
NICOLAU MAQUIAVEL, 1469-1527

Um brâmane, grande especialista nos Vedas e que também foi um ótimo arqueiro, oferece os seus serviços ao seu bom amigo, que agora é o rei.
O brâmane grita ao ver o rei: "Reconheça-me, meu amigo!" O rei lhe responde com desprezo e depois explica: "Sim, já fomos amigos, mas nossa amizade se baseava no poder que tínhamos... eu era seu amigo, bom brâmane, porque era do meu interesse. Nenhum pobre é amigo do

> *rico; nenhum tolo, do sábio; nenhum covarde, do corajoso. Um velho amigo – quem precisa dele? Só dois homens de igual riqueza e berço ficam amigos e se juntam, não um homem rico e outro pobre... Um velho amigo – quem precisa dele?"*
> MAHABARATA, C. SÉCULO III a.C.

> *Em um discurso pronunciado no auge da Guerra Civil, Abraham Lincoln se referiu aos sulistas como seres humanos, companheiros que estavam no caminho errado. Uma senhora idosa o criticou por ele não os ter chamado de inimigos irreconciliáveis que precisavam ser destruídos. "Por que, minha senhora", Lincoln respondeu, "não destruo os meus inimigos quando os torno meus amigos?"*

AS CHAVES DO PODER

É natural querer empregar os amigos quando você mesmo está passando por dificuldades. O mundo é árido, e os amigos o suavizam. Além do mais, você os conhece. Por que depender de um estranho quando se tem um amigo à mão?

> *Colha uma abelha por bondade, e verá as limitações da bondade.*
> PROVÉRBIO SUFI

O problema é que nem sempre se conhece os amigos tão bem quanto se imagina. Eles costumam concordar para evitar discussões. Disfarçam suas qualidades desagradáveis para não se ofenderem mutuamente. Acham graça demais nas piadas uns dos outros. Visto que a honestidade raramente reforça a amizade, você talvez jamais saiba o que um amigo realmente sente. Eles dirão que gostam da sua poesia, adoram a sua música, invejam o seu bom gosto para se vestir – talvez estejam sendo sinceros, com frequência não estão.

> *Os homens apressam-se mais a retribuir um dano do que um benefício, porque a gratidão é um peso e a vingança, um prazer.*
> TÁCITO, c. 55-120 d.C.

Quando você decide contratar um amigo, aos poucos vai descobrindo as qualidades que ele, ou ela, estava escondendo. Curiosamente, é o seu ato de bondade que desequilibra tudo. As pessoas querem sentir que merecem a sorte que estão tendo. O recibo por um favor pode ser opressivo: significa que você foi escolhido porque é um amigo, não necessariamente porque merece. Existe quase que um toque de condescendência no ato de contratar os amigos que no íntimo os aflige. O dano vai surgindo lentamente: um pouco mais de honestidade, lampejos de inveja e ressentimento aqui e ali e, antes que você perceba, a amizade se foi. Quanto mais favores e presentes você distribuir para reavivar a amizade, menos gratidão receberá em troca.

A ingratidão tem uma longa e profunda história. Ela tem demonstrado seus poderes há tantos séculos que é realmente interessante que as pessoas continuem subestimando-os. Melhor prestar atenção. Se você nunca espera gratidão de um amigo, vai ter uma agradável surpresa quando eles se mostrarem agradecidos.

O problema de usar ou contratar amigos é que isso inevitavelmente limitará o seu poder. É raro o amigo ser a pessoa mais capaz de ajudar você; e, afinal, capacidade e competência são muito mais importantes do que sentimentos de amizade. (Miguel III tinha um homem capaz de orientá-lo e mantê-lo vivo bem diante do seu nariz: esse homem era Bardas.)

Todas as situações de trabalho exigem uma certa distância entre as pessoas. Você está tentando trabalhar, não fazer amigos; a amizade (real ou falsa) só obscurece esse fato. A chave do poder, portanto, é a capacidade de julgar quem é o mais capaz de favorecer os seus interesses em todas as situações. Guarde os amigos para a amizade, mas para o trabalho prefira os capazes e competentes.

Seus inimigos, por outro lado, são uma mina de ouro escondida que você deve aprender a explorar. Quando, em 1807, Talleyrand, o primeiro-ministro de Napoleão, concluiu que seu chefe estava levando a França à ruína e que chegara a hora de se voltar contra ele, compreendeu os perigos de conspirar contra o imperador; ele precisava de um parceiro, um confederado – em que amigo ele poderia confiar num projeto como esse? Ele escolheu Joseph Fouché, chefe da polícia secreta, seu inimigo mais odiado, um homem que até havia tentado fazer com que ele fosse assassinado. Ele sabia que o ódio antigo entre os dois criaria uma oportunidade para uma reconciliação emocional. Ele sabia que Fouché não esperaria nada dele, e de fato se esforçaria para provar que era merecedor da escolha de Talleyrand; uma pessoa que tem algo a provar moverá montanhas por você. Finalmente, ele sabia que este relacionamento com Fouché se basearia num interesse pessoal mútuo e não estaria contaminado por sentimentos pessoais. A escolha se mostrou perfeita; embora os conspiradores não tenham conseguido depor Napoleão, a união desses parceiros poderosos, mas improváveis, gerou muito interesse pela causa; lentamente começou a se espalhar a oposição ao imperador. E, a partir daí, Talleyrand e Fouché tiveram um proveitoso relacionamento de trabalho. Sempre que possível, faça as pazes com um inimigo, e insista em colocá-lo a seu serviço.

Como disse Lincoln, você destrói um inimigo quando faz dele um amigo. Em 1971, durante a Guerra do Vietnã, Henry Kissinger foi alvo de uma tentativa frustrada de sequestro, uma conspiração envolvendo, entre outros, os famosos padres antibelicistas, os irmãos Berrigan, quatro outros padres católicos e quatro freiras. Em particular, sem informar ao Serviço Secreto ou ao Departamento de Justiça, Kissinger combinou um encontro num sábado de manhã com três dos supostos sequestradores. Explicando aos seus convidados que tiraria a maior parte dos soldados americanos do Vietnã em meados de 1972, ele os fascinou. Ganhou

> **LUCRANDO COM OS INIMIGOS**
> Aconteceu, certa vez, que o rei Hiero, falando com um dos seus inimigos, foi recriminado por ter mau hálito. O rei, então, um tanto constrangido, assim que chegou em casa ralhou com a mulher: "Como é que você nunca me falou sobre isso?" A mulher, uma dama simples, casta e inofensiva, disse: "Senhor, pensei que todos os homens tivessem o hálito com esse cheiro." É óbvio, portanto, que as faltas mais evidentes aos sentidos, vulgares e físicas, ou notórias ao mundo, as ficamos sabendo mais rápido pelos inimigos do que por amigos e familiares.
> PLUTARCO, c. 46-120 d.C.

deles uns botões com os dizeres "Sequestre Kissinger" e um continuou seu amigo durante anos, visitando-o em diversas ocasiões. Esta não foi uma manobra isolada: a política de Kissinger era trabalhar com os que discordavam dele. Os colegas comentavam que ele parecia se dar melhor com seus inimigos do que com seus amigos.

Sem inimigos a nossa volta, ficaríamos preguiçosos. Um inimigo nos calcanhares aguça a nossa percepção, nos mantém concentrados e alertas. Às vezes, então, é melhor usar os inimigos como inimigos mesmo, em vez de transformá-los em amigos ou aliados.

Mao Tsé-tung via o conflito como um elemento-chave na sua abordagem ao poder. Em 1937, os japoneses invadiram a China, interrompendo a guerra civil entre os comunistas de Mao e seus inimigos, os nacionalistas.

Temendo que os japoneses acabassem com eles, alguns líderes comunistas defendiam a ideia de deixar os nacionalistas lutando com os japoneses e usar esse tempo para se recuperar. Mao discordou: os japoneses não poderiam derrotar e ocupar um país tão vasto quanto a China por muito tempo. Depois que eles saíssem, os comunistas estariam enferrujados se ficassem muitos anos fora de combate e também despreparados para reabrir a luta contra os nacionalistas. Enfrentar um inimigo formidável como os japoneses, de fato, seria o treinamento perfeito para o exército maltrapilho comunista. O plano de Mao foi adotado, e funcionou: quando os japoneses finalmente se retiraram, os comunistas tinham ganhado experiência de combate que os ajudou a derrotar os nacionalistas.

Anos depois, um visitante japonês tentou se desculpar com Mao porque o seu país tinha invadido a China. Mao interrompeu: "Ao contrário, não deveria eu lhe agradecer?" Sem um adversário à altura, explicou ele, um homem ou grupo não pode se fortalecer.

A estratégia de constantes conflitos adotada por Mao tem vários elementos-chave. Primeiro, certifique-se de que, no longo prazo, você vai sair vitorioso. Jamais entre em luta com quem você não tenha certeza de derrotar, como Mao sabia que era o que ia acontecer no final com os japoneses. Segundo, se você não tiver nenhum inimigo aparente, às vezes será preciso definir um alvo conveniente, até mesmo transformar um amigo em inimigo. Mao usou esta tática várias vezes na política. Terceiro, use esses inimigos para esclarecer melhor ao público a sua causa, até estruturando-a como uma luta entre o bem e o mal. Na verdade, Mao incentivou o desacordo da China com a União Soviética e os Estados Unidos; sem inimigos definidos, ele acreditava, seu povo perderia a noção do que era o comunismo chinês. Um inimigo nitidamente definido é um argumento muito mais forte a seu favor do que todas as palavras que você conseguir usar.

Jamais deixe que a presença de inimigos o perturbe ou aflija – você está muito melhor com um ou dois adversários declarados do que quando não sabe quem é o seu verdadeiro inimigo. O homem de poder aceita o conflito, usando o inimigo para melhorar a sua reputação como um lutador seguro, em quem se pode confiar em épocas incertas.

Imagem: O Perigo da Ingratidão. Sabendo o que pode acontecer se você colocar o dedo na boca de um leão, é melhor não fazer isso. Com amigos você não terá tanta cautela e, se os contratar, eles o comerão vivo com a sua ingratidão.

Autoridade: Saiba tirar vantagem dos inimigos. Você precisa aprender que não é pela lâmina que se segura a espada, mas pelo punho, para poder se defender. O sábio lucra mais com seus inimigos do que o tolo com seus amigos.
(Baltasar Gracián, 1601-1658)

O INVERSO

Embora em geral seja melhor não misturar trabalho com amizade, há momentos em que um amigo pode ser mais eficaz do que um inimigo. Um homem de poder, por exemplo, frequentemente precisa fazer um trabalho sujo, mas, para salvar as aparências, é melhor deixar que outros façam isso por ele: os amigos são os melhores, visto estarem dispostos a se arriscar pelo afeto que sentem por ele. Além disso, se os seus planos gorarem por algum motivo, o amigo é um bode expiatório muito conveniente. Esta "queda do favorito" era um truque usado com frequência por reis e soberanos: eles deixavam que o seu melhor amigo na corte assumisse a responsabilidade por um erro, visto que o público não acreditaria que eles deliberadamente sacrificassem um amigo com esse propósito. É claro que, depois de fazer essa jogada, você perdeu o seu amigo para sempre. É melhor, portanto, reservar o papel de bode expiatório para alguém chegado a você, mas não muito.

Finalmente, o problema de trabalhar com amigos é que isso confunde os limites e as distâncias que o trabalho exige. Mas, se ambos os parceiros no arranjo compreendem os perigos envolvidos, um amigo pode ser muito eficaz. Você não deve jamais baixar a guarda nessa aventura, entretanto, fique sempre atento a qualquer sinal de perturbação emocional, tal como inveja e ingratidão. Nada é estável no reino do poder, e mesmo os amigos mais chegados podem se transformar nos piores inimigos.

LEI

3

OCULTE AS SUAS INTENÇÕES

JULGAMENTO

Mantenha as pessoas na dúvida e no escuro, jamais revelando o propósito de seus atos. Não sabendo o que você pretende, não podem preparar uma defesa. Leve-as pelo caminho errado até bem longe, envolva-as em bastante fumaça e, quando elas perceberem as suas intenções, será tarde demais.

PARTE I: USE OBJETOS DE DESEJO E PISTAS FALSAS PARA ENGANAR OS OUTROS

Se em algum momento da sua fraude as pessoas tiverem a mais leve desconfiança quanto a suas intenções, estará tudo perdido. Não lhes dê oportunidade de perceber o que você pretende: disfarce colocando pistas falsas pelo caminho. Use a falsa sinceridade, envie sinais ambíguos, invente objetos de desejo desorientadores. Incapazes de distinguir o falso do verdadeiro, elas não podem ver o seu objetivo real.

A LEI TRANSGREDIDA

Durante várias semanas, Ninon de Lenclos, a mais infame cortesã na França do século XVII, escutou pacientemente o marquês de Sevigné explicar o seu esforço para conquistar uma bela, porém difícil, jovem condessa. Ninon estava na época com sessenta e dois anos e era mais do que experiente em questões de amor; o marquês era um rapaz de vinte e dois anos, simpático, arrojado, mas totalmente sem experiência em romances. No início, Ninon achou divertido ouvir o marquês contar os seus erros, mas acabou se cansando. Incapaz de suportar a inépcia em qualquer esfera, muito menos quando se tratava de seduzir uma mulher, ela resolveu colocar o rapaz sob as suas asas. Primeiro, ele tinha de compreender que esta era uma guerra e que a bela condessa era uma cidadela à qual ele deveria fazer o cerco com o mesmo cuidado de um general. Cada passo deveria ser planejado e executado com a maior atenção a detalhes e nuances.

Instruindo o marquês para começar de novo, Ninon lhe disse para abordar a condessa com uma certa distância, com um ar de indiferença. Na próxima vez que os dois ficassem juntos sozinhos, disse ela, ele deveria confiar na condessa como amiga, não como uma amante em potencial. Isso a despistaria. A condessa não teria mais como certo o interesse dele por ela – talvez ele só estivesse interessado numa amizade.

Ninon planejou com antecedência. Assim que a condessa se mostrasse confusa, seria hora de despertar os seus ciúmes. No encontro seguinte, numa grande festa em Paris, o marquês surgiria acompanhado por uma bela e jovem mulher. Esta bela mulher tinha amigas igualmente belas, de forma que sempre que a condessa olhasse para o marquês ele estaria rodeado pelas mulheres mais estonteantes de Paris. Não só a condessa se roeria de ciúmes, como passaria a ver o marquês como alguém que as outras desejavam. Foi difícil Ninon fazer o marquês compreender isso, mas com toda a paciência ela explicou que a mulher que está interessada num homem quer ver que outras mulheres têm o mesmo interesse. Não só isso confere a ele um valor imediato, como dá ainda mais satisfação arrancá-lo das garras delas.

Tão logo a condessa ficasse com ciúmes, mas intrigada, seria hora de distraí-la. Segundo as instruções de Ninon, o marquês deixaria de comparecer onde a condessa esperasse vê-lo. Depois, de repente, ele apareceria em salões que nunca frequentara antes, mas que a condessa costumava ir sempre. Ela não poderia prever os movimentos dele. Tudo isso a colocaria num estado de confusão emocional que é o pré-requisito para a sedução bem-sucedida.

Tudo isso foi feito, e levou várias semanas. Ninon monitorava o progresso do marquês. Com sua rede de espionagem, ela soube que a condessa estava rindo mais das suas piadas, ouvindo com mais atenção as suas histórias. Soube que, de repente, a condessa estava fazendo perguntas sobre ele. Suas amigas lhe disseram que nas reuniões sociais a condessa frequentemente procurava pelo marquês, acompanhando os seus passos. Ninon tinha certeza de que a jovem mulher estava caindo no feitiço do rapaz. Agora era uma questão de semanas, talvez um mês ou dois, mas, se tudo corresse bem, a cidadela viria abaixo.

Dias depois, o marquês foi à casa da condessa. Estavam sozinhos. De repente, ele era outro homem: desta vez seguindo os seus próprios impulsos, e não as instruções de Ninon, ele segurou as mãos da condessa e lhe declarou o seu amor. A jovem mulher pareceu confusa, reação pela qual ele não esperava. Ela foi delicada, mas se desculpou afastando-se. Pelo resto da noite, ela evitou o seu olhar, e não estava lá para se despedir quando ele foi embora. Nas poucas vezes em que ele voltou a visitá-la, disseram-lhe que ela não estava. Quando ela finalmente o recebeu, os dois se sentiram estranhos e constrangidos um com o outro. O feitiço se quebrara.

Interpretação
Ninon sabia tudo sobre a arte de amar. Os grandes escritores, pensadores e políticos da época tinham sido seus amantes – homens como La Rochefoucauld, Molière e Richelieu. A sedução era um jogo para ela, que devia ser praticado com habilidade. Quando ela ficou mais velha, e a sua reputação mais conhecida, as famílias mais importantes da França lhe enviavam os filhos varões para serem instruídos em matéria de amor.

Ninon sabia que o homem e a mulher são muito diferentes, mas quando se trata de sedução, ambos sentem a mesma coisa: bem lá no fundo, quase sempre percebem que estão sendo seduzidos, mas cedem porque gostam da sensação de estarem sendo levados. É um prazer se entregar, deixando que o outro o leve a passear por uma terra estranha. Tudo na sedução, entretanto, depende de sugestão. Você não pode anunciar suas intenções ou revelá-las diretamente com palavras. Pelo contrário, precisa despistar. Para que alguém se entregue à sua orientação, deve estar adequadamente confuso. Você tem que embaralhar os seus sinais – aparentar interesse em outro homem ou mulher (a isca), depois sugerir estar interessado no alvo, aí fingir indiferença, repetidas vezes. Esses comportamentos não confundem apenas, eles excitam.

Imagine esta história do ponto de vista da condessa: depois de alguns movimentos do marquês, ela percebeu que ele estava fazendo uma espécie de jogo, mas o jogo lhe agradou. Ela não sabia para onde ele a estava levando, mas era melhor assim. Os movimentos dele a intrigavam, cada um a mantinha na expectativa do próximo – ela até gostou do ciúme e da confusão, porque às vezes qualquer emoção é melhor do que a monotonia da segurança. Talvez o marquês tivesse outros motivos; a maioria dos homens tem. Mas ela estava disposta a esperar para ver, e, provavelmente, se ele a tivesse feito esperar o bastante, o que ele estava pretendendo não teria importância.

Assim que o marquês pronunciou a palavra fatídica, "amor", entretanto, tudo mudou. Não era mais um jogo, era uma simples demonstração de paixão. Suas intenções se revelaram: ele *estava* seduzindo. Isto colocava tudo o que ele tinha feito sob uma nova luz. Tudo que antes fora encantador, agora parecia feio e conivente; a condessa se sentiu constrangida e usada. Fechou-se uma porta para sempre.

Não deixe que o vejam como um impostor, mesmo que hoje seja impossível não o ser. Que a sua maior esperteza esteja em dissimular o que parece ser esperteza.

Baltasar Gracián, 1601-1658

A LEI OBSERVADA

Em 1850, o jovem Otto von Bismarck, na época com trinta e cinco anos e representante no parlamento prussiano, passava por um momento decisivo na sua carreira. Os assuntos do dia eram a unificação dos muitos Estados (inclusive a Prússia) em que a Alemanha estava então dividida e uma guerra contra a Áustria, a poderosa vizinha ao sul que esperava manter a Alemanha fraca e em desvantagem, até ameaçando intervir se eles tentassem se unir. O príncipe Guilherme, o próximo na linha de sucessão ao trono da Prússia, era a favor da guerra, e o parlamento cerrava fileiras em torno da causa, preparado para apoiar uma mobilização das tropas. Os únicos contrários à guerra eram o atual rei,

Frederico Guilherme IV, e seus ministros, que preferiam contentar os poderosos austríacos.

Em toda a sua carreira, Bismarck fora um leal e até apaixonado defensor da força e do poder prussiano. Ele sonhava com a unificação alemã, em declarar a guerra contra a Áustria e humilhar o país que durante tanto tempo manteve a Alemanha dividida. Ex-soldado, ele via a guerra como um negócio glorioso.

Este, afinal de contas, era o homem que anos mais tarde diria: "As grandes questões da época serão decididas não com discursos e resoluções, mas com ferro e sangue."

Patriota apaixonado e amante da glória militar, Bismarck, não obstante, no auge da febre da guerra, fez um discurso no parlamento que deixou todos atônitos. "Desgraçado o estadista", disse ele, "que faz guerra sem uma razão ainda válida quando a guerra terminar! Depois da guerra, todos verão essas mesmas questões de uma outra forma. Terão coragem de recorrer ao camponês, que contempla as cinzas da sua fazenda, ao homem que ficou aleijado, ao pai que perdeu seus filhos?" Não só Bismarck seguiu falando sobre a loucura desta guerra, como, o que é mais estranho, elogiou a Áustria e defendeu suas ações. Isto era contrário a tudo que ele havia defendido. As consequências foram imediatas. Bismarck era contra a guerra – o que significava isso? Os outros representantes estavam confusos, vários mudaram seus votos. No final o rei e seus ministros ganharam, e evitou-se a guerra.

Pouco depois do notório discurso de Bismarck, o rei, agradecido por ele ter defendido a paz, nomeou-o ministro de gabinete. Passados alguns anos, ele se tornou premier da Prússia. Neste papel, ele conduziu seu país e o rei, amante da paz, a uma guerra contra a Áustria, arrasando o antigo império e fundando um poderoso Estado alemão, com a Prússia na chefia.

Interpretação

Na época do seu discurso, em 1850, Bismarck fez vários cálculos. Primeiro, ele percebeu que o exército prussiano, que não acompanhara o ritmo dos outros exércitos europeus, não estava preparado para a guerra – que a Áustria, de fato, poderia muito bem vencer, um resultado desastroso para o futuro. Segundo, se Bismarck tivesse apoiado a guerra e eles perdessem, sua carreira estaria gravemente ameaçada. O rei e seus ministros conservadores queriam a paz; Bismarck queria o poder. A solução era despistar as pessoas apoiando uma causa que ele detestava, dizendo coisas de que ele riria se estivessem saindo da boca de outra pessoa. Enganou-se um país inteiro. Foi devido ao discurso de Bismarck que o rei o nomeou ministro, posição de onde, e rapidamente, ascendeu à de primeiro-ministro, conquistando o poder necessário para reforçar o exército prussiano e conseguir o que ele sempre quis: humilhar a Áustria e unificar a Alemanha sob a liderança da Prússia.

Bismarck foi certamente um dos estadistas mais astutos, um mestre da estratégia e da dissimulação. Ninguém desconfiou do que ele estava armando neste caso. Se ele tivesse anunciado suas verdadeiras intenções, argumentando que era melhor esperar e lutar mais tarde, não teria ganhado a discussão, porque a maioria dos prussianos desejava a guerra naquele momento e acreditava erroneamente que o seu exército era superior ao austríaco. Se tivesse bajulado o rei, pedindo para ser nomeado ministro em troca do apoio à paz, também não teria tido sucesso: o rei teria desconfiado da sua ambição e duvidado da sua sinceridade.

Sendo totalmente insincero e enviando sinais falsos, entretanto, ele enganou todo mundo, escondeu seus propósitos e conseguiu tudo que queria. Tal é o poder de se ocultar intenções.

AS CHAVES DO PODER

As pessoas na sua maioria são como um livro aberto. Elas dizem o que sentem, não perdem oportunidade de deixar escapar opiniões e, constantemente, revelam seus planos e intenções. Elas fazem isso por vários motivos. Primeiro, é fácil e natural querer sempre falar dos próprios sentimentos e planos para o futuro. É difícil controlar a língua e monitorar o que se revela. Segundo, muitos acreditam que sendo honestos e francos estão conquistando o coração das pessoas e mostrando a sua boa índole. Eles estão imensamente iludidos. A honestidade é na verdade uma faca sem fio, mais sangra do que corta. A sua honestidade provavelmente vai ofender os outros; é muito mais prudente medir as suas palavras, dizer às pessoas o que elas querem ouvir, em vez da verdade nua e crua que é o que você sente ou pensa. Mais importante, sendo despudoradamente franco você se torna tão previsível e familiar que é quase impossível inspirar respeito ou temor, e a pessoa que não desperta esses sentimentos não acumula poder.

Se você deseja poder, ponha imediatamente a honestidade de lado e comece a treinar a arte de dissimular suas intenções. Domine a arte e você prevalecerá sempre. Elementar para a habilidade de ocultar as próprias intenções é uma simples verdade sobre a natureza humana: nosso primeiro instinto é sempre o de confiar nas aparências. Não podemos sair por aí duvidando da realidade do que vemos e ouvimos – imaginar constantemente que as aparências ocultam algo mais nos deixaria exaustos e aterrorizados. Isto faz com que seja relativamente fácil ocultar as próprias intenções. Basta acenar com um objeto que você parece desejar, um objetivo que você parece querer alcançar, diante dos olhos das pessoas e elas tomarão a aparência como realidade. Uma vez com os olhos fixos na isca, elas não notarão o que você está realmente pretendendo. Na sedução, dê sinais conflitantes, tais como desejo e indiferença, e você não só os despistará, como inflamará o seu desejo de possuir você.

Uma tática que funciona com frequência quando se quer armar uma pista falsa é parecer estar apoiando uma ideia ou causa que, na verdade, contraria o que você sente. (Bismarck a usou com muita eficácia no seu discurso de 1850.) A maioria vai achar que você mudou de ideia, visto não ser comum brincar com tamanha leviandade com coisas tão carregadas de emoção como as suas próprias opiniões e valores. O mesmo se aplica a um objeto do desejo usado como chamariz: pareça querer alguma coisa pela qual não está nem um pouco interessado, e seus inimigos perderão o rumo, calculando tudo errado.

Durante a Guerra da Sucessão Espanhola, em 1711, o duque de Marlborough, chefe do exército inglês, queria destruir um forte francês importantíssimo que protegia uma estrada vital para a entrada na França. Mas ele sabia que, ao destruí-lo, os franceses perceberiam o que ele queria – avançar por aquela estrada. Em vez disso, ele simplesmente capturou o forte e o guarneceu com algumas das suas tropas, como se o desejasse para algum propósito particular. Os franceses atacaram o forte e o duque deixou que ele fosse reconquistado. Novamente de posse do forte, entretanto, *eles* o destruíram, imaginando que o duque tinha alguma razão importante para querer ficar com ele. Agora o forte não existia mais, o caminho estava livre, e Marlborough pôde facilmente entrar na França.

Use esta tática da seguinte maneira: não esconda as suas intenções se fechando (com o risco de parecer misterioso e deixar as pessoas desconfiadas), mas falando sem parar sobre seus desejos e objetivos – só que não os verdadeiros. Você matará três coelhos com uma só cajadada: vai parecer uma pessoa cordial, franca e confiável; ocultará suas intenções; e deixará seus rivais atordoados tentando achar inutilmente uma coisa que levarão tempo para descobrir.

Outra ferramenta eficaz para colocar as pessoas desorientadas é a falsa sinceridade. Elas confundem facilmente sinceridade com honestidade. Lembre-se – o primeiro instinto é o de confiar nas aparências, e como as pessoas valorizam a honestidade e *querem* acreditar na honestidade dos que as cercam, raramente irão duvidar de você ou perceber o que você está fazendo. Parecer que está acreditando no que você mesmo diz dá um grande peso às suas palavras. Foi assim que Iago enganou e destruiu Otelo: diante da intensidade das suas emoções, da aparente sinceridade da sua preocupação com a suposta infidelidade de Desdêmona, como Otelo poderia desconfiar dele? Foi assim também que o grande charlatão, Yellow Kid Weil, tapou os olhos das suas vítimas: parecendo acreditar tanto no objeto-isca que acenava diante deles (um cavalo falso, um cavalo de corrida apresentado como uma barbada), ficava difícil duvidar da sua realidade. Claro que é importante não exagerar nessa área. A sinceridade é uma arma traiçoeira: aparente estar apaixonado demais e despertará suspeitas. Seja uma pessoa comedida e em quem se possa acreditar, ou a sua artimanha parecerá a fraude que ela é.

Para que a sua falsa sinceridade seja uma arma eficaz ocultando as suas verdadeiras intenções, adote a fé na honestidade e na franqueza como valores sociais importantes. Faça isso da forma mais pública possível. Enfatize a sua posição quanto a isso, divulgando ocasionalmente alguma ideia sincera – mas só aquela realmente sem importância ou irrelevante, é claro. O ministro de Napoleão, Talleyrand, era mestre em despertar a confiança das pessoas revelando um suposto segredo. Esta confiança fingida – a isca – despertava em seguida a confiança verdadeira do outro.

Lembre-se: os maiores impostores fazem de tudo para encobrir suas virtudes traiçoeiras. Cultivam um ar de pessoa honesta, numa área, para disfarçar a sua desonestidade em outras. A honestidade é simplesmente mais uma isca no seu arsenal.

PARTE II: DISFARCE AS SUAS AÇÕES ENTRE CORTINAS DE FUMAÇA

Trapacear é sempre a melhor estratégia, mas as melhores trapaças exigem uma cortina de fumaça para distrair a atenção das pessoas do seu verdadeiro propósito. O exterior afável – como a inescrutável cara de pau – é quase sempre a cortina de fumaça perfeita, escondendo suas intenções por trás do que é confortável e familiar. Se você conduzir a vítima por um caminho conhecido, ela não perceberá que você a está levando para uma armadilha.

A LEI OBSERVADA I

Em 1910, um certo Sam Geezil, de Chicago, vendeu o seu armazém por aproximadamente um milhão de dólares. Acomodou-se numa semi-aposentadoria e ficou administrando as suas diversas propriedades, mas, lá no fundo, sentia saudades dos velhos tempos de negociante. Um dia, um jovem chamado Joseph Weil foi visitá-lo no seu escritório, querendo comprar um apartamento que ele estava vendendo. Geezil expôs os termos: o preço era oito mil dólares, mas ele queria apenas dois mil de entrada. Weil disse que ia pensar, mas voltou no dia seguinte e propôs pagar os oito mil dólares à vista, em dinheiro, se Geezil esperasse uns dois dias, até ele encerrar um negócio em andamento. Mesmo semiaposentado, um negociante esperto como Geezil ficou curioso para saber como Weil arrumaria tanto dinheiro (mais ou menos uns 150 mil dólares, hoje) tão rápido. Weil parecia não querer dizer, e mudava logo de assunto, mas Geezil insistiu. Finalmente, depois da garantia de sigilo, Weil contou a seguinte história.

Seu tio era secretário de um grupo de financistas multimilionários. Estes ricaços tinham comprado um pavilhão de caça em Michigan, há uns dez anos, pagando barato. Como não usavam o pavilhão havia alguns anos, resolveram passá-lo adiante e pediram ao tio de Weil para vender pelo preço que conseguisse. Por razões – boas razões – pessoais, o tio vinha com raiva dos milionários havia anos; era a sua chance de se vingar. Venderia a propriedade por 35 mil dólares para um testa de ferro (quem, caberia a Weil descobrir). Os financistas eram ricos demais para se preocupar com um preço tão baixo. O testa de ferro, por sua vez, a venderia novamente pelo preço real, em torno dos 155 mil dólares. O tio, Weil e o terceiro homem dividiriam os lucros desta segunda venda. Era tudo legal e por uma boa causa – a legítima desforra do tio.

Geezil não quis saber de mais nada, seria ele o testa de ferro. Weil relutava em envolvê-lo na história, mas Geezil não desistia: a ideia de um grande lucro, somada a uma pequena aventura, o fazia vibrar. Weil explicou que Geezil teria de dar os 35 mil dólares em dinheiro para fa-

---

JEÚ, REI DE ISRAEL, FINGE ADORAR O ÍDOLO BAAL

Ajuntou Jeú a todo o povo e lhe disse: Acabe serviu pouco a Baal; Jeú, porém, muito o servirá. Pelo que chamai-me agora todos os profetas de Baal, todos os seus servidores e todos os seus sacerdotes; não falte nenhum, porque tenho grande sacrifício a oferecer a Baal; todo aquele que faltar, não viverá. Porém Jeú fazia isto com astúcia, para destruir os servidores de Baal.
Disse mais Jeú: Consagrai-me uma assembleia solene a Baal; e a proclamaram. Também Jeú enviou mensageiros por todo o Israel; vieram todos os adoradores de Baal, e nenhum homem deles ficou que não viesse. Entraram na casa de Baal, que se encheu de uma extremidade a outra... Entrou Jeú na casa de Baal... e disse aos adoradores de Baal: Examinai, e vede bem que não esteja aqui entre vós algum dos servos do SENHOR, mas somente os adoradores de Baal. E, entrando eles a oferecerem sacrifícios e holocaustos, Jeú preparou da parte de fora oitenta homens, e disse-lhes: Se escapar algum dos homens que eu entregar em

vossas mãos, a vida daquele que o deixar escapar, responderá pela vida dele. Sucedeu que, acabado o oferecimento do holocausto, ordenou Jeú aos da sua guarda, e aos capitães: Entrai, feri-os, que nenhum escape. Feriram-nos ao fio da espada; e os da guarda e os capitães os lançaram fora e penetraram no mais interior da casa de Baal, e tiraram as colunas que estavam na casa de Baal e as queimaram. Também quebraram a própria coluna de Baal, e derrubaram a casa de Baal, e a transformaram em latrinas até ao dia de hoje. Assim Jeú exterminou de Israel a Baal.

VELHO TESTAMENTO, II REIS, 10:18-28

zer o negócio. Milionário, Geezil disse que conseguiria isso num estalar de dedos. Weil finalmente cedeu e concordou em marcar um encontro com o tio, Geezil e os financistas, em Galesburg, Illinois.

No trem para Galesburg, Geezil conheceu o tio – um homem impressionante, com quem discutiu avidamente sobre negócios. Weil também trouxe um companheiro, um homem meio barrigudo chamado George Gross. Weil explicou a Geezil que era treinador de boxe, e Gross era um dos futuros campeões que ele treinava, e que tinha pedido a Gross para acompanhá-lo a fim de garantir que o lutador se mantivesse em forma. Como futuro campeão, Gross não impressionava muito – tinha os cabelos grisalhos e uma barriga de chope –, mas Geezil estava tão entusiasmado com o negócio que nem deu bola para a flacidez do sujeito.

Chegando em Galesburg, Weil e o tio foram buscar os financistas enquanto Geezil esperava num quarto de hotel com Gross, que logo colocou o seu calção de boxe. Como Geezil o olhava distraído, Gross começou a dar socos no ar como se estivesse treinando com um adversário imaginário. Geezil estava tão distraído que não percebeu como o boxeador ficou ofegante minutos depois de começar o exercício, embora o seu estilo parecesse bastante real. Passou uma hora, Weil e o tio voltaram com os financistas, um grupo majestoso e intimidante de homens muito bem-vestidos. A reunião correu tranquila e os financistas concordaram em vender o pavilhão para Geezil, que já tinha entrado em contato com um banco local para conseguir os 35 mil dólares.

Resolvida esta parte insignificante do negócio, os financistas voltaram a se sentar em suas cadeiras e começaram a caçoar das altas finanças, falando de "J.P. Morgan" como se conhecessem o homem. Finalmente, um deles notou o boxeador num dos cantos da sala. Weil explicou o que ele estava fazendo ali. O financista falou que também tinha um boxeador no seu *entourage* e disse o seu nome. Weil deu uma gargalhada e exclamou que o seu homem derrubava facilmente o deles. A conversa degenerou em discussão. Inflamado, Weil desafiou os homens para uma aposta. Os financistas concordaram logo e saíram para aprontar o seu homem para a luta no dia seguinte.

Assim que eles saíram, o tio começou a gritar com Weil, bem na frente de Geezil: eles não tinham o dinheiro da aposta, e, quando os financistas descobrissem, o tio iria para a rua. Weil desculpou-se por tê-lo colocado nessa confusão, mas ele tinha um plano: conhecia bem o outro boxeador, e com um pequeno suborno a luta estava ganha. Mas de onde viria o dinheiro para a aposta?, o tio retrucou. Sem ele, estariam mortos. Finalmente Geezil deu um basta. Não querendo que a má vontade colocasse em risco o *seu* negócio, ofereceu os seus próprios 35 mil dólares em dinheiro como parte da aposta. Se perdesse, conseguiria mais no banco e ainda lucrava com a venda do pavilhão. O tio e o sobrinho agradeceram. Com os seus 15 mil dólares e os 35 mil de Geezil, teriam o bastante para a aposta. Naquela noite, enquanto olhava os dois boxeadores ensaiando o arranjo no quarto do hotel, Geezil ia calculando mentalmente o seu lucro com a luta e a venda do pavilhão.

A disputa foi num ginásio, no dia seguinte. Weil administrou o dinheiro, que por segurança foi trancado num cofre. Tudo estava acontecendo como planejado no quarto do hotel. Os financistas olhavam sombrios o péssimo desempenho do seu lutador, e Geezil sonhava com o dinheiro fácil que estava prestes a ganhar. Mas aí, de repente, uma lateral violenta do lutador dos financistas atingiu Gross firme no rosto, jogando-o no chão. Ao cair na lona, o sangue jorrava da sua boca. Um dos financistas, médico aposentado, conferiu o pulso; estava morto. Os milionários entraram em pânico; tinham que sair dali antes que a polícia chegasse – todos eles poderiam ser acusados de assassinato.

Aterrorizado, Geezil escapuliu correndo do ginásio, voltando logo para Chicago, largando para trás os 35 mil dólares de que se esqueceu com muito gosto, pois lhe parecia pouco para se livrar do envolvimento num crime. Não quis mais ver Weil ou qualquer um dos outros novamente.

Depois que Geezil saiu correndo, Gross se levantou, sozinho. O sangue que tinha esguichado da sua boca era de uma bola cheia de sangue de galinha e água quente que ele esconderá na bochecha. A farsa toda tinha sido engendrada por Weil, melhor conhecido como "Yellow Kid", um dos charlatões mais criativos da história. Weil dividiu os 35 mil dólares com os financistas e os boxeadores (todos impostores – um lucro bem razoável por alguns dias de trabalho).

Interpretação

Yellow Kid tinha escolhido Geezil como a vítima perfeita muito antes de montar a farsa. Ele sabia que a luta de boxe seria o ardil perfeito para separar Geezil rápida e definitivamente do seu dinheiro. Mas sabia também que, se tivesse começado tentando interessar Geezil pela luta de boxe, teria falhado redondamente. Ele tinha de ocultar as suas intenções e desviar a atenção, criar uma cortina de fumaça – neste caso, a venda do pavilhão de caça.

No trem e no quarto do hotel, a cabeça de Geezil tinha estado totalmente ocupada com o negócio iminente, o dinheiro fácil, a chance de privar com homens ricos. Ele não tinha notado que Gross estava fora de forma e passado da idade. Tal é o poder de distração de uma cortina

> FUJA ATRAVESSANDO O OCEANO À PLENA LUZ DO DIA
> *Isto significa criar uma fachada que acaba se tornando imbuída de uma atmosfera ou impressão de familiaridade, dentro da qual o estrategista pode manobrar sem ser visto, enquanto todos os olhos são treinados para ver familiaridades óbvias.*
> THE JAPANESE ART OF WAR, THOMAS CLEARY, 1991

de fumaça. Envolvido no negócio, a atenção de Geezil foi facilmente desviada para a luta de boxe, mas só quando já era tarde demais para ele notar os detalhes que denunciariam Gross. A luta, afinal de contas, dependia agora de um suborno e não das condições físicas do boxeador. E Geezil ficou tão distraído no final com a ilusão da morte do lutador que se esqueceu completamente do seu dinheiro.

Aprenda com Yellow Kid: a fachada invisível familiar é a cortina de fumaça perfeita. Aborde o seu alvo com uma ideia que pareça bastante comum – um negócio, uma trama financeira. A mente da vítima se distrai, a sua desconfiança se aquieta. É aí que você o guia gentilmente para a estrada secundária, a rampa escorregadia por onde ele cai de vez na sua armadilha.

A LEI OBSERVADA II
Entre 1920 e 1930, os poderosos senhores da guerra na Etiópia começaram a perceber que um jovem nobre, chamado Haile Selassie, também conhecido como Ras Tafari, estava vencendo todos eles e prestes a poder se proclamar seu líder, unificando o país pela primeira vez em muitas décadas. A maioria dos seus rivais era incapaz de compreender como este homem fino, tranquilo e delicado tinha conseguido assumir o controle. Mas, em 1927, Selassie conseguiu convocar os comandantes dos exércitos, um de cada vez, para ir a Adis Abeba jurar fidelidade e reconhecê-lo como líder.

Alguns se apressaram, outros hesitaram, mas só um, Dejazmach Balcha, de Sidamo, ousou desafiar Selassie totalmente. Homem tempestuoso, Balcha era um grande guerreiro e considerava o novo líder fraco e indigno. De propósito, ele se manteve longe da capital. Finalmente, Selassie, da sua maneira gentil, porém firme, ordenou que Balcha se apresentasse. O comandante resolveu obedecer, mas viraria a mesa desse pretendente ao trono etíope; seguiria para Adis Abeba no seu próprio ritmo e com um exército de 10 mil homens, força suficiente para se defender, talvez até para iniciar uma guerra civil. Estacionando a sua formidável tropa num vale a cerca de cinco quilômetros da capital, ele esperou, como faria um rei. Selassie teria que ir até ele.

Selassie enviou emissários, convidando Balcha para um banquete em sua homenagem. Mas Balcha, que não era nenhum tolo, conhecia a história – sabia que antigos reis e senhores da Etiópia tinham usado banquetes como armadilha. Uma vez lá e bêbado, Selassie o mandaria prender ou matar. Para mostrar que tinha compreendido o que estava acontecendo ele aceitou, mas com a condição de poder levar a sua guarda pessoal – 600 dos seus melhores soldados, armados e prontos para defender, a ele e a si próprios. Para surpresa de Balcha, Selassie respondeu com toda a cortesia dizendo que era uma honra recepcionar tais guerreiros.

A caminho do banquete, Balcha avisou seus soldados para não beber e montar guarda. No palácio, Selassie foi gentilíssimo. Tratou Balcha com respeito, como se precisasse desesperadamente da sua aprovação e cooperação. Mas Balcha se recusou a ser seduzido, e avisou a Selassie que, se ele não voltasse ao acampamento ao anoitecer, seu exército tinha ordens para atacar a capital. Selassie reagiu como se tivesse ficado magoado com a sua desconfiança. Durante a refeição, na hora das canções tradicionais em homenagem aos líderes etíopes, ele fez questão de que se cantassem apenas as que homenageavam o general de Sidamo. A Balcha pareceu que Selassie estava com medo, intimidado por este grande guerreiro a quem ninguém conseguia enganar. Percebendo a mudança, Balcha acreditou que ele é quem daria as cartas no futuro.

Ao fim da tarde, Balcha e seus soldados começaram a marcha de volta ao acampamento, em meio a aplausos e salvas de artilharia. Olhando por sobre o ombro para a capital, ele planejou a sua estratégia – como os seus marchariam pelas ruas da capital em triunfo dentro de semanas, e Selassie seria colocado no seu devido lugar, a prisão ou o cadafalso. Quando ia se aproximando do acampamento, entretanto, Balcha percebeu que havia algo de muito errado por ali. Onde antes se erguiam tendas coloridas a perder de vista, agora não havia nada, apenas a fumaça de fogueiras extintas. Que magia infernal era essa?

Uma testemunha contou o que tinha acontecido. Durante o banquete, um grande exército, comandado por um aliado de Selassie, tinha entrado no acampamento de Balcha por uma estrada secundária que ele não tinha visto. Este exército não viera para lutar: sabendo que o general escutaria os ruídos de uma batalha e voltaria correndo com os 600 homens da sua guarda pessoal, Selassie armou as suas próprias tropas com cestos de ouro e dinheiro. Elas cercaram o exército de Balcha, decididas a comprar até a última das suas armas. Quem se recusasse era facilmente intimidado. Dentro de poucas horas, toda a força de Balcha estava desarmada e espalhando-se por todas as direções.

Percebendo que estava em perigo, Balcha resolveu marchar para o sul com seus 600 soldados, para se reorganizar, mas o mesmo exército que desarmara seus soldados tinha bloqueado o caminho. A outra saída era marchar para a capital, mas Selassie tinha armado um grande exército para defendê-la. Como um jogador de xadrez, ele previu os movimentos de Balcha e lhe deu um xeque-mate. Pela primeira vez, Balcha se rendeu. Em sinal de arrependimento por seu orgulho e ambição, ele concordou em ingressar num mosteiro.

Interpretação
Durante todo o longo reinado de Selassie, ninguém conseguiu entendê-lo. Os etíopes gostam de seus líderes violentos, mas Selassie, que vestia a fachada de um homem gentil, amante da paz, durou mais do que qualquer um deles. Jamais zangado ou impaciente, ele atraía suas vítimas com sorrisos amáveis, seduzindo-os com charme e subserviência antes de atacar. No caso de Balcha, Selassie jogou com a prudência do homem, a sua desconfiança de que o banquete fosse uma armadilha – o que de fato foi, mas não a que ele estava esperando. A sua maneira de acalmar os temores de Balcha – deixar que ele levasse os seus guarda-costas ao banquete, dar-lhe ampla publicidade, permitir que ele achasse que estava controlando a situação – criou uma espessa cortina de fumaça, escondendo a ação real que acontecia a quilômetros de distância.

Lembre-se: os paranoicos e desconfiados são os mais fáceis de enganar. Conquiste a sua confiança numa área e você terá a cortina de fumaça que turva a visão deles em outra, deixando que você se aproxime de manso e os arrase com um golpe devastador. Um gesto prestativo ou aparentemente honesto, ou que sugira a superioridade do outro – estas são táticas diversionistas perfeitas.

Adequadamente montada, a cortina de fumaça é uma arma poderosíssima. Ela permitiu que o gentil Selassie destruísse totalmente o seu inimigo, sem disparar uma só bala.

Não subestime o poder de Tafari. Ele se move furtivamente como um rato, mas tem mandíbulas de leão.
As últimas palavras de Balcha, antes de entrar para o mosteiro

AS CHAVES DO PODER
Se você acha que trapaceiros são aquela gente pitoresca que ilude com mentiras elaboradas e histórias incríveis, está muito enganado. Os maiores impostores são os que utilizam uma fachada suave e invisível que não chama atenção. Eles sabem que gestos e palavras extravagantes levantam logo suspeita. Pelo contrário, eles envolvem o seu objetivo numa aura familiar, banal, inofensiva. Nas negociações de Yellow Kid Weil com Sam Geezil, o familiar era um negócio. No caso etíope, foi a subserviência ilusória de Selassie – exatamente o que Balcha esperaria de um general mais fraco.

Depois que você tiver atraído a atenção das suas vítimas para o familiar, elas não notarão a fraude que está ocorrendo pelas suas costas. A origem disso está numa verdade muito simples: as pessoas só conseguem focalizar uma coisa de cada vez. É realmente muito difícil para elas imaginar que a pessoa suave e inofensiva com quem estão lidando está ao mesmo tempo tramando outra coisa. Quanto mais cinza e uniforme a fumaça da sua cortina, melhor ela esconde as suas intenções. Nas iscas e pistas falsas discutidas na Parte I, você distrai ativamente as pessoas; na cortina de fumaça, você ilude a sua vítima, atraindo-a para a sua teia. Por ser tão hipnótica, esta é com frequência a melhor maneira de dissimular suas intenções.

A forma mais simples de cortina de fumaça é a expressão facial. Por trás de um exterior brando, ilegível, podem estar sendo tramados todos os tipos de ações violentas e prejudiciais, sem serem percebidas. Esta é uma arma que a maioria dos homens poderosos na história aprendem a usar à perfeição. Dizia-se que ninguém era capaz de ler o rosto de Franklin D. Roosevelt. O barão James Rothschild teve por hábito, durante toda a sua vida, disfarçar o que estava realmente pensando com sorrisos afáveis e olhares indefiníveis. Stendhal escreveu a respeito de Talleyrand: "Jamais um rosto serviu tão pouco de barômetro." Henry Kissinger fazia seus adversários numa mesa de negociação chorar de tédio, com seu tom de voz monótono, seu olhar inexpressivo, seus detalhamentos intermináveis; e aí, quando já estavam com o olhar esgazeado, ele os atingia de repente com uma relação de termos ousados. Apanhados desprevenidos, intimidavam-se facilmente. Como explica um manual de pôquer: "Na sua vez de jogar, o bom jogador raramente é um ator. Pelo contrário, ele pratica um comportamento frio que minimiza os padrões legíveis, frustra e confunde o adversário e permite mais concentração."

Um conceito adaptável, a cortina de fumaça pode ser praticada em vários níveis, todos jogando com os princípios psicológicos da distração e da desorientação. Uma das cortinas de fumaça mais eficazes é o *gesto nobre*. As pessoas querem acreditar que gestos aparentemente nobres são autênticos, porque é uma crença agradável. Elas raramente notam como eles enganam.

O comerciante de peças de arte Joseph Duveen se viu certa vez diante de um terrível problema. Os milionários que pagavam tão bem por seus quadros não tinham mais tanto espaço nas suas paredes, e, com os impostos sobre heranças subindo cada vez mais, parecia pouco provável que continuassem comprando. A solução foi a National Gallery of Art, em Washington, D.C., que Duveen ajudou a criar em 1937, conseguindo que Andrew Mellon doasse a sua coleção. A National Gallery era a fachada perfeita para Duveen. Num só gesto, seus clientes fugiam aos impostos, abriam espaço nas paredes para novas aquisições e reduziam o número de quadros no mercado, mantendo a pressão que aumentava o seu preço. Tudo isto enquanto os doadores aparentavam ser benfeitores da sociedade.

Outra cortina de fumaça eficaz é o *padrão*, quando se estabelece uma série de ações que seduzem a vítima e a fazem acreditar que as coisas continuarão sempre da mesma maneira. O padrão joga com a psicologia da expectativa: nosso comportamento se encaixa no padrão, ou assim gostamos de pensar.

Em 1878, o barão ladrão americano Jay Gould criou uma empresa que começou a ameaçar o monopólio da companhia de telégrafos Western Union. Os diretores da Western Union resolveram comprar a empresa de Gould – foi preciso dispor de uma quantia considerável, mas eles achavam que tinham conseguido se livrar de um irritante adversário. Poucos meses depois, entretanto, Gould estava lá de novo, queixando-se de que fora tratado injustamente. Ele abriu uma segunda empresa para competir com a Western Union e a sua nova aquisição. A mesma coisa voltou a acontecer: a Western Union comprou a empresa para fazer com que ele calasse a boca. Logo o padrão voltou a se repetir pela terceira vez, mas agora Gould atacou na jugular: de repente, ele iniciou – e logo conseguiu – uma sangrenta tomada de controle hostil da Western Union. Ele tinha estabelecido um padrão que iludiu os diretores da empresa fazendo-os achar que o seu objetivo era ser comprado por um preço razoável. Depois de comprar, eles relaxavam e não percebiam que estavam na verdade apostando mais alto. O padrão funciona muito bem porque a pessoa se ilude esperando o contrário do que você está realmente fazendo.

Outra fraqueza psicológica que serve de base para se construir uma cortina de fumaça é a tendência que as pessoas têm de confundir aparência com realidade – a ideia de que se alguém parece fazer parte do seu grupo, é porque faz realmente. Este hábito faz da *camuflagem* uma fachada muito eficaz. O truque é simples: você simplesmente se mistura com as pessoas ao seu redor. Quanto mais você se misturar, menos suspeito se tornará. Durante a Guerra Fria das décadas de 1950 e 1960, como hoje se sabe, muitos funcionários públicos britânicos passaram informações secretas para os soviéticos. Ninguém descobriu nada durante anos porque eles eram, aparentemente, sujeitos honestos, tinham frequentado boas escolas e se adequavam perfeitamente ao modelo da rede de ex-alunos de escolas de prestígio. A mistura é a cortina de fumaça perfeita para a espionagem. Quanto mais você se misturar, melhor conseguirá disfarçar suas intenções.

Lembre-se: é preciso paciência e humildade para apagar as suas cores brilhantes e colocar a máscara da pessoa insignificante. Não se desespere por ter de usar esta máscara apagada – quase sempre é a sua ilegibilidade que atrai os outros e faz você parecer poderoso.

> **Imagem:** A Pele da Ovelha. A ovelha não saqueia, a ovelha não engana, a ovelha é magnificamente tola e dócil. Com a pele da ovelha nas costas, a raposa entra direto no galinheiro.

> **Autoridade:** Já ouviu falar de um general muito hábil que pretende surpreender uma cidadela anunciando seus planos ao inimigo? Oculte os seus propósitos e esconda o seu progresso; não revele a extensão dos seus objetivos até ser impossível se opor a eles, até terminar o combate. Conquiste a vitória antes de declarar a guerra. Em resumo, imite aqueles guerreiros cujas intenções ninguém sabe, exceto o país destruído por onde eles passaram. (Ninon de Lenclos, 1623-1706)

O INVERSO

Não há cortina de fumaça, pista falsa, insinceridade, ou outra tática diversionista qualquer que disfarce as suas intenções se você já tiver fama de impostor. Com a idade e o sucesso que você vai alcançando, se torna cada vez mais difícil disfarçar a sua esperteza. Todos sabem que você é dissimulado; continue bancando o ingênuo e corra o risco de parecer um grande hipócrita, o que limitará seriamente o seu espaço de manobra. Nesses casos, é melhor assumir, aparentar ser um patife honesto, ou melhor, um patife arrependido. Não só vão admirá-lo por sua franqueza, como, o que é mais estranho e maravilhoso, você vai conseguir continuar com as suas artimanhas.

À medida que ia ficando mais velho, P. T. Barnum, o rei da fraude no século XIX, foi aprendendo a aceitar a sua reputação de grande impostor. Num determinado momento, ele organizou uma caça a búfalos em Nova Jersey, completa, com índios e alguns búfalos importados. Ele divulgou a caçada como sendo autêntica, mas o resultado foi tão artificial que a multidão, em vez de ficar zangada e pedir o dinheiro de volta, se divertiu muito. Eles sabiam que Barnum trapaceava o tempo todo; era o segredo do seu sucesso e gostavam dele por isso. Aprendendo a lição, Barnum parou de esconder as suas artimanhas, chegando até a revelar suas fraudes numa autobiografia. Como escreveu Kierkegaard: "O mundo quer ser enganado."

Finalmente, embora seja mais sábio distrair a atenção dos seus propósitos, apresentando um exterior suave e familiar, há momentos em que o gesto colorido, visível, é a tática diversionista correta. Os grandes charlatões saltimbancos da Europa nos séculos XVII e XVIII usavam o humor e o divertimento para iludir suas plateias. Deslumbrado com o espetáculo, o público não percebia as verdadeiras intenções dos charlatões. Assim, o próprio astro charlatão aparecia na cidade numa carruagem negra puxada por cavalos negros. Palhaços, funâmbulos e artistas de espetáculos de variedade o acompanhavam, atraindo o povo para as suas demonstrações de elixires e poções milagrosas. O charlatão fazia o divertimento parecer o assunto do dia quando, na verdade, o assunto do dia era a venda dos elixires e poções milagrosas.

Espetáculo e divertimento são, nitidamente, excelentes artifícios para dissimular as suas intenções, mas não podem ser usados indefinidamente. O público se cansa e desconfia, e acaba percebendo o truque. Pessoas poderosas com exteriores afáveis, por outro lado – os Talleyrand, os Rothschild, os Selassie –, podem praticar suas dissimulações no mesmo lugar a vida inteira. Seu ato não se desgasta, e raramente levanta suspeitas. A cortina de fumaça colorida deve ser usada com cautela, portanto, e só na ocasião certa.

LEI

4

DIGA SEMPRE MENOS
DO QUE O NECESSÁRIO

JULGAMENTO

Quando você procura impressionar as pessoas com palavras, quanto mais você diz, mais comum aparenta ser, e menos controle da situação parece ter. Mesmo que você esteja dizendo algo banal, vai parecer original se você o tornar vago, amplo e enigmático. Pessoas poderosas impressionam e intimidam falando pouco. Quanto mais você fala, maior a probabilidade de dizer uma besteira.

A LEI TRANSGREDIDA

Gnaeus Marcius, também conhecido como Coriolano, foi um grande herói militar da Roma antiga. Na primeira metade do século V a.C., ele venceu muitas batalhas importantes, salvando várias vezes a cidade de uma catástrofe. Como passava a maior parte do tempo nos campos de batalha, poucos romanos o conheciam pessoalmente, o que o tornava, portanto, uma espécie de figura lendária.

Em 454 a.C., Coriolano decidiu que era hora de explorar a sua reputação e entrar para a política. Concorreu às eleições para o alto posto de cônsul. Tradicionalmente, os candidatos a este cargo faziam um discurso público no início da disputa, e a primeira coisa que Coriolano fez, ao aparecer diante do povo, foi exibir as dezenas de cicatrizes acumuladas durante dezessete anos de lutas por Roma. Poucos na multidão realmente ouviram o longo discurso que se seguiu; aquelas cicatrizes, provas de valor e patriotismo, comoveram o povo até as lágrimas. A eleição de Coriolano parecia certa.

No dia da votação, entretanto, Coriolano entrou no fórum escoltado por todo o senado e pelos patrícios, pela aristocracia. Os plebeus que assistiram a isso ficaram incomodados com a bombástica demonstração de segurança num dia de eleição.

E aí Coriolano falou de novo, dirigindo-se principalmente aos cidadãos ricos que o acompanhavam. Suas palavras foram arrogantes e insolentes. Afirmando a certeza da vitória na eleição, ele se vangloriou das suas proezas nos campos de batalha, fez piadas impertinentes que agradaram apenas aos patrícios, pronunciou acusações iradas contra seus adversários e especulou sobre as riquezas que traria para Roma. Desta vez o povo escutou: não tinham percebido que o lendário soldado era também um fanfarrão comum.

As notícias sobre o segundo discurso espalharam-se rápido por toda a Roma, e o povo compareceu em peso para garantir que ele não fosse eleito. Derrotado, Coriolano voltou para o campo de batalha, amargurado e jurando se vingar dos plebeus que haviam votado contra ele. Semanas depois, um grande carregamento de grãos chegou a Roma. O senado estava disposto a distribuir o alimento para o povo, de graça, mas quando eles estavam se preparando para votar a questão, Coriolano surgiu em cena e tomou a palavra. A distribuição, argumentou ele, teria um efeito nocivo sobre a cidade em geral. Vários senadores pareceram se convencer disso, e a proposta de distribuição foi posta em dúvida. Coriolano não parou por aí, seguiu condenando o próprio conceito de democracia. Defendeu a ideia de se livrar dos representantes do povo – os tribunos – e entregar o governo da cidade aos patrícios.

Sem sorte, [o roteirista de cinema] Michael Arlen foi para Nova York em 1944. Para afogar suas tristezas, ele foi visitar o famoso restaurante "21". No saguão ele cruzou com Sam Goldwyn, que lhe deu o conselho um tanto quanto pouco prático de comprar cavalos de corrida. No bar, Arlen encontrou Louis B. Mayer, velho conhecido, que lhe perguntou sobre seus planos para o futuro. "Acabei de falar com Sam Goldwyn...", começou Arlen. "Quanto ele lhe ofereceu?", interrompeu Mayer. "Não o bastante", respondeu ele, evasivo. "Aceitaria quinze mil para trabalhar trinta semanas?", perguntou Mayer. Não houve hesitação, desta vez. "Sim", disse Arlen.
THE LITTLE, BROWN BOOK OF ANECDOTES, CLIFTON FADIMAN, ED., 1985

Quando as palavras do último discurso de Coriolano chegaram aos ouvidos do povo, a sua ira não teve limites. Os tribunos foram enviados ao senado para exigir que Coriolano se apresentasse diante deles. Coriolano recusou. Rebeliões estouraram por toda a cidade. O senado, temendo a ira do povo, finalmente votou a favor da distribuição dos grãos. Os tribunos se tranquilizaram, mas o povo continuou exigindo que Coriolano falasse com eles e pedisse desculpas. Se ele se arrependesse, e concordasse em guardar para si mesmo as suas opiniões, teria permissão para voltar ao campo de batalha.

Coriolano se apresentou mais uma vez diante do povo, que o escutou em extasiado silêncio. Ele começou devagar e suave, mas, conforme o discurso prosseguia, foi ficando cada vez mais grosseiro. E novamente lá estava ele, insultando com veemência! Seu tom era arrogante, sua expressão desdenhosa. Quanto mais ele falava, mais o povo se zangava. Finalmente, gritaram tanto que ele teve de se calar.

Os tribunos conferenciaram, condenaram Coriolano à morte e ordenaram que os magistrados o levassem imediatamente ao alto da rocha Tarpeia e o jogassem lá de cima. A multidão encantada apoiou a decisão. Os patrícios, entretanto, conseguiram intervir e a sentença foi transformada em degredo perpétuo. Quando o povo soube que o grande herói militar de Roma nunca mais voltaria à cidade, saiu comemorando pelas ruas. Na verdade, ninguém jamais viu comemoração semelhante, nem mesmo depois da derrota de um inimigo estrangeiro.

> Uma história muito contada sobre Kissinger... sobre um relatório no qual Winston Lord passara dias trabalhando. Depois de entregá-lo a Kissinger, Lord recebeu-o de volta com a anotação: "É o melhor que você pode fazer?" Lord redigiu tudo de novo e, finalmente, reapresentou o relatório; lá voltou ele com a mesma breve pergunta. Depois de redigi-lo mais uma vez – e mais uma vez ler a mesma pergunta de Kissinger –, Lord retrucou: "Diabos, sim, é o melhor que eu posso fazer." Ao que Kissinger respondeu: "Ótimo, acho que desta vez vou ler."
> KISSINGER, WALTER ISAACSON, 1992

Interpretação

Antes de entrar para a política, o nome de Coriolano evocava respeito. Seus feitos nos campos de batalha o mostravam como um homem de grande bravura. Como ele era pouco conhecido pelos cidadãos de Roma, lendas de todos os tipos foram sendo acrescentadas ao seu nome. Mas assim que ele apareceu diante dos cidadãos romanos, manifestando suas opiniões, toda essa grandeza e mistério se foi. Ele se gabava e esbravejava como um soldado comum. Insultava e injuriava o povo, como se sentisse ameaçado e inseguro. De repente, ele não era aquilo que o povo imaginava. A discrepância entre a lenda e a realidade foi uma decepção muito grande para os que gostariam de acreditar nele como um herói. Quanto mais Coriolano falava, menos poderoso parecia – a pessoa que não consegue controlar suas palavras mostra que não tem controle sobre si mesma e não merece respeito.

Se Coriolano tivesse falado menos, as pessoas não teriam tido motivo para se ofender, jamais teriam conhecido os seus verdadeiros sentimentos. Ele teria conservado a sua aura poderosa, teria certamente sido eleito cônsul e realizado seus objetivos antidemocráticos. Mas a língua

> O rei (Luís XIV) guarda o mais impenetrável sigilo sobre questões de Estado. Os ministros participam das reuniões de conselho, mas ele só lhes confessa seus planos depois de muito refletir e chegar a uma decisão definitiva. Gostaria que vocês vissem o Rei. Sua expressão é inescrutável; seus olhos, como os de uma raposa. Jamais discute questões de Estado com seus ministros em conselho.

Quando fala com as pessoas da corte, refere-se apenas às suas respectivas prerrogativas ou deveres. Até a sua frase mais banal soa como um oráculo.
PRIMI VISCONTI, CITADO EM LOUIS XIV, LOUIS BERTGAND, 1928

humana é um animal selvagem que poucos conseguem dominar. Está sempre se esforçando para sair da jaula e, se não for domesticado, vira uma fera e vai lhe dar problemas. Não acumula poder quem joga fora a riqueza das suas palavras.

A ostra se abre totalmente na lua cheia. Quando o caranguejo a vê, joga uma pedrinha ou alga marinha, ela não pode mais se fechar e serve de alimento para ele. Tal é o destino de quem abre demais a boca e se coloca, portanto, a mercê do seu ouvinte.

Leonardo da Vinci, 1452-1519

A LEI OBSERVADA

Na corte do rei Luís XIV, nobres e ministros passavam dias e noites discutindo questões de Estado. Conferenciavam, discutiam, faziam e desfaziam alianças, e discutiam de novo, até que finalmente chegava o momento crítico: dois eram escolhidos para representar os diferentes lados do problema para Luís, que era quem ia decidir o que fazer. Depois que estas pessoas eram escolhidas, todos discutiriam mais um pouco: Como falar? O que agradaria a Luís, o que o aborreceria? Em que hora do dia os representantes deveriam procurá-lo, e em que parte do palácio de Versalhes? Que expressão teriam em seus rostos?

As palavras irreverentes de um súdito com frequência lançam raízes mais profundas do que a lembrança de maus atos... O falecido conde de Essex disse à rainha Elizabeth que suas condições eram tão enviesadas quanto a sua carcaça; mas isso lhe custou a cabeça, o que a sua insurreição não lhe teria custado, não fosse esse discurso.
SIR WALTER RALEIGH, 1554-1618

E aí, depois de tudo definido, era a hora crítica. Os dois homens se aproximavam de Luís – sempre um problema delicado – e, quando finalmente conseguiam a sua atenção, falavam sobre o que tinham discutido, explicando as opções em detalhes.

Luís escutava em silêncio, uma expressão enigmática no rosto. No final, quando os dois terminavam as suas apresentações e lhe pediam a sua opinião, o rei olhava para eles e dizia: "Verei." E se afastava.

Os ministros e cortesãos não ouviam mais nenhuma palavra do rei sobre o assunto – simplesmente viam o resultado, semanas depois, quando ele tomava uma decisão e agia. Ele não se preocupava em consultá-los de novo.

Interpretação

Luís XIV era um homem de pouquíssimas palavras. Sua observação mais famosa é "L'état, c'est moi" ("O Estado sou eu"); nada poderia ser mais enérgico e, no entanto, mais eloquente. Seu infame "Verei" era uma das várias frases extremamente curtas que ele usava para todos os tipos de solicitação.

Luís nem sempre foi assim; quando jovem era conhecido por falar muito, encantado com a própria eloquência. Posteriormente, ele mesmo se impôs essa taciturnidade, uma representação, a máscara que ele usava para deixar em suspenso todos que estavam abaixo dele. Ninguém sabia exatamente o que ele pensava, ou seria capaz de prever as suas reações. Ninguém podia tentar enganá-lo, dizendo o que achavam que ele desejava ouvir, porque ninguém *sabia* o que ele desejava ouvir. Enquanto falavam e falavam para o silencioso Luís, revelavam cada vez mais sobre si mesmos, informações que ele mais tarde usaria contra eles com grande proveito.

No final, o silêncio de Luís mantinha as pessoas ao seu redor aterrorizadas e sob o seu domínio. Como Saint-Simon escreveu: "Ninguém como ele sabia vender suas palavras, seus sorrisos, até seus olhares. Tudo nele era valioso porque ele criava diferenças, e sua majestade se acentuava com a escassez de suas palavras."

Para um ministro, é ainda mais prejudicial
dizer tolices do que cometê-las.
Cardeal de Retz, 1613-1679

AS CHAVES DO PODER

O poder é de várias maneiras um jogo de aparências, e, quando você diz menos do que o necessário, inevitavelmente parecerá maior e mais poderoso do que é. O seu silêncio deixará as outras pessoas pouco à vontade. Os seres humanos são máquinas de interpretar e explicar: precisam saber o que o outro está pensando. Se você controla cuidadosamente o que revela, eles não conseguirão penetrar nas suas intenções ou nos seus pensamentos.

As respostas curtas que você der e o seu silêncio os colocarão na defensiva, e eles, nervosos, se apressarão a preencher o silêncio com diversos comentários que acabam revelando informações valiosas sobre eles mesmos e as suas fraquezas. Eles sairão de uma reunião com você sentindo-se roubados, e irão para casa pensar em todas as palavras que você disse. Esta atenção extra às suas parcas observações só aumentará o poder que você tem.

Dizer menos do que o necessário não é só para os reis e estadistas. Em quase todas as áreas da vida, quanto menos você diz, mais profundo e misterioso parece. Quando jovem, o artista Andy Warhol teve a revelação de que era impossível convencer as pessoas a fazer o que se queria delas apenas conversando. Elas se voltariam contra você, subverteriam os seus desejos, desobedeceriam a você por simples perversidade. Certa vez ele disse a um amigo: "Aprendi que na verdade você tem mais poder quando fica de boca fechada."

No final da sua vida, Warhol usava esta estratégia com grande sucesso. Suas entrevistas eram exercícios de discurso oracular: ele dizia coisas vagas e ambíguas, e o entrevistador se contorcia tentando entender, imaginando haver nas suas frases, quase sempre sem sentido, algo profundo. Warhol raramente falava de seu trabalho, deixava a interpretação para os outros. Dizia ter aprendido esta técnica com o mestre do enigma, Marcel Duchamp, outro artista do século XX que cedo percebeu que, quanto menos falava de seu trabalho, mais as pessoas falavam sobre ele. E, quanto mais elas falavam, mais valiosas as suas obras ficavam.

Falando menos do que o necessário, você cria a aparência de significado e de poder. Também, quanto menos você diz, menor é o risco de falar uma bobagem ou até algo perigoso. Em 1825, um novo czar, Nicolau I, subiu ao trono da Rússia. Imediatamente houve uma rebelião liderada por liberais que exigiam que o país se modernizasse – que suas indústrias e estruturas civis se igualassem às do resto da Europa. Esmagando brutalmente esta revolta (a Insurreição de Dezembro), Nicolau I condenou à morte um de seus líderes, Kondrati Rileiev. No dia da execução, Rileiev subiu ao patíbulo, a corda no pescoço. O alçapão se abriu – mas, quando Rileiev ficou suspenso no ar, a corda se rompeu e ele foi ao chão. Na época, essas ocorrências eram sinal da providência ou vontade divina, e quem se salvasse da morte dessa forma costumava ser perdoado. Quando Rileiev se levantou, sujo e arranhado, mas acreditando que estava com o pescoço à salvo, gritou para a multidão: "Estão vendo, na Rússia não sabem fazer nada direito, nem mesmo uma corda!"

Um mensageiro seguiu imediatamente para o Palácio de Inverno com a notícia do enforcamento que não tinha acontecido. Apesar de irritado com essa reviravolta frustrante, Nicolau I começou a assinar o perdão. Mas aí: "Rileiev disse alguma coisa depois deste milagre?", o czar perguntou ao mensageiro. "Senhor", o mensageiro respondeu, "ele disse que na Rússia não se sabe nem fazer uma corda."

Imagem:
O Oráculo de Delfos.
Quando as pessoas consultavam
o oráculo, a sacerdotisa pronunciava
algumas palavras enigmáticas que pareciam muito importantes e significativas.
Ninguém desobedecia às palavras do oráculo
– elas tinham poder sobre a vida e a morte.

Autoridade: Não abra a boca antes dos seus subordinados. Quanto mais você permanecer calado, mais rápido os outros começam a dar com a língua nos dentes. Quando eles movem os lábios e dão com a língua nos dentes, eu posso compreender suas verdadeiras intenções... Se o soberano não é misterioso, os ministros terão oportunidade de se aproveitar. (Han-fei-tsé, filósofo chinês, século III a.C.)

"Nesse caso", disse o czar, "vamos provar o contrário", e rasgou o perdão. No dia seguinte, Rileiev foi para a forca de novo. Desta vez, a corda não se partiu.

Aprenda a lição: As palavras, depois de pronunciadas, não podem ser tomadas de volta. Mantenha-as sob controle. Cuidado particularmente com o sarcasmo: a satisfação momentânea que se tem dizendo frases sarcásticas será menor do que o preço que se paga por ela.

O INVERSO

Há momentos em que não é sensato ficar calado. O silêncio pode despertar suspeitas e até insegurança, especialmente nos seus superiores; um comentário vago e ambíguo pode expor você a interpretações com as quais não contava. Ficar em silêncio e dizer menos do que o necessário são técnicas que devem ser praticadas com cautela, portanto, e na ocasião certa. Ocasionalmente, é mais sensato imitar o bobo da corte, que se faz de tolo, mas sabe que é mais esperto do que o rei. Ele fala e fala, e distrai todo mundo, ninguém desconfia de que ele não é tão tolo assim.

Às vezes, as palavras também funcionam como uma espécie de cortina de fumaça quando você quer enganar os outros. Enchendo os seus ouvintes com palavras, você os distrai e hipnotiza; quanto mais você falar, menos eles desconfiam de você. A verborragia não é percebida como maliciosa e manipuladora, mas como sinal de incompetência e ingenuidade. Isto é o inverso da política do silêncio utilizada pelos poderosos: falando mais, e parecendo mais fraco e menos inteligente do que é, você pratica a dissimulação com muito mais facilidade.

LEI

5

MUITO DEPENDE DA REPUTAÇÃO – DÊ A PRÓPRIA VIDA PARA DEFENDÊ-LA

JULGAMENTO
A reputação é a pedra de toque do poder. Com a reputação apenas você pode intimidar e vencer; um deslize, entretanto, e você fica vulnerável, e será atacado por todos os lados. Torne a sua reputação inexpugnável. Esteja sempre alerta aos ataques em potencial e frustre-os antes que aconteçam. Enquanto isso, aprenda a destruir seus inimigos minando as suas próprias reputações. Depois, afaste-se e deixe a opinião pública acabar com eles.

A LEI OBSERVADA I
Durante a Guerra dos Três Reinos, na China (207-265 d.C.), o grande general Chuko Liang, chefiando as forças do reino Shu, despachou o seu enorme exército para um campo distante enquanto descansava numa cidadezinha junto com um punhado de soldados. De repente, as sentinelas chegaram correndo com a notícia alarmante de que um exército inimigo, com mais de 150 mil homens liderados por Sima Yi, se aproximava. Com apenas uma centena de homens para defendê-lo, a situação de Chuko Liang era desesperadora. O inimigo finalmente ia capturar o famoso líder.

Sem lamentar o seu destino, ou perder tempo tentando imaginar como tinha sido apanhado, Liang ordenou às suas tropas que arriassem as bandeiras, abrissem os portões da cidade e se escondessem. Ele então se sentou na parte mais visível do muro da cidade, vestido com um manto taoísta. Acendeu incenso, dedilhou o seu alaúde e começou a cantar. Minutos depois, viu se aproximando o exército inimigo, uma falange interminável de soldados. Fingindo não ter percebido nada, ele continuou cantando e tocando o alaúde.

Logo o exército estava diante dos portões da cidade. À frente vinha Sima Yi, que na mesma hora reconheceu o homem no muro.

Ainda assim, com os soldados impacientes para atravessar os portões abertos da cidade desprotegida, Sima Yi hesitou, conteve-os e estudou Liang sobre o muro. Em seguida, ordenou a rápida e imediata retirada.

Interpretação
Chuko Liang era conhecido como o "Dragão Adormecido". Suas façanhas na Guerra dos Três Reinos eram lendárias. Certa vez, um homem, dizendo ser um tenente inimigo descontente, apareceu no seu acampamento oferecendo ajuda e informação. Liang na mesma hora viu que era uma armadilha; o homem era um falso desertor, e deveria ser decapitado. No último minuto, entretanto, o machado já prestes a descer, Liang suspendeu a execução e propôs poupar a vida do homem se ele concordasse em ser um agente duplo. Agradecido e aterrorizado, o homem concordou e começou a fornecer informações ao inimigo. Liang venceu batalha atrás de batalha.

Em outra ocasião, Liang roubou um selo militar e forjou documentos despachando as tropas do inimigo para localidades distantes. As tropas dispersas, ele conseguiu capturar três cidades e assim controlar todo um corredor do reino inimigo. Ele também levou o inimigo, certa vez, a acreditar que um dos seus melhores generais era um traidor, forçando o homem a fugir e juntar forças com Liang. O Dragão Adormecido cul-

---

OS ANIMAIS ATINGIDOS PELA PESTE
Uma assustadora epidemia enviada à Terra pela intenção Divina de manifestar a sua fúria a um mundo pecador, nomeando-a corretamente, a peste, aquele frasco de virulência de Aqueronte, caiu sobre todos os animais. Nem todos morreram, mas todos estavam quase mortos, e nenhum mais tentava encontrar novo combustível que alimentasse as chamas bruxuleantes da vida. Nenhum alimento excitava os seus desejos; lobos e raposas não vagavam mais em busca de presas inofensivas e indefesas; e o pombo não se acasalava com a pomba, pois o amor e a alegria tinham desaparecido.
O leão tomou a palavra dizendo: "Caros amigos, não duvido que seja pelos altos desígnios celestes que sobre nós pecadores a desgraça deva cair. Que o mais pecador entre nós seja vítima do vingativo espírito celestial, e possa ele alcançar a salvação por todos nós; pois a história nos ensina que nestas crises devemos fazer sacrifícios. Sem ilusões e com olhar severo, examinemos nossas consciências. Conforme recordo,

*para acalmar meu apetite, devorei muitas ovelhas, que nenhum mal me haviam feito, e até no meu tempo eram conhecidas por ensaiar a flauta pastoril. Se necessário for, portanto, morrerei. Mas suspeito que outros devem ter também os seus pecados. É justo que todos façam o possível para definir o mais culpado."
"Senhor, o senhor é um rei bom demais", começou a raposa; "tais escrúpulos são muito delicados. Eu juro, comer ovelha, esse rebanho profano e vulgar, isso é pecado? Não, senhor, basta para tal súcia ser devorada por alguém como o senhor; enquanto dos pastores podemos dizer que eles mereceram tudo de pior que já tiveram, deles é o grupo que sobre nós animais conspira uma frágil e sonhada influência."
Assim falou a raposa, e aplausos bajuladores se fizeram ouvir sonoros, enquanto ninguém ousava olhar friamente para as ofensas mais imperdoáveis do urso, do tigre e de outras eminências. Cada um deles, não importa de que raça vil, era realmente um santo, todos concordavam. Aí veio o burro dizer:*

tivou cuidadosamente a sua reputação de homem mais astuto da China, aquele sempre com um truque escondido na manga. Eficaz quanto qualquer outra arma, esta reputação amedrontava o inimigo.

Sima Yi tinha lutado contra Chuko Liang dezenas de vezes e o conhecia bem. Quando ele chegou à cidade vazia, com Liang rezando em cima do muro, ficou atordoado. O manto taoísta, o canto, o incenso – aquilo tinha que ser um jogo de intimidação. O homem evidentemente estava brincando com ele, desafiando-o a cair numa armadilha. O jogo era tão óbvio que por um momento Yi chegou a pensar que Liang *estava* realmente sozinho e desesperado. Mas ele tinha tanto medo de Liang que não ousou se arriscar. Assim é o poder da fama. Capaz de colocar um enorme exército na defensiva, até forçá-lo a bater em retirada, sem atirar uma única flecha.

Pois, como diz Cícero, até os que condenam a fama querem os seus nomes no título dos livros que escrevem contra ela, e esperam se tornar famosos por desprezá-la. Tudo o mais está sujeito a barganha: permitimos que nossos amigos fiquem com nossos bens e nossas vidas, se for necessário; mas é raro dividirmos nossa fama e darmos de presente para alguém a nossa reputação.

Montaigne, 1533-1592

A LEI OBSERVADA II

Em 1841, o jovem P. T. Barnum, tentando estabelecer a sua reputação como o principal empresário teatral nos Estados Unidos, decidiu comprar o American Museum, em Manhattan, e transformá-lo numa coleção de curiosidades que garantiriam a sua fama. O problema era que ele não tinha dinheiro. Estavam pedindo 15 mil dólares pelo museu, mas Barnum conseguiu redigir uma proposta que atraiu os donos da instituição, apesar de substituir o dinheiro vivo por dezenas de garantias e referências. Os proprietários chegaram a um acordo verbal com Barnum, mas, no último minuto, o principal sócio mudou de ideia, e o museu e a sua coleção foram vendidos para os diretores do Peale's Museum. Barnum ficou furioso, mas o sócio explicou que negócio era negócio – o museu tinha sido vendido a Peale's porque Peale's tinha reputação e Barnum, não.

Barnum imediatamente decidiu que, se ele não tinha uma reputação para bancá-lo, o seu único recurso era arruinar a do Peale's. Por conseguinte, ele iniciou uma campanha pelos jornais com cartas que chamavam os proprietários de um bando de "diretores de banco falidos" que não tinham ideia do que era dirigir um museu ou entreter as pessoas. Ele alertou o público contra a compra de ações do Peale's, visto que a compra de mais um museu pela empresa invariavelmente reduziria mais ainda os seus recursos. A campanha funcionou, as ações caíram, e sem confiar mais no passado e na reputação do Peale's, os donos do American Museum descumpriram o acordo e venderam tudo para Barnum.

Levou anos para Peale's se recuperar, e eles jamais esqueceram o que Barnum tinha feito. O próprio Peale decidiu atacar Barnum criando uma reputação de "entretenimentos para intelectuais", promovendo os programas do seu museu como mais científicos do que os do seu vulgar concorrente. O mesmerismo (hipnotismo) era uma das atrações "científicas" do Peale's, e por uns tempos atraiu grandes multidões e teve bastante sucesso. Para revidar, Barnum decidiu atacar mais uma vez a reputação do Peale's.

Barnum organizou uma sessão de hipnotismo rival em que ele mesmo aparentemente colocava em transe uma menina. Assim que ela pareceu estar em sono profundo, ele tentou hipnotizar outros membros da plateia – porém, por mais que tentasse, nenhum dos espectadores cedeu ao seu feitiço, e muitos começaram a rir. Um Barnum frustrado finalmente anunciou que, para provar que o transe da menina era real, cortaria um dos seus dedos sem que ela percebesse. Mas, enquanto ele afiava a faca, a menina arregalou os olhos e saiu correndo, para deleite da plateia. Ele repetiu esta e outras paródias durante várias semanas. Em pouco tempo, ninguém mais conseguia levar a sério os espetáculos de Peale, e a frequência caiu. Em poucas semanas, o espetáculo fechou. Nos anos seguintes, Barnum estabeleceu uma reputação de ousadia e consumado domínio de cena que durou pelo resto da sua vida. A reputação do Peale, ao contrário, jamais se recuperou.

Interpretação

Barnum usou duas táticas diferentes para arruinar a reputação do Peale. A primeira foi simples: semeou dúvidas quanto a estabilidade e solvência do museu. A dúvida é uma arma poderosa: quando você a levanta com boatos insidiosos, seus adversários ficam num dilema terrível. Por um lado eles podem negar a boataria, podem até provar que partiu de você. Mas uma camada de suspeita permanece: por que tanto desespero para se defender? Talvez o boato tenha alguma verdade? Se, por outro lado, eles tomarem o caminho mais fácil e ignorarem você, as dúvidas, não refutadas, aumentarão ainda mais. Feito corretamente, espalhar boatos pode enfurecer e desestabilizar tanto os seus rivais que, defendendo-se, eles cometerão inúmeros erros. Esta é a arma perfeita para quem não pode começar contando com a própria reputação.

"Eu me lembro de uma vez estar cruzando os prados de uma abadia quando a fome, a vegetação em abundância e, ademais, não tenho dúvida, um ímpeto de ganância tomaram conta de mim e eu arranquei uma porção de grama a qual francamente eu não tinha nenhum direito." Todos sem demora marcaram cerrada perseguição ao burro: um lobo com alguma instrução testemunhou que aquele animal amaldiçoado merecia o desprezo deles, aquele autor imprudente dos seus lamentáveis apuros. Merecia nada menos do que ser enforcado: Que vilania, sequestrar a grama alheia! Só com a morte ele poderia expiar um crime tão hediondo, como ele fica sabendo muito bem.
O tribunal, seja você rico ou pobre, o pintará sucessivamente de branco ou de preto.
AS MELHORES FÁBULAS DE LA FONTAINE, JEAN DE LA FONTAINE, 1621-1695

Quando já tinha a sua própria fama, ele usou a segunda tática mais suave, a sessão de hipnotismo de mentira: e ridicularizou a do rival. Esta também teve muito sucesso. Quando você já tem uma sólida base de respeito, ridicularizar o seu adversário ao mesmo tempo o coloca na defensiva e melhora a sua própria reputação. A difamação e o insulto flagrantes são fortes demais neste ponto; eles são feios e podem magoar você mais do que ajudar. Farpas gentis e chacotas, no entanto, sugerem que você tem noção suficiente do seu próprio valor para dar umas boas risadas às custas do seu rival. Uma fachada humorística pode mostrar você como um artista inofensivo, enquanto vai minando a reputação do seu rival.

É mais fácil suportar uma consciência pesada do que a má reputação.
Friedrich Nietzsche, 1844-1900

AS CHAVES DO PODER
As pessoas que nos cercam, até nossos melhores amigos, serão sempre até um certo ponto misteriosas e inescrutáveis. Suas personalidades possuem nichos secretos que elas não revelam. Se ficarmos pensando muito nisso, o mistério dos outros pode ser uma coisa incômoda porque tornaria impossível para nós julgar realmente as outras pessoas. Portanto, preferimos ignorar este fato e julgar as pessoas pela aparência, pelo que é mais visível aos nossos olhos – roupas, gestos, palavras, atos. Na esfera social, as aparências são o barômetro de quase todos os nossos julgamentos, e você não deve se iludir acreditando em outra coisa. Um escorregão em falso, uma estranha ou repentina mudança na sua aparência, pode se mostrar desastroso.

Esta é a razão da suprema importância de fazer e manter uma reputação que tenha sido criada por você mesmo.

Essa reputação o protegerá do perigoso jogo das aparências, distraindo os olhos inquisidores dos outros e impedindo que eles saibam como você é realmente, e dando a você um certo controle sobre como o mundo o julga – uma posição poderosa. A reputação tem um poder mágico: com um só golpe da varinha, ela pode dobrar a sua força. Pode também fazer as pessoas fugirem de você em disparada. Se as mesmas ações parecem brilhantes ou horríveis, depende inteiramente da reputação de quem as praticou.

Na antiga corte chinesa do reino Wei, havia um homem chamado Mi Tzu-hsia, que tinha fama de suprema civilidade e gentileza. Ele se tornou o favorito do governante. A lei em Wei dizia que "aquele que viajar escondido na carruagem do governante terá os pés cortados", mas, quando a mãe de Mi Tzu-hsia ficou doente, ele usou a carruagem real para visitá-la fingindo ter autorização para isso. Quando o governante descobriu, disse: "Como Mi Tzu-hsia é cumpridor dos seus deveres! Por sua mãe ele até se esqueceu de que estava cometendo um crime que o faria perder os pés!"

Em uma outra ocasião, os dois estavam passeando num pomar. Mi Tzu-hsia começou a comer um pêssego, que ele não ia conseguir comer inteiro, e deu ao governante a outra metade. O governante observou: "Você me ama tanto que até se esquece do gosto da própria saliva e me deixa comer o resto do pêssego!"

Mais tarde, entretanto, os cortesãos invejosos, espalhando o boato de que Mi Tzu-hsia era dissimulado e arrogante, conseguiram prejudicar a sua reputação; o governante passou a ver as suas atitudes sob uma nova luz. "Este sujeito certa vez viajou na minha carruagem sob a falsa alegação de que estava autorizado por mim", ele contou aos cortesãos com raiva, "e de outra feita me deu um pêssego comido pela metade." Pelas mesmas atitudes que tinham encantado o governante quando ele era o favorito, Mi Tzu-hsia agora teve que pagar. O destino dos seus pés dependia unicamente da força da sua reputação.

No início, você deve se esforçar para criar uma reputação por uma qualidade importante, seja generosidade, honestidade ou astúcia. Esta qualidade o colocará em evidência e fará com que falem de você. Aí, então, faça com que o maior número possível de pessoas conheça a sua reputação (sutilmente, entretanto: tome cuidado para construí-la aos poucos e sobre bases firmes), e veja como ela se espalha como fogo selvagem.

Uma sólida reputação aumenta a sua presença e exagera a sua força sem que você precise gastar muita energia. Ela também pode criar uma aura ao seu redor que infunde respeito, até medo. Nas lutas no deserto da África do Norte, durante a Segunda Guerra Mundial, o general alemão Erwin Rommel tinha fama por sua astúcia e pelas manobras dissimuladas que eram o terror de todos que o enfrentavam. Mesmo quando suas forças ficaram reduzidas, e os britânicos tinham cinco vezes mais tanques do que ele, cidades inteiras eram evacuadas com a notícia da sua aproximação.

Como se diz, a sua fama inevitavelmente chega antes, e se ela inspira respeito, grande parte do trabalho já estará feito quando você entrar em cena ou pronunciar uma simples palavra.

O seu sucesso parece predestinado por seus triunfos no passado. Grande parte do sucesso da diplomacia de vaivém de Henry Kissinger baseava-se na sua fama de nivelador de diferenças; ninguém queria parecer tão irracional que Kissinger não pudesse controlar. Um tratado de paz parecia um fato consumado assim que o nome de Kissinger era envolvido nas negociações.

Faça com que a sua reputação seja simples e baseada numa qualidade autêntica. Esta única qualidade – a eficiência, digamos, ou a sedução – torna-se uma espécie de cartão de visita que anuncia a sua presença e enfeitiça os outros. A fama de honestidade permitirá que você pratique todos os tipos de fraudes. Casanova usava a sua reputação de grande sedutor para abrir caminho para suas futuras conquistas; as mulheres que escutavam falar de seus poderes ficavam cheias de curiosidade e queriam descobrir por elas mesmas o que o fazia ter tanto sucesso no amor.

Talvez você já tenha manchado a sua reputação e não possa mais criar outra. Sendo assim, é prudente associar-se com alguém cuja imagem se contraponha a sua, usando o bom nome dessa pessoa para limpar e melhorar o seu. É difícil, por exemplo, limpar a reputação de desonesto sozinho; mas um modelo de honestidade pode ajudar. Quando P. T. Barnum quis limpar a sua fama de promover espetáculos vulgares, ele trouxe a cantora Jenny Lind da Europa. A sua reputação era de alta classe, estelar, e a turnê pela América, patrocinada por Barnum, melhorou muito a imagem dele. Da mesma forma, os grandes barões ladrões, na América do século XIX, durante muito tempo não conseguiram se livrar da fama de crueldade e mesquinharia. Só depois que começaram a colecionar peças de arte, e nomes como Morgan e Frick se tornaram permanentemente associados aos de da Vinci e Rembrandt, eles conseguiram melhorar a sua imagem desagradável.

Reputação é um tesouro que deve ser cuidadosamente colecionado e guardado. Especialmente quando você está começando, deve protegê-la rigidamente, prevendo todos os ataques. Quando ela estiver sólida, não fique com raiva ou na defensiva com os comentários difamadores de seus inimigos – isso revela insegurança, falta de confiança na sua reputação. Pegue o caminho mais fácil, e jamais demonstre desespero na hora de se defender. Por outro lado, o ataque à reputação de outro homem é uma arma poderosa, particularmente se você tem menos poder do que ele. Ele tem muito mais a perder numa disputa como essa, e a sua própria reputação, ainda pequena, é um alvo pequeno quando ele tentar atirar de volta. Barnum usou essas campanhas com grande eficácia no início da carreira. Mas esta tática deve ser praticada com habilidade; você não deve parecer interessado numa vingança mesquinha. Se você não for esperto na hora de prejudicar a reputação do seu inimigo, estará inadvertidamente arruinando a sua.

Thomas Edison, considerado o inventor que controlou a eletricidade, acreditava que um sistema viável deveria se basear na corrente contínua (CC). Quando o cientista sérvio Nikola Tesla pareceu ter conseguido criar um sistema baseado na corrente alternada (CA), Edison ficou furioso. Ele decidiu acabar com a reputação de Tesla, fazendo o público acreditar que o sistema CA era inerentemente inseguro, e Tesla responsável por promovê-lo.

Com este objetivo, ele capturou animaizinhos domésticos de todos os tipos e os eletrocutou, matando-os, com uma corrente CA. Não bastando isso, em 1890 ele conseguiu que as autoridades da prisão do estado de Nova York procedessem à primeira execução de um condenado à morte com choque elétrico, usando uma corrente CA. Mas todas as experiências de eletrocussão realizadas por Edison tinham sido com pequenas criaturas; a carga era muito fraca, e o homem ficou só meio morto. Na execução que talvez tenha sido a mais cruel autorizada pelo estado no país, o procedimento teve de ser repetido. Foi um espetáculo horrível.

Embora, no longo prazo, o que subsistiu foi o nome de Edison, na época a sua campanha prejudicou mais a sua própria reputação do que a de Tesla. Ele se retraiu. A lição é simples – não exagere em ataques como este, porque chamará mais atenção para a sua própria índole vingativa do que para a pessoa que você está difamando. Quando a sua própria reputação é sólida, use táticas mais sutis, como a sátira e o ridículo, para enfraquecer o seu adversário enquanto você se mostra um charmoso brincalhão. O poderoso leão brinca com o camundongo que cruza o seu caminho – qualquer outra atitude prejudicaria a sua temível reputação.

Imagem:
A Mina de
Diamantes e Rubis.
Você cava e encontra, e sua riqueza
está garantida. Proteja-a com a própria
vida. Ladrões e assaltantes surgirão de todos os
lados. Não considere garantida a sua riqueza,
e renove-a constantemente – o tempo
diminuirá o seu brilho, e enterre-a
onde não possa ser vista.

Autoridade: Portanto, eu desejaria que o cortesão defendesse o seu valor inerente com habilidade e astúcia, e garantisse que, onde quer que chegue como estrangeiro, seja precedido por uma boa reputação... Pois a fama que parece apoiar-se nas opiniões de muitos favorece uma certa fé inabalável no valor de um homem, o qual em seguida é facilmente reforçado nas mentes já predispostas e preparadas. (Baldassare Castiglione, 1478-1529)

O INVERSO
Não há inverso. A reputação é crítica; não há exceções a esta lei. Talvez, não se importando com o que as pessoas pensem a seu respeito, você ganhe fama de insolente e arrogante, mas esta por si só é uma imagem valiosa – Oscar Wilde a usou com grande proveito. Visto que temos de viver em sociedade e depender da opinião alheia, nada se ganha negligenciando a própria reputação. Quando você não se preocupa com a maneira como as pessoas o veem, está deixando que os outros decidam isso por você. Seja dono do seu próprio destino e, também da sua reputação.

LEI

6

CHAME ATENÇÃO A QUALQUER PREÇO

JULGAMENTO

Julga-se tudo pelas aparências; o que não se vê não conta. Não fique perdido no meio da multidão, portanto, ou mergulhado no esquecimento. Destaque-se. Fique visível, a qualquer preço. Atraia as atenções parecendo maior, mais colorido, mais misterioso do que as massas tímidas e amenas.

PARTE I: CERQUE O SEU NOME DE ESCÂNDALO E SENSACIONALISMO

A VESPA E O PRÍNCIPE
Uma vespa chamada Rabo de Agulha há muito procurava algo para fazer que a tornasse famosa para sempre. Um dia, ela entrou no palácio do rei e picou o principezinho que estava na cama. O príncipe acordou gritando muito. O rei e seus cortesãos correram para ver o que tinha acontecido. O príncipe gritava e a vespa continuava picando. Os cortesãos tentaram pegar a vespa, e cada um por sua vez também foi picado. Todos no palácio real correram para lá, rápido a notícia se espalhou e as pessoas vieram em bando. A cidade estava em polvorosa, todos os negócios suspensos. Disse a vespa para si mesma, antes de morrer de tanto esforço: "Um nome sem fama é como fogo sem chama. Nada como chamar atenção a qualquer preço."
FÁBULA INDIANA

Chame atenção sobre você criando uma imagem inesquecível, até controvertida. Faça escândalo. Faça qualquer coisa para parecer exagerado e brilhe mais do que todos ao seu redor. Não discrimine os diferentes tipos de atenção – qualquer espécie de notoriedade lhe trará mais poder. Que falem mal, mas falem de você.

A LEI OBSERVADA

P. T. Barnum, o principal empresário de espetáculos teatrais da América no século XIX, começou a sua carreira como assistente do dono de um circo, Aaron Turner. Em 1836, o circo parou em Annapolis, Maryland, para uma série de apresentações. No dia da estreia, de manhã, Barnum saiu para dar um passeio vestindo um terno preto novo. As pessoas começaram a segui-lo. Alguém na multidão que ia crescendo gritou que ele era o reverendo Ephraim K. Avery, famoso por ter sido absolvido da acusação de assassinato, mas que a maioria dos americanos considerava culpado. A turba enraivecida rasgou a roupa de Barnum e estava prestes a linchá-lo. Depois de apelos desesperados, Barnum finalmente os convenceu a segui-lo até o circo, onde ele mostraria a sua identidade.

Uma vez lá, o velho Turner confirmou que tudo tinha sido uma piada – ele mesmo tinha espalhado o boato de que Barnum era Avery. A multidão se dispersou, mas Barnum, que escapou de morrer, não achou graça. Ele queria saber o que teria levado o seu patrão a fazer essa brincadeira. "Meu caro Barnum", respondeu Turner, "foi tudo pelo nosso bem. Lembre-se, o que precisamos para garantir o sucesso é a notoriedade." E, na verdade, todos na cidade estavam comentando a farsa, e o circo ficou abarrotado de gente naquela noite e em todas as outras que permaneceu em Annapolis. Barnum aprendeu uma lição para o resto da vida.

A primeira grande aventura de Barnum sozinho foi o American Museum – uma coleção de excentricidades, localizada em Nova York. Um dia, um mendigo se aproximou de Barnum na rua. Em vez de dinheiro, Barnum resolveu lhe dar um emprego. Voltando com ele ao Museu, deu ao homem cinco tijolos e lhe disse para percorrer devagar vários quarteirões. Em determinados pontos, o sujeito deveria colocar um tijolo na calçada, ficando sempre com um na mão. No percurso de volta, ele deveria ir substituindo o tijolo que estava na rua pelo que tinha na mão. O tempo todo ele deveria se manter sério e não responder a nenhuma pergunta. De volta ao museu, ele deveria entrar, dar uma volta lá dentro, depois sair pela porta de trás e refazer o mesmo circuito de distribuição de tijolos.

Na primeira passagem do homem pelas ruas, várias pessoas observaram os seus movimentos misteriosos. Lá pelo quarto circuito, os observadores se aglomeraram ao redor dele, discutindo o que ele estava fazendo. Todas as vezes que ele entrava no museu era seguido por pessoas que compravam tíquetes de entrada para continuar observando. Muitos que se distraíam olhando as coleções do museu ficavam lá dentro. No final do primeiro dia, o homem dos tijolos tinha atraído mais de mil pessoas ao museu. Dias depois, a polícia mandou que ele parasse e desistisse das suas caminhadas – as multidões estavam impedindo o trânsito. A brincadeira dos tijolos parou, mas milhares de nova-iorquinos tinham entrado no museu, e muitos se converteram em fãs de P. T. Barnum.

Barnum colocava uma banda de músicos num balcão que dava para a rua, sob um enorme estandarte dizendo MÚSICA DE GRAÇA PARA MILHÕES. Que generosidade, pensavam os nova-iorquinos, ao se aglomerarem para ouvir os concertos gratuitos. Mas Barnum se esforçava para contratar os piores músicos que pudesse encontrar, e, assim que a banda atacava, as pessoas se apressavam para comprar entradas para o museu, onde ficariam longe do barulho da banda e das vaias da multidão.

Umas das primeiras curiosidades de Barnum a excursionar pelo país foi Joice Heth, uma mulher que ele dizia ter 161 anos e anunciava como uma escrava que tinha sido babá de George Washington. Depois de vários meses, as multidões começaram a encolher, então Barnum enviou uma carta anônima aos jornais dizendo que Heth era uma fraude. "Joice Heth", escreveu ele, "não é um ser humano, mas um autômato, feito de barbatana de baleia, borracha e inúmeras molas." Quem ainda não tinha se interessado em vê-la ficou logo curioso, e os que já a tinham visto pagaram para vê-la de novo e descobrir se o boato era verdade ou não.

Em 1842, Barnum comprou a carcaça do que se supunha ser uma sereia. A criatura parecia um macaco com corpo de peixe, mas a cabeça e o corpo estavam perfeitamente ligados – era realmente uma maravilha. Depois de algumas pesquisas, Barnum descobriu que a criatura tinha sido habilmente montada no Japão, onde a peça já tinha causado um grande rebuliço.

Não obstante, ele publicou artigos nos jornais de todo o país dizendo que a sereia tinha sido capturada nas ilhas Fiji. Enviou também aos jornais xilogravuras retratando sereias. Quando ele exibiu o espécime no seu museu, um debate nacional havia se instalado sobre a existência

Mesmo quando ralham comigo, tenho a minha quota de fama.
PIETRO ARETINO, 1492-1556

O ARTISTA DA CORTE
A obra apresentada voluntariamente a um príncipe estaria destinada a parecer especial de alguma forma. O próprio artista poderia também tentar atrair a atenção da corte com seu comportamento. No julgamento de Vasari, Sodoma era "famoso tanto por suas excentricidades como por sua reputação de bom pintor". Como ao papa Leão X "agradavam a esses indivíduos estranhos e levianos", ele nomeou Sodoma cavaleiro, fazendo com que o artista perdesse completamente a cabeça. Van Mander achou esquisito que os produtos das experiências de Cornelis Ketel com pinturas feitas com a boca e o pé fossem comprados por pessoas notáveis "devido a sua estranheza", mas Ketel estava apenas

acrescentando uma variação a experiências semelhantes de Ticiano, Ugo de Carpi e Palma Giovane, que, segundo Boschini, pintaram com os dedos "porque desejavam imitar o método usado pelo Supremo Criador". Van Mander relata que Gossaert chamou a atenção do imperador Carlos V ao usar uma fantástica roupa de papel. Ao fazer isso ele estava adotando as táticas usadas por Dinocrates, que, para ter acesso a Alexandre, o Grande, dizem que apareceu disfarçado de Hércules nu quando o monarca estava sendo julgado.
THE COURT ARTIST, MARTIN WARNKE, 1993

destas criaturas míticas. Meses antes da campanha de Barnum, ninguém sabia nem se interessava em saber o que eram as sereias; agora, todos falavam delas como se fossem reais. Multidões se reuniam em números recordes para ver a Sereia de Fiji e para ouvir debates sobre o assunto.

Poucos anos depois, Barnum excursionou pela Europa com o General Pequeno Polegar, um anão de cinco anos de idade, de Connecticut, que Barnum dizia ser um menino inglês de onze anos e que ele tinha treinado para fazer coisas notáveis. Nesta turnê, o nome de Barnum chamou tamanha atenção que a rainha Vitória, modelo de sobriedade, requisitou uma audiência privada com ele e o seu talentoso anão no palácio de Buckingham. A imprensa inglesa pode ter ridicularizado Barnum, mas a rainha Vitória se divertiu regiamente com ele, e depois disso ele nunca deixou de respeitá-la.

Interpretação

Barnum compreendeu a verdade fundamental de como chamar atenção. Quando o olhar das pessoas se volta para você, você tem uma legitimidade especial. Para Barnum, despertar interesse significava despertar uma multidão; como ele escreveu mais tarde: "Toda multidão tem um raio de esperança." E as multidões tendem a agir em conjunto. Se uma pessoa interrompe o que está fazendo para ver o seu mendigo colocando tijolos na rua, outras farão o mesmo. Elas se juntam como chumaços de poeira. Aí, então, um empurrãozinho, e elas entram no seu museu ou assistem ao seu show. Para criar uma multidão você tem que fazer alguma coisa diferente e excêntrica. Qualquer tipo de curiosidade serve, pois as multidões são atraídas magneticamente pelo inusitado e inexplicável. E uma vez tendo conquistado a atenção dela, não a abandone. Se ela se desviar para outras pessoas, fará isso às suas custas. Barnum absorvia impiedosamente a atenção de seus adversários, sabendo o artigo valioso que ela é.

No início da sua ascensão até o topo, portanto, use toda a sua energia chamando a atenção. Mais importante: a *qualidade* da atenção é irrelevante. Não tinha importância se a crítica aos seus shows era negativa, ou como o ataque às suas mistificações era caluniosamente pessoal, Barnum jamais se queixava. Se o crítico de um jornal fosse muito agressivo, ele o convidava para uma estreia e lhe dava o melhor lugar da casa. Ele até escrevia cartas anônimas atacando o seu próprio trabalho, só para o seu nome aparecer nos jornais. Do ponto de vista de Barnum, a atenção – negativa ou positiva – era o principal ingrediente do seu sucesso. A pior coisa do mundo para o homem que quer a fama, a glória e, é claro, o poder, é ser ignorado.

Se acontecer de o cortesão participar de uma luta num espetáculo público como uma justa (...) deve assegurar que o seu cavalo esteja belamente ajaezado, que ele mesmo esteja adequadamente vestido, com divisas apropriadas e expedientes engenhosos para atrair o olhar dos espectadores em sua direção com tamanha certeza quanto o ímã atrai o ferro.

Baldassare Castiglione, 1478-1529

AS CHAVES DO PODER

Brilhar mais do que as pessoas que estão ao seu redor não é uma habilidade inata. É preciso *aprender* a chamar a atenção, "com tanta certeza quanto o ímã atrai o ferro". No início da sua carreira, você deve associar o seu nome e reputação a uma qualidade, uma imagem, que o destacará dos outros. Esta imagem pode ser algo como um estilo de se vestir característico ou um cacoete da personalidade que diverte as pessoas e elas comentam. Uma vez estabelecida a imagem, você tem uma aparência, um lugar no céu para a sua estrela.

É um erro comum imaginar que esta sua aparência peculiar não deva ser polêmica, que ser atacado é uma coisa ruim. Nada está mais longe da verdade. Para evitar ser um sucesso frustrado ou ter a sua notoriedade eclipsada por outro, você não deve discriminar entre tipos diferentes de atenção; no final, todos lhe serão favoráveis. Barnum, já vimos, recebeu bem os ataques pessoais e não sentiu necessidade de se defender. Ele deliberadamente atraiu para si a imagem do charlatão.

Na corte de Luís XIV havia muitos escritores e artistas talentosos, grandes beldades, homens e mulheres de virtude impecável, mas ninguém era mais falado do que o singular duque de Lauzun. O duque era baixo, quase um anão, e inclinado aos tipos mais insolentes de comportamento – dormia com a amante do rei e insultava abertamente não só os outros cortesãos como o próprio rei. Luís, entretanto, se divertia tanto com as excentricidades do duque que não suportava a sua ausência da corte. Era simples: a estranheza da personalidade do duque chamava atenção. Uma vez enfeitiçados por ele, queriam-no por perto a qualquer custo.

A sociedade gosta de figuras exageradas, pessoas que se colocam acima da mediocridade geral. Não tenha medo, portanto, das qualidades que o tornam diferente dos outros e chamam atenção para você. Corteje a controvérsia, até o escândalo. É melhor ser atacado, até caluniado, do que permanecer ignorado. Todas as profissões obedecem a esta lei, e todos os profissionais devem ter um pouco de exibicionista.

O grande cientista Thomas Edison sabia que, para conseguir dinheiro, tinha de permanecer visível ao público a qualquer custo. Quase tão importante quanto as próprias invenções era a forma como ele as apresentava ao público e chamava atenção.

Edison projetava experiências visualmente estonteantes para exibir suas descobertas com a eletricidade. Falava de futuras invenções que pareciam fantásticas na época – robôs e máquinas que poderiam fotografar o pensamento –, nas quais ele não tinha nenhuma intenção de gastar a sua energia, mas que faziam o público falar dele. Ele fazia tudo para conseguir mais atenção do que o seu grande rival, Nikola Tesla, que na verdade talvez fosse mais brilhante, porém cujo nome era bem menos conhecido. Em 1915, espalhou-se o boato de que Edison e Tesla naquele ano dividiriam o prêmio Nobel de Física. O prêmio acabou indo para um par de físicos ingleses; só mais tarde se descobriu que a comissão julgadora tinha realmente procurado Edison, mas ele recusou, não querendo compartilhar o prêmio com Tesla. Nessa época, a sua fama estava mais garantida do que a de Tesla, e ele achou melhor recusar a honra do que permitir que o seu rival recebesse a atenção que os dois teriam igualmente se dividissem o prêmio.

Se você se encontrar numa posição inferior, com pouca oportunidade de chamar atenção, um truque que funciona é atacar a pessoa mais visível, a mais famosa, a mais poderosa que encontrar. Quando Pietro Aretino, jovem criado doméstico romano do início do século XVI, quis chamar atenção como versejador, decidiu publicar uma série de poemas satíricos ridicularizando o papa e o seu afeto por um elefante domesticado. O ataque tornou Aretino conhecido imediatamente. Um ataque difamador a uma pessoa em posição de poder teria um efeito semelhante. Lembre-se, entretanto, de usar essas táticas raramente depois de chamar a atenção do público, para não desgastá-la.

Uma vez em evidência, você deve sempre renovar, adaptar e variar o seu método de chamar a atenção. De outra forma, o público se cansa, se acostuma com você e volta os olhos para uma nova estrela. O jogo requer constante vigilância e criatividade. Pablo Picasso jamais se deixava misturar com o pano de fundo; se o seu nome se tornava associado demais a um determinado estilo, ele deliberadamente confundia o público com uma nova série de quadros, contrariando todas as expectativas. Melhor criar algo feio e perturbador, acreditava ele, do que deixar que os espectadores se acostumassem demais com o trabalho dele. Compreenda: as pessoas se sentem superiores àquelas cujas ações elas são capazes de prever. Se você lhes mostrar quem está no controle jogando *contra* as suas expectativas, ao mesmo tempo infunde respeito e retesa os fios da atenção que estão escapulindo.

Imagem:
Luzes da Ribalta.
O ator que se coloca sob as luzes dos refletores acentua a sua presença. Todos os olhos estão sobre ele. Só há espaço para um ator de cada vez sob esse estreito raio luminoso; faça o que for necessário para ficar em foco. Mova-se com gestos tão amplos, divertidos e escandalosos que a luz continue sobre você, enquanto os outros atores ficam na sombra.

Autoridade: Ostente e seja visto... O que não é visto é como se não existisse... Foi a luz que deu brilho a toda a criação. A exibição preenche muitos espaços vazios, encobre deficiências, e faz tudo renascer, especialmente se apoiada pelo mérito autêntico. (Baltasar Gracián, 1601-1658)

PARTE II: CRIE UM AR DE MISTÉRIO
Em um mundo cada vez mais banal e familiar, o que parece enigmático chama logo atenção. Nunca deixe claro demais o que você está fazendo ou vai fazer. Não revele todas as suas cartas. Um ar de mistério acentua a sua presença; também cria expectativa – todos estarão olhando para ver o que acontecerá em seguida. Use o mistério para enganar, seduzir, até assustar.

A LEI OBSERVADA
Em 1905, começaram a se espalhar boatos por toda a Paris a respeito de uma jovem oriental que dançava numa casa particular, envolta em véus que ia aos poucos descartando. Um jornalista local que a vira dançar relatou que "uma mulher do Extremo Oriente tinha vindo para a Europa carregada de perfumes e joias, para introduzir algumas das riquezas da cor e da vida oriental na sociedade já saciada das cidades europeias". Em breve todos sabiam o nome da dançarina: Mata Hari.

No início daquele ano, no inverno, pequenas e selecionadas plateias se reuniam num salão cheio de estátuas indianas e outras relíquias enquanto uma orquestra tocava músicas inspiradas em melodias indianas e javanesas. Depois de manter todos aguardando e imaginando o que ia acontecer, Mata Hari aparecia de repente, numa roupa estonteante: um corpete de algodão branco coberto de joias de estilo indiano; tiras revestidas de joias na cintura sustentando um sarongue que revelava tanto quanto escondia; braceletes nos braços. E aí Mata Hari dançava, num estilo que ninguém tinha visto antes na França, o corpo todo oscilando como em transe. Ela contava à sua plateia excitada e curiosa que suas danças falavam de histórias da mitologia indiana e do folclore javanês. Em pouco tempo, a nata de Paris e embaixadores de terras distantes competiam por um convite para o salão, onde corria à boca pequena que Mata Hari na verdade executava danças sagradas, nua.

O público queria saber mais a seu respeito. Ela disse aos jornalistas que a sua origem era holandesa, mas fora criada na ilha de Java. Falava também do tempo que passara na Índia, como tinha aprendido as danças indianas sagradas e como as mulheres indianas eram "capazes de atirar, cavalgar, calcular logaritmos e conversar sobre filosofia". No verão de 1905, embora poucos parisienses tivessem mesmo visto Mata Hari dançar, seu nome estava em todas as bocas.

Como Mata Hari continuava dando entrevistas, a história das suas origens estava sempre mudando: ela tinha sido criada na Índia, sua avó materna era filha de uma princesa javanesa, ela tinha vivido na ilha de Sumatra onde se distraía "cavalgando, de arma na mão, e arriscando a vida". Ninguém sabia nada ao certo sobre a sua vida, mas os jornalistas não se incomodavam com as alterações na sua biografia. Eles a comparavam a uma deusa indiana, uma criatura das páginas de Baudelaire – o que fosse que suas imaginações quisessem ver nesta mulher misteriosa do Oriente.

Em agosto de 1905, Mata Hari se apresentou pela primeira vez em público. As multidões que afluíram para vê-la na noite de estreia provocaram um tumulto. Ela agora era uma figura venerada, gerando muitas imitações. Um crítico escreveu: "Mata Hari personifica toda a poesia da Índia, o seu misticismo, a sua voluptuosidade, o seu encanto hipnotizante." Outro observou: "Se a Índia possui tais tesouros inesperados, então os franceses emigrarão para as margens do Ganges."

Não demorou para a fama de Mata Hari e de suas danças indianas sagradas se alastrarem para fora de Paris. Ela era convidada para ir a Berlim, Viena, Milão. Durante os anos seguintes ela se apresentou por toda a Europa, misturou-se com os círculos mais altos da sociedade e ganhou uma renda que lhe deu uma independência que poucas mulheres tinham naquela época. Então, quase no fim da Primeira Guerra Mundial, ela foi presa na França, julgada, condenada e finalmente executada como espiã alemã. Somente durante o julgamento a verdade veio à tona: Mata Hari não era de Java ou da Índia, não crescera no Oriente, não tinha uma só gota de sangue oriental nas veias. Seu nome verdadeiro era Margaretha Zelle, e viera do norte, da apática província de Friesland, na Holanda.

Interpretação
Quando Margaretha Zelle chegou a Paris, em 1904, tinha meio franco no bolso. Era uma das milhares de jovens bonitas que vinham em bando todos os anos, aceitando trabalhar como modelos para os artistas, dançarinas de cabarés ou atrizes de espetáculos de *vaudeville* no Folies Bergère. Em poucos anos, eram inevitavelmente substituídas por outras mais jovens e quase sempre acabavam nas ruas, prostituindo-se, ou voltavam para a cidade de onde tinham vindo, mais velhas e castigadas.

A ambição de Zelle era maior. Ela não tinha experiência como dançarina e jamais se apresentara num teatro, mas quando menina tinha viajado com a família e assistido a danças locais em Java e Sumatra. Zelle compreendeu claramente que o importante no seu ato não era a dança em si, ou mesmo o seu rosto ou corpo, mas a sua habilidade para criar um ar de mistério a seu respeito. O mistério que ela criou não estava apenas na sua dança, ou nas suas roupas, ou nas histórias que contaria, ou nas suas infindáveis mentiras sobre suas origens: estava numa atmosfera que envolvia tudo o que ela fazia. Não havia nada que se pudesse dizer com certeza sobre ela – estava sempre mudando, sempre surpreendendo a sua plateia com novas roupas, novas danças, novas histórias. Este ar de mistério deixava o público sempre querendo saber mais, sempre imaginando qual seria o seu próximo movimento. Mata Hari não era mais bonita do que muitas das outras jovens que iam para Paris, e não era particularmente uma boa dançarina. O que a distinguia da massa, o que atraía e segurava a atenção do público e a fez famosa e rica, foi o seu mistério. As pessoas se enfeitiçam com o mistério; porque ele convida a constantes interpretações, elas nunca se cansam. O que é misterioso não pode ser compreendido. E o que não se pode agarrar e consumir cria poder.

AS CHAVES DO PODER
No passado, o mundo estava cheio de coisas aterrorizantes e desconhecidas – doenças, desastres, déspotas caprichosos, o próprio mistério da morte. O que não podíamos compreender, reimaginávamos na forma de mitos e espíritos. Com o passar dos séculos, todavia, conseguimos, por meio da ciência e da razão, dar luz à escuridão: o que era misterioso e proibido se tornou familiar e confortável. Mas esta luz tem um preço: num mundo cada vez mais banal, sem mais espaço para os seus mistérios e mitos, nós intimamente ansiamos por enigmas, pessoas ou coisas que não possam ser instantaneamente interpretadas, compreendidas, consumidas.

Este é o poder do misterioso: ele convida a várias interpretações, excita a nossa imaginação, nos seduz a acreditar que esconde algo maravilhoso. O mundo se tornou tão familiar, e seus habitantes tão previsíveis, que aquilo que estiver envolto em mistério quase sempre atrai a luz dos refletores e nos faz olhar.

Não imagine que para criar um ar de mistério você tenha de ser magnífico e espantoso. O mistério que está entremeado no seu comportamento diário, e é sutil, tem esse poder de fascinar e atrair atenção. Lembre-se: as pessoas, em sua maioria, são francas, como um livro aberto, raramente se preocupam em controlar suas palavras ou imagem, e são irremediavelmente previsíveis. Contendo-se apenas, ficando em silêncio, pronunciando de vez em quando frases ambíguas, aparentando deliberadamente incoerência e sutil excentricidade, você emanará uma aura de mistério. E as pessoas ao redor, tentando constantemente interpretar você, ampliarão essa aura.

Artistas e charlatães compreendem o elo vital entre ser misterioso e atrair o interesse. O conde Victor Lustig, aristocrata escroque, sabia muito bem fazer esse jogo. Estava sempre fazendo coisas diferentes, ou que pareciam não ter sentido. Apresentava-se nos melhores hotéis numa limusine dirigida por um motorista japonês; ninguém tinha visto um motorista japonês antes, portanto isto parecia exótico e diferente. Lustig vestia-se com roupas muito caras, mas sempre com alguma coisa fora de propósito – uma medalha, uma flor, uma braçadeira –, pelo menos em termos convencionais. Isto não era visto como deselegância, mas como um toque excêntrico e intrigante. Nos hotéis, ele era visto recebendo telegramas a toda hora, um após outro, que o seu motorista japonês vinha lhe trazer – telegramas que ele rasgava com o maior descaso. (De fato eram falsos, totalmente em branco.) Ele se sentava sozinho na sala de jantar, lendo um livro grande e impressionante, sorria para as pessoas, mas continuava distraído. Dentro de poucos dias, é claro, todo o hotel estava alvoroçado querendo saber quem era aquele homem estranho.

Toda esta atenção permitia a Lustig atrair facilmente as suas vítimas. Elas imploravam pela sua confiança e companhia. Todos queriam ser vistos com aquele misterioso aristocrata. E, diante deste enigma perturbador, nem percebiam que estavam sendo roubados.

Um ar de mistério pode fazer o medíocre parecer inteligente e profundo. Fez Mata Hari, uma mulher de aparência e inteligência medianas, parecer uma deusa, e a sua dança divinamente inspirada. Uma aura de mistério em torno de um artista torna a sua arte imediatamente mais intrigante, um truque que Marcel Duchamp usava com grande efeito. É muito fácil – fale pouco sobre o seu trabalho, provoque e excite com comentários sedutores, até contraditórios, depois recue e deixe que os outros tentem entender.

Pessoas misteriosas colocam os outros numa espécie de situação inferior – a de tentar entendê-las. Em graus controláveis, elas também evocam o medo que envolve tudo que é incerto ou desconhecido. Todos os grandes líderes sabem que uma aura de mistério chama atenção e cria uma presença intimidante. Mao Tsé-tung, por exemplo, cultivou inteligentemente uma imagem enigmática; ele não se preocupava em parecer incoerente ou se contradizer – a própria contraditoriedade de seus atos e palavras significava que ele estava sempre no domínio da situação. Ninguém, nem mesmo a sua própria esposa, jamais sentiu que o compreendia, e ele portanto parecia uma figura exagerada. Isto também significava que o público estava sempre prestando atenção nele, sempre ansioso para testemunhar o seu próximo movimento.

Se a sua posição social o impede de envolver totalmente seus atos em mistério, você deve pelo menos aprender a se fazer menos óbvio. De vez em quando, aja de uma forma que não combine com a ideia que as outras pessoas têm de você. Assim você mantém as pessoas ao seu redor na expectativa, provocando o tipo de atenção que o torna poderoso.

Feita corretamente, a criação do enigma pode também atrair o tipo de atenção que inspira terror no seu inimigo.

Durante a Segunda Guerra Púnica (219-202 a.C.), Aníbal, o grande general cartaginês, ia destruindo tudo na sua marcha sobre Roma. Aníbal era conhecido por sua esperteza e duplicidade.

Sob a sua liderança, o exército cartaginês, embora menor do que o de Roma, vinha constantemente vencendo-o em estratégia e habilidade. Numa ocasião, entretanto, as sentinelas avançadas de Aníbal cometeram um engano terrível, levando suas tropas para um terreno pantanoso com o mar na retaguarda. O exército romano bloqueou as passagens pela montanha que levavam ao interior, e o seu general, Fábio, ficou em êxtase – finalmente Aníbal caíra na armadilha. Colocando suas melhores sentinelas nessas passagens, ele arquitetou um plano para destruir as forças de Aníbal. Mas, no meio da noite, as sentinelas viram lá embaixo uma cena misteriosa: uma enorme procissão de luzes dirigia-se para a montanha. Milhares e milhares de luzes. Se era o exército de Aníbal, tinha de repente centuplicado.

As sentinelas discutiram exasperadas o que seria aquilo. Reforços vindos do mar? Tropas que estavam escondidas naquela área? Fantasmas? Nenhuma explicação fazia sentido.

Enquanto observavam, fogueiras se acenderam por toda a montanha, e uma barulhada terrível veio lá de baixo, como o som de um milhão de cornetas. Demônios, eles pensaram. As sentinelas, as mais corajosas e sensatas do exército romano, abandonaram seus postos em pânico.

No dia seguinte, Aníbal tinha escapado do pântano. Qual foi o truque? Teria ele invocado realmente os demônios? Na verdade, o que ele fez foi mandar amarrar feixes de galhos nos chifres de milhares de bovinos que viajavam com suas tropas como bestas de carga. Os galhos foram então acesos, dando a impressão de tochas de um enorme exército subindo a montanha. Quando as chamas começaram a queimar a pele dos animais, eles dispararam em todas as direções, berrando enlouquecidos e ateando fogo por toda a encosta. A chave para o sucesso desse artifício não foram as tochas, o fogo, ou o barulho, mas o enigma criado por Aníbal, que chamou a atenção das sentinelas e gradativamente as aterrorizou. Do alto da montanha era impossível explicar aquela visão bizarra. Se as sentinelas tivessem achado a explicação, teriam permanecido em seus postos.

Se você se vir numa armadilha, encurralado e na defensiva, tente uma experiência simples: faça algo que não possa ser facilmente explicado ou interpretado. Escolha uma ação simples, mas execute-a de uma forma que desestabilize o seu adversário, com muitas interpretações possíveis, tornando obscuras as suas intenções. Não seja simplesmente imprevisível (embora esta tática também possa dar certo – ver Lei 17); como Aníbal, crie uma cena que não possa ser entendida. Vai parecer que a sua loucura não tem propósito, é sem pé nem cabeça, sem nenhuma explicação possível. Se você fizer isso certo, vai deixar todos tremendo de medo e as sentinelas abandonarão seus postos. Chame a isso de tática da "loucura fingida de Hamlet", pois Hamlet a usa com grande efeito na peça de Shakespeare, assustando o padrasto Cláudio com seu comportamento enigmático. O misterioso faz a sua força parecer maior, o seu poder mais aterrorizante.

Imagem: A Dança dos Véus – os véus envolvem a dançarina. O que eles revelam excita. O que eles escondem aumenta o interesse. A essência do mistério.

Autoridade: Quando você não se declara imediatamente, cria expectativas... Misture um pouco de mistério em tudo, e o próprio mistério despertará a veneração. E quando você explicar, não seja muito explícito... Desta maneira, você imita o jeito divino quando faz os homens ficarem observando maravilhados. (Baltasar Gracián, 1601-1658)

O INVERSO
No início da sua subida ao topo, você deve chamar atenção a todo custo, mas durante a subida você deve ir constantemente se adaptando. Não canse o público sempre com a mesma tática. Um ar de mistério funciona como uma maravilha para aqueles que precisam desenvolver uma aura de poder e se fazer notados, mas deve parecer uma atitude comedida e controlada. Mata Hari exagerou muito nas suas invenções; embora a acusação de ser uma espiã fosse falsa, na época a hipótese pareceu razoável porque todas as suas mentiras a fizeram parecer suspeita e nefasta. Não deixe que o seu ar de mistério se transforme lentamente

numa reputação de trapaceiro. O mistério que você criar deve parecer um jogo, divertido e inofensivo. Reconheça quando está indo longe demais e recue.

Há momentos em que a necessidade de atenção deve ser adiada, e quando a última coisa que se quer é o escândalo e a notoriedade. A atenção que você chama jamais deve ofender ou desafiar a reputação dos que estão acima de você – não, de maneira alguma, se eles estiverem seguros. Comparado com eles, você não só parecerá mesquinho como desesperado. É uma arte saber quando chamar a atenção e quando se retrair.

Lola Montez foi uma das grandes mestras na arte de conseguir atenção. Ela ascendeu de uma origem de classe média irlandesa para o status de amante de Franz Liszt e, depois, amante e conselheira política do rei Ludovico da Baváiria. No final da vida, entretanto, ela perdeu as medidas.

Em Londres, em 1850, ia haver uma apresentação de *Macbeth*, a peça de Shakespeare, com o maior ator da época, Charles John Kean. Compareceriam todas as pessoas importantes da sociedade inglesa; disseram que até a rainha Vitória e o príncipe Alberto iam aparecer em público. O costume daquele período exigia que todos já estivessem sentados quando a rainha chegasse. Portanto, todos chegaram um pouco mais cedo e, quando a rainha entrou no camarote real, a plateia inteira obedeceu ao protocolo, ficando de pé e aplaudindo. O casal real esperou, depois cumprimentou o público. Todo mundo se sentou e as luzes foram se apagando. Aí, de repente, todos os olhos se voltaram para um camarote oposto ao da rainha Vitória: uma mulher surgiu das sombras, e tomou o seu lugar depois da rainha. Era Lola Montez. Ela usava uma tiara de diamantes sobre os cabelos escuros e um longo casaco de peles sobre os ombros. As pessoas sussurraram pasmas quando o casaco de arminho caiu, revelando um vestido decotado de veludo vermelho. Girando a cabeça, a plateia podia ver que o casal real deliberadamente evitava olhar para o camarote de Lola. A plateia seguiu o exemplo de Vitória, e pelo resto da noite Lola Montez foi ignorada. Depois daquela noite, ninguém da sociedade elegante ousou ser visto em sua companhia. Todos os seus poderes magnéticos se inverteram. As pessoas fugiam ao vê-la. Seu futuro na Inglaterra estava encerrado.

Por conseguinte, não pareça estar excessivamente querendo atenção, porque isso é sinal de insegurança, e insegurança afasta o poder. Compreenda que existem momentos em que não é interessante para você ser o centro das atenções. Na presença de um rei ou rainha, por exemplo, ou o equivalente, incline-se e fique na sombra; não entre em competição.

LEI

7

FAÇA OS OUTROS TRABALHAREM POR VOCÊ, MAS SEMPRE FIQUE COM O CRÉDITO

JULGAMENTO

Use a sabedoria, o conhecimento e o esforço físico dos outros em causa própria. Não só essa ajuda lhe economizará um tempo e uma energia valiosos, como lhe dará uma aura divina de eficiência e rapidez. No final, seus ajudantes serão esquecidos e você será lembrado. Não faça você mesmo o que os outros podem fazer por você.

A TARTARUGA, O ELEFANTE E O HIPOPÓTAMO

Um dia, a tartaruga encontrou o elefante, que trombeteou: "Sai do meu caminho, sua fracota – posso pisar em você!" A tartaruga não teve medo e continuou onde estava, então o elefante pisou nela, mas não conseguiu esmagá-la. "Não se vanglorie, senhor Elefante, sou tão forte quanto o senhor!", disse a tartaruga, mas o elefante riu. Então a tartaruga convidou-o para ir até a sua montanha na manhã seguinte.
No dia seguinte, antes de o sol nascer, a tartaruga desceu correndo a montanha até o rio, onde encontrou o hipopótamo que ia para a água depois da sua refeição noturna. "Senhor hipo! Vamos brincar de cabo de guerra? Aposto que sou tão forte quanto o senhor!", disse a tartaruga. O hipopótamo riu dessa ideia ridícula, mas concordou. A tartaruga trouxe uma corda comprida e disse ao hipopótamo para segurá-la com a boca até ela gritar "Ei!". Aí a tartaruga correu para cima do morro onde encontrou o elefante, que já estava impaciente. Ela lhe deu a outra ponta da corda e disse: "Quando eu disser

A LEI TRANSGREDIDA E A LEI OBSERVADA

Em 1883, um jovem cientista sérvio chamado Nikola Tesla estava trabalhando para a divisão europeia da Continental Edison Company. Ele era um brilhante inventor e Charles Batchelor, gerente da fábrica e amigo pessoal de Thomas Edison, convenceu-o a tentar a sorte na América, dando-lhe uma carta de recomendação para o próprio Edison. Assim teve início uma vida de desgostos e tribulações que duraram até a sua morte.

Quando Tesla se encontrou com Edison em Nova York, o famoso inventor o contratou na hora. Tesla trabalhava dezoito horas por dia, descobrindo maneiras de melhorar os dínamos primitivos de Edison. Acabou se oferecendo para desenhar tudo de novo. Para Edison, parecia uma tarefa monumental que poderia levar anos sem que se chegasse a uma conclusão, mas ele falou para Tesla: "Você tem 50 mil dólares para fazer isso – se conseguir." Tesla batalhou dia e noite no projeto e já em um ano apresentou uma versão bem melhorada do dínamo, completa, com controles automáticos. Ele foi contar a novidade para Edison e receber os seus 50 mil dólares. Edison gostou das melhorias, pelas quais ele e a sua empresa ficariam com o crédito, mas quanto ao dinheiro ele disse ao jovem sérvio: "Tesla, você não compreende o nosso humor americano!", e ofereceu em vez disso um pequeno aumento.

A obsessão de Tesla era criar um sistema de corrente alternada (CA) de eletricidade. Edison acreditava no sistema de corrente contínua (CC), e não só se recusou a apoiar a pesquisa de Tesla, como mais tarde fez o possível para sabotá-lo. Tesla voltou-se para o grande magnata de Pittsburgh, George Westinghouse, que tinha aberto a sua própria empresa de eletricidade. Westinghouse custeou totalmente a pesquisa de Tesla e lhe ofereceu um acordo generoso de direitos autorais baseado em lucros futuros. O sistema CA que Tesla desenvolveu ainda é o padrão usado hoje em dia – mas, depois de registrar as patentes em seu nome, outros cientistas se apresentaram reivindicando o crédito da invenção, alegando terem feito o trabalho inicial para ele. Seu nome se perdeu na confusão, e o público passou a associar a invenção ao próprio Westinghouse.

Um ano depois, Westinghouse perdeu o controle da empresa para J. Pierpont Morgan, que o fez rescindir o generoso contrato de direitos autorais que tinha assinado com Tesla. Westinghouse explicou ao cientista que a sua empresa não sobreviveria se tivesse que lhe pagar direitos autorais plenos; ele convenceu Tesla a aceitar a compra das suas patentes por 216 mil dólares – uma grande quantia, sem dúvida, porém muito menor do que os 12 milhões que valiam na época. Os financistas tinham despojado Tesla do dinheiro, das patentes e, essencialmente, do crédito pela maior invenção da sua carreira.

O nome de Guglielmo Marconi ficou para sempre associado à invenção do rádio. Mas poucos sabem que para produzir a sua invenção – ele enviou um sinal através do Canal da Mancha, em 1899 –, Marconi usou uma patente que Tesla havia registrado em 1897 e que o seu trabalho dependeu da pesquisa de Tesla. Mais uma vez, Tesla não recebeu nenhum dinheiro nem crédito. Tesla inventou um motor à indução, assim como o sistema de energia CA, e ele é o verdadeiro "pai do rádio". Mas nenhuma dessas descobertas traz o seu nome. Já velho, ele viveu na pobreza. Em 1917, durante os anos em que viveu pobre, disseram a Tesla que ele receberia a medalha Edison, conferida pelo American Institute of Electrical Engineers. Ele recusou a medalha. "Os senhores estão propondo", disse ele, "me homenagear com uma medalha que eu vou prender no casaco e ficar me exibindo para os membros do seu Instituto durante uma simples hora. Vão decorar o meu corpo e continuar deixando morrer à mingua, por falta de reconhecimento, a minha mente e os seus produtos criativos que forneceram a base principal para a existência do seu Instituto."

'Ei!', puxe, e verá quem de nós é o mais forte." Depois desceu metade do morro, até um lugar onde não pudesse ser vista, e gritou "Ei!".
O elefante e o hipopótamo puxaram e puxaram, mas um não conseguia mover o outro do lugar – suas forças eram iguais. Ambos concordaram que a tartaruga era tão forte quanto eles. Não faça, nunca, o que os outros podem fazer por você. A tartaruga deixou que os outros trabalhassem por ela e ficou com o crédito.
FÁBULA DO ZAIRE

Interpretação

Muitos alimentam a ilusão de que a ciência, por lidar com fatos, está acima de rivalidades mesquinhas que atrapalham o resto do mundo. Nikola Tesla era um desses. Ele acreditava que a ciência nada tinha a ver com a política, e dizia não se preocupar com a fama ou a riqueza. Mais velho, entretanto, isto arruinou o seu trabalho científico. Sem estar associado a nenhuma descoberta em particular, ele não poderia atrair investidores para suas muitas ideias. Enquanto ele ficava imaginando grandes invenções para o futuro, outros roubavam as patentes que ele já havia desenvolvido e ficavam com a glória.

Ele queria fazer tudo sozinho, mas só conseguiu se exaurir e empobrecer.

Edison era o oposto de Tesla. Ele não era propriamente um grande pensador científico ou inventor; certa vez disse que não precisava ser um matemático, porque podia contratar um. Esse era o principal método de Edison. Ele era na verdade um homem de negócios e marketing, identificava as tendências e oportunidades onde elas estivessem e depois contratava os melhores da área para trabalhar para ele. Se necessário, roubava dos concorrentes. Mas o seu nome é muito mais conhecido do que o de Tesla, e está associado a um número muito maior de invenções.

Temos aí duas lições: primeiro, o crédito por uma invenção ou criação é tão importante, se não mais importante, do que a própria inven-

Certamente, se o caçador confia na segurança do seu carro, usa as pernas dos seus seis cavalos e faz Wang Liang segurar as rédeas, então ele não se cansa e acha fácil pegar animais ligeiros. Agora, suponha que ele despreze as vantagens do carro, desista das pernas úteis dos cavalos e da habilidade de

Wang Liang, e desça para correr atrás dos animais, então, mesmo que suas pernas sejam tão rápidas quanto as de Lou Chi, ele não chegaria a tempo para pegar os animais. De fato, quando se usa bons cavalos e bons carros, bastam simples criados e criadas para pegar os animais.
HAN-FEI-TZU, FILÓSOFO CHINÊS DO SÉCULO III a.C.

ção. Você deve garantir para si próprio o crédito e impedir que outros o roubem ou fiquem pendurados nas suas costas. Para isso, você deve se manter vigilante e implacável, guardar silêncio sobre a sua invenção até ter certeza de não haver nenhum abutre voando por perto. Segundo, aprenda a tirar vantagem do trabalho dos outros em causa própria. O tempo é precioso e a vida é curta. Se tentar fazer tudo sozinho, você vai se desgastar, desperdiçar energias e se queimar. É muito melhor conservar as suas forças, deitar as garras no trabalho que os outros já fizeram e descobrir um jeito de se apoderar dele.

Todos roubam no comércio e na indústria.
Eu mesmo roubei muito.
Mas eu sei como roubar.
Thomas Edison, 1847-1931

A GALINHA CEGA
Uma galinha que ficou cega e já estava acostumada a ciscar o chão à procura de alimento, apesar de não enxergar, continuava ciscando ativamente. De que servia isso para a tola trabalhadora? Outra galinha de boa visão, que poupava seus pés delicados, não saía do seu lado e se aproveitava, sem ciscar, do resultado do seu trabalho. Pois sempre que a galinha cega ciscava um grão de centeio, a companheira atenta o devorava.
FABLES, GOTTHOLD LESSING, 1729-1781

AS CHAVES DO PODER

A dinâmica do mundo do poder é a da selva: há os que vivem caçando e matando, e há também um vasto número de criaturas (hienas, abutres) que vivem do que os outros caçam. Estes últimos, tipos menos imaginativos, com frequência são incapazes de fazer o trabalho essencial para a criação de poder. Eles compreendem desde cedo, entretanto, que, se esperarem bastante, sempre encontrarão outro animal para trabalhar por eles. Não seja ingênuo: agora mesmo, enquanto você se esforça em algum projeto, existem abutres ao redor tentando imaginar um jeito de sobreviver e até prosperar com a sua criatividade. É inútil ficar se queixando, ou sofrer amargurado, como fez Tesla. Melhor se proteger e aprender a jogar. Uma vez tendo estabelecido uma base de poder, torne-se você mesmo um abutre e poupe um bocado do seu tempo e energia.

Dos dois polos deste jogo, um pode ser ilustrado com o exemplo do explorador Vasco Núñez de Balboa. Balboa tinha uma obsessão – a descoberta de El Dorado, uma cidade lendária de grandes riquezas.

No início do século XVI, depois de inúmeras dificuldades e vários esbarrões com a morte, ele encontrou evidências de um grande e rico império no sul do México, no atual Peru. Conquistando este império, o Inca, e roubando o seu ouro, ele se tornaria o segundo Cortez. O problema é que assim que descobriu isso, a notícia se espalhou entre centenas de outros conquistadores. Ele não sabia que metade do jogo era ficar quieto e observar atentamente ao redor. Poucos anos depois de descobrir o local do império inca, um soldado do seu próprio exército, Francisco Pizarro, ajudou para que ele fosse decapitado por traição. Pizarro se apossou do que Balboa tinha passado tantos anos tentando encontrar.

O outro polo é o do artista Rubens, que, no final da carreira, se viu inundado de pedidos de quadros. Ele criou um sistema: no seu grande estúdio ele empregava dezenas de grandes pintores, um especializado em mantos, outro em fundos, e assim por diante. Ele criou uma vasta linha de produção em que um grande número de telas eram feitas ao mesmo tempo. Quando um cliente importante o visitava no estúdio, Rubens dava folga aos seus pintores contratados. Enquanto o cliente ficava observando de um balcão, Rubens trabalhava num ritmo incrível, com inacreditável energia. O cliente saía maravilhado com este homem prodigioso, capaz de pintar tantas obras de arte em tão pouco tempo.

Esta é a essência da Lei: aprenda a fazer com que os outros trabalhem por você enquanto fica com o crédito, e parecerá que você tem energia e poder divinos. Se você acha importante fazer o trabalho todo sozinho, não irá muito longe, e vai sofrer o destino dos Balboa e Tesla da vida. Encontre gente com as habilidades e a criatividade que você não tem. Contrate-os, e coloque o seu nome em primeiro lugar na frente dos nomes deles ou descubra um jeito de roubar o trabalho deles e dizer que foi você quem fez. A criatividade deles, portanto, se torna sua, e o mundo o verá como um gênio.

Existe uma outra aplicação desta lei que não exige que você explore o trabalho dos seus contemporâneos: use o passado, um vasto arsenal de conhecimento e sabedoria. Isaac Newton chamou isso de "subir nos ombros de gigantes". Ele queria dizer que, ao fazer suas descobertas, tinha se baseado em conquistas alheias. A grande parte da sua aura de gênio, ele sabia, podia ser atribuída à sua sagaz habilidade para aproveitar ao máximo as visões dos cientistas da antiguidade, medievais ou renascentistas. Shakespeare pediu emprestado enredos, caracterizações e até diálogos de Plutarco, entre outros autores, pois sabia que ninguém suplantava Plutarco na sutil psicologia e nas citações espirituosas. Quantos outros autores depois, por sua vez, tomaram emprestado – *plagiaram* – de Shakespeare?

Nós sabemos como é raro os políticos atualmente escreverem os seus próprios discursos. Suas próprias palavras não lhes conquistariam um só voto; sua eloquência e sagacidade, se ela existe, se devem a um redator de discursos. Outras pessoas fazem o trabalho, eles ficam com o crédito. O avesso é que esse tipo de poder está disponível para todos. Aprenda a usar o conhecimento do passado e você parecerá um gênio, mesmo que na realidade não passe de um esperto plagiador.

Escritores que se aprofundaram na natureza humana, antigos mestres da estratégia, historiadores da estupidez e loucura humana, reis e rainhas que aprenderam da maneira mais difícil a lidar com o peso do poder – o conhecimento deles está acumulando poeira, esperando que você suba nos seus ombros. A sagacidade deles pode ser a sua sagacidade, a capacidade deles pode ser a sua capacidade, e eles não virão dizer que você não tem nada de original. Você pode batalhar, cometer erros sem-fim, gastar tempo e energia tentando fazer coisas a partir da sua própria experiência. Ou pode usar os exércitos do passado. Como disse Bismarck certa vez: "Os tolos dizem que aprendem pela experiência. Eu prefiro aproveitar a experiência dos outros."

Imagem: O Abutre. De todas as criaturas na selva, ele é o que tem a vida mais fácil. O trabalho difícil dos outros é o seu trabalho; o fracasso dos outros em sobreviver se torna o seu alimento. Fique de olho no Abutre – enquanto você está se esforçando, ele sobrevoa. Não lute contra ele, junte-se a ele.

Autoridade: Há muito o que saber, a vida é curta, e a vida não é vida sem conhecimento. É, por conseguinte, um excelente truque adquirir o conhecimento de todo mundo. Assim, enquanto os outros suam, você ganha a reputação de um oráculo. (Baltasar Gracián, 1601-1658)

O INVERSO
Há momentos em que ficar com o crédito pelo trabalho dos outros não é o mais sensato: se o seu poder não está solidamente estabelecido, vai parecer que você está empurrando os outros para longe dos refletores. Para ser um brilhante explorador de talentos, a sua posição tem de ser inabalável, ou você será acusado de fraude.

Tenha certeza de saber quando é interessante para você dividir o crédito com os outros. É muito importante não ser ganancioso quando se tem um mestre em posição superior. A histórica visita do presidente Richard Nixon à República Popular da China foi originalmente ideia dele, mas jamais teria se realizado não fosse a hábil diplomacia de Henry Kissinger. Nem teria tido tanto sucesso sem a habilidade de Kissinger.

Não obstante, na hora de ficar com o crédito, Kissinger sabiamente deixou que Nixon ficasse com a parte do leão. Sabendo que a verdade acabaria se revelando, ele teve o cuidado de não colocar em risco a sua posição no curto prazo apropriando-se das luzes. Kissinger jogou com esperteza: ficou com o crédito pelo trabalho dos que estavam abaixo dele, enquanto graciosamente deu o crédito do seu próprio esforço aos que estavam acima. É assim que se joga.

LEI

8

FAÇA AS PESSOAS VIREM ATÉ VOCÊ – USE UMA ISCA, SE FOR PRECISO

JULGAMENTO

Quando você força os outros a agir, é você quem está no controle. É sempre melhor fazer o seu adversário vir até você, abandonando seus próprios planos no processo. Seduza-o com a possibilidade de ganhos fabulosos – depois ataque. É você quem dá as cartas.

A LEI OBSERVADA
No Congresso de Viena, em 1814, as principais potências da Europa se reuniram para dividir o que sobrara do império de Napoleão. A cidade estava alegre e os bailes foram os mais esplêndidos de que se tem memória. Pairando sobre os procedimentos, entretanto, estava a sombra do próprio Napoleão. Em vez de ser executado ou exilado para bem longe, ele fora mandado para ilha de Elba, não muito distante da costa da Itália.

Mesmo preso numa ilha, um homem corajoso e criativo como Napoleão Bonaparte deixava todo mundo nervoso. Os austríacos planejavam matá-lo em Elba, mas decidiram que seria arriscado demais. Alexandre I, o czar temperamental da Rússia, aumentou ainda mais a ansiedade tendo um ataque quando lhe negaram uma parte da Polônia: "Cuidado, eu solto o monstro!", ele ameaçou. Todos sabiam que ele estava falando de Napoleão. De todos os estadistas reunidos em Viena, só Talleyrand, ex-ministro das Relações Exteriores de Napoleão, parecia calmo e despreocupado. Era como se ele soubesse de algo que os outros desconheciam.

Enquanto isso, na ilha de Elba, a vida de Napoleão era um arremedo da sua antiga glória. Como "rei" de Elba, permitiram-lhe formar uma corte – havia uma cozinheira, uma roupeira, um pianista oficial e um punhado de cortesãos. Tudo tinha como objetivo humilhar Napoleão, e parecia estar funcionando.

Naquele inverno, entretanto, ocorreu uma série de episódios tão estranhos e dramáticos que poderiam constar do roteiro de uma peça de teatro. Elba foi cercada por navios britânicos, com os canhões apontando para todos os pontos de saída possíveis. Mas, de alguma maneira, em plena luz do dia, no dia 26 de fevereiro de 1815, um navio com seiscentos homens a bordo pegou Napoleão e se pôs ao mar. Os ingleses saíram atrás, mas o navio conseguiu escapar. Esta fuga quase impossível deixou as pessoas atônitas em toda a Europa e aterrorizou os estadistas no Congresso de Viena.

Embora fosse muito mais seguro sair da Europa, Napoleão não só preferiu voltar à França como se arriscou ainda mais marchando sobre Paris com um exército mínimo, na esperança de reconquistar o trono. Sua estratégia funcionou – gente de todas as classes se atirou aos seus pés. Um exército sob as ordens do marechal Ney correu para Paris a fim de prendê-lo, mas, quando os soldados viram o seu amado ex-líder, mudaram de lado. Napoleão foi declarado novamente imperador. Voluntários inchavam as fileiras do seu novo exército. O delírio tomou conta do país. Em Paris, as multidões estavam enlouquecidas. O rei que tinha substituído Napoleão fugiu do país.

Nos cem dias que se seguiram, Napoleão governou a França. Em pouco tempo, porém, a vertigem passou. A França estava na bancarrota, seus recursos quase exauridos, e não havia muito o que Napoleão pudesse fazer a respeito. Na Batalha de Waterloo, em junho daquele ano, ele foi finalmente derrotado de vez. Agora seus inimigos tinham aprendido a lição: ele foi exilado para a ilha árida de Santa Helena, na costa oeste da África. Dali ele não tinha mais esperanças de escapar.

Interpretação
Somente anos depois, os fatos da dramática fuga de Napoleão da ilha de Elba foram esclarecidos. Antes de se decidir a cometer este ato de ousadia, ele recebeu a visita de pessoas que lhe disseram que ele continuava mais popular do que nunca na França e que o país o aceitaria de novo. Um desses visitantes foi o general austríaco Koller, que convenceu Napoleão de que, se ele escapasse, as potências europeias, Inglaterra inclusive, o receberiam de volta ao poder. Napoleão foi informado secretamente de que os ingleses o deixariam sair, e na verdade a sua fuga se deu no meio da tarde, bem à vista das lunetas inglesas.

O que Napoleão não sabia é que por trás disso tudo estava um homem manipulando as cordas, e que este homem era o seu ex-ministro, Talleyrand. E Talleyrand estava fazendo tudo isso, não para trazê-lo de volta aos seus dias de glória, mas para acabar de uma vez por todas com Napoleão. Considerando a ambição do imperador que desestabilizava a Europa, ele havia se voltado contra ele fazia muito tempo. Quando Napoleão foi exilado para Elba, Talleyrand protestou. Napoleão devia ser mandado para mais longe, argumentou ele, ou a Europa jamais teria paz. Mas ninguém escutou.

Em vez de forçar a sua opinião, Talleyrand esperou. Trabalhando em silêncio, ele acabou convencendo Castlereagh e Metternich, os ministros do Exterior da Inglaterra e da Áustria.

Juntos, estes homens jogaram a isca e Napoleão engoliu. Até a visita de Koller, para sussurrar a promessa de glória aos ouvidos do exilado, fazia parte do plano. Como um perito jogador de cartas, Talleyrand imaginou tudo com antecedência. Ele sabia que Napoleão cairia na sua armadilha. Previu também que Napoleão levaria o país a uma guerra, a qual, dada a situação de debilidade em que se encontrava a França, só poderia durar poucos meses. Um diplomata em Viena, que compreendeu que Talleyrand estava por trás de tudo, disse: "Ele tocou fogo na casa para salvá-la da peste."

*Quando eu lanço a isca para
o cervo, não atiro na primeira corça que aparece,
mas aguardo até que todo o rebanho esteja reunido.*
Otto von Bismarck, 1815-1898

AS CHAVES DO PODER

Quantas vezes este cenário se repetiu na história: um líder agressivo inicia uma série de movimentos ousados que começam por lhe trazer muito poder. Lentamente, entretanto, o seu poder chega a um ponto máximo, e em breve tudo se volta contra ele. Seus inúmeros inimigos se unem; tentando manter o seu poder, ele se esgota indo de um lado para o outro e, inevitavelmente, entra em colapso. O motivo para este padrão é que a pessoa agressiva raramente está em pleno controle da situação. Ela não enxerga mais do que um ou dois movimentos adiante, não pode ver as consequências deste ou daquele movimento ousado. Como está constantemente sendo forçada a reagir aos movimentos do seu crescente exército de inimigos, e às consequências imprevisíveis das suas próprias ações temerárias, sua energia agressiva se volta contra ela.

Na esfera do poder, você deve se perguntar, de que adianta correr daqui para ali, tentando solucionar problemas e derrotar inimigos, se nunca me sinto no controle? Por que tenho sempre de reagir aos acontecimentos em vez de direcioná-los? A resposta é simples: A sua ideia de poder está errada. Você confunde atitudes agressivas com atitudes eficazes. E, quase sempre, o que funciona melhor é ficar parado, manter a calma e deixar que os outros se frustrem com as armadilhas que você coloca para eles, jogando para conquistar o poder no longo prazo e não para alcançar uma vitória rápida.

Lembre-se: a essência do poder é a capacidade de ter a iniciativa, fazer com que os outros reajam aos *seus* movimentos, deixar o seu adversário e as pessoas ao seu redor na defensiva. Quando você faz as pessoas virem até você, de repente é você que está no controle da situação. E quem controla tem o poder. Duas coisas precisam acontecer para colocar você nesta posição: você mesmo tem de aprender a dominar suas emoções, e jamais se deixar levar pela raiva; enquanto isso, deve aproveitar a tendência natural das pessoas de reagir com raiva quando forçadas e enganadas. No longo prazo, a capacidade de fazer as pessoas virem até você é uma arma muito mais poderosa do que qualquer ferramenta agressiva.

Veja como Talleyrand, o mestre nesta arte, executou este truque delicado. Primeiro, ele superou a urgência de tentar convencer seus camaradas estadistas de que tinham de banir Napoleão para bem longe.

É natural querer convencer as pessoas defendendo as suas ideias, impondo a sua vontade com palavras. Mas isto quase sempre é negativo para você. Poucos eram os contemporâneos de Talleyrand que acreditavam que Napoleão ainda era uma ameaça, portanto, se ele tivesse gastado muita energia tentando convencê-los só teria passado por tolo. Em vez disso, ele segurou a língua e as emoções. Mais importante de tudo, ele armou para Napoleão uma doce e irresistível armadilha. Conhecia os pontos fracos do homem, a sua impetuosidade, a sua necessidade de glória e do amor das massas, e se aproveitou muito bem disso. Quando Napoleão mordesse a isca, não haveria perigo de ter sucesso e virar a mesa prejudicando Talleyrand, que melhor do que ninguém sabia o estado de esgotamento em que se encontrava a França. E mesmo que Napoleão tivesse conseguido superar estas dificuldades, as suas próprias chances de sucesso aumentariam se ele pudesse escolher o seu tempo e lugar para agir. Montando a armadilha certa, Talleyrand teve nas suas mãos o tempo e o lugar.

Todos nós temos um limite para nossas energias, e há um momento em que elas estão no auge. Quando você faz com que a outra pessoa venha até você, ela se desgasta, desperdiça energia pelo caminho. Em 1905, a Rússia e o Japão estavam em guerra. Os japoneses tinham apenas começado a modernizar seus navios de guerra, de forma que a frota russa era mais forte, mas, divulgando informações falsas, o marechal japonês Togo Heihachiro atraiu os russos para fora das suas docas no mar Báltico fazendo-os acreditar que conseguiriam destruir de uma vez os navios dos japoneses. Os russos não podiam chegar ao Japão pelo caminho mais rápido – atravessando o estreito de Gibraltar, o canal de Suez e entrando no oceano Índico –, porque este estava sendo controlado pelos britânicos, e os japoneses eram aliados da Grã-Bretanha. Tiveram que costear o cabo da Boa Esperança, na extremidade sul do continente africano, acrescentando mais de seis mil milhas à viagem. Depois que a frota passou pelo cabo, os japoneses espalharam outra história falsa: iam contra-atacar. Assim, os russos fizeram toda a viagem até o Japão em estado de alerta para o combate. Quando chegaram, os marujos estavam tensos, exaustos e sobrecarregados de trabalho, enquanto os japoneses tinham ficado esperando tranquilamente. Apesar das desvantagens e da falta de experiência na moderna arte da guerra naval, os japoneses esmagaram os russos.

Uma outra vantagem em fazer o adversário vir até você, como os japoneses descobriram com os russos, é que isso o força a operar no seu território. Estar em terreno hostil o deixa nervoso e quase sempre ele se afoba e comete erros. Em negociações ou reuniões, é sempre mais sensato atrair os outros para o seu território, ou para o território que você escolher. Você tem os seus referenciais, enquanto ele não vê nada familiar e fica sutilmente colocado na defensiva.

A manipulação é um jogo perigoso. Quando alguém desconfia de que está sendo manipulado, fica cada vez mais difícil de controlar. Mas quando você faz o seu adversário chegar até você, cria a ilusão de que é ele que está no controle. Ele não percebe os cordões que o puxam, assim como Napoleão imaginou que era ele o mestre da sua ousada fuga e retorno ao poder.

Tudo depende da suavidade da sua isca. Se a sua armadilha é suficientemente atraente, a turbulência das emoções e os desejos dos seus inimigos não os deixarão ver a realidade. Quanto mais gananciosos, melhor poderão ser conduzidos.

O grande barão ladrão do século XIX, Daniel Drew, era mestre em jogar na bolsa de valores. Quando queria que uma determinada ação fosse comprada ou vendida, fazendo subir ou baixar os preços, ele raramente recorria a um método direto. Um dos seus truques era passar correndo por um clube exclusivo perto de Wall Street, obviamente a caminho da bolsa de valores, e tirar do bolso o seu costumeiro lenço vermelho para secar o suor da testa. Um pedacinho de papel caía e ele fingia não perceber. Os membros do clube estavam sempre tentando prever os movimentos de Drew e pulavam em cima do papel, que invariavelmente continha uma dica sobre uma ação. A notícia se espalhava, e os membros em bando compravam ou vendiam as ações, dançando nas mãos de Drew.

Se você conseguir que as pessoas cavem as suas próprias sepulturas, por que gastar o seu suor? Os batedores de carteira são mestres nisto. A chave para bater uma carteira é saber em que bolso ela está. Batedores experientes costumam exercer o seu ofício em estações de trem e outros lugares onde existem cartazes em que se lê claramente, CUIDADO COM OS BATEDORES DE CARTEIRA. Os transeuntes, ao verem o cartaz, invariavelmente colocam a mão no bolso da carteira para ver se ela ainda está lá. Para os batedores atentos, isto é cair a sopa no mel. Sabe-se até que eles mesmos colocam os cartazes de CUIDADO COM OS BATEDORES DE CARTEIRA para garantir o seu sucesso.

Quando você faz as pessoas virem até você, às vezes é melhor deixar que elas saibam que você está forçando. Você troca a dissimulação pela manipulação declarada. As ramificações psicológicas são profundas: a pessoa que faz os outros irem até ela parece poderosa e exige respeito.

Filippo Brunelleschi, o grande artista e arquiteto do Renascimento, era um grande mestre na arte de fazer os outros irem até ele como um sinal do seu poder. Certa ocasião, ele estava envolvido nas obras de reforma da cúpula da catedral de Santa Maria del Fiore, em Florença. A incumbência era importante e de prestígio. Mas, quando os administradores da cidade contrataram um segundo homem, Lorenzo Ghiberti, para trabalhar com Brunelleschi, o grande artista intimamente fechou a cara. Ele sabia que Ghiberti tinha conseguido o emprego por intermédio de pessoas conhecidas, que não trabalharia nada e ainda ficaria com metade do crédito. Em um momento crítico da obra, portanto, Brunelleschi contraiu uma doença misteriosa. Precisou parar de trabalhar, mas fez ver aos administradores que eles tinham contratado Ghiberti, que poderia continuar o trabalho sozinho. Logo ficou evidente que Ghiberti era um inútil, e os administradores foram implorar a Brunelleschi que voltasse. Ele os ignorou, insistindo que Ghiberti tinha de terminar o projeto, até que finalmente eles perceberam qual era o problema: despediram Ghiberti.

Imagem: A Armadilha do Pote de Mel. O caçador de ursos não caça a sua presa; é quase impossível pegar um urso que sabe que está sendo caçado, e ele fica feroz se encurralado. Em vez disso, o caçador coloca armadilhas com iscas de mel. Ele não se exaure nem arrisca a sua vida. Coloca a isca e fica esperando.

Autoridade: Os bons guerreiros fazem os outros irem até eles, e não vão até os outros. Este é o princípio do vazio e do cheio na relação do eu com o outro. Se você induz os adversários a virem até você, a força deles se esvazia; desde que você não vá até eles, a sua força estará sempre cheia. Atacar o vazio com o cheio é como jogar pedras em ovos. (Zhang Yu, comentarista do século XI sobre a A arte da guerra)

Como por milagre, Brunelleschi se recuperou em poucos dias. Não precisou ter um ataque de cólera ou passar por idiota: simplesmente praticou a arte de "fazer os outros virem até você".

Se numa determinada ocasião você considerar uma questão de honra as pessoas virem até você, e conseguir que elas venham, elas continuarão fazendo isso mesmo depois de você parar de tentar.

O INVERSO

Embora, em geral, seja mais sensato fazer os outros se exaurirem correndo atrás de você, há casos inversos em que atacar repentina e agressivamente o inimigo o desmoraliza tanto que suas energias se esvaem. Em vez de fazer os outros virem até você, você vai até eles, insiste, toma a liderança. O ataque rápido pode ser uma arma assustadora, pois força a outra pessoa a reagir sem tempo para pensar ou planejar. Sem tempo para pensar, as pessoas cometem erros de julgamento e se colocam na defensiva. Esta tática é o oposto de esperar e colocar a isca, mas tem a mesma função: você faz o seu inimigo reagir segundo os seus próprios termos.

Homens como César Borgia e Napoleão usaram a velocidade para intimidar e controlar. Um movimento rápido e imprevisto apavora e desmoraliza. Você deve escolher suas táticas de acordo com a situação. Se tiver o tempo a seu favor, e souber que você e os seus inimigos estão no mínimo em igualdade de forças, então esgote a força deles fazendo-os vir até você. Se o tempo não estiver a seu favor – seus inimigos são mais fracos, e a espera só lhes dará chance de se recuperar –, não lhes dê essa oportunidade. Ataque rapidamente e eles não terão para onde ir. Como diz o pugilista Joe Louis: "Ele corre, mas não se esconde."

LEI

9

VENÇA POR SUAS ATITUDES, NÃO DISCUTA

JULGAMENTO

Qualquer triunfo momentâneo que você tenha alcançado discutindo é na verdade uma vitória de Pirro: o ressentimento e a má vontade que você desperta são mais fortes e permanentes do que qualquer mudança momentânea de opinião. É muito mais eficaz fazer os outros concordarem com você por suas atitudes, sem dizer uma palavra. Demonstre, não explique.

A LEI TRANSGREDIDA

Em 131 a.C., o cônsul romano Publius Crassus Dives Mucianus, ao pôr cerco à cidade grega de Pergamo, viu que precisava de um aríete para derrubar as muralhas da cidade. Ele tinha visto uns dois mastros de navio pesados num estaleiro em Atenas alguns dias antes e mandou que o maior deles lhe fosse enviado imediatamente. O engenheiro militar que recebeu o pedido em Atenas tinha certeza de que o cônsul queria na realidade o mastro menor. Ele discutiu sem parar com os soldados que entregaram a requisição; o mastro menor, ele lhes dizia, era muito mais apropriado para a tarefa. E na verdade seria mais fácil de transportar.

Os soldados alertaram o engenheiro de que o seu chefe não era homem com quem se discutisse, mas ele insistiu que o mastro menor era o único que funcionaria com a máquina que estava construindo. Ele traçou diagrama após diagrama e chegou até dizer que o técnico era ele e eles não sabiam do que estavam falando. Os soldados conheciam o seu líder e acabaram convencendo o engenheiro de que seria melhor engolir a sua técnica e obedecer.

Depois que eles saíram, entretanto, o engenheiro continuou pensando. Qual o sentido, ele se perguntava, de obedecer a uma ordem que vai levar ao fracasso? E então ele enviou o mastro menor, confiando que o cônsul veria que ele funcionava muito melhor e o recompensaria justamente.

Quando o mastro menor chegou, Mucianus pediu aos soldados uma explicação. Eles contaram que o engenheiro não parara de discutir dizendo que o mastro menor era melhor, mas no final tinha prometido mandar o maior. Mucianus ficou furioso. Não conseguia se concentrar no cerco, ou considerar a importância de abrir uma brecha na muralha antes que a cidade recebesse reforços. Só conseguia pensar no engenheiro desaforado que ele mandou buscar imediatamente.

Chegando poucos dias depois, o engenheiro explicou satisfeito ao cônsul, mais uma vez, a razão do mastro menor. Ele falava e falava, usando os mesmos argumentos de antes com os soldados. Disse que era sensato ouvir os especialistas nestas questões, e se o ataque fosse tentado com o aríete que ele tinha enviado, o cônsul não se arrependeria. Mucianus deixou-o terminar, depois mandou que o despissem diante dos soldados e o fustigou e açoitou até a morte.

Interpretação

O engenheiro, cujo nome não ficou na história, passou a vida desenhando mastros e pilares, e era respeitado como o melhor engenheiro numa cidade que se destacara nessa ciência. Ele sabia que estava certo. Um aríete menor permitiria mais velocidade e carregaria mais força.

O SULTÃO E O VIZIR
Durante uns trinta anos, um vizir serviu ao seu senhor e era conhecido e admirado por sua lealdade, sinceridade e devoção a Deus. Sua honestidade, entretanto, lhe granjeara muitos inimigos na corte, que espalhavam histórias sobre a sua perfídia e má-fé. Eles falavam no ouvido do sultão o dia inteiro, até que ele também começou a desconfiar do inocente vizir e acabou condenando à morte o homem que lhe servira tão bem.
Naquele reino, quem fosse condenado à morte era amarrado e jogado no cercado onde o sultão mantinha os seus cães de caça mais ferozes. Os animais estraçalhariam a vítima de imediato. Antes de ser jogado aos cães, entretanto, o vizir fez um último pedido, "Gostaria de dez dias de trégua", disse ele, "para poder pagar minhas dívidas, recolher o dinheiro que me devem, retornar artigos que as pessoas me deram para guardar e dividir meus bens entre os membros da minha família e meus filhos, e indicar um guardião para eles".

Depois de ter a garantia de que o vizir não ia tentar fugir, o sultão lhe concedeu o pedido. O vizir correu para casa, juntou cem moedas de ouro, depois foi visitar o caçador que cuidava dos cães do sultão. Ele ofereceu ao homem as cem moedas de ouro e disse: "Deixe-me cuidar dos cães durante dez dias." O caçador concordou e durante os dez dias seguintes o vizir cuidou das feras com muita atenção, tratando-as bem e alimentando-as bastante. No final dos dez dias eles estavam comendo na sua mão. No décimo primeiro dia, o vizir foi chamado à presença do sultão, as acusações se repetiram e o sultão assistiu enquanto o vizir era amarrado e jogado aos cães. Mas quando as feras o viram correram até ele abanando os rabos. Eles mordiscaram afetuosamente seus ombros e começaram a brincar com ele. O sultão e as outras testemunhas ficaram espantadas, e o sultão perguntou ao vizir por que os cães haviam poupado a sua vida. O vizir respondeu: "Cuidei desses cães durante dez dias. O sultão mesmo viu o resultado. Eu cuidei do senhor durante trinta anos, e qual

O maior não é necessariamente o melhor. É claro que o cônsul entenderia a sua lógica, e acabaria compreendendo que a ciência é neutra e a razão é superior. Como o cônsul insistia na sua ignorância se o engenheiro lhe mostrava diagramas detalhados e explicava as teorias que sustentavam o seu conselho?

O engenheiro militar era a quintessência do Argumentador, um tipo muito encontrado entre nós. O Argumentador não compreende que as palavras não são neutras e que ao discutir com um superior coloca em dúvida a inteligência de alguém mais poderoso do que ele. Ele também não percebe com quem está falando. Visto que todo homem acredita que está certo, e palavras raramente o convencerão do contrário, o raciocínio do Argumentador cai em ouvidos surdos. Se encurralado, ele só faz acrescentar mais argumentos, cavando o seu próprio túmulo. Depois de fazer a outra pessoa se sentir insegura e inferior na sua crença, nem a eloquência de Sócrates salva a situação.

Não se trata apenas de evitar discutir com quem está acima de você. Todos nós acreditamos que somos mestres no reino das opiniões e dos raciocínios. Você precisa tomar cuidado, portanto: aprenda a demonstrar a certeza das suas ideias indiretamente.

A LEI OBSERVADA

Em 1502, em Florença, na Itália, havia um enorme bloco de mármore no departamento de obras da igreja de Santa Maria del Fiore. Tinha sido antes um magnífico pedaço de pedra bruta, mas um escultor desajeitado fez um furo por engano onde deveriam ficar as pernas da figura, mutilando-a. Piero Soderini, prefeito de Florença, pensou salvar o bloco colocando-o nas mãos de Leonardo da Vinci, ou algum outro mestre, mas desistiu porque todos concordavam que a pedra estava arruinada. Portanto, apesar do dinheiro gasto com ela, estava lá acumulando poeira nos corredores escuros da igreja.

As coisas estavam neste pé quando alguns amigos florentinos do grande Michelangelo resolveram escrever ao artista, que vivia na época em Roma. Só ele, diziam, poderia fazer alguma coisa com o mármore, que continuava sendo uma magnífica matéria bruta. Michelangelo foi até Florença, examinou a pedra e chegou à conclusão de que de fato poderia esculpir uma bonita figura, adaptando a pose para a forma como a pedra tinha sido mutilada. Soderini argumentou que era perda de tempo – ninguém seria capaz de salvar tal desastre –, mas, finalmente, concordou em deixar que o artista trabalhasse nela. Michelangelo decidiu que retrataria Davi jovem, empunhando a funda.

Semanas mais tarde, quando Michelangelo estava dando os últimos retoques na escultura, Soderini entrou no estúdio. Fazendo-se de conhecedor, ele analisou a enorme peça e disse a Michelangelo que, embora achasse um trabalho magnífico, o nariz, ele julgava, estava grande demais. Michelangelo percebeu que Soderini estava em pé, bem debaixo da figura gigantesca e não tinha uma boa perspectiva. Sem dizer uma palavra, acenou para Soderini acompanhá-lo subindo no estrado. Alcançando o nariz, ele pegou o cinzel e um punhado de pó de mármore que ficara depositado sobre as tábuas. Com Soderini apenas poucos centímetros abaixo dele no estrado, Michelangelo começou a bater levemente com o cinzel, deixando cair aos poucos o pó que tinha na mão. Na verdade, ele não fez nada para mudar o nariz, mas aparentou estar trabalhando nele. Passados alguns minutos nesta charada, ele se afastou: "Olhe de novo." "Ficou melhor", respondeu Soderini, "você lhe deu vida."

Interpretação

Michelangelo sabia que alterando o nariz poderia arruinar toda a escultura. Mas Soderini era um patrono que se orgulhava do seu julgamento estético. Ofender um homem como esse discutindo com ele não traria nenhum benefício para Michelangelo e ainda colocaria em risco futuras encomendas. Michelangelo era esperto demais para discutir. Sua solução foi mudar a perspectiva de Soderini (literalmente aproximá-lo mais do nariz) sem que ele percebesse que esta era a causa da sua má percepção.

Felizmente para a posteridade, Michelangelo encontrou um jeito de manter inalterada a perfeição da estátua e ao mesmo tempo deixar que Soderini acreditasse que ele a havia melhorado. Esse é o duplo poder de vencer com atitudes e não discutindo: ninguém se ofende e você prova que está certo.

AS CHAVES DO PODER

Na esfera do poder, você deve aprender a julgar seus movimentos por seus efeitos no longo prazo sobre as outras pessoas. O problema em tentar provar que está certo ou conseguir uma vitória com argumentos é que no final você nunca tem certeza de como isso afeta as pessoas com quem está discutindo: elas podem parecer concordar com você por educação, mas intimamente ficam magoadas. Ou talvez algo que você disse inadvertidamente até as ofendeu – as palavras têm uma insidiosa capacidade de ser interpretadas de acordo com o estado de humor ou insegurança da outra pessoa. Até mesmo o melhor argumento não

---

foi o resultado? Fui condenado à morte pela força de acusações levantadas por meus inimigos." O sultão corou de vergonha. Ele não só perdoou ao vizir como lhe deu belas roupas e lhe entregou os homens que o haviam difamado. O nobre vizir os libertou e continuou a tratá-los com bondade.
THE SUBTLE RUSE: THE BOOK OF ARABIC WISDOM AND GUILE, SÉCULO XIII

OS TRABALHOS DE AMASIS
Quando Apries foi deposto como descrevi, Amasis subiu ao trono. Ele pertencia ao distrito de Sais e era nativo da cidade chamada Siuph. No início, os egípcios mostraram desprezo e tiveram pouca consideração por ele devido a sua origem humilde e sem distinção; porém, mais tarde, ele espertamente os dominou, sem recorrer a medidas rispidas. Entre os seus inúmeros tesouros, ele tinha um lava-pés de ouro, que ele e seus hóspedes usavam ocasionalmente para lavar os pés. Este ele quebrou, e com o material mandou fazer uma estátua de um dos deuses,

que depois colocou no lugar que achou mais adequado na cidade. Os egípcios que passavam constantemente pela estátua a tratavam com profunda reverência, e assim que Amasis soube do efeito que causara sobre eles, convocou uma reunião e revelou que a estátua tão reverenciada tinha sido um lava-pés, onde eles lavavam os pés, urinavam e vomitavam. Ele seguiu dizendo que o seu caso era muito parecido, pois que um dia ele fora uma pessoa comum e agora era o rei deles; de forma que, assim como eles começaram a reverenciar o lava-pés transformado, eles deviam honrá-lo e respeitá-lo mais, também. Assim, os egípcios foram persuadidos a aceitá-lo como seu senhor.
AS HISTÓRIAS, HERÓDOTO, SÉCULO V a.C.

DEUS E ABRAÃO
O Deus Supremo tinha prometido que não levaria a alma de Abraão a não ser que o homem quisesse morrer e Lhe pedisse isso. Quando a vida de Abraão estava chegando ao fim, e Deus determinou apossar-se dele, enviou um anjo disfarçado como

tem fundamentos sólidos, pois todos nós desconfiamos da natureza escorregadia das palavras. E dias depois de concordar com alguém, com frequência voltamos a nossa antiga opinião só por hábito.

Compreenda isto: palavras custam um tostão a dúzia. Todos sabem que, no calor da discussão, nós todos falamos qualquer coisa para defender a nossa causa. Citamos a Bíblia, mencionamos estatísticas não averiguáveis. Quem se convence com essas bolhas de ar? Atitudes e demonstrações têm muito mais poder e sentido. Elas estão ali, diante dos nossos olhos – "Sim, agora o nariz da estátua parece correto". Não há termos ofensivos, nenhuma possibilidade de mal-entendidos. Ninguém pode discutir com uma prova visível. Como Baltasar Gracián observa: "A verdade é geralmente vista, raramente ouvida."

Sir Christopher Wren foi a versão inglesa do homem renascentista. Ele havia dominado as ciências da matemática, astronomia, física e fisiologia. No entanto, durante a sua carreira extremamente longa como o mais famoso arquiteto da Inglaterra, seus patronos com frequência lhe diziam para fazer alterações pouco práticas em seus projetos. Nem uma só vez ele discutiu ou ofendeu. Tinha outras maneiras de provar que estava com a razão.

Em 1688, Wren projetou um magnífico prédio para a prefeitura da cidade de Westminster. O prefeito, entretanto, não ficou satisfeito; de fato, estava nervoso. Ele disse a Wren que temia que o segundo andar não estivesse firme e que pudesse vir abaixo destruindo o seu escritório no primeiro andar. Ele exigiu que Wren acrescentasse duas colunas de pedra como um apoio extra. Wren, excelente engenheiro, sabia que estas colunas não serviriam de nada e que os temores do prefeito não tinham fundamento. Mas ele as construiu, e o prefeito agradeceu. Só anos mais tarde é que os operários em cima de um andaime alto viram que as colunas terminavam pouco antes do teto.

Eram falsas. Mas os dois homens conseguiram o que desejavam: o prefeito pôde relaxar e Wren garantiu que a posteridade soubesse que o seu projeto original funcionava e que as colunas eram desnecessárias.

O poder de demonstrar a sua ideia é que os seus adversários não ficam na defensiva e, por conseguinte, estão mais dispostos a ser convencidos. Fazê-los sentir literal e fisicamente o que você quer dizer é muitíssimo mais eficaz do que discutir.

Um sujeito certa vez interrompeu Nikita Khrushchev no meio de um discurso em que ele denunciava os crimes de Stalin. "O senhor foi colega de Stalin", gritou o sujeito, "por que não o impediu na época?" Khrushchev aparentemente não podia ver o cara e rosnou, "Quem disse isso?". Ninguém levantou a mão. Ninguém moveu um músculo. Passados alguns segundos de tenso silêncio, Khrushchev disse com voz tranquila: "Agora você sabe por que eu não o impedi." Em vez de simplesmente argumentar que qualquer pessoa diante de Stalin teria medo, sabendo que o mais leve sinal de rebeldia significa morte certa, ele os fez *sentir* o que era enfrentar Stalin – os fez sentir a paranoia, o medo de falar em voz alta, o terror do confronto com o líder, neste caso, Khrushchev. A demonstração foi cabal e não se discutiu mais.

A forma de persuasão ainda mais eficaz do que a atitude é o símbolo. O poder de um símbolo – bandeira, história mítica, monumento a um episódio carregado de emoções – é que todos compreendem sem você ter de dizer nada. Em 1975, quando Henry Kissinger estava envolvido em negociações frustrantes com os israelenses sobre a devolução de parte do deserto do Sinai, de que eles tinham se apossado na guerra de 1967, de repente ele suspendeu uma reunião tensa e resolveu visitar os pontos interessantes da cidade. Foi às ruínas da antiga fortaleza de Masada, conhecida por todos os israelenses como o local onde setecentos guerreiros judeus cometeram suicídio em massa no ano 73 d.C., em vez de ceder às tropas romanas que os cercavam. Os israelenses compreenderam na mesma hora a mensagem de Kissinger: ele os estava acusando indiretamente de estar incentivando o suicídio em massa. Embora a visita por si só não mudasse a opinião deles, os fez pensar com mais seriedade do que qualquer alerta direto. Símbolos como este têm um grande significado emocional.

Quando a meta é ter poder, ou tentar conservá-lo, busque sempre a via indireta. E também escolha com cuidado as suas batalhas. Se no longo prazo não tiver importância que a outra pessoa concorde ou não com você – ou se o tempo e a própria experiência a fizerem compreender o que você quer dizer –, então é melhor nem mesmo se preocupar em mostrar nada. Poupe a sua energia e afaste-se.

Imagem: A Gangorra. Para cima e para baixo, para cima e para baixo, seguem os que discutem, sem chegar rápido a lugar algum. Desça da gangorra e mostre a eles o que você quer dizer sem forçar nada. Deixe-os no topo e que a gravidade os traga gentilmente até o chão.

um velho decrépito quase totalmente incapacitado. O velho parou diante da porta da casa de Abraão e lhe disse: "Oh, Abraão, gostaria de comer alguma coisa." Abraão ficou intrigado ao ouvi-lo dizer isto. "Morra", exclamou Abraão. "Seria melhor para você do que continuar vivendo nestas condições." Abraão sempre tinha comida pronta em casa para seus convidados que passavam por lá. Ele deu, portanto, ao velho uma tigela de caldo, com carne e migalhas de pão. O velho se sentou e comeu. Engolia com dificuldade, e assim que pegava a comida esta lhe caía da mão, espalhando-se pelo chão. "Oh, Abraão", disse ele, "me ajude a comer." Abraão pegou a comida na mão e a levou aos lábios do velho. Mas ela escorregou por sua barba e sobre o peito. "Qual a sua idade, velho?", perguntou Abraão. O velho disse um número ligeiramente maior do que a idade de Abraão. Aí Abraão exclamou: "Oh, Senhor Nosso Deus, leve-me Consigo antes que eu chegue à idade deste homem e fique nas mesmas condições em que ele está agora." Assim que Abraão

pronunciou estas palavras, Deus se apossou de sua alma.
THE SUBTLE RUSE: THE BOOK OF ARABIC WISDOM AND GUILE, SÉCULO XIII

Autoridade: Não discuta. Em sociedade, nada deve ser discutido: dê apenas resultados. (Benjamin Disraeli, 1804-1881)

O INVERSO

O argumento verbal tem uma utilidade vital na esfera do poder: distrair e ocultar suas pegadas quando você está praticando a dissimulação ou for apanhado mentindo. Nesses casos, você ganha mais argumentando com toda a convicção possível. Leve a outra pessoa a uma discussão para distraí-la dos seus movimentos dissimulados. Quando apanhado mentindo, quanto mais emocionado e seguro você parecer, menor a probabilidade de parecer que está mentindo.

Esta técnica salvou a pele de muitos charlatões. Certa vez, o conde Victor Lustig, trapaceiro por excelência, tinha vendido a dezenas de vítimas em todo o país uma caixa esquisita que ele dizia ser capaz de copiar dinheiro. Vendo que tinham sido enganadas, as vítimas em geral preferiam não procurar a polícia, para não se arriscarem ao constrangimento do caso tornado público. Mas um xerife chamado Richards, de Remsen County, em Oklahoma, não era o tipo de homem que aceitasse ser lesado em 10 mil dólares, e uma manhã seguiu Lustig até um hotel em Chicago.

Lustig ouviu baterem à porta. Ao abrir, viu o cano de uma espingarda. "Qual é o problema?", perguntou ele calmamente. "Seu filho da mãe", gritou o xerife, "eu vou matá-lo. Você me enganou com aquela sua caixa!" Lustig fingiu não entender. "Quer dizer que não está funcionando?", perguntou. "Você sabe que não está", retrucou o xerife. "Mas isso é impossível", disse Lustig. "Não tem como não funcionar. Você usou como devia?" "Fiz exatamente o que você me disse para fazer", disse o xerife. "Não, você deve ter feito alguma coisa errada", disse Lustig. A discussão não saía do lugar. O cano da espingarda foi gentilmente baixado.

Lustig passou à fase seguinte da tática da argumentação: despejou um monte de jargões técnicos sobre a operação da caixa, deixando o xerife atordoado, parecendo menos seguro e argumentando com menos insistência. "Olhe", disse Lustig, "vou lhe devolver o dinheiro agora mesmo. Também vou lhe dar instruções por escrito sobre o funcionamento da máquina, e vou a Oklahoma me certificar de que está funcionando corretamente. Não há o que perder num negócio desses." O xerife concordou relutante. Para deixá-lo totalmente satisfeito, Lustig pegou cem notas de cem dólares e lhe deu, dizendo para relaxar e ter um bom final de semana em Chicago. Mais calmo e um pouco confuso, o xerife finalmente foi embora. Nos dias que se seguiram a esse encontro, Lustig conferia o jornal todas as manhãs. Acabou encontrando o que procurava: um pequeno artigo com a notícia da prisão, julgamento e condenação do xerife Richard por passar notas falsas. Lustig ganhou a discussão: o xerife nunca mais o importunou.

LEI
10

CONTÁGIO:
EVITE O INFELIZ E AZARADO

JULGAMENTO
A miséria alheia pode matar você – estados emocionais são tão contagiosos quanto as doenças. Você pode achar que está ajudando o homem que se afoga, mas só está precipitando o seu próprio desastre. Os infelizes às vezes provocam a própria infelicidade; vão provocar a sua também. Associe-se, ao contrário, aos felizes e afortunados.

A LEI TRANSGREDIDA

Nascida em Limerick, Irlanda, em 1818, Marie Gilbert foi para Paris na década de 1840 fazer fortuna como dançarina e atriz. Adotando o nome de Lola Montez (sua mãe era descendente distante de espanhóis), ela se dizia dançarina de flamenco vinda da Espanha. Em 1845, sua carreira ia mal e para sobreviver ela virou prostituta de luxo – rapidamente uma das mais bem-sucedidas em Paris.

Só um homem poderia salvar a carreira de dançarina de Lola: Alexandre Dujarier, dono do jornal de maior circulação na França e também o crítico de teatro do jornal. Ela resolveu cortejá-lo e conquistá-lo. Sondando os seus hábitos, ela descobriu que ele saía para cavalgar todas as manhãs. Sendo ela mesma uma excelente amazona, certa manhã foi dar um passeio a cavalo e "acidentalmente" esbarrou com ele. Não demorou muito e estavam cavalgando juntos todos os dias. Passaram-se algumas semanas, e Lola se mudou para o apartamento dele.

Por uns tempos os dois viveram felizes juntos. Com ajuda de Dujarier, Lola começou a retomar a sua carreira de dançarina. Apesar de estar arriscando a sua posição social, Dujarier contou aos amigos que se casaria com ela na primavera. (Lola nunca lhe disse que fugira de casa aos dezenove anos com um inglês e continuava legalmente casada com ele.) Embora Dujarier estivesse apaixonadíssimo, sua vida entrou em declínio.

Sua sorte nos negócios virou e os amigos influentes começaram a evitá-lo. Uma noite, Dujarier foi convidado para uma festa, frequentada por alguns dos rapazes mais ricos de Paris. Lola quis ir também, mas ele não deixou. Tiveram a primeira briga, e Dujarier foi à festa sozinho. Ali, totalmente bêbado, ele insultou um importante crítico de teatro, Jean-Baptiste Rosemond de Beauvallon, talvez por causa de algum comentário seu a respeito de Lola. Na manhã seguinte, Beauvallon o desafiou para um duelo. Beauvallon era um dos melhores atiradores da França. Dujarier tentou se desculpar, mas o duelo aconteceu, e ele foi morto. Assim terminou a vida de um dos jovens mais promissores da sociedade parisiense. Arrasada, Lola deixou Paris.

Em 1846, Lola Montez estava em Munique, onde resolveu cortejar e conquistar o rei Ludovico da Baviera. A melhor maneira de chegar a Ludovico, ela descobriu, foi através do seu ajudante de ordens, o conde Otto von Rechberg, homem com uma certa queda por moças bonitas. Um dia, o conde fazia o desjejum num café ao ar livre quando Lola passou a cavalo, escorregou "acidentalmente" da sela e aterrissou aos

A NOZ E O CAMPANÁRIO
*Uma noz foi levada por um corvo até o topo de um alto campanário e, caindo numa fresta na parede, conseguiu escapar ao seu terrível destino. Ela então suplicou à parede que a abrigasse, invocando a Graça de Deus, louvando a sua altura e beleza, e o nobre tom de seus sinos. "Ai de mim!", continuou, "como não fui capaz de cair sob os verdes ramos da minha velha Mãe e me deitar no terreno pousio coberta por suas folhas secas, você, pelo menos, não me abandone. Quando me vi no bico do cruel corvo, jurei que se escapasse terminaria a minha vida num pequeno buraco."
Ouvindo estas palavras, a parede, compadecida, de bom grado abrigou a noz ali onde ela havia caído. Em breve, a noz se abriu: as raízes se estenderam pelas fendas forçando a passagem; os brotos avançaram em direção ao céu. Logo estavam mais altos do que o prédio, e à medida que as raízes retorcidas engrossavam iam derrubando paredes e deslocando as velhas pedras. Então a parede, tarde demais e inutilmente, lamentou a causa da sua destruição, e em pouco tempo só restavam ruínas.*
LEONARDO DA VINCI, 1452-1519

seus pés. O conde se apressou a ajudá-la e ficou encantado. Prometeu apresentá-la a Ludovico.

Rechberg arranjou uma audiência com o rei para Lola, mas quando ela chegou à antessala escutou-o dizer que estava muito ocupado para receber uma estranha atrás de favores. Lola afastou as sentinelas e entrou na sala assim mesmo. Nisso, a frente do seu vestido se rasgou (talvez provocado por ela mesma, ou por uma das sentinelas) e, para admiração geral, mais particularmente do rei, seus seios nus ficaram impudentemente expostos. Lola teve a sua audiência com Ludovico. Cinquenta e cinco horas depois ela estreava num palco bávaro; as críticas foram terríveis, mas não impediram Ludovico de arranjar outras apresentações.

Ludovico estava, segundo as suas próprias palavras, "enfeitiçado" por Lola. Começou a aparecer em público com ela pelo braço, e depois comprou e decorou um apartamento para ela num dos bulevares mais elegantes de Munique. Embora conhecido como um homem sovina, que não se dava a extravagâncias, ele passou a encher Lola de presentes e a escrever poemas para ela. Agora a sua amante favorita, ela ganhou fama e fortuna da noite para o dia.

Lola começou a perder o senso de limite. Um dia, num dos seus passeios a cavalo, ela encontrou pela frente um homem idoso que cavalgava um pouco lento demais para o seu gosto. Sem poder ultrapassá-lo, ela lhe bateu com o rebenque. Em outra ocasião, ela levou o seu cachorro para passear solto. O animal atacou um transeunte, e ela, em vez de ajudar o homem, bateu nele com a correia. Incidentes como estes enfureciam os impassíveis cidadãos da Baviera, mas Ludovico ficou ao lado de Lola e até a naturalizou cidadã bávara. O *entourage* do rei tentou alertá-lo para os perigos dessa aventura, mas quem criticava Lola era sumariamente despedido.

Enquanto os bávaros, que antes amavam o seu rei, agora o desrespeitavam declaradamente, Lola ganhava o título de condessa, um palácio novo construído para ela e já estava se metendo na política, aconselhando Ludovico. Ela era a maior força do reino. Sua influência no gabinete do rei aumentava cada vez mais e ela tratava os outros ministros com desdém. Consequentemente, explodiam rebeliões por todo o reino. Uma terra antes pacífica encontrava-se virtualmente à beira de uma guerra civil e os estudantes cantavam por toda parte "Raus mit Lola!".

Em fevereiro de 1848, Ludovico finalmente não conseguiu mais suportar a pressão. Com grande tristeza, mandou que Lola deixasse a Baviera imediatamente. Ela deixou, mas não antes de conseguir o que queria. Nas cinco semanas seguintes, a ira dos bávaros se voltou contra

Na sua época, Simon Thomas foi um grande médico. Lembro-me de o ter encontrado um dia na casa de um tísico velho e rico. Ele dizia ao paciente, discutindo a sua cura, que um dos meios para se conseguir isso era permitir que eu privasse da sua companhia: ele fixaria os olhos na frescura do meu rosto e os pensamentos na alegria transbordante e no vigor da minha jovem masculinidade; enchendo seus sentidos com as flores da minha juventude, talvez ele se sentisse melhor. Esqueceu-se de acrescentar que eu poderia me sentir pior.
MONTAIGNE, 1533-1592

o seu rei antes tão amado. Em março daquele ano, ele foi forçado a abdicar.

Lola Montez se mudou para a Inglaterra. Mais do que tudo ela precisava de respeitabilidade, e apesar de casada (ainda não tinha se divorciado do inglês com quem se casara anos antes), ela voltou seus olhares para George Trafford Heald, um jovem oficial do exército com um bom futuro pela frente, filho de um influente advogado. Embora dez anos mais novo do que Lola, e podendo escolher entre as moças mais bonitas e ricas da sociedade inglesa, Heald cedeu aos seus encantos. Casaram-se em 1849. Presa logo em seguida, acusada de bigamia, ela fugiu enquanto desfrutava a liberdade provisória, e os dois foram para a Espanha. Eles discutiam muito, e certa ocasião Lola o feriu com uma faca. Finalmente, ela o mandou embora. Voltando para a Inglaterra, ele descobriu que tinha perdido o seu posto no exército. Banido da sociedade inglesa e pobre, mudou-se para Portugal. Poucos meses depois, num acidente de barco, a sua curta vida chegou ao fim.

Anos depois, o homem que publicou a autobiografia de Lola Montez foi à falência.

Em 1853, Lola se mudou para a Califórnia, onde se casou com um homem chamado Pat Hull. Esse relacionamento foi tão tempestuoso quanto os anteriores, e ela trocou Hull por outro. Ele começou a beber e entrou em depressão profunda até morrer, quatro anos depois, ainda relativamente jovem.

Aos quarenta e um anos, Lola doou suas roupas e ornamentos e se voltou para Deus. Excursionou pela América, dando palestras sobre temas religiosos, vestida de branco e usando uma tiara na cabeça como se fosse uma auréola. Morreu dois anos mais tarde, em 1861.

Interpretação
Lola Montez atraía os homens com seus artifícios, mas o seu poder sobre eles ia além do sexo. Era através da sua força de caráter que ela mantinha seus amantes subjugados. Os homens eram sugados pelo turbilhão que ela criava ao seu redor. Eles ficavam confusos, perturbados, mas a intensidade das emoções que ela despertava os fazia se sentir vivos.

Como costuma acontecer com os contágios, os problemas só surgiam com o passar do tempo. A instabilidade inerente de Lola começava a irritar seus amantes. Eles se viam envolvidos nos seus problemas, mas o apego emocional fazia com que desejassem ajudá-la. Este era o ponto crucial da doença – pois Lola Montez não podia ser ajudada. Seus problemas eram muito profundos. Uma vez identificando-se com eles, o amante estava perdido. Ele se veria enredado em discussões. O contágio se espalhava pela sua família e amigos, ou, no caso de Ludovico,

Muitas coisas se diz serem contagiantes. A insônia pode ser contagiante, e o bocejo também. Na estratégia em larga escala, quando o inimigo está agitado e mostra tendência a se apressar, não se preocupe. Demonstre calma total, e o inimigo se impressionará com isso e relaxará. Você contagia o seu espírito. Você pode contagiá-lo com um espírito despreocupado, como que embriagado, com o tédio, ou mesmo com a fraqueza.
A BOOK OF FIVE RINGS, MIYAMOTO MUSASHI, SÉCULO XVII

Não olhe para um tolo como se fosse um homem culto, embora você possa reconhecer um homem talentoso como sábio; e não considere um abstêmio ignorante como sendo um verdadeiro asceta. Não se associe aos tolos, especialmente aqueles que se consideram sábios. E não se satisfaça

> *com a sua própria ignorância. Que as suas relações sejam apenas com homens de boa reputação; pois é por meio dessas associações que os homens conquistam uma boa reputação. Não vê você como o óleo de gergelim se mistura com rosas ou violetas e como, depois de estarem em associação um certo tempo com rosas ou violetas, ele deixa de ser óleo de gergelim e é chamado de óleo de rosas ou de violetas?*
> A MIRROR FOR PRINCES, KAI KA'US IBN ISKANDAR, SÉCULO XI

por toda uma nação. O único jeito era eliminá-la, ou sofrer um futuro colapso.

O tipo de personalidade contagiosa não se restringe às mulheres, nada tem a ver com gênero. A sua raiz está numa instabilidade interior que irradia, atraindo desastres. Existe quase que um desejo de destruir e perturbar. Você poderia passar a vida inteira estudando a patologia das personalidades contagiantes, mas não perca o seu tempo – aprenda a lição apenas. Se desconfiar de que está na presença de uma pessoa contagiosa, não discuta, não tente ajudar, não passe a pessoa adiante para seus amigos, ou você cairá na teia. Fuja ou sofrerá as consequências.

> *Aquele Cassius tem uma expressão magra e faminta. Ele pensa demais... Não conheço outro homem a quem deva evitar com tanta rapidez como esse minguado Cassius... Homens assim não ficam à vontade vendo outro maior do que eles, e portanto são muito perigosos.*
> Júlio César, William Shakespeare, 1564-1616

AS CHAVES DO PODER

Aqueles infelizes derrubados por circunstâncias fora do seu controle merecem toda a nossa ajuda e simpatia. Mas há outros que não nasceram infelizes ou desventurados, mas atraem a infelicidade e a desventura com seus atos destrutivos e o efeito perturbador que exercem sobre os outros. Seria ótimo se pudéssemos chamá-los de volta à vida, mudar seus padrões, mas quase sempre são esses padrões que são assimilados por nós e nos mudam. A razão é simples – os seres humanos são extremamente suscetíveis a humores, emoções e até maneiras de pensar daqueles com quem convivem.

A pessoa irremediavelmente infeliz e instável tem um poder de contaminação muito forte porque sua personalidade e emoções são muito intensas. Ela costuma se apresentar como vítima, o que torna difícil ver logo de início que é ela mesma a origem desse sofrimento. Até você perceber a verdadeira natureza dos seus problemas, já está contaminado.

Compreenda isto: no jogo do poder, as pessoas com quem você se associa são importantíssimas. O risco de se associar a contaminadores é que você desperdiça tempo e energia preciosos para se livrar disso. Culpado por uma espécie de associação, você também será um sofredor aos olhos dos outros. Jamais subestime o perigo do contágio.

São muitos os tipos de pessoas contagiosas com os quais devemos ter cuidado; um dos mais insidiosos, porém, é o que sofre de insatisfação crônica. Cassius, o romano que conspirava contra Júlio César, tinha a insatisfação que se origina da inveja profunda. Ele simplesmente não suportava a presença de alguém mais talentoso. Provavelmente porque percebeu a interminável amargura do homem, César o rejeitou para o posto de primeiro pretor, preferindo Brutus. Cassius guardou rancor e seu ódio por César se tornou patológico. Ao próprio Brutus, dedicado republicano, não agradava a ditadura de César; se ele tivesse tido paciência de esperar, teria sido o primeiro homem em Roma depois da morte de César, e poderia ter desfeito o mal que o líder havia causado. Mas Cassius o contaminou com o seu próprio rancor, enchendo seus ouvidos diariamente com histórias sobre a maldade de César. Finalmente ele convenceu Brutus a conspirar. Foi o início de uma grande tragédia. Quantos infortúnios teriam sido evitados se Brutus tivesse aprendido a temer o poder do contágio.

Só existe uma solução para isso: quarentena. Mas, quando você reconhece o problema, em geral já é tarde. Uma Lola Montez vence você com sua personalidade forte. Cassius intriga você com sua natureza confiante e a profundidade dos seus sentimentos. Como se proteger desses vírus insidiosos? A resposta está em julgar as pessoas pelos efeitos que elas exercem sobre o mundo e não pelas razões que elas dão para os seus próprios problemas. As pessoas contagiantes são reconhecidas pela infelicidade que atraem sobre si mesmas, por seu passado turbulento, pela extensa fileira de relacionamentos rompidos, por suas carreiras instáveis e pela própria força de uma personalidade que se apodera de você e o faz perder o juízo. Esteja alerta a estes sinais do contaminador; aprenda a olhar o descontente no olho. E, o mais importante, não tenha dó. Não se complique tentando ajudar. O contaminador não vai mudar, mas você se confunde.

Imagem: Um Vírus. Despercebido, ele entra pelos seus poros sem avisar, espalhando-se silenciosa e lentamente. Antes que você perceba o contágio, ele já o pegou.

O outro aspecto da contaminação é igualmente válido, e talvez mais fácil de compreender: há pessoas que atraem a felicidade com o seu bom humor, com a sua natural animação e inteligência. Elas são fonte de prazer e você deve se associar a elas para partilhar a prosperidade que atraem sobre si mesmas.

Não estamos falando apenas de bom humor e sucesso: todas as qualidades positivas podem nos contagiar. Talleyrand tinha muitos traços estranhos e intimidadores; a maioria das pessoas entretanto concordava que ele era, entre os franceses, o mais elegante, aristocrático e inteligente. Na verdade, ele era de uma das famílias nobres mais antigas do país e, apesar da sua crença na democracia e na República Francesa, conservava as suas maneiras da corte. Napoleão, seu contemporâneo, era o oposto – um camponês da Córsega, taciturno e deselegante, até violento.

Não havia ninguém que Napoleão admirasse mais do que a Talleyrand. Ele invejava a maneira como o ministro tratava o povo, a inteligência e habilidade com que deixava as mulheres encantadas e, na medida do possível, conservava Talleyrand ao seu lado esperando assimilar a cultura que lhe faltava. Não há dúvida de que Napoleão mudou com o andar do seu governo. Muitas asperezas foram polidas com sua constante associação com Talleyrand.

Tire proveito do aspecto positivo desta osmose emocional. Se você for triste por natureza, por exemplo, jamais ultrapassará um certo limite; apenas as almas generosas atingem a grandeza. Associe-se com os generosos, portanto, e eles o contaminarão, soltando o que está apertado e contido dentro de você. Se você é melancólico, gravite em torno das pessoas animadas. Se tender ao isolamento, force-se a ser amigo do gregário. Jamais se associe com quem tem os seus mesmos defeitos – eles reforçarão tudo o que trava o seu caminho. Crie associações apenas com afinidades positivas. Que esta seja uma regra de vida, e você se beneficiará mais do que com todas as terapias do mundo.

Autoridade: Reconheça o afortunado de modo a poder escolher a sua companhia, e o desafortunado para poder evitá-la. O infortúnio é, em geral, uma tolice, e entre os que sofrem dela não há doença mais contagiosa: Não abra a sua porta para a menor das infelicidades, pois, se o fizer, muitas outras virão em seguida... Não morra da infelicidade alheia. (Baltasar Gracián, 1601-1658)

O INVERSO
Esta lei não aceita o inverso. Sua aplicação é universal. Nada se lucra associando-se com quem pode contagiar com sua miséria; só se obtém poder e sorte associando-se com os afortunados. Ignore esta lei por sua própria conta e risco.

LEI

11

APRENDA A MANTER AS PESSOAS DEPENDENTES DE VOCÊ

JULGAMENTO

Para manter a sua independência você deve sempre ser necessário e querido. Quanto mais dependerem de você, mais liberdade você terá. Faça com que as pessoas dependam de você para serem felizes e prósperas, e você não terá nada o que temer. Não lhes ensine o bastante a ponto de poderem se virar sem você.

A LEI TRANSGREDIDA

Certa vez, na Idade Média, um soldado mercenário (*um condottiere*), cujo nome não ficou registrado, salvou a cidade de Siena de um agressor estrangeiro. Como os bons cidadãos de Siena iriam recompensá-lo? Não há dinheiro ou homenagens que paguem a liberdade. Os cidadãos pensaram em fazer o mercenário senhor da cidade, mas até isso, eles decidiram, não bastava. Finalmente, um deles tomou a palavra na assembleia reunida para debater a questão e disse: "Vamos matá-lo, e depois o adoramos como nosso santo patrono." E assim fizeram.

O conde de Carmagnola, entre todos os *condottieri*, foi um dos mais valentes e bem-sucedidos. Em 1442, ele estava a serviço da cidade de Veneza, há muito tempo em guerra com Florença, quando de repente recebeu um chamado de Veneza. Favorito do povo, ele foi recebido com todas as honras e esplendores. Naquela noite ele ia jantar com o doge em pessoa, no palácio ducal. A caminho do palácio, entretanto, ele notou que a guarda o conduzia por um caminho diferente do de costume. Ao cruzar a famosa Ponte dos Suspiros, ele percebeu para onde estavam indo – para a masmorra. Ele foi condenado sob uma acusação falsa e, no dia seguinte, na Praça São Marco, diante de uma multidão horrorizada que não conseguia entender como o seu destino havia mudado tão radicalmente, foi degolado.

Interpretação

Muitos grandes *condottieri* do Renascimento na Itália sofreram o mesmo destino do santo patrono de Siena e do conde de Carmagnola: venceram várias batalhas seguidas para seus patrões para se verem no final banidos, presos ou executados. O problema não era a ingratidão: é que havia muitos outros *condottieri* tão capazes e valentes quanto eles. Eles eram substituíveis. Nada se perdia matando-os. Enquanto isso, os mais velhos já estavam cheios de poder, cobrando cada vez mais caro por seus serviços. Era muito melhor, portanto, acabar com eles e contratar um mercenário mais jovem e mais barato. Esse foi o destino do conde de Carmagnola, que estava começando a se mostrar petulante e independente. Ele estava tão certo do seu poder que não se preocupava em ser realmente indispensável.

Esse é o destino (num grau menos violento, espera-se) de quem não faz com que os outros dependam dele. Mais cedo ou mais tarde, surge alguém capaz de fazer o mesmo trabalho com a mesma eficiência – alguém mais jovem, mais disposto, mais barato, menos ameaçador.

Seja a *única* pessoa capaz de fazer o que você faz, e trance o destino de quem o contrata de tal forma com o seu que seja impossível livrar-se

---

OS DOIS CAVALOS
Dois cavalos transportavam duas cargas. O da frente ia bem, mas o de trás era preguiçoso. Os homens começaram a empilhar a carga do cavalo de trás sobre o da frente; depois de transferirem tudo, o cavalo de trás, aliviado, disse para o da frente: "Labuta e sua! Quanto mais você tentar, mais terá de sofrer."
Ao chegar à taverna, o dono falou: "Por que devo alimentar dois cavalos se transportei tudo num só? É melhor dar a um toda a comida que ele quiser, e cortar a garganta do outro. Pelo menos aproveito o couro."
E assim fez.
FÁBULAS, LEON TOLSTOI, 1828-1910

> O GATO QUE PASSEAVA SOZINHO
> Aí a Mulher riu e deu uma tigela de leite branco e morno para o gato, dizendo: "Oh, Gato, você é tão inteligente quanto o homem, mas lembre-se de que fez um trato comigo, não com o Homem e o Cão, e não sei o que eles farão quando chegarem em casa." "O que me importa?", disse o gato. "Se tenho o meu lugar na caverna, perto do fogo, e meu leite branco e morno três vezes por dia, não me interessa o que o Homem e o Cão podem fazer." ... E a partir desse dia, meu amado, de cada cinco homens honestos três jogarão coisas sobre o Gato quando o virem, e todos os Cães honestos o escorraçarão árvore acima. Mas o Gato também cumpre a sua parte no trato. Ele mata os ratos, e é gentil com os bebês quando está em casa, desde que não lhe puxem o rabo com muita força. Mas depois, e nos intervalos, e quando a lua se ergue no céu e vem a noite, ele é o Gato que passeia sozinho, e para ele todos os lugares são iguais. Ele sai pelos Bosques Silvestres Molhados, sobe nas Árvores Silvestres Molhadas

de você. Do contrário, você um dia será forçado a cruzar a sua própria Ponte dos Suspiros.

A LEI OBSERVADA

Quando Otto von Bismarck se tornou deputado no parlamento prussiano, em 1847, tinha trinta e dois anos e nenhum aliado ou amigo. Olhando em volta, ele concluiu que não deveria se aliar ao partido nem dos liberais nem dos conservadores no parlamento, também a nenhum ministro em particular, e certamente não ao povo. Ao rei, Frederico Guilherme IV, sim. Foi uma escolha estranha, para dizer o mínimo, pois o poder de Frederico estava em baixa. Homem indeciso, fraco, ele concordava sempre com os liberais no parlamento: de fato, faltava-lhe coragem, e ele representava quase tudo que desagradava a Bismarck, pessoal e politicamente. Mas Bismarck cortejava Frederico dia e noite. Quando os outros deputados atacavam o rei por sua inépcia, só Bismarck o defendia.

Finalmente, funcionou: em 1851, Bismarck foi nomeado ministro de gabinete do rei. Agora ele ia trabalhar. Repetidas vezes ele forçou a mão do rei, fazendo-o aumentar o exército, enfrentar os liberais, exatamente como Bismarck desejava. Ele trabalhava com a insegurança de Frederico quanto a sua própria masculinidade, desafiando-o a ser firme e governar com orgulho. E ele lentamente restaurou o poder do rei até que a monarquia voltou a ser a força mais poderosa da Prússia.

Quando Frederico morreu, em 1861, seu irmão Guilherme subiu ao trono. Guilherme antipatizava profundamente com Bismarck e não pretendia mantê-lo por perto. Mas ele também herdou a mesma situação do irmão: muitos inimigos desejavam lhe tomar o poder. Na verdade, ele pensava em abdicar, sentindo não ter força suficiente para enfrentar essa precária e perigosa posição. Mas Bismarck se insinuou mais uma vez. Ficou ao lado do novo rei, deu-lhe força e o incentivou a agir com firmeza e decisão. O rei passou a depender das táticas violentas usadas por Bismarck para manter seus inimigos afastados e, apesar da sua antipatia pelo homem, não demorou a nomeá-lo primeiro-ministro. Os dois discutiam com frequência sobre política – Bismarck era muito mais conservador –, mas o rei compreendia a sua própria dependência. Sempre que o primeiro-ministro ameaçava renunciar, o rei cedia, sempre. E era, de fato, Bismarck quem definia a política de Estado.

Anos mais tarde, os atos de Bismarck como primeiro-ministro da Prússia levaram vários Estados alemães a se unir, formando um só país. Agora Bismarck conseguiu convencer o rei a se deixar coroar imperador da Alemanha. Mas era Bismarck, realmente, quem tinha alcançado o ápice do poder. Como braço direito do imperador, chanceler imperial e cavaleiro armado, ele movia todas as alavancas.

Interpretação

A maioria dos jovens e ambiciosos políticos, visando à paisagem política da Alemanha da década de 1840, teria tentado construir uma base de poder entre aqueles mais poderosos. Bismarck viu as coisas de outra forma. Unir forças com os poderosos pode ser tolice: eles o engolirão, como o doge de Veneza engoliu o conde de Carmagnola. Ninguém vai depender de você se já for suficientemente forte. Se você é ambicioso, é muito mais sensato procurar governantes ou mestres fracos com quem poderá criar uma relação de dependência. Você se torna a força deles, a sua inteligência, o seu suporte. Quanto poder você tem! Se eles se livrarem de você, todo o edifício vem abaixo.

A necessidade governa o mundo. As pessoas raramente agem se não forem forçadas a isso. Se você não se faz necessário, será eliminado na primeira oportunidade. Se, por outro lado, você compreender as Leis do Poder e fizer com que os outros dependam de você para o bem-estar deles, se você puder contrapor a fraqueza deles com o seu próprio "ferro e sangue", na frase de Bismarck, então você sobreviverá aos seus senhores como fez Bismarck. Você ficará só com os benefícios do poder, sem os seus espinhos.

> *Assim, um príncipe sábio pensará em como manter todos os seus cidadãos, e em todas as circunstâncias, dependentes do Estado e dele; e aí eles serão sempre confiáveis.*
> Nicolau Maquiavel, 1469-1527

AS CHAVES DO PODER

Poder é a capacidade de conseguir que os outros façam o que você quer. Se você consegue isso sem forçar nem magoar as pessoas, se elas de boa vontade lhe dão o que você deseja, então o seu poder é intocável. A melhor maneira de alcançar esta posição é criando uma relação de dependência. O senhor precisa dos seus serviços; ele é fraco, ou incapaz de funcionar sem você, que se misturou de tal forma no trabalho dele que, eliminando-o, ele ficaria em grandes dificuldades, ou pelo menos perderia um tempo precioso para treinar outra pessoa para substituir você. Uma vez estabelecida uma relação dessas, você é quem tem o controle, a influência para forçar o senhor a fazer o que você quer. É o caso clássico

ou nos Telhados Silvestres Molhados, abanando a cauda e caminhando pelos seus ermos silvestres.
JUST SO STORIES, RUDYARD KIPLING, 1865-1936

O OLMO E A TREPADEIRA
Uma jovem e extravagante trepadeira, futilmente ambicionando independência e gostando de se espalhar à vontade, desprezou a aliança de um olmo imponente que crescia ali por perto e namorava seus abraços. Tendo crescido até uma certa altura sem nada para sustentá-la, ela lançou seus ramos delgados a uma distância muito incomum e excessiva, chamando o vizinho para ver como não precisava da sua ajuda. "Pobre arbusto pretensioso", respondeu o olmo, "como é incoerente a sua conduta! Se você fosse mesmo independente, usaria a sua seiva para engrossar o seu caule, que desperdiça em vão numa folhagem inútil. Em breve a verei rastejando no chão, mas com o estímulo, na verdade, de muitos da raça humana, que, ébrios de vaidade, desprezaram a

economia e que, para apoiar por um momento a sua vã ostentação de liberdade, exauriram a própria fonte em gastos frívolos."
FABLES, ROBERT DODSLEY, 1703-1764

do homem por trás do trono, o servo do rei que na verdade controla o rei. Bismarck não teve de intimidar Frederico ou Guilherme para fazer o que ele pedia. Simplesmente deixou bem claro que, se não conseguisse o que queria, ia embora, deixando o rei sem saber para que lado se virar. Em pouco tempo, os dois reis estavam dançando conforme a música de Bismarck.

Não seja como tantos que se enganam acreditando que poder é independência. O poder implica um relacionamento entre as pessoas; você sempre vai precisar dos outros como aliados, peões ou até como senhores fracos que servem de fachada para você. O homem totalmente independente viveria numa cabana na floresta – estaria livre para ir e vir à vontade, mas não teria poder. O máximo que pode esperar é que os outros fiquem tão dependentes de você que você passa a usufruir de um tipo inverso de independência: a necessidade que eles sentem de você o deixa livre.

Luís XI (1423-1483), o grande Rei Aranha da França, tinha um fraco por astrologia. Na corte havia um astrólogo a quem ele admirava, até que um dia o homem previu que uma senhora da corte morreria dentro de oito dias. Quando a profecia se realizou, Luís ficou assustadíssimo, achando que o homem tinha assassinado a mulher para provar a sua competência ou então era tão versado na ciência que seus poderes representavam uma ameaça para o próprio Luís. De uma forma ou de outra, ele tinha de morrer.

Uma noite, Luís mandou chamar o astrólogo até o seu quarto, no alto do castelo. Antes que ele chegasse, o rei disse aos criados que faria um sinal para eles erguerem o astrólogo, levá-lo até a janela e atirá-lo lá de cima, a quase cem metros de altura.

O astrólogo chegou logo, mas antes de dar o sinal, Luís resolveu lhe fazer uma última pergunta: "Você diz conhecer astrologia e saber o destino das pessoas, então me diga qual será o seu destino e quanto tempo ainda viverá."

"Morrerei três dias antes de Vossa Majestade", o astrólogo respondeu. O rei não deu o sinal. A vida do homem foi poupada. O rei Aranha não só protegeu o seu astrólogo durante toda a sua vida, como o enchia de presentes e fazia questão de que fosse tratado pelos melhores médicos da corte.

O astrólogo morreu anos depois da morte do rei, desmentindo o seu poder de profecia, mas provando a sua perícia no poder.

O modelo é este: faça com que os outros dependam de você. Livrar-se de você pode significar um desastre, até a morte, e o seu senhor não ousará desafiar a sorte tentando descobrir se isso é verdade. Há muitas maneiras de alcançar essa posição. A principal é possuir talento e capacidade criativa insubstituíveis.

Durante o Renascimento, a maior dificuldade para o sucesso de um pintor era encontrar o patrono certo. Ninguém melhor do que Michelangelo sabia disso: seu patrono foi o papa Júlio II. Mas os dois discutiram sobre a construção do túmulo de mármore do papa, e Michelangelo deixou Roma desgostoso. Para espanto das pessoas que giraram em torno do papa, não só ele não despediu o artista, como foi atrás dele e, no seu jeito arrogante, lhe implorou que ficasse. Michelangelo, ele sabia, poderia encontrar outro patrono, mas ele jamais encontraria outro Michelangelo.

Você não precisa ter o talento de um Michelangelo, basta uma habilidade que o destaque da multidão. Você deve criar uma situação tal que possa sempre se apegar a outro senhor ou patrono, mas que o seu senhor não seja capaz de encontrar facilmente outro servo com o seu talento particular. E se, na realidade, você não for mesmo indispensável, deve encontrar um jeito de parecer que é. Aparentar ser dono de um conhecimento e uma habilidade especializados lhe dá uma margem de segurança para fazer os seus superiores acharem que não vivem sem você. A dependência real por parte do seu senhor, entretanto, o deixa mais vulnerável a você do que a falsa, e você sempre poderá tornar a sua habilidade indispensável.

Isto é o que se entende por destinos entrelaçados: como a hera que vai se agarrando no muro, você está tão enredado na origem do poder que será muito traumático arrancá-lo dali. E você não precisa necessariamente ficar entrelaçado com o senhor; outra pessoa ficará, desde que ela também seja indispensável na cadeia.

Um dia, Harry Cohn, presidente da Columbia Pictures, recebeu no seu escritório um grupo desanimado de executivos. Era 1951, no auge da caça às bruxas do movimento anticomunista em Hollywood, conduzida pela Comissão de Atividades Antiamericanas do Congresso dos Estados Unidos. Os executivos traziam más notícias: um dos funcionários, o roteirista John Howard Lawson, tinha sido apontado como comunista. Tinham de se livrar dele imediatamente ou incorrer na ira da comissão.

Harry Cohn não era um liberal fanático; de fato, sempre fora um republicano reacionário.

Sua figura política favorita era Benito Mussolini, que uma vez ele fora visitar e cuja fotografia guardava numa moldura pendurada na parede. Se odiasse alguém, Cohn chamava de "bastardo comunista". Mas, para o assombro dos executivos, Cohn lhes disse que não despediria

Lawson. Ele o manteve não porque fosse um bom roteirista – havia outros muitos bons em Hollywood. Ele o manteve porque escrevia papéis para Humphrey Bogart, e Bogart era um astro da Columbia. Se Cohn se metesse com Lawson, arruinaria um relacionamento muito lucrativo, que valia mais do que a terrível publicidade que o seu desafio à comissão gerou.

Henry Kissinger conseguiu sobreviver a muitas sangrias na Casa Branca de Nixon, não porque fosse o melhor diplomata que o presidente poderia encontrar – havia outros ótimos negociadores – nem porque os dois se dessem bem: eles não se davam. Nem compartilhavam das mesmas crenças e políticas. Kissinger sobreviveu porque estava arraigado em tantas áreas da estrutura política que o seu afastamento representava o caos. O poder de Michelangelo era *concentrado*, dependia de uma só habilidade, a sua habilidade de artista; o de Kissinger era *abrangente*. Ele se envolveu em tantos aspectos e departamentos da administração que esse envolvimento se tornou um trunfo na sua mão. E também lhe conquistou muitos aliados. Se você conseguir uma posição como essa, vai ser perigoso se livrar de você – surgirão vários tipos de interdependências. Ainda assim, a forma concentrada de poder dá mais liberdade do que a abrangente, porque os que a possuem não dependem de um senhor em particular, ou de uma posição particular de poder, para sua segurança.

Para fazer com que os outros dependam de você, um caminho a tomar é a tática do serviço secreto. Sabendo o segredo das outras pessoas, guardando informações que elas não gostariam de ver divulgadas, o seu destino fica selado ao delas. Você fica intocável. Os ministros da polícia secreta mantiveram esta posição por séculos: eles podem fazer ou derrubar um rei, ou, como no caso de J. Edgar Hoover, um presidente. Mas o papel é tão cheio de inseguranças e paranoias que o poder que ele confere quase se anula. Você não descansa, e de que serve o poder se não lhe dá tranquilidade?

Um último aviso: não pense que o seu senhor, porque depende de você, vai amá-lo. De fato, ele pode se ressentir e ter medo de você. Mas, como disse Maquiavel, é melhor ser temido do que amado. O medo você pode controlar; o amor, não. Depender de sentimentos tão sutis e inconstantes como amor ou amizade só deixa você inseguro. É melhor que os outros dependam de você por temer as consequências de perdê-lo do que por gostar da sua companhia.

Imagem: Trepadeira com Muitos Espinhos. Embaixo, as raízes se espalham profundas. Por cima, a trepadeira se emaranha nos arbustos, se enrosca nas árvores, postes e beirais de janela. Livrar-se dela dá tanto trabalho que é mais fácil deixá-la subir.

Autoridade: Faça as pessoas dependerem de você. Ganha-se mais com essa dependência do que as cortejando. Quem já saciou a sua sede, dá logo as costas para a fonte, não precisando mais dela. Não havendo dependência, desaparece também a civilidade e a decência, e depois o respeito. A primeira coisa que se aprende com a experiência é manter viva a esperança, porém nunca satisfeita, manter até um patrono real sempre precisando de você. (Baltasar Gracián, 1601-1658)

O INVERSO

O lado negativo de fazer os outros dependerem de você é que, de certa forma, fica dependente deles. Mas não aceitar isso significa livrar-se dos seus superiores – ficar sozinho, sem depender de ninguém. Esse é o impulso monopolista de um J. P. Morgan ou de um John D. Rockefeller – eliminar toda a concorrência, ficar no controle total. Se você pode encurralar o mercado, melhor.

Toda independência tem o seu preço. Você é forçado a se isolar. Os monopólios com frequência se voltam para dentro e se destroem pela pressão interna. Eles também despertam fortes ressentimentos, fazendo os inimigos se unirem contra eles. O impulso para o controle total é muitas vezes pernicioso e inútil. A interdependência é a regra, a independência uma rara e quase sempre fatal exceção. É preferível se colocar numa posição de dependência mútua, portanto, e seguir esta regra do que procurar o inverso. Você não sofrerá a insuportável pressão de estar no topo, e o senhor acima de você é que será o seu escravo, pois *ele* é quem vai depender de *você*.

LEI
12

USE A HONESTIDADE E A GENEROSIDADE SELETIVAS PARA DESARMAR A SUA VÍTIMA

JULGAMENTO
Um gesto sincero e honesto encobrirá dezenas de outros desonestos. Até as pessoas mais desconfiadas baixam a guarda diante de atitudes francas e generosas. Uma vez que a sua honestidade seletiva as desarma, você pode enganá-las e manipulá-las à vontade. Um presente oportuno – um cavalo de Troia – será igualmente útil.

A LEI OBSERVADA

Um dia, em 1926, um homem alto e bem-vestido foi visitar Al Capone, o mais temido gângster da sua época. Falando com um elegante sotaque continental, o homem se apresentou como conde Victor Lustig. Ele prometeu a Capone que, se lhe desse 50 mil dólares, seria capaz de duplicar essa quantia. Capone tinha fundos mais do que suficientes para cobrir o "investimento", mas não o hábito de confiar grandes somas a estranhos. Ele examinou o conde, viu que algo naquele homem era diferente – o seu estilo chique, seus modos –, e resolveu experimentar. Ele mesmo contou as notas e as entregou a Lustig. "Tudo bem, conde", disse Capone. "Dobre isso em sessenta dias, como disse." Lustig saiu com os dólares, guardou-os num cofre em Chicago e foi para Nova York, onde tinha em andamento outros planos para ganhar dinheiro.

Os 50 mil dólares ficaram no cofre do banco intocados. Lustig não fez nada para duplicá-los. Dois meses depois, ele voltou a Chicago, pegou o dinheiro e foi novamente falar com Capone. Olhando os rostos impassíveis dos seus guarda-costas, ele sorriu constrangido e disse: "Sinto muito, Sr. Capone, mas lamento lhe dizer que o plano falhou... eu falhei."

Capone se ergueu devagar. Olhou para Lustig com ar ameaçador, pensando em que parte do rio o jogaria. Mas o conde colocou a mão no bolso do casaco, retirou os 50 mil dólares e os colocou sobre a mesa. "Aqui, senhor, o seu dinheiro, até o último centavo. Mais uma vez, minhas sinceras desculpas. É muito constrangedor. As coisas não funcionaram como pensei. Adoraria ter duplicado o seu dinheiro para o senhor e para mim – Deus sabe como eu precisava disso –, mas o plano não se concretizou."

Capone despencou na poltrona, confuso. "Sei que você é um charlatão, conde", disse Capone. "Soube no momento em que entrou aqui. Eu esperava os cem mil dólares ou nada. Mas isto... receber de volta o meu dinheiro... bem." "Minhas desculpas, novamente, Sr. Capone", disse Lustig, pegando o chapéu e se preparando para sair. "Meu Deus! Você é honesto!", gritou Capone. "Se está em dificuldades, fique com cinco mil para ajudar por enquanto." Ele retirou cinquenta notas de cem dólares do maço de 50 mil. O conde, parecendo atordoado, curvou-se profundamente, murmurou um agradecimento e saiu, levando o dinheiro.

Os cinco mil dólares eram o que Lustig pretendia desde o início.

Interpretação

O conde Victor Lustig, homem que falava várias línguas e se orgulhava do seu refinamento e cultura, foi um dos grandes vigaristas dos tempos modernos. Era conhecido por sua audácia, temeridade e, o mais

---

FRANCESCO BORRI, CORTESÃO VIGARISTA

Francesco Giuseppe Borri, de Milão, cuja morte em 1695 se deu bem no fim do século XVII... foi um precursor daquele tipo especial de aventureiro vigarista, o cortesão ou "cavalheiro" impostor... Seus verdadeiros dias de glória começaram quando ele se mudou para Amsterdam. Lá ele adotou o título de Medico Universale, manteve um grande séquito, e andava de um lado para o outro numa carruagem puxada por seis cavalos. Os pacientes afluíam em grande número e alguns inválidos se faziam transportar, em liteiras, de Paris até a sua casa em Amsterdam. Borri não aceitava pagamento por suas consultas: distribuía grandes somas entre os pobres e nunca se soube que recebesse dinheiro ou letras de câmbio pelo correio. Não obstante, como ele continuava vivendo com tanto luxo, supunha-se que possuísse a pedra filosofal. De repente, este benfeitor desapareceu de Amsterdam. Descobriu-se então que havia levado

importante, por seu conhecimento da psicologia humana. Ele avaliava um homem em minutos, descobrindo seus pontos fracos, e tinha um radar para otários. Lustig sabia que a maioria dos homens se arma contra o ataque de escroques e outros criadores de problemas. A tarefa do vigarista é derrubar essas defesas.

A melhor maneira de conseguir isso é aparentando sinceridade e honestidade. Quem vai desconfiar de uma pessoa literalmente apanhada num ato honesto? Lustig usou a honestidade seletiva várias vezes, mas com Capone ele foi mais adiante. Nenhum vigarista comum cometeria tamanha ousadia; teria escolhido suas vítimas pela humildade, por aquele ar que diz que engolirão o remédio sem se queixar. Engane Capone e você vai passar o resto da vida (o quanto ainda lhe restar) com medo. Mas Lustig sabia que um homem como Capone vive desconfiando de todo mundo. Ninguém ao seu redor é honesto ou generoso, e conviver tanto tempo com lobos é exaustivo, até deprimente. Um homem como Capone quer ser alvo de um gesto honesto ou generoso, quer sentir que nem todos agem com segundas intenções ou estão a fim de roubá-lo.

O ato de honestidade seletiva de Lustig desarmou Capone porque foi inesperado. O vigarista gosta dessas emoções conflitantes, porque é muito fácil distrair e enganar a pessoa tomada por esses sentimentos.

Não hesite em praticar esta lei com os Al Capone da vida. Um gesto generoso e honesto bem calculado, e a fera mais brutal e cínica do reino vem comer na sua mão.

com ele dinheiro e diamantes que estavam sob sua custódia.
THE POWER OF THE CHARLATAN, GRETE DE FRANCESCO, 1939

> *Tudo perde a graça se não tenho um otário em perspectiva. A vida parece vazia e deprimente. Não consigo compreender os homens honestos. Vivem sem esperanças, cheios de tédio.*
> Conde Victor Lustig, 1890-1947

AS CHAVES DO PODER
A essência da trapaça é a distração. Distraindo as pessoas a quem pretende enganar, você ganha tempo e espaço para fazer algo que elas não perceberão. Um gesto delicado, generoso ou honesto muitas vezes é a forma mais eficaz de distração porque desarma as suspeitas da outra pessoa. Elas ficam como crianças, aceitando ansiosas qualquer demonstração de afeto.

Na antiga China, isto se chamava "dar antes de tomar" – o dar dificulta à outra pessoa perceber o tomar. É um artifício de infinita utilidade prática. Tomar alguma coisa de alguém, descaradamente, é perigoso, até para os poderosos. A vítima vai tramar uma vingança. Também é perigoso pedir apenas, ainda que gentilmente, aquilo de que você precisa: a não ser que a outra pessoa veja nisso algum lucro, ela pode se ressentir com a sua necessidade. Aprenda a dar antes de tomar. Isso prepara o terreno, torna menos desagradável uma futura solicitação, ou simplesmente cria uma distração. E o dar pode ter várias formas: um presente real, um gesto generoso, um favor, um reconhecimento "honesto" – o que for necessário.

É melhor usar a honestidade seletiva logo no primeiro encontro. Somos todos criaturas de hábitos, e nossas primeiras impressões duram muito. Se alguém acreditar desde o início que você é honesto, vai demorar para convencer essa pessoa do contrário. Você ganha espaço para manobra.

Jay Gould, como Al Capone, era um homem que desconfiava de todo mundo. Aos trinta e três anos, já era quase milionário, principalmente por meio de trapaças e ameaças de violência. No final da década de 1860, Gould investiu pesado na Erie Railroad, depois descobriu que o mercado estava imerso numa quantidade enorme de certificados de ações falsos da empresa. Ele ia perder uma fortuna e passar por muitos constrangimentos.

No meio desta crise, um homem chamado Lord John Gordon-Gordon se ofereceu para ajudar. Gordon-Gordon, um lorde escocês, aparentemente tinha feito uma pequena fortuna investindo em estradas de ferro.

Contratando alguns peritos em caligrafia, Gordon-Gordon conseguiu provar a Gould que os culpados pelos certificados falsos eram, na verdade, vários altos executivos da própria Erie Railroad. Gould agradeceu. Gordon-Gordon então propôs que ele e Gould se juntassem para comprar a maioria das ações da Eire. Gould concordou. Por uns tempos a especulação pareceu prosperar. Os dois homens agora eram bons amigos, e todas as vezes que Gordon-Gordon vinha pedir a Gould dinheiro para comprar mais ações, Gould lhe dava. Em 1873, entretanto, Gordon-Gordon colocou no mercado todas as suas ações, ganhando uma fortuna, mas desvalorizando drasticamente as ações de Gould. Depois sumiu.

Investigando, Gould descobriu que Gordon-Gordon na verdade se chamava John Crowningsfield e era filho bastardo de um marinheiro mercante e de uma garçonete de Londres. Antes disso, havia muitas pistas de que Gordon-Gordon era um vigarista, mas o seu ato inicial de honestidade e apoio deixou Gould tão cego que foi preciso perder milhões para ele perceber a fraude.

Em geral, não basta uma única atitude honesta. O que é necessário é a reputação de pessoa honesta, baseada numa série de atitudes – mas estas podem ser bastante inconsequentes.

Na antiga China, o duque Wu de Cheng decidiu que era hora de assumir o comando do reino cada vez mais poderoso de Hu. Sem contar a ninguém o que planejava, casou a filha com o governante de Hu. Depois reuniu um conselho e perguntou aos seus ministros: "Estou pensando numa campanha militar. Que país devemos invadir?" Como tinha esperado, um dos seus ministros retrucou: "Hu deve ser invadido." O duque pareceu se zangar, e disse: "Hu agora é um estado irmão. Por que sugere invadi-lo?" E mandou executar o ministro por sua observação pouco política. O governante de Hu soube disso e, levando em conta outras provas da honestidade de Wu e o casamento com a sua filha, não tomou precauções para se defender de Cheng. Poucas semanas depois, as forças de Cheng invadiram Hu e tomaram o país, e nunca mais devolveram.

A honestidade é uma das melhores formas de desarmar o previdente, mas não é a única. Qualquer tipo de atitude nobre, aparentemente altruísta, serve. Talvez a melhor, entretanto, seja a generosidade. Raras são as pessoas que resistem a um presente, mesmo do inimigo mais ferrenho, por isso esta costuma ser a maneira perfeita de desarmar as pessoas. Um presente desperta em nós a criança, derrubando na mesma hora as nossas defesas. Apesar de olharmos com descrença o comportamento das outras pessoas, raramente vemos o elemento maquiavélico de um presente, com frequência escondendo segundas intenções. Um presente é o objeto perfeito para esconder uma atitude falsa.

Há mais de três mil anos, os antigos gregos cruzaram o mar para recapturar a bela Helena, raptada por Páris, e destruir a cidade dele, Troia. O cerco durou dez anos, muitos heróis morreram, mas nenhuma das duas partes chegava perto da vitória. Um dia, o profeta Calcas reuniu os gregos.

"Parem de golpear essas muralhas!", disse-lhes. "É preciso encontrar uma outra maneira, um ardil. Não podemos tomar Troia pela força apenas. Temos de encontrar uma estratégia engenhosa." O astuto líder grego Ulisses teve então a ideia de construir um gigantesco cavalo de madeira, esconder soldados lá dentro e depois dar de presente aos troianos. Neoptolemus, filho de Aquiles, não gostou da ideia; não era digna de homens. Melhor que milhares morressem nos campos de batalha do que alcançar a vitória de uma forma tão dissimulada. Mas os soldados, entre escolher mais dez anos de masculinidade, honra e morte, por um lado, e uma rápida vitória por outro, preferiram o cavalo, que foi logo construído. O truque teve

Imagem: O Cavalo de Troia. A sua astúcia se esconde dentro de um magnífico presente irresistível para o adversário. As muralhas se abrem. Uma vez lá dentro, destrua tudo.

êxito e Troia caiu. Um presente foi mais vantajoso para os gregos do que dez anos de lutas.

A bondade seletiva também deve fazer parte do seu arsenal de dissimulações. Durante anos os antigos romanos fizeram cerco à cidade dos faliscanos, sempre sem sucesso. Um dia, porém, quando o general romano Camilo estava acampado do lado de fora da cidade, viu de repente um homem que vinha em sua direção trazendo algumas crianças. Era um professor faliscano, e as crianças, depois se soube, filhos e filhas dos cidadãos mais nobres e ricos da cidade. Fingindo estar levando as crianças para dar um passeio, ele as conduziu direto até onde estavam os romanos, oferecendo-as como reféns na esperança de agradar a Camilo, o inimigo da cidade.

Camilo não aceitou. Despiu o professor, amarrou suas mãos nas costas, deu a cada uma das crianças uma vareta e mandou que elas o fossem açoitando de volta à cidade. O gesto teve um efeito imediato sobre os faliscanos. Se Camilo tivesse ficado com as crianças como reféns, algumas pessoas na cidade teriam votado a favor da rendição. E mesmo que os faliscanos tivessem continuado lutando, a sua resistência teria esmorecido. A recusa de Camilo de se aproveitar da situação abalou a resistência dos faliscanos, e eles se renderam. O general calculara corretamente. E, de qualquer forma, ele não tinha nada a perder: sabia que o truque dos reféns não acabaria com a guerra, pelo menos não imediatamente. Invertendo a situação, ele conquistou a confiança e o respeito do inimigo, desarmando-o. A bondade seletiva com frequência desarma o inimigo mais obstinado: acertando em cheio no coração, ela corrói o desejo de revidar.

Lembre-se: jogando com as emoções dos outros, gestos calculados de bondade podem transformar um Al Capone numa criança ingênua. Como qualquer abordagem emocional, a tática deve ser praticada com prudência: se as pessoas perceberem, os sentimentos de gratidão e cordialidade frustrados se transformarão em ódio e desconfiança na sua forma mais violenta. Se não for capaz de fazer o gesto parecer sincero, não brinque com fogo.

Autoridade: Quando o duque Hsien de Chin estava para atacar de surpresa Yu, ele presenteou a cidade com uma peça de jade e uma junta de cavalos. Quando o conde

> Chih estava para atacar de surpresa Ch'ou-yu, ele os presenteou com duas grandes carruagens. Daí o ditado: "Quando se vai tomar, deve-se dar." (Han-fei-tsé, filósofo chinês, século III a.C.)

O INVERSO
Quando você já tem um histórico de dissimulações, não há honestidade, generosidade ou gentileza que consiga enganar as pessoas. De fato, isso só chamará mais atenção. Quando você já é visto como falso, uma atitude honesta de repente é apenas suspeita. Nestes casos, é melhor bancar o patife.

O conde Lustig, tentando a maior trapaça da sua carreira, estava quase vendendo a Torre Eiffel para um industrial incauto que acreditou que ela estava sendo leiloada pelo governo como sucata. O industrial já estava para entregar uma enorme quantia a Lustig, que se tinha feito passar com sucesso por um funcionário do governo. No último minuto, entretanto, a vítima desconfiou. Alguma coisa em Lustig o incomodava. No encontro marcado para receber o dinheiro, Lustig sentiu a sua súbita desconfiança.

Inclinando-se para o industrial, Lustig explicou, sussurrando, que ele ganhava muito pouco, estava em dificuldades financeiras, e outras coisas mais. Depois de alguns minutos nisso, o industrial percebeu que Lustig estava querendo receber alguma coisa por fora. Pela primeira vez, relaxou. Agora sabia que podia confiar em Lustig: como todos os funcionários do governo são desonestos, Lustig tinha de ser real. O homem entregou o dinheiro. Fingindo desonestidade, Lustig pareceu o próprio McCoy. Neste caso, a honestidade seletiva teria o efeito contrário.

Com a idade, a fama de mestre em mentiras e dissimulações do diplomata francês Talleyrand se espalhou. No Congresso de Viena (1814-1815), ele inventava histórias fabulosas e fazia observações impossíveis para pessoas que sabiam que ele só podia estar mentindo. Sua desonestidade não tinha outro propósito a não ser encobrir as ocasiões em que estava realmente enganando todo mundo. Um dia, por exemplo, entre amigos, Talleyrand disse com aparente sinceridade: "Nos negócios, é preciso colocar as cartas na mesa." Ninguém conseguiu acreditar nos próprios ouvidos: o homem que nunca na vida tinha colocado suas cartas na mesa agora dizia que os outros tinham de fazer isso. Táticas como esta tornavam impossível distinguir quando Talleyrand estava trapaceando para valer ou não. Alimentando a fama de desonesto, ele preservou a sua capacidade de enganar os outros.

Nada na esfera do poder está escrito em pedra. A falsidade declarada às vezes encobre as suas pegadas, e até o faz ser admirado pela honestidade da sua desonestidade.

LEI 13

AO PEDIR AJUDA, APELE PARA O EGOÍSMO DAS PESSOAS, JAMAIS PARA A SUA MISERICÓRDIA OU GRATIDÃO

JULGAMENTO

Se precisar pedir ajuda a um aliado, não se preocupe em lembrar a ele a sua assistência e boas ações no passado. Ele encontrará um meio de ignorar você. Em vez disso, revele algo na sua solicitação, ou na sua aliança com ele, que o vá beneficiar, e exagere na ênfase. Ele reagirá entusiasmado se vir que pode lucrar alguma coisa com isso.

A LEI TRANSGREDIDA

No início do século XIV, um jovem chamado Castruccio Castracani passou de soldado comum a senhor da grande cidade de Lucca, na Itália. Uma das famílias mais poderosas da cidade, os Poggio, tinha sido o instrumento da sua ascensão (que se deu por meio de traições e muito sangue derramado), mas, depois que ele assumiu o poder, começou a achar que ele a havia esquecido. A ambição foi mais forte que o seu sentimento de gratidão. Em 1325, enquanto Castruccio estava longe enfrentando a principal rival de Lucca, Florença, os Poggio conspiraram com outras famílias nobres da cidade para se livrar deste príncipe incômodo e ambicioso.

Armando uma rebelião, os conspiradores atacaram e assassinaram o governador que Castruccio tinha deixado no seu lugar para administrar a cidade. Estouraram motins, e os defensores de Castruccio e os dos Poggio estavam em vias de lutar uns contra os outros. No auge da tensão, entretanto, Stefano di Poggio, o membro mais velho da família, interveio e fez ambos os lados baixarem as armas.

Homem pacífico, Stefano não participara da conspiração. Tinha dito à família que aquilo terminaria numa inútil carnificina. Agora ele insistia em interceder em nome da família e convencer Castruccio a ouvir suas queixas e satisfazer a suas exigências. Stefano era o mais velho e mais sábio do clã, e sua família concordou em confiar mais na diplomacia dele do que nas suas armas.

Quando a notícia da rebelião alcançou Castruccio, ele voltou correndo para Lucca. Ao chegar, entretanto, a luta tinha cessado, por intermédio de Stefano, e ele ficou surpreso com a calma e a paz da cidade. Stefano di Poggio tinha imaginado que Castruccio lhe agradeceria por sua participação em sufocar a rebelião, por isso foi fazer uma visita ao príncipe. Explicou como tinha conseguido a paz, depois implorou a misericórdia de Castruccio. Disse que os rebeldes da sua família eram jovens e impetuosos, com sede de poder, mas inexperientes; lembrou a generosidade da sua família com Castruccio no passado. Por todas essas razões, disse ele, o grande príncipe devia perdoar aos Poggio e ouvir suas queixas. Isto, ele disse, era a única coisa justa a fazer, visto que a família tinha de bom grado deposto suas armas e sempre o apoiara.

Castruccio ouviu paciente. Não parecia nem um pouco zangado ou ressentido. Pelo contrário, disse a Stefano que ficasse tranquilo porque a justiça prevaleceria, e lhe pediu que trouxesse toda a sua família ao palácio para conversarem sobre suas queixas e chegarem a um acordo. Ao se despedirem, Castruccio disse que agradecia a Deus pela oportunidade que lhe deram de mostrar sua clemência e bondade. Naquela noite, a família Poggio inteira foi ao palácio. Castruccio imediatamente

---

O CAMPONÊS E A MACIEIRA
Um camponês tinha no seu jardim uma macieira que não dava frutos, servia apenas de poleiro para pardais e gafanhotos. Ele resolveu cortá-la fora e, pegando o seu machado, golpeou firme as suas raízes. Os gafanhotos e os pardais lhe imploraram para não cortar a árvore que lhes servia de abrigo, que a poupasse, e eles cantariam para ele e alegrariam o seu trabalho. O camponês não deu atenção ao pedido, e desfechou sobre a árvore o segundo e o terceiro golpes com o machado. Atingindo o oco da árvore ele encontrou uma colmeia cheia de mel. Provando o favo, jogou fora o machado e, olhando a árvore como sendo sagrada, cuidou muito bem dela. Só o egoísmo comove alguns homens.

FÁBULAS, ESOPO, SÉCULO VI a.C.

mandou-os prender e em poucos dias foram todos executados, inclusive Stefano.

Interpretação

Stefano di Poggio é a personificação de todos aqueles que acreditam que a justiça e a nobreza da sua causa prevalecerão. Sem dúvida, apelos à justiça e à gratidão ocasionalmente tiveram êxito no passado; com mais frequência, porém, suas consequências foram medonhas, em especial nas negociações com os Castruccio da vida. Stefano sabia que o príncipe tinha subido ao poder pela traição e crueldade. Era um homem, afinal de contas, que tinha mandado matar um amigo íntimo e dedicado. Quando disseram a Castruccio que tinha sido uma coisa terrível matar um velho amigo, ele respondeu que não tinha executado um velho amigo, mas, sim, um novo inimigo.

Um homem como Castruccio só conhece a força e o egoísmo. Quando a rebelião começou, terminá-la e se colocar à sua mercê foi a atitude mais perigosa possível. Entretanto, mesmo depois de cometer aquele erro fatal, Stefano di Poggio ainda tinha opções: poderia ter oferecido dinheiro a Castruccio, poderia ter feito promessas para o futuro, poderia ter mostrado que os Poggio continuariam contribuindo para o poder de Castruccio – a sua influência sobre as famílias mais importantes de Roma, por exemplo, e o grande casamento que poderiam ter intermediado.

Mas Stefano foi falar do passado e de dívidas que não acarretavam obrigações. Não só um homem não é obrigado a ser grato, como a gratidão quase sempre é uma carga terrível da qual ele tem prazer em se descartar. E neste caso, Castruccio se livrou das suas obrigações para com os Poggio eliminando-os.

> *Os homens na sua maioria são tão subjetivos que nada realmente os interessa, a não ser eles mesmos. Pensam sempre no seu próprio caso, assim que é feita uma observação, e toda a sua atenção é monopolizada e absorvida à menor referência casual a qualquer coisa que os afete pessoalmente, por mais remota que seja.*
> ARTHUR SCHOPENHAUER, 1788-1860

A LEI OBSERVADA

Em 433 a.C., pouco antes da Guerra do Peloponeso, a ilha de Corcira (depois chamada Corfu) e a cidade-estado grega de Corinto estavam na iminência de um conflito. Ambas as partes enviaram embaixadores a Atenas para tentar conquistar os atenienses para o seu lado. Havia muita coisa em jogo, pois quem Atenas apoiasse certamente venceria. E quem vencesse a guerra sem dúvida não teria misericórdia do derrotado.

Corcira falou primeiro. Seu embaixador começou reconhecendo que a ilha jamais havia ajudado os atenienses antes e que, de fato, se aliara aos inimigos de Atenas. Não havia laços de amizade ou gratidão entre Corcira e Atenas. Sim, o embaixador admitiu, viera a Atenas porque estava com medo e preocupado com a segurança de Corcira. A única coisa que tinha para oferecer era uma aliança de interesses mútuos. Corcira tinha uma armada que só a de Atenas superava em força e tamanho; uma aliança entre os dois estados criaria uma força formidável, capaz de intimidar o estado rival de Esparta. Isso, infelizmente, era tudo que Corcira tinha a oferecer.

O representante de Corinto fez então um brilhante e apaixonado discurso, em nítido contraste com a seca e pálida abordagem do corcírio. Ele falou de tudo que Corinto tinha feito por Atenas no passado. Perguntou o que os outros aliados achariam se os atenienses preferissem fazer um acordo com um antigo inimigo em vez do amigo atual, que tinha servido lealmente aos interesses de Atenas: talvez esses aliados rompessem seus acordos com Atenas se vissem desvalorizada a sua lealdade. Ele se referiu à lei helênica, e à necessidade de recompensar Corinto por todas as suas boas ações. Finalmente, relacionou os muitos serviços que a sua cidade prestara a Atenas e a importância de mostrar gratidão aos amigos.

Depois do discurso, os atenienses debateram a questão em assembleia. Na segunda rodada, votaram em peso a favor da aliança com Corcira e abandonaram Corinto.

Interpretação

A história associa os atenienses à nobreza, mas eles foram os grandes realistas da Grécia clássica. Com eles, toda a retórica, todos os apelos emocionais do mundo não se comparavam a um bom argumento pragmático, especialmente se contribuísse para aumentar o seu poder.

O que o embaixador de Corinto não percebeu foi que as suas referências à generosidade passada de Corinto só fez irritar os atenienses, ao pedir sutilmente que se sentissem culpados e devedores. Os atenienses estavam pouco se importando com favores passados e sentimentos de amizade. Ao mesmo tempo, sabiam que, se os outros aliados achassem que estavam sendo ingratos abandonando Corinto, continuaria sendo improvável que essas cidades-estados rompessem seus vínculos com Atenas, o maior poder na Grécia. Atenas governava o seu império pela força, e simplesmente forçaria qualquer aliado rebelde a voltar para o seu canto.

Quando as pessoas escolhem entre falar do passado e falar do futuro, a pessoa pragmática sempre opta pelo futuro e esquece o passado. Como os corcírios perceberam, é sempre melhor falar pragmaticamente com uma pessoa pragmática. E, afinal, as pessoas na sua maioria *são* pragmáticas – raramente agem contrariando os seus próprios interesses.

A regra sempre foi que os fracos devem se submeter aos fortes; e além disso, nos consideramos merecedores do nosso poder. Até o presente momento, vocês também pensavam assim; mas agora, depois de avaliar os seus próprios interesses, começam a falar em termos do que é certo e do que é errado. Considerações desse tipo jamais desviaram as pessoas das oportunidades de engrandecimento oferecidas pela força superior.

Representante ateniense a Esparta, citado em
A Guerra do Peloponeso, de Tucídides, c. 465-395 a.C.

AS CHAVES DO PODER

Na sua busca de poder, você vai se encontrar constantemente na posição de ter que pedir ajuda aos mais poderosos. Pedir ajuda é uma arte, que depende da sua capacidade para compreender a pessoa com quem está lidando, e não confundir o que você precisa com as necessidades dela.

As pessoas, na sua maioria, não conseguem isso, porque estão totalmente presas aos seus próprios desejos e necessidades. Elas começam supondo que as pessoas com quem estão lidando têm um interesse altruísta em ajudá-las. Falam como se as suas necessidades tivessem alguma importância para estas pessoas – que provavelmente não estão dando a mínima. Às vezes elas se referem a questões maiores: uma grande causa ou emoções grandiosas como amor e gratidão. Preferem o quadro geral, quando as simples realidades cotidianas seriam muito mais atraentes. O que elas não percebem é que até a pessoa mais poderosa está presa ao seu próprio conjunto de necessidades, e que se você não acenar para o seu egoísmo ela simplesmente o verá como alguém desesperado ou, na melhor das hipóteses, uma perda de tempo.

No século XVI, os missionários portugueses tentaram durante anos converter o povo do Japão ao catolicismo, enquanto ao mesmo tempo Portugal mantinha um monopólio comercial entre Japão e Europa. Embora os missionários tivessem algum êxito, nunca foram longe com a elite governante; no início do século XVII, de fato, o seu proselitismo ofendera o imperador japonês, Ieyasu. Quando os holandeses começaram a chegar em grande número, Ieyasu respirou aliviado. Ele precisava do conhecimento dos europeus sobre armas e navegação, e esses europeus não estavam nem um pouco preocupados em divulgar religião – os holandeses só queriam fazer negócio. Ieyasu providenciou logo a expulsão dos portugueses. A partir de então, só quis saber de tratar de negócios com os práticos holandeses.

Japão e Holanda são culturas muito diferentes, mas as duas têm a mesma eterna e universal preocupação: o próprio interesse. Cada pessoa com quem você lida é como se fosse uma outra cultura, uma terra estranha com um passado que nada tem a ver com o seu. No entanto, é possível desfazer as diferenças entre dois apelando para o egoísmo do outro. Não seja sutil: você tem um conhecimento valioso para dividir, você vai encher os cofres dele de ouro, você tornará a sua vida mais longa e feliz. Esta é uma linguagem que todos nós falamos e compreendemos.

Um passo essencial nesse processo é compreender a psicologia do outro. Ele é vaidoso? Está preocupado com a sua reputação ou posição social? Tem inimigos que você poderia ajudar a vencer? A sua motivação é apenas o dinheiro e o poder?

Quando os mongóis invadiram a China, no século XII, eles ameaçavam apagar uma cultura próspera com mais de dois mil anos. Seu líder, Genghis Khan, não via nada na China a não ser um país sem pastos para seus cavalos, e decidiu destruir tudo, arrasar todas as suas cidades, pois "era melhor exterminar os chineses e deixar a grama crescer". Não foi um soldado, um general ou um rei quem salvou os chineses da devastação, mas um homem chamado Yelu Ch'u-Ts'ai. Ele mesmo um estrangeiro, Ch'u-Ts'ai aprendera a valorizar a superioridade da cultura chinesa. Conseguiu se fazer conselheiro de confiança de Genghis Khan e o convenceu de que conseguiria colher muitas riquezas naquele lugar se, em vez de destruí-lo, simplesmente obrigasse todos os que viviam ali a lhe pagar impostos. Khan viu sabedoria nisso e seguiu o conselho de Ch'u-Ts'ai.

Quando Khan tomou a cidade de Kaifeng, depois de um demorado cerco, e decidiu massacrar seus habitantes (como tinha feito com outras cidades que haviam resistido), Ch'u-Ts'ai lhe disse que os melhores artesãos e engenheiros da China tinham fugido para Kaifeng e que seria melhor aproveitá-los. Kaifeng foi poupada. Nunca antes Genghis Khan tinha se mostrado tão clemente, mas não foi realmente a clemência o que salvou Kaifeng. Ch'u-Ts'ai conhecia bem Genghis Khan. Ele era um camponês bárbaro que não ligava para cultura, ou na verdade para nada que não fosse guerra e resultados práticos. Ch'u--Ts'ai apelou para o único sentimento que funcionava com um homem desse tipo: a ganância.

O egoísmo é a alavanca que move as pessoas. Se conseguir que elas vejam que você pode, de alguma forma, satisfazer as suas necessidades ou favorecer a sua causa, a resistência aos seus pedidos de ajuda desaparece como que por um passe de mágica. A cada etapa no caminho da conquista do poder, você deve procurar sempre ver o que passa pela cabeça da outra pessoa, quais são as necessidades e interesses dela, para afastar a cortina dos seus próprios sentimentos que obscurecem a verdade. Domine esta arte e não haverá limites para você.

> **Imagem:** A Corda que Une. A corda da misericórdia e da gratidão está puída, e se romperá ao primeiro choque. Não jogue esta corda salva-vidas. A corda do egoísmo mútuo é tecida com muitas fibras e não se parte facilmente. Vai lhe servir por muitos anos.

> **Autoridade:** A maneira mais rápida e eficaz de fazer fortuna é deixar as pessoas verem claramente que é do interesse delas promover o seu. (Jean de La Bruyère, 1645-1696)

O INVERSO

Há pessoas que consideram o apelo ao seu egoísmo como uma atitude feia e ignóbil. Elas, na verdade, preferem poder exercitar a caridade, a misericórdia e a justiça, que é a sua maneira de se sentirem superiores a você: quando você lhes implora ajuda, está enfatizando o poder e a posição delas. Elas são fortes o bastante para não precisarem nada de você, exceto a chance de se sentirem superiores. É este o vinho que as embriaga. Estão morrendo de vontade de patrocinar o seu projeto, apresentar você a pessoas poderosas – desde, é claro, que tudo isto seja feito em público e por uma boa causa (em geral, quanto mais público melhor). Nem todos, portanto, podem ser abordados usando o egoísmo cínico. Algumas pessoas ficarão desconcertadas, porque não querem parecer motivadas por essas coisas. Elas querem uma oportunidade para exibir o seu bom coração.

Não seja tímido. Dê a elas essa oportunidade. Não é que você esteja abusando da sua boa-fé pedindo ajuda – elas realmente sentem prazer em dar e serem vistas dando. Você deve saber diferenciar as pessoas poderosas e descobrir quais são os seus motivos e necessidades básicas. Se elas transpiram ganância, não apele para a sua caridade. Se elas querem parecer nobres e caridosas, não apele para a sua ganância.

LEI 14

BANQUE O AMIGO, AJA COMO ESPIÃO

JULGAMENTO

Conhecer o seu rival é importantíssimo. Use espiões para colher informações preciosas que o colocarão um passo à frente. Melhor ainda: represente você mesmo o papel de espião. Em encontros sociais, aprenda a sondar. Faça perguntas indiretas para conseguir que as pessoas revelem seus pontos fracos e intenções. Todas as ocasiões são oportunidades para uma ardilosa espionagem.

A LEI OBSERVADA

Joseph Duveen foi indubitavelmente o maior marchand do seu tempo – de 1904 a 1940, ele monopolizou quase sem ajuda de ninguém o mercado milionário das coleções de arte. Mas um ricaço o evitava: o industrial Andrew Mellon. Antes de morrer, Duveen estava determinado a fazer de Mellon um cliente.

Os amigos de Duveen diziam que esse era um sonho impossível. Mellon era um homem frio e taciturno. As histórias que lhe contavam sobre o agradável e falador Duveen o deixavam arrepiado – deixou claro que não tinha nenhum desejo de conhecer o homem. Mas Duveen disse aos amigos que duvidavam: "Não só Mellon vai comprar de mim, como vai comprar *só* de mim." Durante vários anos ele perseguiu a sua presa, aprendendo os hábitos, os gostos e as fobias do homem. Para isso, ele colocou secretamente várias pessoas da equipe de Mellon na sua folha de pagamento, obtendo delas informações preciosas. Quando resolveu agir, ele conhecia Mellon tão bem quanto a mulher dele.

Em 1921, Mellon estava em Londres, hospedado numa suíte palaciana no terceiro andar do Claridge's Hotel. Duveen reservou uma suíte bem embaixo da de Mellon, no segundo andar. Tendo combinado com o seu camareiro para fazer amizade com o de Mellon, no dia fatídico escolhido para a ação o camareiro de Mellon disse ao camareiro de Duveen, que em seguida disse a Duveen, que tinha acabado de ajudar Mellon a vestir o sobretudo e que o industrial já tinha saído do quarto e ia chamar o elevador.

O camareiro de Duveen ajudou-o também a vestir rapidamente o seu sobretudo. Segundos depois, Duveen entrou no elevador e, vejam só, lá estava Mellon. "Como vai, Sr. Mellon?", disse Duveen, se apresentando. "Estou indo para a National Gallery ver alguns quadros." Que coisa estranha – era para lá exatamente que Mellon estava indo. E assim, Duveen pôde acompanhar a sua presa até o único local que lhe garantiria o sucesso. Ele conhecia o gosto de Mellon de trás para a frente e, enquanto os dois vagavam pelo museu, fascinou o magnata com o seu conhecimento. Mais uma vez era fantástico como os dois tinham gostos tão semelhantes.

Mellon estava surpreso: este não era o Duveen que esperava. O homem era encantador e agradável, e nitidamente dono de um gosto sofisticado. Quando voltaram para Nova York, Mellon visitou a galeria exclusiva de Duveen e se apaixonou pela coleção. Tudo, que surpreendente, parecia ser exatamente o que ele desejava colecionar. Pelo resto da sua vida, ele foi o melhor e mais generoso cliente de Duveen.

Interpretação
Um homem tão ambicioso e competitivo como Joseph Duveen não deixava nada ao acaso. De que adianta improvisar ou apenas esperar conseguir chamar a atenção deste ou daquele cliente? É como atirar no escuro. Arme-se com um pouco de conhecimento e a sua pontaria vai melhorar.

Mellon foi a captura mais espetacular de Duveen, mas ele espionou muitos milionários. Colocando secretamente na sua folha de pagamento membros da equipe de empregados domésticos de seus clientes, ele tinha acesso constante a informações valiosas sobre as idas e vindas de seus patrões, mudanças de gostos e outras pequenas notícias que o colocavam um passo à frente. Um rival de Duveen, que desejava ter como cliente Henry Frick, notou que, sempre que visitava este rico nova-iorquino, Duveen chegava antes, como se tivesse um sexto sentido. Para outros marchands, Duveen parecia estar por toda parte e saber de tudo antes deles. Seus poderes os desencorajavam, até que muitos simplesmente desistiram de correr atrás de clientes ricos que poderiam fazer a fortuna de um marchand.

Assim é o poder da espionagem bem-feita: faz você parecer onipotente, clarividente. O conhecimento que você tem da sua vítima pode também fazer você parecer encantador, capaz de prever tão bem os seus desejos. Ninguém vê a fonte do seu poder, e o que não se pode ver não se pode combater.

> *Governantes enxergam através de espiões, as vacas*
> *através do cheiro, os brâmanes através das escrituras,*
> *e o resto do povo vê com seus olhos normais.*
> Kautilya, filósofo indiano, século III a.C.

AS CHAVES DO PODER
Na esfera do poder, o seu objetivo é um certo grau de controle sobre acontecimentos futuros. Parte do seu problema, portanto, é que as pessoas não lhe dirão tudo que pensam, sentem e planejam. Controlando o que dizem, elas quase sempre mantêm ocultas as partes mais críticas da sua personalidade – suas fraquezas, seus motivos secretos, suas obsessões. O resultado é que não se pode prever seus movimentos, e fica-se constantemente no escuro. O truque é achar um meio de sondá-las, descobrir seus segredos e intenções ocultas, sem deixar que saibam o que você está pretendendo fazer.

Não é assim tão difícil como você pensa. Uma fachada cordial permitirá que você colha informações sigilosas de amigos e inimigos igual-

Se você tem motivos para desconfiar de que uma pessoa está lhe mentindo, finja acreditar em tudo que ela diz. Isto lhe dará coragem para continuar; ela ficará cada vez mais veemente em suas afirmativas e, no final, acabará se traindo.
Por outro lado, se você perceber que uma pessoa está tentando lhe esconder alguma coisa, mas com êxito apenas parcial, finja que não acredita. A sua oposição a fará revelar o restante da verdade, no esforço de vencer a sua incredulidade.

ARTHUR SCHOPENHAUER, 1788-1860

mente. Deixe que os outros consultem o horóscopo, ou as cartas do tarô: você tem meios mais concretos de ver o futuro.

A maneira mais comum de espionar é usando outras pessoas, como fez Duveen. O método é simples, eficaz, mas arriscado: você certamente obtém informações, mas tem pouco controle sobre as pessoas que estão fazendo o trabalho. Talvez por inépcia elas revelem a sua espionagem, ou até secretamente se voltem contra você. É muito melhor ser você mesmo o espião, posar de amigo enquanto sigilosamente colhe informações.

O político francês Talleyrand foi um dos maiores praticantes desta arte. Ele possuía uma incrível habilidade para arrancar segredos das pessoas em conversas amáveis. Um contemporâneo, o barão de Vitrolles, escreveu: "Inteligência e graça marcavam as suas conversas. Ele possuía a arte de dissimular seus pensamentos ou a sua malícia sob o véu transparente das insinuações, das palavras que sugerem mais do que dizem. Somente quando necessário ele injetava a sua própria personalidade." Aqui a chave é a habilidade de Talleyrand em se subtrair nas conversas, fazer as pessoas falarem sem parar sobre elas mesmas e, inadvertidamente, revelarem seus planos e intenções.

Durante toda a sua vida, as pessoas disseram que Talleyrand era um soberbo conversador – e, no entanto, ele dizia muito pouco. Jamais falava sobre as suas próprias ideias; fazia os outros falarem das ideias deles. Organizava jogos cordiais com charadas para diplomatas estrangeiros, reuniões sociais onde, entretanto, ele pesava cuidadosamente o que eles diziam, com agrados obtinha deles confidências e colhia informações preciosas para o seu trabalho como ministro das Relações Exteriores da França. No Congresso de Viena (1814-1815), ele fazia a sua espionagem de outra forma: deixava escapar o que parecia ser um segredo (na verdade algo que tinha inventado), depois observava as reações dos ouvintes. Ele inventava uma história para um grupo de diplomatas, por exemplo, contando que soubera por fonte confiável que o czar da Rússia planejava prender o seu primeiro general por traição. Observando a reação deles, ele saberia quem se entusiasmava mais com o enfraquecimento do exército russo – talvez seus governos tivessem planos com relação à Rússia? Como disse o barão Von Stetten: "Monsieur Talleyrand atira para o ar para ver quem salta pela janela."

Nas reuniões sociais e encontros inocentes, preste atenção. É quando as pessoas baixam a guarda. Abafando a sua própria personalidade, você pode fazê-las revelar coisas. A vantagem da manobra é que elas confundirão o seu interesse com amizade, e você não só fica sabendo das coisas como conquista aliados.

Não obstante, você deve praticar esta tática com prudência. Se as pessoas começarem a desconfiar de que você está extraindo delas segredos sob o disfarce de uma conversa, elas o evitarão terminantemente. Dê ênfase ao bate-papo amigo, não às informações preciosas. Sua busca de preciosidades não pode ser óbvia demais, ou suas sondagens revelarão mais sobre você mesmo e as suas intenções do que sobre o que você quer saber.

Um truque para tentar a espionagem nos é dado por La Rochefoucauld, que escreveu: "Encontra-se a sinceridade em pouquíssimos homens, e com frequência ela é a mais esperta das artimanhas – se é sincero para atrair a confiança e obter os segredos do outro." Fingindo abrir o seu coração, você, em outras palavras, faz com que a outra pessoa se incline a revelar os seus próprios segredos. Faça-lhe uma confissão falsa e ela lhe fará uma verdadeira. Outro truque foi identificado pelo filósofo Arthur Schopenhauer, que sugeria veementemente contradizer a pessoa com quem você está conversando para irritá-la, até ela perder o controle do que está dizendo. Reagindo com a emoção, ela revelará toda a verdade sobre si mesma, verdade que você depois poderá usar contra ela.

Outro método indireto de espionagem é testar as pessoas, montar pequenas armadilhas que as farão revelar coisas sobre si mesmas. Coros II, rei persa notoriamente esperto, tinha muitas maneiras de enxergar através dos seus súditos sem despertar suspeitas. Se percebesse, por exemplo, que dois dos seus cortesãos tinham se tornado muito amigos, ele chamava um de lado e dizia que fora informado de que o outro era um traidor e em breve seria morto. O rei dizia ao cortesão que confiava nele mais do que em qualquer outra pessoa e que ele devia guardar segredo sobre essa informação. Depois, ficava observando atento os dois homens. Se visse que o segundo cortesão não mudava o seu comportamento com relação ao rei, concluiria que o primeiro cortesão tinha guardado segredo, e rapidamente promovia o homem, depois o chamava de lado e confessava: "Eu pretendia mandar matar o seu amigo por causa de certas informações que me foram dadas, mas, investigando melhor, descobri que eram falsas." Se, por outro lado, o segundo cortesão começasse a evitar o rei, tenso e distante, Coros saberia que o segredo fora revelado. Ele expulsaria o segundo cortesão da corte, lhe diria que tudo não passara de um teste, mas que, embora o homem não tivesse feito nada errado, não poderia mais confiar nele. O primeiro cortesão, entretanto, tinha revelado um segredo, e Coros o expulsaria do seu reino.

Pode parecer uma forma estranha de espionagem que revela não uma informação empírica, mas o caráter de uma pessoa. Com frequência, entretanto, é a melhor maneira de solucionar problemas antes que eles apareçam.

Ao tentar fazer com que as pessoas cometam determinados atos, você fica sabendo sobre a sua lealdade, honestidade e outras coisas mais. E este tipo de conhecimento quase sempre é o mais valioso de todos: com essa arma, você pode prever como as pessoas agirão no futuro.

Imagem:
O Terceiro Olho do Espião. Onde todos têm dois olhos, o terceiro olho lhe dará a onisciência divina. Você enxerga mais e melhor dentro deles. Ninguém está livre do olho, só você.

Autoridade: Ora, o que faz um soberano brilhante e um sábio general conquistarem sempre o inimigo, e suas realizações superarem as dos homens comuns, é a presciência da situação do inimigo. Essa "presciência" não vem dos espíritos, nem dos deuses, nem de uma analogia com acontecimentos passados, nem de cálculos astrológicos. Deve ser obtida de homens que conhecem a situação do inimigo – dos espiões. (Sun Tzu, *A arte da guerra*, século IV a.C.)

O INVERSO

A informação é fundamental para o poder, mas, assim como você espiona os outros, deve se preparar para também ser espionado. Uma das armas mais eficazes na luta pelas informações, portanto, é divulgar informações falsas. Como disse Winston Churchill: "A verdade é tão preciosa que deveria estar sempre escoltada por mentiras." Você deve se cercar desses guarda-costas para proteger a sua verdade. Divulgando as informações que você mesmo escolhe, o jogo está nas suas mãos.

Em 1944, a quantidade de bombardeios nazistas sobre Londres aumentou de repente. Mais de duas mil bombas V-1 caíram sobre a cidade, matando mais de cinco mil pessoas e deixando um número ainda maior de feridos. Mas, por alguma razão, os alemães sempre erravam o alvo. As bombas que deviam cair sobre Tower Bridge ou

Piccadilly caíam distante da cidade, em subúrbios menos povoados. Isto porque, ao fixar seus alvos, os alemães confiavam em agentes secretos que haviam plantado na Inglaterra. Eles não sabiam que estes agentes tinham sido descobertos e que, no lugar deles, agentes ingleses os estavam alimentando sutilmente com informações falsas.

As bombas caíam cada vez mais longe dos seus alvos. No fim da campanha, elas estavam acertando as vacas no campo. Divulgando informações falsas, portanto, você ganha uma enorme vantagem. Enquanto a espionagem dá a você um terceiro olho, a desinformação deixa o inimigo cego de um olho. Um ciclope, ele era sempre o alvo.

LEI

15

ANIQUILE TOTALMENTE O INIMIGO

JULGAMENTO
Todos os grandes líderes, desde Moisés, sabem que o inimigo perigoso deve ser esmagado totalmente. (Às vezes, eles aprendem isso da maneira mais difícil.) Se restar uma só brasa, por menor que seja, acabará se transformando numa fogueira. Perde-se mais fazendo concessões do que pela total aniquilação: o inimigo se recuperará e quererá vingança. Esmague-o, física e espiritualmente.

A LEI TRANSGREDIDA

Não há rivalidade entre líderes mais famosa na história da China do que a briga entre Hsiang Yu e Liu Pang. Estes dois generais começaram como amigos, lutando lado a lado. Hsiang Yu vinha da nobreza. Grande e poderoso, dado a explosões de violência e mau humor, além de um tanto lento das ideias, era, no entanto, um guerreiro forte que sempre lutou à frente das suas tropas. Liu Pang vinha de uma família de camponeses. Nunca foi lá um grande soldado, e preferia mulheres e vinho às batalhas; de fato, era de certo modo um patife. Mas era também astuto, capaz de reconhecer os melhores estrategistas, tê-los como seus conselheiros e ouvir o que eles tinham a dizer. Ele subiu no exército devido a esse seu poder.

Em 208 a.C., o rei de Ch'u enviou dois exércitos inteiros para conquistar o poderoso reino de Ch'in. Um exército seguiu para o norte, sob a liderança de Sung Yi, com Hsiang Yu como segundo em comando; o outro, liderado por Liu Pang, foi direto para Ch'in. O alvo era a esplêndida capital do reino, Hsien-yang. E Hsiang Yu, sempre violento e impaciente, não conseguiu suportar a ideia de que Liu Pang chegaria em Hsien-yang primeiro, e talvez assumisse o comando de todo o exército.

Em um determinado local no fronte norte, o comandante de Hsiang, Sung Yi, hesitou em mandar suas tropas para o combate. Furioso, Hsiang entrou na tenda de Sung Yi, proclamou-o traidor, cortou-lhe a cabeça fora e assumiu sozinho o comando do exército. Sem esperar ordens, deixou o fronte norte e marchou diretamente para Hsien-yang. Ele tinha certeza de que era melhor soldado e general do que Liu, mas, para seu espanto, o rival, comandando um exército menor, mas rápido, conseguiu chegar primeiro em Hsien-yang. Hsiang tinha um conselheiro, Fan Tseng, que o avisou: "O chefe desta cidade [Liu Pang] só queria saber de dinheiro e mulheres, mas depois que entrou na capital não tem se deixado distrair por riquezas, vinho ou sexo. Isso mostra que ele tem grandes pretensões."

Fan Tseng insistiu para que Hsiang matasse seu rival antes que fosse tarde demais. Disse ao general para convidar o astuto camponês para um banquete no acampamento deles, fora de Hsien-yang, e, no meio de uma dança cerimonial das espadas, mandar cortar a cabeça dele. O convite foi enviado, Liu caiu na armadilha e foi ao banquete. Mas Hsiang demorou para ordenar a dança das espadas, e, quando ele finalmente deu o sinal, Liu farejou uma armadilha e conseguiu escapar. "Bah!", gritou Fan Tseng desgostoso, vendo que Hsiang tinha estragado o plano. "Não se pode confiar num simplório. Liu Pang ainda vai roubar o seu império e nos fazer a todos prisioneiros."

Percebendo o seu erro, Hsiang marchou rapidamente para Hsien-yang, desta vez determinado a arrancar fora a cabeça do rival. Liu não

---

Os vestígios de um inimigo podem se tornar ativos como os de uma doença ou fogueira. Devem, portanto, ser extintos totalmente... Não se deve jamais ignorar um inimigo, achando que ele é fraco. Ele se tornará perigoso no devido tempo, como uma faísca num monte de feno.
KAUTILYA, FILÓSOFO INDIANO, SÉCULO III a.C.

No dia em que Ramiro foi executado, César (Bórgia) abandonou Cesena, deixando o corpo mutilado no meio da praça, e marchou para o sul. Três dias depois chegou a Fano, onde recebeu os emissários de Ancona, que lhe garantiram lealdade. Um mensageiro de Vitellozzo Vitelli anunciou que o pequeno porto de Sinigaglia, no Adriático, tinha se rendido aos condottieri (soldados mercenários). Só a cidadela, a cargo do genovês Andrea Doria, ainda se mantinha firme, e Doria se recusava a entregá-la a outro que não o próprio César. [Bórgia] mandou dizer que chegaria no dia seguinte, que era exatamente o que os

condottieri queriam ouvir. De volta a Sinigaglia, César seria presa fácil, apanhado entre a cidadela e suas forças cercando a cidade...
Os condottieri estavam certos da sua superioridade militar, acreditando que a retirada das tropas francesas tinha deixado César com apenas um pequeno exército. De fato, segundo Maquiavel, [Bórgia] tinha saído de Cesena com dez mil soldados de infantaria e três mil cavalos, não se preocupando em dividir seus homens de forma que marchassem em rotas paralelas antes de convergirem em Sinigaglia. A razão desse grande exército era que ele sabia, por uma confissão extraída de Ramiro de Lorca, o que os condottieri tinham escondido na manga. Ele, por conseguinte, decidiu fazer o feitiço virar contra o feiticeiro. Esta foi a obra-prima da arte da trapaça que o historiador Paolo Giovio mais tarde chamou de "a magnífica fraude". Ao alvorecer do dia 31 de dezembro [1502], César chegou aos arredores de Sinigaglia... Liderada por Michelotto Corella, a guarda

era do tipo que entrava numa briga se não tivesse chance de ganhar, e abandonou a cidade. Hsiang capturou Hsien-yang, assassinou o jovem príncipe de Ch'in e tocou fogo na cidade, destruindo-a. Liu agora era o inimigo ferrenho de Hsiang, que o perseguiu durante muitos meses, encurralando-o finalmente numa cidade murada. Sem comida, o exército desbaratado, Liu pediu paz.

Mais uma vez Fan Tseng avisou Hsiang: "Acabe com ele agora! Se o deixar escapar, vai se arrepender depois." Mas Hsiang decidiu ser misericordioso. Queria trazer Liu de volta para Ch'u vivo, e forçar o seu ex-amigo a reconhecê-lo como senhor. Mas Fan estava certo: Liu deu um jeito de usar as negociações para a sua rendição como uma distração e escapou com um pequeno exército. Num determinado momento, depois de capturar o pai de Liu numa batalha, Hsiang ergueu o velho durante a luta e gritou para Liu do outro lado da tropa: "Renda-se agora, ou cozinho seu pai vivo!" Liu respondeu calmamente: "Mas juramos ser irmãos. Portanto, meu pai também é seu pai. Se você insistir em cozinhar o nosso próprio pai, mande-me uma tigela do caldo!" Hsiang recuou e a luta prosseguiu.

Semanas depois, no auge da perseguição, Hsiang espalhou mal as suas tropas e Liu, atacando de surpresa, conseguiu cercar a sua principal guarnição. Pela primeira vez, a mesa virou. Agora era Hsiang que estava pedindo paz. O primeiro conselheiro de Liu insistiu para que ele destruísse Hsiang, aniquilasse o seu exército, sem piedade. "Deixá-lo escapar seria o mesmo que criar um tigre – mais tarde ele o devorará", o conselheiro disse. Liu concordou.

Fingindo um acordo, ele induziu Hsiang a relaxar as suas defesas, depois massacrou quase todo o seu exército. Hsiang conseguiu fugir. Sozinho e a pé, sabendo que Liu havia colocado sua cabeça a prêmio, ele encontrou um pequeno grupo formado por seus próprios soldados que batiam em retirada e gritou: "Ouvi dizer que Liu Pang está oferecendo mil moedas de ouro e um feudo de dez mil famílias pela minha cabeça. Vou lhes fazer um favor." E aí, cortando o próprio pescoço, morreu.

Interpretação

Hsiang Yu mostrou a sua crueldade várias vezes. Raramente hesitou em matar um rival se isso lhe interessasse. Mas com Liu Pang ele agiu diferente. Ele respeitava o rival, não queria derrotá-lo com tapeações; queria provar a sua superioridade no campo de batalha, até mesmo forçar o esperto Liu a se render e lhe servir. Todas as vezes em que teve o rival nas mãos, alguma coisa o fazia hesitar – uma inevitável simpatia ou respeito pelo homem que, afinal de contas, já tinha sido um amigo e companheiro de armas. Mas, no momento em que Hsiang deixou claro que pretendia acabar com Liu, mas falhou, o seu destino estava selado. Liu não teria a mesma hesitação depois de virar a mesa.

Este é o destino de todos nós quando temos compaixão pelos inimigos, quando a pena, ou esperança de reconciliação, nos impede de acabar com eles. Com isso, só reforçamos o medo e o ódio que sentem de nós. Nós os derrotamos e eles estão humilhados; mas nós continuamos alimentando estas víboras ressentidas, que um dia nos matarão. Não é assim que se lida com o poder. Ele tem de ser exterminado, aniquilado, e negadas as suas chances de voltar a nos perseguir. Isso é ainda mais verdadeiro no caso de um amigo que virou inimigo. A lei que governa os antagonismos inevitáveis diz: A reconciliação está fora de questão. Só um lado pode vencer, e deve vencer totalmente.

Liu Pang aprendeu bem a sua lição. Depois de derrotar Hsiang Yu, este filho de camponês chegou a comandante supremo dos exércitos de Ch'u. Aniquilando o seu próximo rival – o rei de Ch'u, seu próprio ex-líder –, ele se coroou imperador, derrotou todos no seu caminho e ficou na história como um dos maiores governantes da China, o imortal Han Kao-tsé, fundador da dinastia Han.

Para conseguir as coisas, não se deve ter misericórdia.
Kautilya, filósofo indiano, século III a.C.

A LEI OBSERVADA

Wu Chao, nascida no ano 625 d.C., era filha de um duque e, sendo jovem, bela e de muitos encantos, estava consequentemente ligada ao harém do imperador T'ai Tsung.

O harém imperial era um lugar perigoso, cheio de jovens concubinas competindo para ser a favorita do imperador. A beleza e o caráter enérgico de Wu rapidamente lhe conquistou essa batalha, mas, sabendo que um imperador, como qualquer outro homem poderoso, é uma criatura de veneta, e que ela poderia facilmente ser substituída, ficou de olho no futuro.

Wu deu um jeito de seduzir o filho devasso do imperador, Kao Tsung, na única ocasião possível em que poderia encontrá-lo sozinho: enquanto ele se aliviava no urinol real. Mesmo assim, quando o imperador morreu e Kao Tsung subiu ao trono, ela ainda teve o destino a que estão presas, segundo a lei e a tradição, todas as esposas e concubinas de um imperador morto: com a cabeça raspada, ela entrou para um convento supostamente para o resto da sua vida. Durante sete anos, Wu planejou fugir. Comunicando-se em segredo com o novo imperador, e fazendo amizade com sua esposa, a imperatriz, ela conseguiu um de-

---

avançada de César, com duzentas lanças, tomou posição na ponte sobre o canal... Este controle da ponte impedia efetivamente a retirada das tropas dos conspiradores... César saudou efusivamente os condottieri e os convidou a se juntar a ele... Michelotto tinha preparado o Palazzo Bernardino para César usar, e o duque convidou os condottieri a entrar... Uma vez lá dentro, os homens foram silenciosamente presos pelos guardas que se infiltraram pela retaguarda... [César] deu ordem de ataque contra os soldados de Vitelli e Orsini do lado de fora... Naquela noite, enquanto as suas tropas eram esmagadas, Michelotto estrangulava Oliveretto e Vitelli no palácio Bernardino... De um só golpe, [Bórgia] se livrou dos seus antigos generais e piores inimigos.
THE BORGIAS, IVAN CLOULAS, 1989

Para obter a vitória definitiva, é preciso ser cruel.
NAPOLEÃO BONAPARTE, 1769-1821

creto real muito raro autorizando a sua volta para o palácio e o harém real. Uma vez lá dentro, ela bajulava a imperatriz enquanto continuava dormindo com o imperador. A imperatriz não colocava obstáculos – ela ainda precisava dar um herdeiro ao imperador, sua posição era vulnerável, e Wu era uma preciosa aliada.

Em 654, Wu Chao deu à luz uma criança. Um dia, a imperatriz foi visitá-la e assim que ela saiu Wu asfixiou o recém-nascido – o seu próprio filho. Descoberto o crime, a suspeita caiu logo sobre a imperatriz, que estivera no local momentos antes e cuja natureza ciumenta era do conhecimento de todos. Este era exatamente o plano de Wu. Logo em seguida, a imperatriz foi acusada de assassinato e morta. Wu Chao foi coroada imperatriz no seu lugar. Seu novo marido, habituado a uma vida de prazer, passou as rédeas do governo para as mãos de Wu Chao, que desde então ficou conhecida como imperatriz Wu.

Embora ocupando uma posição de grande poder, Wu não se sentia segura. Havia inimigos por toda parte, não podia se descuidar nem por um momento. De fato, aos quarenta e um anos, ela começou a temer que sua bela e jovem sobrinha se tornasse a favorita do imperador e a envenenou com argila misturada a sua comida. Em 675, seu próprio filho, anunciado como sucessor legítimo, também foi envenenado. O segundo filho mais velho – ilegítimo, mas agora príncipe coroado – foi exilado pouco depois sob acusações falsas. E quando o imperador morreu, em 683, Wu conseguiu que o terceiro filho fosse declarado incapaz. Finalmente, o filho caçula, o menos capaz, foi coroado imperador. Dessa forma, ela continuou governando.

Nos cinco anos seguintes, aconteceram na corte inúmeros golpes. Todos falharam, e todos os conspiradores foram executados. Em 688, não sobrara ninguém para desafiar Wu. Ela se proclamou descendente divina de Buda e, em 690, seus desejos foram finalmente satisfeitos: foi nomeada Sagrado e Divino "Imperador" da China.

Wu se tornou imperador porque não restava literalmente mais ninguém da dinastia T'ang anterior. E assim ela governou incontestada, por mais de uma década de relativa paz. Em 705, aos oitenta anos, foi forçada a abdicar.

Interpretação
Todos que conheciam a imperatriz Wu comentavam a sua energia e inteligência. Naquela época, para uma mulher ambiciosa não havia outra glória além de ser escolhida para passar alguns anos no harém imperial, e depois viver o resto da vida emparedada num convento. Na gradativa, porém notável, ascensão de Wu, ela jamais foi ingênua. Ela sabia que qualquer hesitação, qualquer fraqueza momentânea, seria o seu fim. Se

mal ela se livrava de um rival surgia logo outro, a solução era simples: matar todos eles ou ela mesma seria morta. Outros imperadores antes dela seguiram o mesmo caminho para o sucesso, mas Wu – que por ser mulher não tinha quase nenhuma chance de conquistar o poder – teve de ser ainda mais cruel.

O reinado da imperatriz Wu, que durou quarenta anos, foi o mais longo na história da China. Apesar de a história da sua sanguinária ascensão ao poder ser famosa, na China ela é considerada uma das governantes mais capazes e eficazes do período.

> *Um padre perguntou ao moribundo estadista e general espanhol Ramón María Narváez (1800-1868): "Vossa Excelência já perdoou a todos os seus inimigos?" "Não preciso perdoar a meus inimigos", respondeu Narváez, "Já mandei matar todos."*

AS CHAVES DO PODER

Não é por acaso que as duas histórias escolhidas para ilustrar esta lei são chinesas: a história da China está repleta de exemplos de inimigos que foram perdoados e voltaram para perseguir o leniente. "Esmague o inimigo" é um princípio estratégico chave de Sun Tzu, o autor do século IV a.C. que escreveu *A arte da guerra*. A ideia é simples: Seus inimigos não gostam de você. O que eles mais querem é acabar com você. Se ao combatê-los você parar no meio do caminho, ou mesmo depois de percorrer três quartos do caminho, por misericórdia ou esperança de reconciliação, você só os tornará mais determinados, mais amargurados, e um dia eles se vingarão. Eles podem agir cordialmente por uns tempos, mas só porque você os derrotou. Eles não têm escolha a não ser aguardar.

A solução: Não ter misericórdia. Esmagá-los totalmente, como eles o esmagariam. A única paz e segurança que você pode esperar dos seus inimigos é quando eles desaparecem.

Mao Tsé-tung, dedicado leitor de Sun Tzu e da história da China em geral, conhecia a importância desta lei. Em 1934, o líder comunista e uns 75 mil soldados mal equipados fugiram para as montanhas desoladas do oeste da China para escapar do exército muito maior de Chiang Kai-shek, fuga que ficou conhecida como a Longa Marcha.

Chiang estava decidido a eliminar até o último comunista, e poucos anos depois restavam a Mao menos de 10 mil soldados. Em 1937, de fato, quando o Japão invadiu a China, Chiang calculou que os comunistas não representavam mais uma ameaça. Ele preferiu desistir da caçada e se concentrar nos japoneses. Dez anos depois, os comunistas tinham se recuperado o bastante para dispersar o exército de Chiang. Ele havia esquecido o antigo princípio que diz para esmagar o inimigo; Mao, não. Chiang foi perseguido até que ele e todo o seu exército fugiram para a ilha de Taiwan. Nada restou do seu regime no continente chinês até hoje.

O princípio por trás de "esmagar o inimigo" é tão antigo quanto a Bíblia: o primeiro a colocá-lo em prática foi Moisés, que o aprendeu com o próprio Deus, que abriu o mar Vermelho para os judeus e depois deixou que as águas fluíssem novamente afogando os egípcios que vinham logo atrás, de forma a "não sobrar nem um só deles". Moisés, quando desceu do Monte Sinai com os Dez Mandamentos e viu seu povo adorando o Bezerro de Ouro, mandou matar todos os pecadores. E pouco antes de morrer, ele contou ao seu povo, finalmente prestes a entrar na Terra Prometida, que ao derrotarem as tribos de Canaã deveriam tê-las "destruído totalmente... sem aliança nem misericórdia".

A vitória total como meta é um dos axiomas da guerra moderna, e foi codificada como tal por Carl von Clausewitz, o ministro filósofo da guerra. Analisando as campanhas de Napoleão, Von Clausewitz escreveu: "Nós sustentamos que a aniquilação total das forças inimigas deva sempre ser a *ideia predominante* (...) Uma vez obtida uma grande vitória não se pode falar em descansar, em respirar (...) mas apenas de perseguir, de ir atrás do inimigo novamente, conquistar a sua capital, atacar suas reservas e tudo o mais que possa dar ao seu país ajuda e conforto." Isso porque depois da guerra vêm as negociações e a divisão de território. Se você teve apenas uma vitória parcial, vai inevitavelmente perder nas negociações o que lucrou com a guerra.

A solução é simples: não dê opção aos seus inimigos. Aniquile-os e você é quem vai trinchar o território deles. O objetivo do poder é controlar seus inimigos totalmente, fazê-los sujeitar-se ao que você deseja. Você não pode se dar ao luxo de fazer concessões. Sem outra opção, eles serão forçados a fazer o que você manda. Esta lei não se aplica apenas ao campo de batalha. Negociações são como uma víbora insidiosa que corrói a sua vitória, portanto não negocie nada com o inimigo, não lhe dê nenhuma esperança, nenhum espaço de manobra. Eles estão esmagados e ponto final.

Entenda isto: na sua luta pelo poder você vai despertar rivalidades e criar inimigos. Haverá pessoas que você não conseguirá convencer, que permanecerão suas inimigas não importa o que aconteça. Mas seja qual a dor que você lhes causar, deliberadamente ou não, não leve o ódio delas para o lado pessoal. Reconheça apenas que não há possibilidade de paz entre vocês dois, principalmente se você continuar no poder. Se você deixar que elas fiquem por perto, elas vão procurar se vingar, com tanta certeza quanto depois do dia vem a noite. Esperar que elas mostrem suas cartas é tolice; como a imperatriz Wu percebeu, aí já será tarde demais.

Seja realista: com um inimigo assim por perto, você jamais terá segurança. Aprenda com os exemplos da história e com a sabedoria de Moisés e Mao: não faça concessões.

Não é uma questão de morte, é claro, mas de exílio. Suficientemente enfraquecidos e depois banidos para sempre da sua corte, seus inimigos se tornam inofensivos. Não têm mais esperanças de se recuperar, de vir se insinuando e ferir você. E se for impossível bani-los, pelo menos saiba que eles estão tramando contra você, e não dê atenção aos seus gestos fingidos de amizade. A sua única arma numa situação dessa é a sua própria cautela. Se não puder bani-los imediatamente, então planeje o melhor momento para agir.

Imagem: Uma Víbora esmagada sob seu pé, mas ainda viva, vai se erguer e morder você com uma dose dupla de veneno. Um inimigo por perto é como uma víbora semimorta a quem você ajuda a recuperar a saúde. O tempo fortalece o veneno.

Autoridade: Pois é preciso notar que os homens devem ser afagados ou então aniquilados; eles se vingarão de pequenas ofensas, mas não poderão fazer o mesmo nas grandes ofensas; quando ofendemos um homem, portanto, devemos fazê-lo de modo a não ter de temer a sua vingança. (Nicolau Maquiavel, 1469-1527)

O INVERSO
Raramente se deve ignorar esta lei, mas acontece que às vezes é melhor deixar que os seus inimigos se destruam, se isso for possível, do que fazê-los sofrer nas suas mãos. Na guerra, por exemplo, um bom general sabe que atacando um exército encurralado, seus soldados lutarão com muito mais entusiasmo. Por isso, às vezes é melhor lhes deixar uma saída de emergência, uma escapatória. Recuando eles se desgastam, e a retirada os deixa mais desmoralizados do que qualquer derrota nas mãos desse general no campo de batalha. Se você tem alguém com a corda no pescoço, então – mas só se você tiver certeza de não haver chances de recuperação – é melhor deixar que ele se enforque. Que ele mesmo seja o agente da sua própria destruição. O resultado será o mesmo, e você não se sentirá tão mal.

Finalmente, ao esmagar um inimigo às vezes você o irrita tanto que ele passa anos a fio tramando uma vingança. O Tratado de Versalhes teve esse efeito sobre os alemães. Há quem diga que, no longo prazo, é melhor mostrar uma certa clemência. O problema é que a sua clemência implica um outro risco – ela pode encorajar o inimigo, que ainda guarda rancor, mas agora tem mais espaço para agir. Quase sempre é mais sensato esmagar o inimigo. Se anos depois ele quiser se vingar, não baixe a guarda, simplesmente esmague-o de novo.

LEI
16

USE A AUSÊNCIA PARA AUMENTAR O RESPEITO E A HONRA

JULGAMENTO

Circulação em excesso faz os preços caírem: quanto mais você é visto e escutado, mais comum vai parecer. Se você já se estabeleceu em um grupo, ao se afastar temporariamente você se tornará uma figura mais comentada, até mais admirada. Você deve saber quando se afastar. Crie valor com a escassez.

A LEI TRANSGREDIDA E A LEI OBSERVADA

Sir Guillaume de Balaun era um trovador que perambulava pelo sul da França na Idade Média, indo de castelo em castelo, recitando poemas e representando o papel do perfeito cavaleiro. No castelo de Javiac ele se apaixonou pela bela dona da casa, Madame Guillelma de Javiac. Ele cantava para ela as suas canções, recitava os seus poemas e era seu parceiro no xadrez; aos poucos, ela acabou se apaixonando por ele. Guillaume tinha um amigo, Sir Pierre de Barjac, companheiro de viagem e também hóspede do castelo. Pierre também se apaixonou por uma senhora em Javiac, a graciosa, porém temperamental, Viernetta.

Mas um dia, Pierre e Viernetta tiveram uma violenta briga. Ela o mandou embora e ele foi pedir ajuda ao amigo Guillaume para fazerem as pazes. Guillaume ia se afastar do castelo por uns tempos, mas ao voltar, várias semanas depois, ele fez a sua mágica e Pierre e a senhora se reconciliaram. Pierre sentiu que o seu amor estava dez vezes mais forte – que não havia amor mais forte, de fato, do que o que se segue a uma reconciliação. Quanto mais forte e prolongada a divergência, ele disse para Guillaume, mais doce o sentimento que vem com a paz e a reaproximação.

Como trovador, Sir Guillaume se orgulhava de ter experimentado todas as alegrias e tristezas do amor. Ao escutar o que o amigo lhe dizia, ele também quis conhecer o prazer da reconciliação depois de uma briga. Por isso ele fingiu estar com muita raiva de Lady Guillelma, parou de lhe mandar cartas de amor e deixou o castelo abruptamente, mantendo-se afastado mesmo durante os festivais e a época de caça. Isso deixou a jovem senhora enlouquecida.

Guillelma enviou mensageiros atrás de Guillaume para descobrir o que tinha acontecido, mas ele os mandava embora. Ele achava que tudo isso a deixaria zangada, forçando-o a implorar a reconciliação como tinha acontecido com Pierre. Mas, ao contrário, a sua ausência teve o efeito oposto: Guillelma ficou ainda mais apaixonada. Agora a senhora perseguia o seu cavaleiro, enviava mensageiros e bilhetes de amor. O que não era comum – uma senhora jamais perseguia o seu trovador. E Guillaume não gostou disso. O atrevimento de Guillelma o fez pensar que ela havia em parte perdido a sua dignidade. Não só ele não tinha mais certeza quanto ao seu plano, como não estava mais certo a respeito da sua senhora.

Finalmente, depois de vários meses sem saber de Guillaume, Guillelma desistiu. Não lhe enviou mais mensageiros, e ele começou a pensar – será que ela estava zangada? Talvez o plano tivesse funcionado, afinal de contas? Melhor assim. Ele não esperaria mais – era tempo de

---

O CAMELO E AS VARETAS FLUTUANTES

O primeiro homem que viu um camelo fugiu; o segundo se aventurou a chegar perto; o terceiro ousou passar um laço pelo seu pescoço. Nesta vida, a familiaridade domestica tudo, pois o que pode parecer terrível ou bizarro, quando nosso olhar tem tempo para se acostumar, torna-se comum.
E por falar nisso, ouvi dizer que umas sentinelas que vigiavam a praia vislumbraram ao longe algo flutuando, não resistiram e gritaram: "Uma vela! Uma vela! Um poderoso navio de guerra!" Cinco minutos depois era um barco a vela, depois um esquife, em seguida um fardo e, finalmente, algumas varetas flutuando. Sei de muita gente a quem esta história se aplica – gente a quem a distância amplia, mas que de perto não vale nada.

FÁBULAS SELECIONADAS, JEAN DE LA FONTAINE, 1621-1695

se reconciliarem. Vestiu então a sua melhor túnica, adornou o cavalo com o seu elegante jaez, escolheu um elmo magnífico e se dirigiu para Javiac.

Ao saber que seu amado voltara, Guillelma correu para vê-lo, ajoelhou-se diante dele, deixou cair o véu para beijá-lo e lhe implorou perdão por algum deslize que pudesse ter causado a sua raiva. Imagine a confusão e o desespero dele – seu plano falhara totalmente. Ela não estava zangada, nunca estivera, estava só ainda mais apaixonada, e ele jamais experimentaria o prazer de uma reconciliação depois de uma briga. Vendo-a agora, e ainda desesperado para provar aquela alegria, ele decidiu tentar mais uma vez: afastou-a com palavras rudes e gestos ameaçadores. Ela se foi, desta vez jurando nunca mais vê-lo.

Na manhã seguinte, o trovador se arrependeu do que tinha feito. Voltou para Javiac, mas a senhora não quis recebê-lo, e mandou que os criados corressem com ele pela ponte levadiça até o outro lado do morro. Guillaume fugiu. De volta ao quarto, ele caiu em prantos: tinha cometido um erro terrível. Durante todo o ano seguinte, impossibilitado de ver a sua senhora, ele experimentou a ausência, a terrível ausência, que só faz inflamar o amor. Escreveu um dos seus mais belos poemas: "Meu canto se eleva implorando misericórdia." E mandou muitas cartas a Guillelma, explicando o que tinha feito e pedindo perdão.

Depois de muito, Lady Guillelma, lembrando-se das suas belas canções, da sua figura elegante, da sua habilidade nas artes da dança e da falcoaria, passou a desejá-lo de volta. Como castigo por sua crueldade, ela ordenou que ele retirasse a unha do dedo mindinho da mão direita e lhe enviasse junto com um poema descrevendo o seu tormento.

Ele atendeu ao seu pedido. Finalmente, Guillaume de Balaun conseguiu provar a grande sensação – uma reconciliação ainda maior do que a do seu amigo Pierre.

Interpretação

Tentando descobrir as alegrias de uma reconciliação, Guillaume de Balaun comprovou a veracidade da lei da ausência e da presença. No início, você precisa se fazer mais presente aos olhos do outro. Se você se ausenta cedo demais, pode ser esquecido. Depois que a pessoa amada já está envolvida emocionalmente, e o amor já está cristalizado, a ausência inflama e excita. Não explicar a sua ausência é ainda mais excitante: a outra pessoa supõe que a culpa é dela. Enquanto você está longe, a imaginação do amante voa, e uma imaginação excitada não pode deixar de tornar ainda mais forte o amor. Inversamente, quanto mais Guillelma perseguia Guillaume, menos ele a amava – ela se tornara presente demais,

AS CINCO VIRTUDES DO GALO
Quando servia ao duque Ai de Lu, T'ien Jao, ressentindo-se da sua obscura posição, disse ao seu senhor: "Vou sair por aí, bem longe, como um ganso-das-neves." "O que quer dizer com isso?", perguntou o duque. "Está vendo o galo?", disse T'ien respondendo. "Sua crista é símbolo de civilidade; suas esporas poderosas sugerem força; sua ousadia enfrentando qualquer inimigo denota coragem; seu instinto para convidar os outros a dividir o alimento mostra benevolência; e, finalmente, e não menos importante por isso, sua pontualidade marcando a hora a noite toda nos dá um exemplo de veracidade. Apesar disso, entretanto, de todas estas cinco virtudes, mata-se todos os dias um galo para encher os nossos pratos à mesa. Por quê? Porque ele está ao nosso alcance. Por outro lado, o ganso-das-neves voa de uma só vez milhares de li. Descansando no seu jardim, ele pesca os seus peixes, caça suas tartarugas e bica o seu grão. Embora não tendo nenhuma das cinco virtudes do galo, você aprecia este pássaro porque

ele é raro. Sendo assim, voarei para bem longe como um ganso-das-neves."
ANTIGAS PARÁBOLAS CHINESAS, YU HSIU SEN, ORG., 1974

acessível demais, sem dar espaço para a imaginação e fantasias *dele*, de tal forma que ele se sentia sufocado nos seus sentimentos. Quando ela finalmente parou de lhe enviar mensageiros, ele conseguiu respirar de novo e voltar ao seu plano.

O que se retrai, o que se torna escasso, de repente parece merecer o nosso respeito e estima. O que permanece tempo demais, saturando-nos com sua presença, desperta o nosso desprezo. Na Idade Média, as senhoras exigiam constantemente de seus cavaleiros provas de amor, enviando-os para longas e árduas buscas – tudo para criar uma oscilação entre ausências e presenças. Na verdade, se Guillaume não tivesse se adiantado abandonando antes a sua senhora, ela talvez fosse forçada a mandá-lo embora, criando ela mesma uma ausência.

A ausência enfraquece as paixões medíocres e inflama as grandes paixões, como o vento apaga a chama de uma vela e atiça as de uma fogueira.
La Rochefoucauld, 1613-1680

A LEI OBSERVADA

Durante muitos séculos, os assírios governaram a Ásia superior com punho de ferro. No século VIII a.C., entretanto, o povo de Média (hoje noroeste do Irã) se revoltou e finalmente se libertou deles. Os medos tiveram então que formar um novo governo. Determinados a evitar qualquer forma de despotismo, eles se recusaram a dar o poder máximo a um só homem ou estabelecer uma monarquia. Sem um líder, entretanto, o país em breve entrou no caos, dividindo-se em pequenos reinos, com aldeias lutando umas contra as outras.

Numa delas vivia um homem chamado Deioces, que começou a ficar famoso como uma pessoa justa e capaz de resolver disputas.

Ele fazia isso tão bem, de fato, que logo todos os conflitos legais eram levados à sua presença para serem julgados, e o seu poder crescia. No país inteiro a lei estava desacreditada – os juízes eram corruptos, e ninguém confiava nos tribunais para resolver os seus problemas, preferindo recorrer à violência. Quando a notícia se espalhou sobre a sabedoria, a incorruptibilidade e a inabalável imparcialidade de Deioces, as aldeias medas em peso vieram lhe pedir para resolver todos os tipos de problemas. Em pouco tempo, era ele o único juiz naquela terra.

No auge do seu poder, Deioces de repente deu um basta naquilo. Não ia mais se sentar na cadeira do juiz, não ouviria mais os litígios, não resolveria mais nenhuma disputa entre irmãos, nem aldeias. Dizendo gastar tempo demais cuidando dos problemas dos outros a ponto de esquecer os seus próprios negócios, ele se retirou de cena. O país mais uma vez entrou no caos. Com o súbito afastamento de um juiz enérgico como Deioces, a criminalidade aumentou e o desprezo pela lei cresceu ainda mais. Os medos reuniram todas as aldeias para achar uma solução para as suas dificuldades. "Não podemos continuar vivendo nessas condições", disse um líder tribal. "Vamos nomear um de nós para governar para podermos viver com ordem, em vez de perdermos nossos lares neste caos."

E assim, apesar de tudo o que os medos tinham sofrido sob o despotismo dos assírios, eles decidiram instalar uma monarquia e nomear um rei. E o homem que eles mais desejavam para governá-los era, é claro, o justo Deioces. Foi difícil convencê-lo, ele não queria mais saber das lutas e implicâncias entre as aldeias, mas os medos imploraram – sem ele o país estava uma anarquia. Deioces, finalmente, concordou.

Mas ele também impôs condições. Queria um enorme palácio construído só para ele, e também guarda-costas e uma cidade capital de onde pudesse governar. Tudo isso foi feito, e Deioces se instalou no seu palácio. No centro da capital, o palácio era rodeado de muros e totalmente inacessível às pessoas comuns. Deioces então definiu os termos do seu governo: estava proibido o acesso até ele. Comunicar-se com o rei só por intermédio de mensageiros. Ninguém na corte real podia vê-lo mais de uma vez por semana, e mesmo assim só com autorização.

Deioces governou durante cinquenta e três anos, ampliou o império Médio e estabeleceu as bases para o que seria posteriormente o império persa, sob o seu tataraneto, Ciro. Durante o reinado de Deioces, o respeito que o povo tinha por ele foi aos poucos se transformando em adoração: ele não era um simples mortal, acreditavam, mas sim o filho de um deus.

Interpretação
Deioces era um homem muito ambicioso. Desde cedo chegou à conclusão de que o país precisava de um governante enérgico, e que ele era o homem para essa tarefa.

Numa terra assolada pela anarquia, o homem mais poderoso é quem atua como juiz e árbitro. Portanto, Deioces começou a sua carreira criando a sua fama de homem de justiça impecável.

No auge do seu poder como juiz, entretanto, Deioces pôde comprovar a veracidade da lei da ausência e da presença: servindo a tantos clientes, ele tinha se feito demasiadamente notado, disponível e perdera o respeito de que gozava no início. As pessoas tinham se acostumado com seus serviços. A única forma de recuperar a veneração e o poder que ele desejava era retirando-se de cena totalmente e deixar que os medos experimentassem o que era viver sem ele. Como esperava, eles foram lhe implorar para governá-los.

Uma vez tendo descoberto a validade desta lei, ele a levou às últimas consequências. No palácio que o seu povo construiu para ele, ninguém podia vê-lo a não ser uns poucos cortesãos, e mesmo assim raramente. Como escreveu Heródoto: "Havia o risco de que o hábito de poder vê-lo sempre despertasse ciúmes e ressentimentos, e daí se originariam conspirações; mas, se ninguém o visse, a lenda de que ele era uma pessoa diferente dos homens comuns cresceria."

Um homem disse a um dervixe:
"Por que não o vejo com mais frequência?"
O dervixe respondeu, "Porque a pergunta
'Por que não veio me ver?' é mais doce aos meus ouvidos
do que as palavras 'O que está fazendo aqui de novo?'"

Mulla Jami, citado em Caravan of Dreams de Idries Shah, 1968

AS CHAVES DO PODER

Tudo no mundo depende de ausências e presenças. Uma forte presença atrai o poder e as atenções para você – você brilha mais do que as pessoas ao seu redor. Mas tem um ponto, inevitavelmente, em que a presença em demasia cria o efeito contrário: quanto mais você é visto e ouvido, mais o seu valor diminui. Você se torna um hábito. Não importa o quanto você tente ser diferente, sutil, sem você saber por que as pessoas começam a respeitá-lo cada vez menos. É preciso aprender a se retirar no momento certo, antes que elas inconscientemente o forcem a isso. É um jogo de pique-esconde.

A verdade dessa lei pode ser comprovada facilmente quando se trata de amor e sedução. No início, a ausência da pessoa amada estimula a sua imaginação, envolvendo, a ele ou a ela, numa espécie de aura. Mas esta aura desaparece quando você sabe demais – quando a sua imaginação não tem mais espaço para divagar. O ser amado se torna uma pessoa como outra qualquer, alguém cuja presença não desperta mais tanto interesse. É por isso que a cortesã francesa do século XVII aconselhava fingir sempre estar se afastando da pessoa amada. "O amor não morre de inanição", ela escreveu, "mas com frequência, sim, de indigestão."

Quando você se permite ser tratado como uma pessoa qualquer, já é tarde demais – já foi engolido e digerido. Para que isso não aconteça, você tem de deixar que o outro anseie pela sua presença. Imponha respeito ameaçando-o com a possibilidade de perdê-lo para sempre; crie um padrão de presenças e ausências.

Depois de morto, tudo relacionado com você muda. Você fica imediatamente envolto numa aura de respeitabilidade. As pessoas se lembram das críticas que lhe fizeram, das discussões que vocês tiveram, e ficam cheias de arrependimento e culpa. Elas sentem falta de uma presença que não voltará mais. Mas você não precisa esperar até morrer: afastando-se totalmente por uns tempos, você cria uma espécie de morte anterior à morte. E, quando voltar, será como se tivesse voltado do outro mundo – um clima de ressurreição ficará associado a você, e as pessoas se sentirão aliviadas com a sua volta. Foi assim que Deioces conseguiu ser rei.

Napoleão estava reconhecendo a lei da ausência e presença quando disse: "Se me virem com frequência no teatro, o povo vai deixar de me notar." Hoje, num mundo imerso em presenças pelo excesso de imagens, o jogo do retraimento é ainda mais eficaz. Raramente sabemos quando nos retirar, e nada parece acontecer na privacidade, portanto nos espanta alguém conseguir desaparecer por livre vontade. Sabendo quando desaparecer, romancistas como J. D. Salinger e Thomas Pynchon criaram um séquito de fiéis devotos.

Outro aspecto mais corriqueiro desta lei, mas que demonstra ainda melhor a sua verdade, é a lei da escassez na economia. Retirando um produto do mercado, você cria instantaneamente um valor. Na Holanda do século XVII, as classes mais altas queriam fazer da tulipa mais do que simplesmente uma linda flor – queriam que ela fosse uma espécie de símbolo de status. Tornando-a escassa no mercado, quase impossível de ser obtida, eles induziram ao que mais tarde se chamou de tulipomania. Uma única flor passou a valer mais do que o seu peso em ouro. Da mesma forma, no século XX, o marchand Joseph Duveen fez questão de que os quadros que vendia fossem os mais difíceis e raros de se encontrar. Para manter seus preços elevados e o seu status lá em cima, ele comprava coleções inteiras e as guardava no porão. Elas se transformavam em algo mais do que simples telas – eram objetos de fetiche, mais valiosos por sua raridade. "Você pode ter todos os quadros de 50 mil dólares que desejar – isso é fácil", disse ele certa vez. "Mas quadros de 250 mil dólares – é preciso saber como!"

Imagem:
O Sol. Só o valorizamos quando ausente. Quanto mais longo o período de chuvas, mais se deseja o sol. Com dias de calor em demasia, o sol cansa. Aprenda a se manter apagado e a fazer com que as pessoas exijam a sua volta.

Ajuste a lei da escassez às suas próprias habilidades. Torne raro e difícil de encontrar aquilo que você oferece ao mundo, e estará na mesma hora aumentando o seu valor.

Sempre chega a hora em que aqueles que estão no poder abusam da nossa hospitalidade. Ficamos cansados deles, perdemos o respeito; passamos a vê-los como iguais ao resto da humanidade, o que significa dizer que os vemos como piores, pois inevitavelmente comparamos o que vemos agora com o que víamos antes. É uma arte saber quando se retirar. Praticando-a corretamente, recupera-se o respeito perdido e se conserva uma parte do seu poder.

O maior governante do século XVI foi Carlos V. Rei da Espanha, imperador dos Habsburgo, ele governou um império que, em certo momento, chegou a incluir grande parte da Europa e do Novo Mundo. Mas no auge do poder, em 1557, ele se retirou para o mosteiro de Yuste. Toda a Europa ficou fascinada com a sua súbita retirada de cena; quem o havia odiado e temido, de repente, dizia que ele era ótimo, e ele acabou sendo considerado um santo. Em épocas mais recentes, a atriz de cinema Greta Garbo nunca foi tão admirada quanto depois que se aposentou, em 1941. Para alguns, ela se ausentou cedo demais – tinha trinta e poucos anos –, mas ela sabiamente preferiu decidir quando sair de cena, em vez de esperar que a plateia se cansasse dela.

Autoridade:
Use a ausência para criar
respeito e estima. Se a presença
diminui a fama, a ausência a faz crescer. O homem que, quando ausente, é considerado um leão torna-se, quando presente, comum e ridículo. Os talentos perdem o brilho quando nos acostumamos a eles, pois o
revestimento exterior da mente é visto com
mais facilidade do que o seu núcleo interior
mais rico. Até mesmo o grande gênio se
retrai para que os homens o respeitem
e para que o desejo despertado por
sua ausência o faça estimado.
(Baltasar Gracián,
1601-1658)

Torne-se disponível demais e a aura de poder que você construiu a sua volta desaparecerá. Vire o jogo: Torne-se menos acessível e aumentará o valor da sua presença.

O INVERSO

Esta lei só se aplica depois que já se alcançou um certo nível de poder. A necessidade de se retirar de cena só aparece depois que você estabeleceu a sua presença; afaste-se cedo demais, e você não será mais respeitado, será simplesmente esquecido. Quando você estiver começando a atuar no palco do mundo, crie uma imagem que possa ser reconhecida, reproduzida e vista por toda parte. Enquanto você não alcançar este status, a ausência é perigosa – em vez de atiçar as chamas, ela as extinguirá.

No amor e na sedução, similarmente, a ausência só é eficaz se você tiver envolvido o outro com a sua própria imagem, se ele, ou ela, já o estiver vendo por toda parte. Tudo deve lembrar ao seu amor da sua presença, de tal forma que, se você resolver se afastar, ele estará sempre pensando em você, sempre vendo você mentalmente.

Lembre-se: no início, não desapareça, seja onipresente. Só o que é visto, apreciado e amado deixará saudades na sua ausência.

LEI
17

MANTENHA OS OUTROS EM UM ESTADO LATENTE DE TERROR: CULTIVE UMA ATMOSFERA DE IMPREVISIBILIDADE

JULGAMENTO

Os homens são criaturas de hábitos com uma necessidade insaciável de ver familiaridade nos atos alheios. A sua previsibilidade lhes dá um senso de controle. Vire a mesa: seja deliberadamente imprevisível. O comportamento que parece incoerente ou absurdo os manterá desorientados, e eles vão ficar exaustos tentando explicar seus movimentos. Levada ao extremo, esta estratégia pode intimidar e aterrorizar.

A LEI OBSERVADA

Em maio de 1972, o campeão de xadrez Boris Spassky aguardava ansioso o seu rival Bobby Fischer, em Reykjavik, Islândia. O encontro dos dois estava programado para o Campeonato Mundial de Xadrez, mas Fischer se atrasara e a partida estava suspensa por enquanto. Fischer tinha problemas com o tamanho do prêmio em dinheiro, problemas com a forma como o dinheiro seria distribuído, problemas com a logística da prova a ser realizada na Islândia. Ele poderia desistir a qualquer momento.

Spassky tentava ser paciente. Seus chefes russos achavam que Fischer o estava humilhando e lhe disseram para ir embora, mas Spassky queria este jogo. Ele sabia que poderia destruir Fischer, e nada ia estragar a maior vitória da sua carreira. "Parece que todo o nosso trabalho vai dar em nada", Spassky contou a um camarada. "Mas o que fazer? É a jogada de Fischer. Se ele vier, nós jogamos. Se não vier, não jogamos. Um homem que está querendo se suicidar tem a iniciativa."

Fischer finalmente chegou a Reykjavik, mas os problemas, a ameaça de cancelamento, continuaram. Ele não gostou do lugar onde se daria a competição, criticou a iluminação, queixou-se do barulho das câmeras e até detestou as cadeiras em que ele e Spassky se sentariam. Agora a União Soviética tomou a iniciativa e ameaçou retirar o seu jogador.

O blefe aparentemente funcionou: depois de todas aquelas semanas de espera, depois de intermináveis e irritantes negociações, Fischer concordou em jogar. Todos ficaram aliviados, ninguém mais do que Spassky. Mas no dia das apresentações oficiais Fischer se atrasou muito e, no dia em que a "Competição do Século" deveria começar, ele se atrasou de novo. Desta vez, entretanto, as consequências seriam graves: se ele se atrasasse *demais* perderia como penalidade a primeira partida. O que estava acontecendo? Estaria ele fazendo algum jogo de nervos? Ou Bobby Fischer estava simplesmente com medo de Boris Spassky? Os grandes mestres reunidos ali, assim como Spassky, começaram a achar que o garoto do Brooklyn estava sofrendo de uma terrível tremedeira. Às cinco horas e nove minutos, Fischer apareceu, exatamente um minuto antes de ser cancelado o jogo.

A primeira partida de um torneio de xadrez é crítica, porque é ela que dá o tom do que vai acontecer nos meses seguintes. Costuma ser uma luta lenta e tranquila, com os dois jogadores se preparando para a guerra e tentando entender as estratégias um do outro. Esta partida foi diferente. Fischer fez uma jogada horrível logo no início, talvez a pior da sua carreira, e quando Spassky o encurralou, ele pareceu desistir. Mas Spassky sabia que Fischer *jamais* desistia. Mesmo diante de um xeque-mate, ele lutava até o amargo fim, deixando o adversário exausto. Desta vez, entretanto, ele parecia resignado. Então, de repente, ele surgiu com uma jogada ousada que deixou a sala em alvoroço. O movimento chocou Spassky, mas ele se recuperou e conseguiu vencer a partida. Mas ninguém conseguia entender o que Fischer estava querendo. Tinha perdido deliberadamente? Ou estava confuso? Desconcertado? Até maluco, alguns pensaram.

Depois da sua derrota no primeiro jogo, Fischer reclamou mais alto ainda da sala, das câmeras e de tudo mais. Também não apareceu no segundo jogo. Desta vez os organizadores disseram basta. Ele foi multado. Ele já estava perdendo de dois a zero, posição da qual ninguém saiu para vencer um campeonato de xadrez. Fischer estava nitidamente perturbado. Mas no terceiro jogo, como todas as testemunhas se lembram, ele tinha uma expressão feroz no olhar, um ar que preocupou nitidamente Spassky. E apesar da cova que cavara para si próprio, ele parecia extremamente confiante. Fez o que pareceu mais um grande disparate, como no primeiro jogo – mas no seu ar arrogante Spassky farejou uma armadilha. Apesar das desconfianças dos russos ele não conseguia imaginar que armadilha era aquela e, sem ele nem perceber como, Fischer lhe deu um xeque-mate. De fato, as táticas pouco ortodoxas de Fischer tinham deixado o adversário exasperado. No fim do jogo, Fischer deu um salto e saiu correndo, gritando para seus confederados e batendo com o punho na mão espalmada: "Estou esmagando-o com a força bruta!"

Nas partidas seguintes, Fischer fez jogadas que ninguém jamais o vira fazer antes, movimentos que não eram do seu estilo. Spassky então começou a errar. Depois de perder a sexta partida, ele começou a chorar. Um grande mestre disse: "Depois disso, Spassky deve se perguntar se é seguro para ele voltar para a Rússia." Depois do oitavo jogo, Bobby Fischer o estava hipnotizando. Ele decidiu não olhar Fischer nos olhos; perdeu da mesma forma.

Depois de décimo quarto jogo, ele pediu uma reunião com a equipe e anunciou: "Estão tentando controlar a minha mente." Ele queria saber se tinha alguma droga no suco de laranja que bebiam na mesa de xadrez. Talvez tivessem soprado no ar alguma substância química. Finalmente, Spassky acusou em público a equipe de Fischer de colocar alguma coisa na sua cadeira para perturbá-lo mentalmente. A KGB entrou em alerta: Boris Spassky estava deixando a União Soviética numa situação complicada!

As cadeiras foram retiradas e examinadas com raios X. Um químico não encontrou nada de diferente nelas. De fato, só acharam duas moscas mortas num equipamento de iluminação. Spassky começou a se queixar de alucinações. Tentou continuar jogando, mas sua mente estava confusa. Ele não podia continuar. No dia 2 de setembro ele entregou os pontos. Embora ainda relativamente jovem, jamais se recuperou desta derrota.

Interpretação
Nos jogos anteriores com Spassky, Fischer não tinha se saído bem. Spassky tinha uma incrível habilidade para entender e usar a estratégia do adversário contra ele mesmo. Adaptável e paciente, ele montava ataques que derrotariam não em sete movimentos, mas em setenta. Ele sempre derrotava Fischer porque previa os movimentos com muita antecedência e porque era um brilhante psicólogo que jamais perdia o controle. Um mestre disse: "Ele não procura apenas o melhor movimento. Ele procura o movimento que vai perturbar o homem com quem está jogando."

Fischer, entretanto, finalmente compreendeu que esta era uma das chaves do sucesso de Spassky: ele jogava com a sua previsibilidade, derrotando-o com o seu próprio jogo. O que Fischer fez no campeonato foi procurar tomar ele mesmo a iniciativa e manter Spassky desequilibrado. Nitidamente, a interminável espera teve o seu efeito na psique de Spassky. Mais eficaz do que tudo, entretanto, foram os erros deliberados de Fischer e a sua aparência de não ter uma estratégia clara. De fato, ele estava fazendo o possível para embaralhar os seus antigos padrões, mesmo que isso significasse perder a primeira partida e ser eliminado da segunda.

Spassky era conhecido por seu sangue-frio e equilíbrio mental, mas pela primeira vez na vida ele não conseguiu entender o seu adversário. Foi lentamente desmoronando, até que no fim era *ele* que parecia maluco.

O xadrez contém a essência da vida: primeiro, porque para vencer você tem que ser extremamente paciente e previdente; segundo, porque o jogo se baseia em padrões, sequências inteiras de movimentos que já foram feitos antes e continuarão sendo feitos, com ligeiras alterações, em qualquer jogo. O adversário analisa os padrões que você está usando e os aproveita para tentar prever os seus movimentos. Não lhe dando nada de previsível em que basear a sua estratégia, você consegue uma grande vantagem. No xadrez, como na vida, quando não conseguem imaginar o que você está fazendo, as pessoas ficam em estado de terror – aguardando, incertas, confusas.

A vida na corte é um jogo de xadrez sério e melancólico, onde temos que colocar em formação nossas armas e batedores, criar um plano, persegui-lo e nos defender do plano do nosso adversário.

Às vezes, entretanto, é melhor
arriscar e fazer a jogada mais caprichosa e imprevisível.

Jean de La Bruyère, 1645-1696

AS CHAVES DO PODER
Nada é mais aterrorizante do que o repentino e imprevisível. Por isso tememos tanto os terremotos e tornados: não sabemos quando eles vão acontecer. Depois do primeiro, esperamos aterrorizados o segundo. Em grau menor, é assim que o comportamento humano imprevisível atua sobre nós.

Os animais têm um padrão fixo de comportamento, por isso é possível caçá-los e matá-los. Só o homem tem a capacidade de alterar conscientemente o seu comportamento, de improvisar e se livrar do peso da rotina e do hábito. Mas a maioria dos homens não percebe esse poder. Preferem o conforto da rotina, da natureza animal que os faz repetir sempre as mesmas ações compulsivamente várias vezes. Agem assim pela lei do menor esforço, e porque se enganam achando que, se não perturbarem ninguém, ninguém os perturbará. Compreenda: a pessoa com poder infunde um certo medo ao perturbar *deliberadamente* as pessoas a sua volta mantendo a iniciativa do seu lado. Às vezes você precisa atacar de repente, deixar os outros tremendo quando menos esperam por isso. É um artifício usado pelos poderosos há séculos.

Filippo Maria, o último dos duques Visconti de Milão, na Itália do século XV, fazia conscientemente o contrário do que se esperava dele. Por exemplo, às vezes ele enchia de atenções um cortesão, e aí, quando o homem já estava começando a achar que ia ser promovido, de um momento para o outro ele passava a tratá-lo com o maior desprezo. Confuso, o homem deixava a corte, mas o duque de repente se lembrava dele e voltava a tratá-lo bem. Duplamente confuso, o cortesão ficava imaginando se o duque não teria achado óbvia e ofensiva demais a sua suposição de que seria promovido, e começava a se comportar como se não esperasse mais tal honra. O duque o repreenderia por falta de ambição e o mandaria embora.

O segredo para se lidar com Filippo era simples: não pretender saber o que ele quer. Não tentar adivinhar o que lhe agrada. Nunca forçar a *sua* vontade; simplesmente ceder à vontade *dele*. Depois esperar para ver o que acontece. No meio da confusão e da incerteza gerada por ele, o duque governava supremo, incontestável e em paz.

A imprevisibilidade é com frequência a tática do mestre, mas o pobre-diabo também pode usá-la com grande eficácia. Se você estiver em minoria ou encurralado, faça uma série de movimentos imprevisíveis.

Seus inimigos ficarão tão confusos que se retrairão ou cometerão um erro tático.

Na primavera de 1862, durante a Guerra Civil americana, o general Stonewall Jackson, com um exército de 4.600 soldados confederados, estava atormentando os exércitos maiores da União no vale Shenandoah. Enquanto isso, não muito longe dali, o general George Brinton McClellan, chefiando um exército de 90 mil soldados da União, saía de Washington marchando para o sul a fim de cercar Richmond, na Virgínia, a capital confederada. Durante aquela campanha, Jackson várias vezes saiu com seus soldados do vale Shenandoah e depois voltou.

Seus movimentos não faziam sentido. Estaria ele se preparando para ajudar a defender Richmond? Estaria marchando sobre Washington, agora que a ausência de McClellan a deixara desprotegida? Dirigia-se para o norte para arrasar tudo por lá? Por que o seu pequeno exército se movia em círculos?

Os movimentos inexplicáveis de Jackson fizeram os generais da União retardarem a marcha sobre Richmond, enquanto aguardavam para descobrir o que ele estava tramando. Nesse meio-tempo, o Sul conseguiu enviar reforços para a cidade. Uma batalha que poderia ter esmagado a Confederação se transformou num empate. Jackson usou esta tática repetidas vezes ao enfrentar forças numericamente superiores. "Desoriente, confunda e surpreenda o inimigo sempre, se possível", dizia ele, "... essas táticas vencerão sempre e um pequeno exército será capaz, portanto, de destruir outro maior."

Esta lei se aplica não só à guerra, mas às situações do cotidiano. Os outros estão sempre tentando entender o motivo das suas ações e usar a sua previsibilidade contra você. Faça um movimento totalmente imprevisível e os colocará na defensiva. Sem entender nada, eles ficam aflitos e, nesse estado, é fácil intimidá-los.

Pablo Picasso disse certa vez: "O melhor cálculo é a ausência de cálculo. Quando você alcança um certo grau de reconhecimento, os outros, em geral, imaginam que, se você faz alguma coisa, deve ser por um motivo inteligente. Portanto, é tolice planejar com muito cuidado e antecedência os seus movimentos. É melhor agir caprichosamente."

Durante uns tempos, Picasso trabalhou com o marchand Paul Rosenberg. Deixava-o livre para vender seus quadros, mas um dia, sem nenhum motivo aparente, ele disse ao sujeito que não lhe daria mais nenhuma obra para vender. Segundo Picasso: "Rosenberg ficou quarenta e oito horas tentando imaginar por quê. Eu estaria reservando peças para um outro marchand? Eu continuava trabalhando e dormindo, e Rosenberg imaginando. Dois dias depois ele voltou, nervoso, ansioso, dizendo: 'Afinal de contas, caro amigo, você não me abandonaria se eu lhe oferecesse tudo isso [dizendo uma quantia substancialmente maior] por esses quadros em vez do preço que estou acostumado a pagar, não é mesmo?'"

A imprevisibilidade não é apenas um instrumento de terror: embaralhando os seus padrões diariamente, você agita as coisas e estimula o interesse. As pessoas falarão de você, atribuirão motivos e darão explicações que nada têm a ver com a verdade, mas estarão sempre pensando em você. No final, quanto mais caprichoso você parecer, mais respeito conquistará. Só os extremamente subordinados agem de maneira previsível.

> Imagem: O Ciclone. Não se pode prever uma ventania. Mudanças repentinas no barômetro, alterações inexplicáveis na direção e velocidade. Não há defesa: um ciclone semeia terror e confusão.

Autoridade: O governante esclarecido é tão misterioso que parece não ter morada, é tão inexplicável que não se sabe onde buscá-lo. Ele repousa na inação lá em cima, e seus ministros tremem cá em baixo. (Han-fei-tzu, filósofo chinês, século III a.C.)

O INVERSO
Às vezes, a previsibilidade funciona a seu favor: criando um padrão com o qual as pessoas se sintam à vontade, você as deixa anestesiadas. Elas armam tudo de acordo com o que sabem sobre você. Essa tática pode ser útil de várias maneiras: primeiro, é uma cortina de fumaça, uma fachada confortável por trás da qual você poderá enganar os outros. Segundo, permite, em raras situações, que você faça algo totalmente contrário ao padrão, perturbando de tal forma o adversário que ele desmonta sozinho.

Em 1974, Muhammad Ali e George Foreman estavam prestes a se enfrentar numa luta do campeonato mundial de boxe de pesos pesados. Todos sabiam o que ia acontecer: o grandalhão George Foreman tentaria acertar um nocaute enquanto Ali dançaria ao seu redor, até ele ficar exausto. Era assim que Ali lutava, esse era o seu padrão, e há dez anos ele fazia a mesma coisa. Mas, neste caso, isso parecia dar a Foreman uma vantagem: ele tinha um soco devastador e, se esperasse, mais cedo ou mais tarde Ali teria de se aproximar. Ali, mestre estrategista, tinha outros planos: nas entrevistas coletivas antes da grande luta, ele disse que ia mudar de estilo e socar Foreman. Ninguém, muito menos Foreman, acreditou. O plano era um suicídio; Ali estava brincando, como de costume. Mas aí, antes da luta, o treinador de Ali afrouxou as cordas do rinque, como é hábito fazer quando um boxeador pretende ser muito agressivo. Ninguém, entretanto, acreditou na manobra; só podia ser uma armação.

Para espanto de todos, Ali fez exatamente o que tinha dito. Enquanto Foreman esperava que ele começasse a dançar ao seu redor, Ali partiu direto para cima dele e lhe deu um soco. E perturbou totalmente a estratégia do adversário. Confuso, Foreman acabou exausto; não corria atrás de Ali, mas disparava socos feito um desvairado, recebendo outros tantos de volta. Finalmente, Ali acertou um cruzado de direita drástico que nocauteou Foreman. O hábito de supor que o comportamento de uma pessoa se ajustará sempre aos seus padrões anteriores é tão arraigado que nem mesmo Ali, anunciando uma mudança de estratégia, conseguiu alterar isso. Foreman caiu numa armadilha – a armadilha sobre a qual tinham lhe avisado.

Atenção: a imprevisibilidade às vezes é um tiro que sai pela culatra, especialmente se você estiver numa posição inferior. Há ocasiões em que é melhor deixar as pessoas ao seu redor se sentindo à vontade e tranquilas. O excesso de imprevisibilidade é visto como sinal de indecisão, ou até de algum problema psíquico mais grave. Os padrões têm um poder muito grande, e se você os quebra pode deixar as pessoas assustadíssimas. Deve-se ter bom senso ao usar esse poder.

LEI 18

NÃO CONSTRUA FORTALEZAS PARA SE PROTEGER – O ISOLAMENTO É PERIGOSO

JULGAMENTO

O mundo é perigoso e os inimigos estão por toda parte – todos precisam se proteger. Uma fortaleza parece muito segura. Mas o isolamento expõe você a mais perigos do que o protege deles – você fica isolado de informações valiosas, transforma-se num alvo fácil e evidente. Melhor circular entre as pessoas, descobrir aliados, se misturar. A multidão serve de escudo contra os seus inimigos.

A LEI TRANSGREDIDA

Ch'in Shih Huang Ti, o primeiro imperador da China (221-210 a.C.), era o homem mais poderoso da sua época. Seu império era mais vasto e poderoso do que o de Alexandre, o Grande. Ele conquistou todos os reinados ao redor do seu e os unificou num grande reino chamado China. Mas, nos seus últimos anos de vida, quase ninguém o via.

O imperador morava no palácio mais magnífico já construído até aquela data, na capital de Hsien-yang. Eram 270 pavilhões, interligados por passagens secretas subterrâneas que permitiam ao imperador ir de um lado a outro do palácio sem ser visto. Cada noite ele dormia num quarto diferente, e quem inadvertidamente olhasse para ele era decapitado na mesma hora. Apenas alguns homens sabiam onde ele estava e, se revelassem a alguém, morriam também.

O primeiro imperador tinha tanto terror do contato humano que, se tivesse de sair do palácio, viajava incógnito, cuidadosamente disfarçado. Em uma dessas viagens pelas províncias, ele morreu subitamente. Seu corpo foi trazido de volta para a capital na carruagem imperial, acompanhada por uma carreta cheia de sal para disfarçar o cheiro do defunto apodrecendo – ninguém deveria saber da sua morte. Ele morreu sozinho, longe das suas esposas, da família, dos amigos e dos cortesãos, na companhia apenas de um ministro e um punhado de eunucos.

Interpretação

Shih Huang Ti começou como rei de Ch'in, um guerreiro corajoso de ambição desvairada. Os escritores da época o descreveram como um homem com "um nariz de vespa, olhos rasgados, voz de chacal e coração de tigre ou lobo". Ele às vezes sabia ser misericordioso; com mais frequência, porém, ele "engolia os homens, sem escrúpulos". Foi por meio de trapaças e violências que ele conquistou as províncias ao redor da sua e criou a China, forjando uma única nação e cultura a partir de muitas. Ele rompeu com o sistema feudal e, para ficar de olho nos inúmeros membros de famílias reais que se espalhavam pelos vários reinados, levou 120 mil deles para capital, onde abrigava os cortesãos mais importantes no vasto palácio de Hsien-yang. Ele uniu as diversas muralhas existentes nas fronteiras, transformando-as na Grande Muralha da China. Padronizou as leis do país, a sua língua escrita e até o tamanho das rodas dos carros.

Como parte deste processo de unificação, entretanto, o primeiro imperador baniu os escritos e ensinamentos de Confúcio, o filósofo cujas ideias sobre a vida moral já eram virtualmente uma religião na cultura chinesa. Sob as ordens de Shih Huang Ti, milhares de livros relacionados com Confúcio foram queimados, e quem citasse Confú-

---

A MÁSCARA DA MORTE VERMELHA
A "Morte Vermelha" havia muito devastava o país. Nenhuma pestilência fora tão fatal, ou tão hedionda. O sangue era o seu Avatar e o seu selo – a vermelhidão e o horror do sangue. Eram dores agudas, a súbita tontura, e aí o sangramento intenso pelos poros, e a morte... E todo o ataque, progresso e término da doença acontecia em meia hora.
Mas o príncipe Próspero era uma pessoa feliz, destemida e sagaz. Quando a população dos seus domínios já estava reduzida à metade, ele reuniu uns mil amigos sadios e despreocupados entre os cavaleiros e as damas da sua corte e, com eles, se retirou na profunda reclusão de uma de suas abadias encasteladas. Era uma estrutura ampla e magnífica, criação do próprio gosto excêntrico, porém augusto do príncipe. Um muro forte e alto a cercava. Este muro tinha portões de ferro. Os cortesãos, depois de entrar, trouxeram fornos e pesados martelos e soldaram os ferrolhos. Resolveram não deixar meios de entrada nem de

saída para os súbitos impulsos de desespero ou frenesi lá dentro. A abadia tinha fartas provisões. Com tais precauções, os cortesãos poderiam desafiar o contágio. O mundo exterior ficaria por sua própria conta.

Enquanto isso, era tolice se lamentar ou pensar. O príncipe tinha providenciado tudo que fosse necessário para o prazer. Havia bufões, improvisatori, dançarinos, músicos, havia Beleza e vinho. Lá dentro, tinha tudo isso e mais a segurança. Fora ficou a "Morte Vermelha". Lá pelo quinto ou sexto mês de reclusão, e enquanto a pestilência grassava furiosa lá longe, o príncipe Próspero distraía seus mil amigos num magnífico baile de máscara. Era um espetáculo voluptuoso, aquela mascarada...

... E a festa seguia vertiginosa, até que finalmente ouviu-se o soar da meia-noite no relógio... E foi talvez assim que, antes que se calassem totalmente os últimos ecos da última badalada, muitos indivíduos se distraíram atentos com uma figura mascarada que ninguém percebera antes...

cio era decapitado. Com isto o imperador conquistou muitos inimigos, estava sempre com medo, ficou até paranoico. Crescia o número de execuções. Um contemporâneo, o escritor Han-fei-tzu, observou que "Ch'in tem sido vitoriosa há quatro gerações, mas vive em constante terror e apreensiva com a destruição".

À medida que o imperador tentava se proteger enfiando-se cada vez mais no seu palácio, ia lentamente perdendo o controle do seu reino. Eunucos e ministros colocavam em vigor políticas sem a sua aprovação e até conhecimento; também tramavam contra ele. No final, era imperador apenas no nome e vivia tão isolado que quase ninguém soube da sua morte. Provavelmente foi envenenado pelos mesmos ministros conspiradores que incentivaram o seu isolamento.

Este é o resultado do isolamento: retire-se para uma fortaleza e você perde o contato com as fontes do seu poder. Você não ouve o que está acontecendo ao seu redor e perde o senso de limite. Em vez de ficar mais seguro, você se isola do conhecimento de que depende para viver. Não se distancie tanto das ruas a ponto de não escutar mais o que acontece por perto, inclusive o que estão tramando contra você.

A LEI OBSERVADA

Luís XIV mandou construir o palácio de Versalhes para ele e sua corte na década de 1660, e não havia outro palácio real igual no mundo. Como numa colmeia, tudo girava em torno do rei. Ele vivia rodeado pela nobreza, que dividia apartamentos ao redor do seu e cuja proximidade dependia do posto que ocupavam. O quarto do rei ocupava literalmente o centro do palácio e era o foco das atenções. Todas as manhãs o rei era saudado nos seus aposentos com um ritual conhecido como o *lever*, o despertar.

Às oito horas da manhã, Sua Majestade era acordada pelo primeiro valete, que dormia aos pés da cama real. Em seguida, pajens abriam a porta e deixavam entrar aqueles que tinham uma função no *lever*. A ordem de entrada era rígida: primeiro vinham os filhos ilegítimos do rei e seus netos, depois os príncipes e princesas de sangue, depois o seu médico e cirurgião. Seguiam-se os oficiais do guarda-roupa, o leitor oficial do rei e todos os encarregados de distraí-lo. Os próximos a entrar eram os vários funcionários do governo, em ordem ascendente de posto. Por último, mas não menos importante, chegavam os convidados especiais. No fim da cerimônia, o quarto estava apinhado de gente, eram mais de cem criados reais e visitantes.

O dia era organizado de tal forma que toda a energia do palácio era direcionada para o rei e passava por ele. Luís era constantemente atendido por cortesãos e oficiais, todos lhe solicitando conselhos e julgamentos. A todas as perguntas, ele em geral respondia: "Verei."

Como Saint-Simon observou: "Se ele olhasse para alguém, se lhe fizesse uma pergunta, uma observação insignificante, os olhos de todos os presentes se viravam para esta pessoa. A distinção era comentada e crescia o prestígio." A privacidade no palácio era uma coisa impossível, até mesmo para o rei – todos os quartos se comunicavam, e todos os corredores levavam a quartos maiores onde grupos de nobres se reuniam constantemente. As ações de todos eram interdependentes, e nada, nem ninguém, passava despercebido: "O rei não só cuidava que toda a alta nobreza estivesse presente na sua corte", escreveu Saint-Simon, "como exigia o mesmo da nobreza menor. No seu *lever* e no seu *coucher*, durante as suas refeições, nos passeios pelos jardins de Versalhes, ele sempre olhava ao redor, observando tudo. Ficava ofendido se os nobres mais distintos não vivessem permanentemente na corte, e os que nunca, ou quase nunca, apareciam expunham-se a cair em desgraça. Se um destes desejasse alguma coisa, o rei dizia orgulhoso: 'Não o conheço', e o critério era irrevogável."

Interpretação
Luís XIV subiu ao poder no fim de uma terrível guerra civil, a Fronde. Uma das principais instigadoras da guerra tinha sido a nobreza, que se ressentia profundamente do crescente poder do trono e ansiava pelo tempo do feudalismo, quando os senhores governavam seus próprios feudos e o rei tinha pouca autoridade sobre eles. Os nobres perderam a guerra civil, mas permaneceram como um grupo à parte e ressentido.

A construção de Versalhes, portanto, foi muito mais do que um capricho decadente de um rei amante do luxo. Ela teve uma função crucial: o rei poderia ficar de olhos e ouvidos atentos a todos, e a tudo, ao seu redor. A nobreza, um dia orgulhosa, se viu reduzida à disputa pelo direito de ajudar o rei a se vestir de manhã. Ali era impossível ter privacidade – não havia como se isolar. Luís XIV compreendeu muito cedo o grande perigo que significava para um rei isolar-se. Na sua ausência, as conspirações brotam como cogumelos depois da chuva, animosidades se cristalizam em facções e a rebelião estoura antes que ele tenha tempo de reagir. Para combater isso, a sociabilidade e a sinceridade são hábitos que devem não só ser encorajados como formalmente organizados e canalizados.

Foram estas as condições em Versalhes durante todo o reinado de Luís, uns cinquenta anos de relativa paz e tranquilidade. Ao longo de todo esse tempo, não caía um alfinete no chão sem que Luís ouvisse.

A figura era alta e lúgubre, envolta dos pés à cabeça em trajes mortais. A máscara escondendo o rosto era tão parecida com a de um corpo enrijecido que o olhar mais atento teria dificuldade em perceber a fraude. E, no entanto, tudo isso os foliões enlouquecidos ao redor teriam suportado, até aprovado. Mas o mascarado chegara a ponto de assumir o tipo da Morte Vermelha. Suas roupas estavam manchadas de vermelho – e a sua ampla testa e todos os traços do seu rosto estavam salpicados com o horror escarlate...
... Uma multidão de foliões lançando-se de repente ao negro apartamento e percebendo o mascarado, cuja alta figura permanecia ereta e imóvel à sombra do relógio de ébano, sufocou um grito de horror ao ver a mortalha e a máscara de defunto, que arrancaram com tamanha grosseria, sem nenhuma forma tangível a sustentá-la. E agora se confirmava a presença da Morte Vermelha. Ela havia entrado sorrateiramente como um ladrão. E um a um foram caindo os foliões nos corredores

ensanguentados da sua folia e morreram todos na mesma atitude de desespero da queda.
E a vida do relógio de ébano se foi com a do último folião.
E as chamas dos tripés se apagaram.
E a Escuridão, a Decadência e a Morte Vermelha reinaram soberanas.
A MÁSCARA DA MORTE VERMELHA, EDGAR ALLAN POE, 1809-1849

O isolamento é um perigo para a razão, sem favorecer a virtude... Lembre-se de que o mortal solitário é certamente lascivo, provavelmente supersticioso e possivelmente louco.
Dr. Samuel Johnson, 1709-1784

AS CHAVES DO PODER

Maquiavel argumenta que, num sentido estritamente militar, a fortaleza é sempre um erro. Ela se torna símbolo do isolamento do poder, e é um alvo fácil para os inimigos do seu construtor. Projetada para defender você, a fortaleza na verdade o isola de qualquer tipo de ajuda e tolhe a sua flexibilidade. Ela pode parecer inexpugnável, mas depois que você se enfiou lá dentro todos sabem onde você está; e não é preciso ter êxito num cerco para transformar a sua fortaleza numa prisão. Com seus espaços pequenos e confinados, as fortalezas são extremamente vulneráveis à peste e a doenças contagiosas. Do ponto de vista estratégico, o isolamento de uma fortaleza não oferece proteção e cria mais problemas do que soluções.

Como os seres humanos são criaturas sociais por natureza, o poder depende da interação social e da circulação. Para se tornar poderoso, você deve se colocar no centro das coisas, como fez Luís XIV em Versalhes. Toda atividade deve girar em torno de você, que deve estar atento a tudo que acontece na rua e a qualquer pessoa que possa estar armando planos contra você. Para a maioria das pessoas, o perigo surge quando elas se sentem ameaçadas. Nessas ocasiões elas tendem a se retrair e cerrar fileiras, buscar a segurança em algum tipo de fortaleza. Ao fazer isso, entretanto, elas passam a depender das informações de um círculo cada vez menor e perdem a perspectiva do que ocorre ao redor. Elas perdem a capacidade de manobra e se tornam alvos fáceis, e o isolamento as torna paranoicas. Como na guerra e na maioria dos jogos estratégicos, o isolamento quase sempre precede a derrota e a morte.

Nos momentos de incerteza e perigo, você precisa lutar contra este desejo de se voltar para dentro. Em vez disso, torne-se mais acessível, busque antigos e novos aliados, force a sua entrada em círculos mais numerosos e diferentes. Este tem sido o truque das pessoas poderosas por séculos.

O estadista romano Cícero era da nobreza inferior e tinha poucas chances de poder a não ser que conseguisse abrir espaço entre os aristocratas que controlavam a cidade. Ele fez isso com brilhantismo, identificando todas as pessoas influentes e descobrindo as conexões entre elas. Ele se misturava por toda parte, conhecia todo mundo e tinha uma rede de conexões tão vasta que um inimigo aqui poderia facilmente ser contrabalançado por um aliado ali.

O estadista francês Talleyrand fazia o mesmo jogo. Embora viesse de uma das famílias aristocráticas mais antigas da França, ele fazia questão de manter contato com o que estava acontecendo nas ruas de Paris, o que lhe permitia prever tendências e problemas. Ele sentia até um certo prazer em se misturar com tipos criminosos de má fama, que lhe forneciam informações valiosas. Sempre que havia uma crise, uma transição de poder – o fim do Diretório, a queda de Napoleão, a abdicação de Luís XVIII –, ele conseguia sobreviver e até prosperar, porque jamais se fechou num círculo pequeno, associando-se sempre com a nova ordem.

Esta lei é para reis e rainhas, e para quem está nos níveis máximos do poder: assim que você perde contato com o seu povo, buscando a segurança no isolamento, a rebelião começa a fermentar. Não pense jamais estar num cargo tão elevado a ponto de se permitir o luxo de se afastar até mesmo do escalão mais baixo. Retirando-se para uma fortaleza, você se torna alvo fácil dos seus súditos conspiradores, que veem o seu isolamento como um insulto e motivo para rebelião.

Como os seres humanos são criaturas muito sociais, segue-se daí que as artes sociais que nos tornam companhias agradáveis só podem ser praticadas pela constante exposição e circulação. Quanto mais você está em contato com os outros, mais gracioso e à vontade você se torna. O isolamento, por sua vez, gera uma estranheza nos seus gestos que leva a um isolamento ainda maior, quando as pessoas passam a evitar você.

Em 1545, o duque Cosimo I de Medici resolveu, para garantir a imortalidade do seu nome, encomendar alguns afrescos para a capela principal da igreja de San Lorenzo, em Florença. Ele podia escolher entre vários bons pintores, e acabou decidindo-se por Jacopo da Pontormo. Já com uma certa idade, Pontormo quis fazer destes afrescos a sua obra-prima e herança para a humanidade. Sua primeira decisão foi fechar a capela com paredes, divisórias e cortinas. Não queria que ninguém testemunhasse a criação da sua obra-prima ou roubasse as suas ideias. Ele superaria o próprio Michelangelo. Quando alguns rapazes curiosos forçaram a entrada na capela, Jacopo a trancou ainda mais.

Pontormo encheu o teto da capela com cenas bíblicas – a Criação, Adão e Eva, a arca de Noé, e outras. No alto da parede central, ele pintou Cristo em toda a sua majestade, ressuscitando os mortos no Dia do Juízo Final. O artista trabalhou na capela durante onze anos, raramente saindo de lá, visto que desenvolvera uma fobia pelo contato humano e temia que roubassem suas ideias.

Pontormo morreu antes de completar os afrescos, e nenhum deles sobreviveu. Mas o grande escritor renascentista, Vasari, amigo de Pontormo que os viu logo depois da morte do artista, deixou registrado o que ele achou. A falta de proporção era total. As cenas esbarravam umas nas outras, figuras de histórias diferentes se justapunham, numa quantidade enlouquecedora. Pontormo ficara obcecado com os detalhes, mas perdera o sentido da composição em geral. Vasari interrompeu a descrição dos afrescos dizendo que, se continuasse, "acho que enlouqueceria e ficaria tão enredado nesta pintura, assim como acredito que nos onze anos que Jacopo passou pintando, ele se confundiu e a todos que a viram". Em vez de coroar a carreira de Pontormo, a obra foi a sua ruína.

Estes afrescos foram o equivalente visual dos efeitos do isolamento sobre a mente humana: uma perda de proporção, uma obsessão por detalhes combinada com uma incapacidade de ver o quadro geral, um tipo de feiura extravagante que não comunica mais nada. Nitidamente, o isolamento é tão mortal para as artes criativas quanto para as artes sociais. Shakespeare é o escritor mais famoso da história da literatura porque, como dramaturgo dos palcos populares, ele se abriu para as massas, tornando as suas obras acessíveis a todos, independentemente de gosto e educação. Os artistas que se enfiam em suas fortalezas perdem as medidas, suas obras comunicam apenas ao seu pequeno círculo de conhecidos. Esse tipo de arte permanece encurralada e impotente.

Por fim, como o poder é uma criação humana, ele aumenta inevitavelmente em contato com outras pessoas. Em vez de ceder à mentalidade da fortaleza, veja o mundo da seguinte maneira: ele é um imenso Versalhes, cada quarto se comunicando com o outro. Você precisa ser permeável, capaz de entrar e sair de círculos diferentes e misturar-se com diferentes tipos de pessoas. É essa mobilidade e contato social que o protegerão de conspiradores, que não conseguirão esconder de você os seus segredos, e de inimigos, que não conseguirão isolar você dos seus aliados. Sempre mudando, você se mistura nos quartos do palácio, sem se sentar ou descansar num único lugar. Não há caçador capaz de acertar a mira sobre uma criatura tão ligeira.

Imagem: A Fortaleza. No alto da colina, a cidadela se torna símbolo de tudo que é detestável no poder e na autoridade. Os cidadãos a trairão com o primeiro inimigo que aparecer. Incomunicável e sem informações secretas, a cidadela cai facilmente.

Autoridade: Um príncipe bom e sábio, desejoso de manter esse caráter e impedir que seus filhos tenham oportunidade de se tornar tirânicos, não construirá fortalezas, para que eles possam confiar na boa vontade de seus súditos e não na força de cidadelas. (Nicolau Maquiavel, 1469-1527)

O INVERSO

Nem sempre é certo e propício escolher o isolamento. Sem escutar o que acontece lá fora, você não pode se proteger. Entretanto, o contato humano constante não facilita o pensamento. A constante pressão da sociedade para que tudo esteja de acordo e a falta de um distanciamento das outras pessoas tornam impossível pensar com clareza sobre o que está acontecendo ao seu redor. Como um recurso temporário, portanto, o isolamento ajuda você a ver melhor as coisas. Muitos pensadores sérios produziram suas obras nas prisões, onde a única coisa que se tem para fazer é pensar. Maquiavel só pôde escrever *O príncipe* porque estava exilado e sozinho no campo, longe das intrigas políticas de Florença.

O perigo, entretanto, é que esse isolamento gere ideias estranhas e pervertidas. Você pode ter uma perspectiva geral melhor, mas perde a noção da sua própria pequenez e limitações. Também, quanto mais isolado você estiver, mais difícil será sair do seu isolamento quando quiser – sem perceber, você caiu num poço de areia movediça. Mas, se você precisa de tempo para pensar, só escolha o isolamento como último recurso, e apenas em pequenas doses. Preste atenção para deixar aberto o caminho de volta à sociedade.

LEI

19

SAIBA COM QUEM ESTÁ LIDANDO – NÃO OFENDA A PESSOA ERRADA

JULGAMENTO

No mundo há muitos tipos diferentes de pessoas, e você não pode esperar que todas reajam da mesma forma às suas estratégias. Engane ou passe a perna em certas pessoas e elas vão passar o resto da vida procurando se vingar de você. São lobos em pele de cordeiro. Cuidado ao escolher suas vítimas e adversários, portanto, e jamais ofenda ou engane a pessoa errada.

ADVERSÁRIOS, OTÁRIOS E VÍTIMAS: Tipologia Preliminar
Na sua ascensão ao poder, você pode cruzar com vários tipos de adversários, otários e vítimas. A arte do poder na sua forma mais refinada está em saber distinguir lobos de cordeiros, raposas de lebres, gaviões de abutres. Se você fizer bem essa distinção, conseguirá o que quer sem precisar coagir ninguém. Mas se lidar às cegas com quem quer que cruzar o seu caminho, viverá em constante pesar, se chegar a viver tanto assim. Ser capaz de reconhecer os tipos de pessoas, e agir de acordo, é importantíssimo. Os tipos a seguir são os cinco mais perigosos e difíceis da selva, conforme identificados por artistas – vigaristas ou não – do passado.

O Homem Arrogante e Orgulhoso. Embora ele possa inicialmente disfarçar isso, a suscetibilidade orgulhosa deste homem o torna muito perigoso. Ao mais leve sinal, ele quer se vingar de uma forma extremamente violenta. Você pode dizer: "Mas eu só falei isso e aquilo numa festa, onde estavam todos bêbados..." Não importa. Não há sanidade na sua reação exagerada, portanto não perca tempo tentando entendê-lo. Se em algum momento, ao lidar com uma pessoa, você perceber um orgulho exageradamente sensível e ativo, fuja. Seja lá o que você estiver esperando dela, não vale a pena.

O Homem Irremediavelmente Inseguro. Este homem está relacionado com o tipo orgulhoso e arrogante, mas é menos violento e mais difícil de identificar. Seu ego é frágil, sua noção de identidade insegura, e se ele se sentir enganado ou atacado, a mágoa fica contida. Ele o irá mordendo aos poucos, e vai levar um tempão para essa mordida aumentar e você perceber o que está acontecendo. Se você descobrir que enganou ou magoou um homem desses, suma por um bom tempo. Não fique perto dele, ou ele o irá mordiscando até você morrer.

O Desconfiado. Outra variante dos tipos acima é um futuro Stalin. Ele vê o que quer ver – em geral, o pior – nas outras pessoas e imagina que todos estão atrás dele. O desconfiado é de fato o menos perigoso dos três: genuinamente desequilibrado, ele é fácil de enganar, assim como o próprio Stalin era constantemente iludido. Jogue com a sua natureza desconfiada para fazê-lo se voltar contra as outras pessoas. Mas, se você se tornar o alvo das suas desconfianças, cuidado.

A Serpente de Longa Memória. Se magoado ou enganado, este homem não demonstrará superficialmente a sua raiva, ele vai calcular e aguardar. Depois, quando estiver em posição de virar a mesa, irá recla-

---

Quando encontrar um espadachim, saque da espada: não recite poemas para quem não é poeta.
DE UM CLÁSSICO BUDISTA CH'AN, CITADO EM *THUNDER IN THE SKY*, TRADUZIDO PARA O INGLÊS POR THOMAS CLEARY, 1993

A VINGANÇA DE LOPE DE AGUIRRE
Existe uma anedota que ilustra muito bem a personalidade de [Lope de] Aguirre. Ela foi encontrada na crônica de Garcilaso de la Vega, contando que, em 1548, Aguirre fazia parte de uma tropa de soldados que escoltava escravos índios das minas em Potosi [Bolívia] até um depósito do tesouro real. Os índios carregavam ilegalmente uma quantidade excessiva de prata, e o oficial local prendeu Aguirre, condenando-o a dezenas de chicotadas em vez de multá-lo por estar explorando os índios. "O soldado Aguirre, ao receber a sentença, disse ao alcaide que, ao chicote, ele preferia ser condenado à morte, pois que era fidalgo de nascimento... Tudo isso não teve nenhum efeito sobre o alcaide, que mandou o

carrasco, uma besta, executar a sentença. O carrasco foi até a prisão e colocou Aguirre sobre o animal... Fizeram o animal andar, e ele recebeu as chicotadas..." Livre, Aguirre anunciou a sua intenção de matar o oficial que o havia condenado, o alcaide Esquivel. O tempo de serviço de Esquivel expirou e ele fugiu para Lima, a dois mil quilômetros dali, mas em quinze dias Aguirre o encontrou lá. O assustado juiz viajou para Quito, mais dois mil e quatrocentos quilômetros, e em vinte dias lá chegou Aguirre. "Quando Esquivel soube da sua presença", segundo Garcilaso, "fez outra viagem de três mil quilômetros para Cuzco; mas em poucos dias Aguirre também chegou, tendo viajado a pé e descalço, dizendo que um homem açoitado não viaja a cavalo, ou vai aonde pode ser visto. Desta forma, Aguirre seguiu seu juiz por três anos e quatro meses." Exausto com a perseguição, Esquivel ficou em Cuzco, cidade cujo governo era tão rígido que ele achou que estaria a salvo de Aguirre. Alugou uma casa perto da catedral e

mar uma vingança marcada por uma fria sagacidade. Reconheça este homem por sua cautela e astúcia em diferentes áreas da sua vida. Ele costuma ser frio e insensível. Redobre a sua atenção com esta serpente, e, se você de alguma forma o feriu, esmague-o totalmente ou tire-o da sua frente.

O Homem Simples, Despretensioso, com Frequência Pouco Inteligente. Ah, suas orelhas coçam quando você encontra uma vítima tão tentadora. Mas este homem é muito mais difícil de enganar do que você imagina. Cair num engodo, em geral, exige inteligência e imaginação – uma ideia da possibilidade de lucrar alguma coisa com isso. O homem bronco não morde a isca porque não a reconhece. Ele é distraído a esse ponto. O perigo não é que este homem vá magoá-lo ou querer se vingar, mas tentar enganá-lo é simplesmente perda de tempo, energia e recursos, e até da sua sanidade mental. Tenha à mão um teste para o otário – uma piada, uma história. Se a reação dele for totalmente literal, este é o tipo com o qual está lidando. Se quiser continuar, o risco é por sua conta.

A LEI TRANSGREDIDA

Transgressão I

No princípio do século XIII, Muhammad, xá de Khwarezm, conseguiu depois de muitas guerras formar um enorme império, estendendo-se ao oeste até a atual Turquia e ao sul até o Afeganistão. O centro do império era a grande capital asiática de Samarkand. O xá tinha um poderoso e bem treinado exército, e podia mobilizar duzentos mil guerreiros em poucos dias.

Em 1219, Muhammad recebeu uma embaixada de um novo líder tribal do oriente, Genghis Khan. Vinham cheios de presentes para o grande Muhammad, representando as mais finas mercadorias do pequeno, porém crescente, império mongol de Khan. Genghis Khan queria reabrir a Rota da Seda em direção à Europa, e se oferecia para dividi-la com Muhammad, prometendo em troca a paz entre os dois impérios.

Muhammad não conhecia este novo-rico do oriente, que, estava lhe parecendo, era extremamente arrogante tentando falar de igual para igual com alguém nitidamente superior. Ele ignorou a oferta de Khan, que tentou de novo: desta vez, mandou uma caravana com cem camelos transportando os artigos mais raros que havia saqueado da China. Antes que a caravana chegasse a Muhammad, entretanto, Inalchik, governante de uma região na fronteira com Samarkand, pilhou-a para si e executou seus líderes.

Genghis Khan estava certo de que tinha sido um engano – que Inalchik tinha agido sem a aprovação de Muhammad. E lhe enviou mais uma missão, reiterando sua oferta e pedindo punição para o governante. Desta vez, o próprio Muhammad ordenou decapitar um dos embaixadores, e mandou os outros de volta com as cabeças raspadas – um insulto terrível segundo o código de honra mongol. Khan mandou uma mensagem ao xá: "Você escolheu a guerra. O que acontecer, acontecerá; e o que será isso, não sabemos; só Deus sabe." Mobilizando suas forças, em 1220 ele atacou a província de Inalchik, onde tomou a capital, capturou o governante e o mandou executar derramando prata derretida nos seus olhos e ouvidos.

No ano seguinte, Khan liderou uma série de guerrilhas contra o exército muito maior do xá. Seu método era novidade na época – seus soldados a cavalo moviam-se muito rápido e tinham dominado a arte de atirar com arco e flecha montados. A rapidez e flexibilidade de suas forças confundiu Muhammad quanto às suas intenções e as direções de seus movimentos. Ele acabou conseguindo cercar e depois tomar Samarkand. Muhammad fugiu e um ano depois morreu, seu vasto império quebrado e destruído. Genghis Khan era o único senhor de Samarkand, da Rota da Seda e da maior parte do norte da Ásia.

Interpretação

Não pense jamais que a pessoa com quem está lidando é mais fraca ou menos importante do que você. Alguns homens demoram para se ofender, o que pode levar você a achar que são insensíveis e a não se preocupar em insultá-los. Mas, ofendidos na sua honra e orgulho, partirão para cima de você com uma violência que parece repentina e exagerada pela demora da reação. Se você quer se opor a alguém, é melhor agir com educação e respeito, mesmo achando a solicitação atrevida ou a oferta absurda. Não rejeite as pessoas insultando-as antes de conhecê-las melhor; você pode estar lidando com um Genghis Khan.

Transgressão II

No fim da década de 1910, alguns dos melhores escroques da América formaram uma coligação de vigaristas sediada em Denver, Colorado. Nos meses de inverno eles se espalhavam pelos estados do Sul, exercendo o seu ofício. Em 1920, Joe Furey, um dos líderes da coligação, agia no Texas, ganhando milhares de dólares com os clássicos contos do vigário. Em Fort Worth, ele conheceu um otário chamado J. Frank Norfleet, pecuarista dono de uma grande fazenda. Norfleet caiu no logro. Crente

não se aventurava a sair sem uma espada e uma adaga. "Entretanto, numa certa segunda-feira ao meio-dia, Aguirre entrou na sua casa e, depois de percorrê-la toda, tendo atravessado o corredor, um salão, uma alcova e o quarto particular onde o juiz guardava seus livros, finalmente o encontrou dormindo debruçado sobre um deles e o matou a facadas. O assassino então saiu, mas na porta de casa percebeu que tinha esquecido o chapéu e teve a temeridade de voltar para pegá-lo, e aí foi embora."
THE GOLDEN DREAM: SEEKERS OF EL DORADO, WALKER CHAPMAN, 1967

O CORVO E A OVELHA
Um impertinente corvo aboletou-se nas costas de uma ovelha. A ovelha, muito a contragosto, o carregou para cima e para baixo durante um bom tempo, mas acabou dizendo: "Se você tratasse um cachorro assim, já teria recebido dos seus dentes afiados o que merece." Ao que o corvo respondeu: "Desprezo o fraco, e obedeço ao forte. Sei a quem posso intimidar e a quem

devo adular, e assim espero viver até ficar bem velho."
FÁBULAS, ESOPO, SÉCULO VI a.C.

que ia ganhar muito dinheiro, ele zerou a sua conta de 45 mil dólares no banco e entregou tudo nas mãos de Furey e dos seus confederados. Dias depois, recebeu os seus "milhões": um punhado de dólares verdadeiros envolvendo um maço de recortes de jornal.

Furey e seus homens tinham aplicado esse conto uma centena de vezes, e o otário ficava em geral tão constrangido com a sua ingenuidade que aprendia quieto a lição e aceitava o prejuízo. Mas Norfleet não era um trouxa igual aos outros. Foi procurar a polícia, que o avisou de que não poderia fazer muita coisa. "Então, eu mesmo vou atrás desse pessoal", disse Norfleet aos detetives. "Eu os pegarei, também, nem que tenha que levar a vida inteira fazendo isso." Sua mulher assumiu a fazenda enquanto Norfleet vasculhava o país, procurando outras pessoas que tivessem caído no mesmo jogo. Um desses otários se apresentou, e os dois identificaram um dos trapaceiros em San Francisco, conseguindo que ele fosse preso. O sujeito preferiu se suicidar a ficar muito tempo na prisão.

Norfleet foi em frente. Localizou outro vigarista em Montana, amarrou-o como um novilho e o arrastou pelas ruas enlameadas até a prisão da cidade. Ele viajou não só pelo país inteiro, como foi até a Inglaterra, Canadá e México atrás de Joe Furey, e também do braço direito de Furey, W. B. Spencer. Encontrando Spencer em Montreal, Norfleet o perseguiu pelas ruas. Spencer conseguiu escapar, mas o fazendeiro ficou no seu rastro e o pegou em Salt Lake City. Preferindo a misericórdia da lei à ira de Norfleet, Spencer se entregou.

Norfleet encontrou Furey em Jacksonville, na Flórida, e o arrastou pessoalmente para enfrentar a justiça no Texas. Mas não ficou por aí: continuou até Denver, determinado a desfazer toda a coligação. Gastando não só muito dinheiro, mas também outro ano da sua vida, ele conseguiu colocar atrás das grades todos os líderes da coligação de vigaristas. Até quem ele não conseguiu pegar ficou tão assustado que acabou se entregando.

Depois de cinco anos de perseguições, Norfleet tinha destruído sozinho a maior confederação de vigaristas do país. O esforço o levou à falência e acabou com o seu casamento, mas ele morreu satisfeito.

Interpretação

Os homens, na sua maioria, aceitam a humilhação de terem sido enganados com uma certa resignação. Eles aprendem a lição, reconhecendo que nada é gratuito, e que foi a sua própria ganância pelo dinheiro fácil que os derrubou. Alguns, entretanto, recusam-se a engolir o sapo. Em vez de refletir sobre a própria ingenuidade e avareza, eles se consideram vítimas totalmente inocentes.

Homens assim podem parecer estar pregando a justiça e a honestidade, mas na verdade são pessoas excessivamente inseguras. O fato de terem passado por idiotas, de terem sido enganados, ativou essa insegurança e eles ficam desesperados para consertar o dano. A vingança pelo constrangimento de ter sido espoliado valeu a fazenda hipotecada, o casamento arruinado e os anos a fio pedindo dinheiro emprestado e morando em hotéis baratos? Para os Norfleet da vida, livrar-se desse constrangimento vale qualquer preço.

Todo mundo é inseguro, e quase sempre a melhor maneira de enganar um trouxa é jogando com suas inseguranças. Mas quando se trata de poder, tudo é uma questão de grau. E a pessoa decididamente mais insegura do que a média dos mortais representa um grande perigo. Cuidado: se você pratica algum tipo de fraude ou dissimulação, estude bem a sua vítima. A insegurança e a fragilidade do ego de algumas pessoas não suportam a mais leve ofensa. Para saber se está lidando com um desses tipos, teste-o primeiro – brinque de leve, digamos, às suas custas. A pessoa confiante achará graça; a excessivamente insegura reagirá como a um insulto pessoal. Se você desconfia de que está lidando com um tipo assim, procure outra vítima.

Transgressão III

No século V a.C. Ch'ung-erh, príncipe de Ch'in (na atual China), fora forçado a se exilar. Ele levava uma vida simples – até pobre, às vezes –, aguardando o momento de poder voltar para casa e retomar a sua vida principesca. Certa vez, ele estava passando pelo estado de Cheng e o governante, sem saber quem ele era, o tratou de forma grosseira. O ministro do governante, Shu Chan, viu e disse: "Este homem é um ilustre príncipe. Vossa Majestade deve tratá-lo bem para que ele fique seu devedor!" Mas o governante, que só conseguia ver que o príncipe estava numa situação inferior, ignorou o conselho e o insultou mais uma vez. Shu Chan de novo alertou seu senhor, dizendo: "Se Vossa Majestade não puder tratar Ch'ung-erh com cortesia, deve condená-lo à morte, para evitar uma calamidade no futuro." O governante riu da ideia.

Anos depois, o príncipe finalmente pôde voltar para casa, e a sua situação mudou muito. Ele não se esqueceu de quem tinha sido generoso e de quem fora insolente com ele nos seus anos de pobreza. Menos ainda de como tinha sido tratado pelo governante de Cheng. Na primeira oportunidade, reuniu um grande exército e marchou sobre Cheng, tomando oito cidades, destruindo o reino e mandando o governante curtir o seu próprio exílio.

Interpretação
Você nunca sabe ao certo com quem está lidando. O homem que hoje não é importante nem rico pode ser uma pessoa poderosa amanhã. Esquecemos de muitas coisas nas nossas vidas, mas raramente de um insulto.

Como o governante de Cheng ia saber que o príncipe Ch'ung-erh era um tipo ambicioso, calculista e astuto, uma serpente de memória longa? Ele não poderia mesmo saber, você talvez diga – mas, se não podia, era melhor não desafiar a sorte tentando descobrir. Nada se ganha insultando desnecessariamente alguém. Controle o seu impulso de ofender, mesmo que o outro se mostre fraco. A satisfação não é tão grande assim, comparada com o perigo de que essa pessoa um dia esteja em condições de ferir você.

Transgressão IV
O ano de 1920 foi particularmente ruim para os marchands americanos. Os grandes compradores – a geração dos grandes capitalistas exploradores do século anterior – estavam chegando a uma idade em que morriam como moscas, e não surgia nenhum outro milionário para substituí-los. As coisas iam tão mal que alguns grandes marchands resolveram se unir, fato inusitado, pois, em geral, eles se relacionam como cães e gatos.

Joseph Duveen, que vendia para os magnatas mais ricos dos Estados Unidos, estava sofrendo mais do que os outros naquele ano, por isso resolveu concordar com a aliança. O grupo agora era formado pelos cinco maiores marchands do país. Procurando um novo cliente, eles decidiram que a sua única esperança era Henry Ford, na época o homem mais rico da América. Ford ainda não se arriscara no mercado de arte, e era um alvo tão grande que fazia sentido eles trabalharem em conjunto.

Os marchands resolveram montar uma relação com "Os Cem Melhores Quadros do Mundo" (que, por acaso, eles tinham todos em estoque) e oferecer o lote a Ford. Com apenas uma compra ele se tornaria o maior colecionador de arte do mundo. O consórcio trabalhou várias semanas para produzir um objeto magnífico: uma coleção de três livros com reproduções belíssimas dos quadros, acompanhadas de textos escritos por especialistas no assunto. Em seguida foram visitar Ford, pessoalmente, na sua casa em Dearborn, em Michigan. Lá, se surpreenderam com a simplicidade da casa: Ford era sem dúvida um homem muito simples.

Ford os recebeu no seu escritório. Folheando o livro, ele demonstrou espanto e prazer. Os marchands, empolgados, começaram a imaginar os milhões de dólares que entrariam em breve nos seus cofres. Mas finalmente Ford ergueu os olhos do livro e disse: "Senhores, livros assim tão belos, com figuras coloridas e tão bonitas, devem custar uma fortuna!" "Sr. Ford!", exclamou Duveen, "Não esperamos que o senhor *compre* estes livros. Nós os fizemos especialmente para o senhor, para lhe mostrar os quadros. Os livros são um presente para o senhor." Ford parecia intrigado. "Senhores", disse ele, "é muita gentileza, mas realmente não vejo como posso aceitar um presente tão bonito e caro de pessoas que não conheço." Duveen explicou a Ford que as reproduções nos livros eram de quadros que eles esperavam lhe vender. Ford finalmente compreendeu. "Mas, senhores", explicou ele, "para que vou querer os quadros originais se esses aqui, no livro, já são tão bonitos?"

Interpretação
Joseph Duveen se orgulhava de estudar suas vítimas e clientes com antecedência, descobrindo seus pontos fracos e as peculiaridades de seus gostos antes de falar com elas. Foi o desespero que o fez esquecer essa tática apenas uma vez, ao atacar Henry Ford. Ele levou meses para se recuperar deste equívoco, tanto mental quanto financeiramente. Ford era o tipo de homem simples e despretensioso no qual não vale a pena investir. Ele era a personificação daquelas pessoas prosaicas que não têm imaginação suficiente para ser enganadas. A partir de então, Duveen gastou suas energias com os Mellon e Morgan da vida – homens maliciosos o bastante para cair nas suas armadilhas.

AS CHAVES DO PODER

Saber avaliar as pessoas e conhecer com quem você está lidando é o mais importante para conquistar e manter o poder. Sem essa habilidade você fica cego: não só ofenderá as pessoas erradas, como escolherá para trabalhar os tipos errados, e pensará que está elogiando as pessoas quando, na verdade, as está insultando. Antes de iniciar qualquer movimento, avalie a sua vítima ou adversário em potencial. Do contrário, estará desperdiçando o seu tempo e criando mal-entendidos. Estude as fraquezas das pessoas, as brechas nas suas armaduras, as suas áreas de orgulho e insegurança. Conheça as suas particularidades, antes de decidir se deve ou não fazer negócio com elas.

Mais duas palavras de alerta: primeiro, ao julgar e avaliar o seu adversário, não confie jamais nos seus instintos. Você cometerá o maior erro da sua vida se confiar em indicadores tão imprecisos. Nada pode substituir o conhecimento concreto. Estude e espione o seu adversário pelo tempo que for necessário; valerá a pena no longo prazo.

Segundo, não confie nas aparências. Um coração de serpente pode se esconder sob um manto de aparente bondade; quem externamente faz muito escarcéu costuma ser na realidade um covarde. Aprenda a entender as aparências com suas contradições. Não confie na versão que as pessoas dão de si próprias – ela não é nada confiável.

Imagem: O Caçador. Ele não monta para a raposa a mesma armadilha que usa para pegar o lobo. Ele não coloca a isca onde ninguém vai morder. Ele conhece bem a sua presa, seus hábitos e esconderijos, e caça de acordo com esse conhecimento.

Autoridade: Creia, não há pessoas tão insignificantes e desprezíveis, e elas podem, qualquer dia desses, ser úteis a você; o que elas certamente não serão se você já as tratou com desprezo. Injustiças se esquecem, desprezo, jamais. Nosso orgulho guarda essa lembrança para sempre. (Lord Chesterfield, 1694-1773)

O INVERSO
Que benefício pode haver em não conhecer os outros? Aprenda a diferenciar leões de cordeiros, ou arque com as consequências. Obedeça totalmente a esta lei, ela não tem inverso – nem se preocupe em procurar.

LEI
20

NÃO SE COMPROMETA COM NINGUÉM

JULGAMENTO

Tolo é quem se apressa a tomar um partido. Não se comprometa com partidos ou causas, só com você mesmo. Mantendo-se independente, você domina os outros – colocando as pessoas umas contra as outras, fazendo com que sigam você.

PARTE I: NÃO SE COMPROMETA COM NINGUÉM, MAS SEJA CORTEJADO POR TODOS

Deixando que outros sintam que o possuem de alguma forma, você perde o poder sobre eles. Não comprometendo seus afetos, eles se esforçarão mais para conquistá-lo. Mantenha-se distante e você conquistará o poder que vem das atenções e dos desejos frustrados dessas pessoas. Faça o papel da Rainha Virgem: Dê esperanças, jamais a satisfação.

A LEI OBSERVADA

Quando a rainha Elizabeth I subiu ao trono da Inglaterra, em 1558, houve muita agitação porque achavam que ela precisava arranjar um marido. A questão foi debatida no Parlamento, e era o principal assunto das conversas entre os ingleses de todas as classes; quase sempre discordando quanto à escolha do noivo, mas todos achando que ela deveria se casar o mais rápido possível, pois uma rainha deve ter um rei e dar herdeiros ao trono. Os debates se estenderam por muitos anos. Enquanto isso, os solteiros mais simpáticos e elegíveis do reino – Sir Robert Dudley, o duque de Essex, e Sir Walter Raleigh – disputavam a mão de Elizabeth. Ela não os desencorajava, mas parecia não ter pressa, com frequência se contradizendo ao sugerir quem poderia ser o seu favorito. Em 1566, o Parlamento enviou uma delegação a Elizabeth insistindo para que ela se casasse antes de ficar velha demais para ter filhos. Ela não discutiu, nem desencorajou a delegação, mas continuou virgem.

O delicado jogo que Elizabeth fazia com seus pretendentes aos poucos a transformou em tema de inúmeras fantasias sexuais e objeto de adoração. O médico da corte, Simon Forman, descreveu no seu diário os seus sonhos deflorando-a. Pintores a representaram como Diana e outras deusas. O poeta Edmund Spenser e outros escreveram elogios à Rainha Virgem. Referiam-se a ela como "a Imperatriz do mundo", "a Virgem virtuosa" que governa o mundo e move as estrelas. Conversando com ela, seus inúmeros pretendentes faziam ousadas insinuações sexuais, atrevimento que Elizabeth não desencorajava. Ela fazia o possível para estimular o interesse deles, mantendo-os ao mesmo tempo afastados.

Por toda a Europa, reis e príncipes sabiam que um casamento com Elizabeth selaria uma aliança entre a Inglaterra e uma outra nação. O rei da Espanha a cortejava, assim como o príncipe da Suécia e o arquiduque da Áustria. Ela polidamente recusou todos.

A grande questão diplomática na época de Elizabeth era a revolta das Terras Baixas flamengas e holandesas, que pertenciam então à

Espanha. Deveria a Inglaterra romper a sua aliança com a Espanha e escolher a França como sua principal aliada no continente, encorajando, portanto, a independência flamenga e holandesa? Em 1570, parecia que uma aliança com a França seria a decisão mais sábia. A França tinha dois homens elegíveis de sangue nobre, os duques de Anjou e Alençon, irmãos do rei francês. Um deles se casaria com Elizabeth? Ambos tinham as suas vantagens, e Elizabeth manteve acesas as suas esperanças. A questão se arrastou por anos. O duque de Anjou fez várias visitas à Inglaterra, beijou Elizabeth em público, até a chamou por nomes carinhosos; ela parecia retribuir o seu afeto. Nesse meio-tempo, enquanto ela flertava com os dois irmãos, foi assinado um tratado selando a paz entre França e Inglaterra. Em 1582, Elizabeth achou que poderia acabar com o namoro. No caso do duque de Anjou, em particular, para ela foi um grande alívio: no interesse da diplomacia, ela aceitara a corte de um homem cuja presença não suportava e a quem achava fisicamente repugnante. Uma vez garantida a paz entre França e Inglaterra, ela abandonou o untuoso duque da maneira mais gentil possível.

Nesta época, Elizabeth já estava muito velha para ter filhos. Ela pôde assim viver o resto da vida como quis e morreu Rainha Virgem. Não deixou nenhum herdeiro direto, mas governou por um período de incomparável paz e fertilidade cultural.

Interpretação
Elizabeth tinha boas razões para não se casar; fora testemunha dos erros cometidos por Mary, Rainha da Escócia, sua prima. Resistindo à ideia de serem governados por uma mulher, os escoceses queriam que Mary se casasse, e se casasse sensatamente. Casar-se com um estrangeiro não agradaria ao povo; favorecer uma casa nobre em particular seria criar rivalidades terríveis. Mary acabou escolhendo Lord Darnley, um católico. Com isso ela incorreu na ira dos protestantes escoceses; seguiram-se daí intermináveis rebeliões.

Elizabeth sabia que o casamento quase sempre é um desastre para uma mulher no governo: ao se casar e estabelecer uma aliança com determinado partido ou nação, a rainha se vê envolvida em conflitos que não quis, conflitos que podem acabar por destruí-la ou levá-la a uma guerra inútil. E não só isso, quem governa de fato é o marido e, frequentemente, ele tenta eliminar a esposa, a rainha, como Darnley tentou se livrar de Mary. Elizabeth aprendeu a lição muito bem. Eram dois os seus objetivos como governante: evitar o casamento e evitar a guerra. Ela conseguiu combinar os dois, deixando em suspenso a possibilidade de se casar para formar uma aliança. Assim que se comprometesse com um único pretendente, neste momento ela perderia o poder. Ela precisava criar um clima de mistério e desejo, sem tirar as esperanças, porém jamais cedendo.

Durante toda esta vida de flertes e recuos, Elizabeth dominou o país e todos os homens que tentaram conquistá-la. Centro das atenções, ela se mantinha no controle. Prezando a sua independência acima de tudo, Elizabeth protegeu o seu poder e se fez adorada.

Prefiro ser mendiga e solteira a rainha e casada.
Rainha Elizabeth I, 1533-1603

AS CHAVES DO PODER

Visto que o poder depende tanto das aparências, você precisa aprender alguns truques para realçar a sua imagem. Recusar comprometer-se com alguém ou com um grupo é um deles. Quando você se retrai, não desperta raiva, mas um certo respeito. Você parece instantaneamente poderoso porque se torna inatingível, em vez de se render a um grupo ou a um relacionamento, como faz a maioria das pessoas. Com o tempo, essa aura de poder só faz crescer: conforme aumenta a sua reputação de pessoa independente, mais desejado você será, todos querendo ser aquele que fará você se comprometer. O desejo é como um vírus: se vemos alguém ser desejado por outras pessoas, tendemos a achá-lo desejável também.

Assim que você se compromete, foi-se o encanto. Você se torna igual a todo mundo. As pessoas tentarão todos os métodos escusos possíveis para levar você a um compromisso. Vão lhe dar presentes, encher você de favores, tudo para colocá-lo na situação de devedor. Incentive as atenções, estimule os interesses, mas não se comprometa de forma alguma. Aceite os presentes e favores se assim desejar, mas tenha o cuidado de se manter intimamente distante. Você não pode se permitir, inadvertidamente, sentir-se devedor com relação a ninguém.

Mas lembre-se: o objetivo não é livrar-se das pessoas, ou fazer com que elas achem que você é incapaz de um compromisso. Como a Rainha Virgem, você tem que agitar as coisas, estimular o interesse, atrair as pessoas com a possibilidade de ficar com você. E também tem de se dobrar às suas atenções ocasionalmente, portanto, mas não demais.

O general e estadista grego Alcibíades era mestre neste jogo. Foi ele quem inspirou e liderou a forte armada ateniense que invadiu a Sicília em 414 a.C. Quando, em casa, os invejosos atenienses tentaram derrubá-lo com acusações falsas, ele passou para o lado do inimigo, os espartanos, para não ter de enfrentar um julgamento na sua própria cidade. Depois, quando os atenienses foram derrotados em Siracusa, ele trocou

Esparta pela Pérsia, apesar de o poder de Esparta estar em ascensão. Mas agora, tanto os atenienses quanto os espartanos cortejavam Alcibíades por sua influência com os persas; e os persas o enchiam de homenagens devido ao seu poder sobre os atenienses e espartanos. Ele distribuía promessas para todos os lados, mas não se comprometia com nenhum, e no final quem dava as cartas era ele.

Se você quer ter poder e influência, experimente a tática de Alcibíades: coloque-se no meio de duas forças concorrentes. Atraia um dos lados prometendo ajuda; o outro, sempre querendo superar o inimigo, seguirá você também. Enquanto os dois disputam a sua atenção, você se torna logo uma pessoa que parece muito desejada e de grande influência. Você terá mais poder assim do que se comprometendo precipitadamente com um dos lados. Para aperfeiçoar a sua tática, você tem de se manter intimamente livre de envolvimentos emocionais e ver todos a seu redor como peões para a sua ascensão. Você não pode se permitir servir de lacaio de nenhuma causa.

No meio das eleições presidenciais nos Estados Unidos, em 1968, Henry Kissinger telefonou para a equipe de Richard Nixon. Kissinger se aliara a Nelson Rockefeller, que tinha falhado na sua tentativa de ser indicado pelo partido Republicano. Agora Rockefeller estava oferecendo à campanha de Nixon informações privilegiadas de grande valor sobre as negociações para a paz no Vietnã, que estavam sendo realizadas em Paris. Ele tinha um homem no grupo de negociadores que o mantinha informado sobre os últimos acontecimentos. A equipe de Nixon aceitou com prazer a oferta.

Ao mesmo tempo, entretanto, Kissinger também abordou o candidato dos democratas, Hubert Humphrey, e ofereceu a sua ajuda. O pessoal de Humphrey lhe pediu informações confidenciais sobre Nixon, e ele deu. "Veja", disse Kissinger ao pessoal de Humphrey, "há anos que detesto o Nixon." De fato, ele não tinha interesse em nenhum dos dois lados. O que ele queria na verdade foi o que conseguiu: a promessa de um posto de alto nível no ministério, tanto de Nixon quanto de Humphrey. Não importando qual dos dois vencesse nas eleições, a carreira de Kissinger estava garantida.

O vencedor, claro, foi Nixon, e Kissinger teve o seu cargo no ministério. Mesmo assim, ele teve o cuidado de não se parecer demais com um homem de Nixon. Quando ele foi reeleito, em 1972, homens muito mais fiéis do que Kissinger foram despedidos. Kissinger foi também o único alto funcionário do governo Nixon que sobreviveu a Watergate e serviu ao presidente seguinte, Gerald Ford. Mantendo uma ligeira distância, ele prosperou em épocas turbulentas.

Quem usa esta estratégia com frequência nota um estranho fenômeno: as pessoas que correm para apoiar os outros tendem a ser pouco respeitadas, pois sua ajuda é obtida com muita facilidade, enquanto as que se retraem se veem cercadas de pedintes. O distanciamento delas é poderoso, e todos as querem ao seu lado.

Picasso, passados os primeiros anos de pobreza e já o artista de maior sucesso no mundo, não se comprometeu com este ou aquele marchand, embora o cercassem por todos os lados com ofertas atraentes e promessas formidáveis. Pelo contrário, ele parecia não se interessar por seus serviços. Esta técnica deixava os marchands loucos, e enquanto o disputavam o preço das suas obras subia. Quando Henry Kissinger, como secretário de Estado dos Estados Unidos, quis relaxar a tensão com a Rússia, não fez concessões nem gestos conciliatórios, mas cortejou a China. Isto enfureceu e até assustou os soviéticos – eles já estavam politicamente isolados e temiam ficar ainda mais se os Estados Unidos e a China se unissem. O movimento de Kissinger os empurrou para a mesa de negociações. A tática tem um paralelo na sedução: se quiser conquistar uma mulher, aconselha Stendhal, seduza primeiro a irmã dela.

Mantenha-se distante e as pessoas se aproximarão de você. Será um desafio para elas conquistar o seu afeto. Desde que você imite a sábia Rainha Virgem e mantenha acesa as esperanças, estará sempre atraindo o interesse e o desejo.

Imagem:
A Rainha Virgem. Centro de atenções, desejo e adoração. Jamais se rendendo a um ou a outro pretendente, a Rainha Virgem os mantém a todos gravitando ao seu redor como satélites, incapazes de sair da sua órbita, mas jamais se aproximando dela.

Autoridade: Não se comprometa com ninguém nem com coisa alguma, pois isso é ser escravo, escravo de todos os homens... Principalmente, mantenha-se livre de compromissos e obrigações – esses são artifícios do outro para mantê-lo em seu poder... (Baltasar Gracián, 1601-1658)

PARTE II: NÃO SE COMPROMETA COM NINGUÉM – NÃO ENTRE NA BRIGA

Não se deixe arrastar para brigas mesquinhas e discussões. Pareça interessado e prestativo, mas encontre um jeito de se manter neutro; deixe que os outros briguem enquanto você se retrai, observando e aguardando. Quando as partes litigantes se cansarem, estarão maduras para a colheita. Você pode fazer disso uma prática, incentivar as discussões entre as pessoas, depois se oferecer como mediador, conquistando o poder como intermediário.

A LEI OBSERVADA

No final do século XV, as cidades-estado mais fortes da Itália – Veneza, Florença, Roma e Milão – estavam em constantes disputas. Rondando essas brigas estavam França e Espanha, prontas para agarrar o que pudessem dos poderes enfraquecidos italianos. E preso ali no meio ficava o pequeno estado de Mântua, governado pelo jovem duque Gianfrancesco Gonzaga. Mântua tinha uma posição estratégica no norte da Itália, e para que um dos poderes a engolisse e ela deixasse de existir como um reino independente parecia apenas uma questão de tempo.

Gonzaga era um guerreiro feroz e hábil comandante de tropas, e se tornou uma espécie de general mercenário servindo a quem lhe pagasse melhor. Em 1490, ele se casou com Isabella d'Este, filha do governante de outro pequeno ducado italiano, Ferrara. Visto que agora ele passava a maior parte do tempo longe de Mântua, coube a Isabella governar no seu lugar.

O primeiro teste de Isabella como governante foi em 1498, quando o rei Luís XII da França preparava seus exércitos para atacar Milão. Com a sua costumeira perfídia, os estados italianos imediatamente procuraram um jeito de lucrar com as dificuldades de Milão. O papa Alexandre VI prometeu não intervir, dando por conseguinte carta branca aos franceses. Os venezianos assinalaram que também não ajudariam Milão – mas, em troca, esperavam que os franceses lhes dessem Mântua. O governante de Milão, Lodovico Sforza, se viu de repente sozinho e abandonado. Voltou-se para Isabella d'Este, umas das suas melhores amigas (corriam boatos de que era também sua amante), e lhe implorou que convencesse o duque Gonzaga a ajudá-lo. Isabella tentou, mas o marido se esquivou, pois via a causa dos Sforza como perdida. E assim, em 1499, Luís avançou sobre Milão e a tomou sem dificuldade.

Isabella agora estava diante de um dilema: se permanecesse fiel a Lodovico, os franceses viriam em cima dela. Mas se, ao contrário, se aliasse com a França, faria inimigos por toda a Itália, comprometendo Mântua quando Luís finalmente se retirasse. E se pedisse auxílio a Ve-

---

OS MILHAFRES, OS CORVOS E A RAPOSA

Os milhafres e os corvos combinaram dividir igualmente tudo que encontrassem na floresta. Um dia eles viram uma raposa ferida pelos caçadores, indefesa, debaixo de uma árvore, e se reuniram a sua volta. Os corvos disseram: "Ficaremos com a parte superior da raposa." "Então ficaremos com a parte inferior", disseram os milhafres. A raposa achou graça e disse: "Sempre achei que os milhafres eram criaturas superiores aos corvos na criação; assim, eles devem ficar com a parte superior do meu corpo, da qual faz parte a minha cabeça, e as outras coisas delicadas que existem dentro dela." "Oh, sim, está certo", disseram os milhafres, "ficaremos com essa parte da raposa." "De jeito nenhum", disseram os corvos, "nós é que ficaremos, como foi combinado." E assim começou a guerra entre os rivais, muitos morreram de ambos os lados, e os poucos sobreviventes escaparam com dificuldade. A raposa continuou ali por alguns dias, alimentando-se tranquila com os milhafres e corvos mortos,

> *e depois foi embora bela e fagueira, observando: "Os fracos se beneficiam com as brigas dos poderosos."*
> FÁBULAS INDIANAS

> *Homens espertos são lentos no agir, pois é mais fácil evitar compromissos do que se sair bem de um deles. Nessas ocasiões, teste o seu bom senso; é mais seguro evitá-los do que sair vitorioso de um deles. Uma obrigação leva a outra maior, e você chega à beira do desastre.*
> BALTASAR GRACIÁN, 1601-1658

neza ou Roma, elas simplesmente se apossariam de Mântua fingindo estar ajudando. Mas ela precisava fazer alguma coisa. O poderoso rei da França não saía de trás dela: resolveu então aceitá-lo como amigo, como fizera antes com Lodovico Sforza – seduzindo-o com presentes, cartas inteligentes e espirituosas, e a possibilidade da sua companhia, pois Isabella era famosa como mulher de incomparável beleza e encanto.

Em 1500, Luís convidou Isabella para uma grande festa em Milão para comemorar a vitória. Leonardo da Vinci construiu um enorme leão mecânico para a ocasião: quando o animal abria a boca, cuspia lírios frescos, símbolos da realeza francesa. Para a festa, Isabella vestiu um dos seus famosos vestidos (o seu era de longe o maior guarda-roupa de todas as princesas italianas), e como esperava, encantou e cativou Luís, que ignorou todas as outras senhoras que disputavam a sua atenção. Ela se tornou logo a sua constante companhia, e em troca da sua amizade ele prometeu proteger a independência de Mântua contra Veneza.

À medida que um perigo ia passando, entretanto, surgia outro, mais preocupante, desta vez do sul, na figura de César Bórgia. Desde 1500, Bórgia marchava em ritmo constante em direção ao norte, engolindo todos os pequenos reinados no seu caminho em nome do seu pai, o papa Alexandre. Isabella entendeu César muito bem: não se podia confiar nele nem, de forma alguma, ofendê-lo. Ele tinha de ser bajulado e mantido a distância. Isabella começou a lhe mandar presentes – falcões, cães de raça, perfumes e dezenas de máscaras que ela sabia que ele usava sempre para caminhar pelas ruas de Roma. Ela lhe enviava saudações com elogios (embora os mensageiros também atuassem como seus espiões). Num determinado momento, César perguntou se poderia hospedar algumas tropas em Mântua. Isabella conseguiu dissuadi-lo polidamente, sabendo muito bem que, uma vez as tropas aquarteladas na cidade, dali não sairiam mais.

Mesmo enquanto seduzia César, Isabella convencia todos ao seu redor a tomar cuidado para não pronunciar jamais uma palavra grosseira a seu respeito, pois ele tinha espiões espalhados por toda parte e usaria o menor pretexto para invadir a cidade. Quando Isabella teve um filho, pediu a César para ser o padrinho. Até acenou diante dele com a possibilidade de um casamento entre a sua família e a dele. De alguma forma isso funcionou, pois, apesar de pilhar tudo que encontrasse no seu caminho, ele poupou Mântua.

Em 1503, morreu o pai de César, Alexandre, e poucos anos depois o novo papa, Júlio II, entrou em guerra para tirar as tropas francesas da Itália. Quando o governante de Ferrara – Alfonso, irmão de Isabella – ficou do lado dos franceses, Júlio decidiu atacá-lo e humilhá-lo. Mais uma vez Isabella se viu no meio: o papa de um lado, os franceses e o irmão do outro. Ela não ousava se aliar com um nem com outro, mas ofender um deles seria igualmente desastroso. Mais uma vez ela fez o jogo duplo no qual já era mestre. Por um lado, conseguiu que o marido Gonzaga lutasse pelo papa, sabendo que ele não se esforçaria muito. Por outro, deixou as tropas francesas passarem por Mântua para virem socorrer Ferrara. Enquanto publicamente se queixava de que os franceses tinham "invadido" o seu território, em particular ela lhes fornecia valiosas informações. Para que a invasão fosse plausível para Júlio, ela até fez os franceses fingirem que estavam saqueando Mântua. Funcionou de novo: o papa deixou Mântua em paz.

Em 1513, depois de um prolongado cerco, Júlio derrotou Ferrara e os franceses foram embora. Exausto do esforço, o papa morreu poucos meses depois. Com a sua morte, o pesadelo das batalhas e brigas mesquinhas cíclicas recomeçou.

Muita coisa mudou na Itália durante o reinado de Isabella: papas vieram e foram embora, César Bórgia subiu e depois caiu, Veneza perdeu o seu império, Milão foi invadida, Florença entrou em declínio e Roma foi saqueada pelo imperador dos Habsburgo, Carlos V. Passando por tudo isso, a pequena Mântua não só sobreviveu como prosperou, e sua corte era invejada por toda a Itália. Sua riqueza e soberania permaneceram intactas durante um século após a morte de Isabella, em 1539.

Interpretação

Isabella d'Este compreendeu a situação política da Itália com surpreendente clareza: uma vez tomando partido de uma força qualquer em campo, você está condenado. O poderoso passará a controlar você, o fraco vai exauri-lo. Qualquer nova aliança fará um novo inimigo, e, conforme este ciclo vai atiçando mais conflitos, outras forças vão sendo arrastadas, até que se torna impossível sair desse emaranhado. No final, você cai exausto.

Isabella conduziu seu reino pelo único caminho seguro para ela. Não se permitiu perder a cabeça pela lealdade a um duque ou a um rei. Nem tentou impedir o conflito que grassava a sua volta – o que só a arrastaria para dentro dele. E, de qualquer forma, o conflito era vantajoso para ela. Enquanto as diversas partes lutavam até a morte, exaurindo-se nesse processo, não tinham condições de devorar Mântua. A origem do poder de Isabella foi a sua esperteza em parecer interessada nos problemas e interesses de cada um dos lados, embora sem se comprometer na verdade com ninguém, a não ser com ela mesma e com seu reino.

Quando entra numa briga que não foi você que começou, perde a iniciativa. Os interesses dos combatentes tornam-se os seus interesses; você passa a ser uma ferramenta que eles usam. Aprenda a se controlar,

A ÁGUIA E A PORCA
Uma águia construiu um ninho numa árvore e chocou algumas aguiazinhas. E uma porca selvagem trouxe a sua cria para baixo da árvore. A águia costumava sair voando em busca das suas presas e as trazia para os seus filhotes. E a porca escavava em torno da árvore e caçava nos bosques; ao anoitecer ela trazia alguma coisa para os seus filhotes comerem. E a águia e a porca viviam como boas vizinhas. Mas uma gata velha, planejando destruir as aguiazinhas e os porquinhos, procurou a águia e disse: "Águia, é melhor não voar muito longe. Cuidado com a porca; ela está planejando uma maldade. Ela vai corroer as raízes da árvore. Veja como ela escava o tempo todo." Aí a gata foi falar com a porca: "Porca, você não tem uma boa vizinha. Ontem de noite ouvi a águia dizer para suas aguiazinhas, 'Vou lhes trazer um porquinho. Assim que a porca sair, vou lhes trazer um filhote de porco'." A partir de então a águia deixou de voar em busca de suas presas, e a porca não saiu mais para os bosques. As aguiazinhas morreram de fome e a gata se refestelou com elas.
FÁBULAS, LEON TOLSTOI, 1828-1910

O PREÇO DA INVEJA
Uma pobre mulher vendia queijos no mercado quando um gato se aproximou e roubou um. O cão viu o larápio e tentou tirar o queijo dele. O gato enfrentou o cão. E os dois se atracaram. O cão latia e mordia; o gato chiava e arranhava, mas não chegavam a nenhuma decisão. "Vamos pedir à raposa para servir de juiz", o gato finalmente sugeriu. "De acordo", disse o cão. E lá foram os dois procurar a raposa, que ouviu seus argumentos com ar pensativo. "Animais tolos", ela ralhou, "Para que tudo isso? Se quiserem, eu divido o queijo pela metade e os dois ficam satisfeitos." "De acordo", disseram o gato e o cão. Assim, a raposa pegou a sua faca e cortou o queijo em dois, mas, em vez de cortar no sentido do comprimento, cortou-o na largura. "A minha metade é menor!", protestou o cão. A raposa avaliou ponderada o pedaço do cão, através da lente dos seus óculos. "Tem razão, é isso mesmo!", concluiu. E deu uma mordida na parte do gato. "Assim ficam iguais!", disse ela. Quando o gato viu o que a raposa tinha

a reprimir a sua natural tendência a tomar partido e entrar na briga. Seja amável e encantador com cada um dos combatentes, depois se afaste e deixe que eles se enfrentem. A cada batalha eles ficam mais fracos, enquanto você se fortalece a cada batalha que evita.

Quando a narceja e o mexilhão brigam, quem leva a melhor é o pescador.

Antigo ditado chinês

AS CHAVES DO PODER

Para ganhar no jogo do poder, você deve dominar suas emoções. Mas, ainda que você consiga esse autocontrole, não poderá controlar o temperamento das pessoas a sua volta. E aí é que está o perigo. A maioria das pessoas vive num redemoinho de emoções, constantemente reagindo, alimentando discussões e conflitos. O seu autocontrole e autonomia só vão deixá-las aborrecidas e furiosas. Elas tentarão arrastá-lo para o turbilhão, implorando para que você tome partido nas suas intermináveis batalhas ou faça as pazes por elas. Se você sucumbir às suas súplicas emocionais, pouco a pouco verá a *sua* mente e o seu tempo ocupados com os problemas *delas*. Não permita ser sugado por uma compaixão ou piedade qualquer que você possa sentir. Deste jogo você não sai vencedor; os conflitos só se multiplicam.

Por outro lado, você não pode ficar totalmente de fora, pois seria uma afronta inútil. Para fazer bem esse jogo, você deve parecer interessado nos problemas da outra pessoa, às vezes até tomar o seu partido. Mas, ao mesmo tempo que demonstra externamente o seu apoio, você deve manter interiormente a sua energia e sanidade íntegras, não se deixando envolver emocionalmente. Não importa o quanto as pessoas tentem atrair você, não deixe que o seu interesse pelos negócios e discussões delas passem além do superficial. Dê-lhes presentes, ouça com ar de simpatia, até ocasionalmente banque o sedutor – mas por dentro mantenha distância dos reis amáveis e dos pérfidos Bórgia. Recusando-se a se comprometer e mantendo assim a sua autonomia, a iniciativa continua sendo sua: seus movimentos continuam sendo escolha sua, e não reações defensivas ao puxa-empurra dos outros ao redor.

Demorar para escolher as suas armas já pode ser, por si só, uma arma, especialmente se você deixar os outros se exaurirem lutando para depois se aproveitar da exaustão deles. Na antiga China, o reinado de Chin certa vez invadiu o reinado de Hsing. Huan, o governante de uma província vizinha, achou que devia correr em defesa de Hsing, mas seu conselheiro lhe disse para esperar: "Hsing ainda não vai ser destruída", falou ele, "e Chin ainda não está exausto. Se Chin não está exausto, [nós] não podemos influenciar muita coisa. Além disso, o mérito de apoiar um estado em perigo não é tão grande quanto a virtude de ressuscitar um estado em ruínas." O argumento do conselheiro venceu e, como ele tinha previsto, Huan mais tarde teve a glória de salvar Hsing à beira da destruição e depois de conquistar um Chin exausto. Ele ficou de fora da briga até que as forças envolvidas nela se exauriram mutuamente, quando foi seguro para ele intervir.

Esta é a vantagem de se manter longe da confusão: você ganha tempo para se posicionar, para se aproveitar da situação assim que uma das partes começar a perder. Você também pode levar o jogo um pouco mais adiante, prometendo apoio a ambos os lados num conflito enquanto manobra para ser você a levar vantagem na luta. Foi isso que Castruccio Castracani, governante da cidade italiana de Lucca, no século XIV, fez quando tinha seus planos para a cidade de Pistoia. Um cerco seria muito caro, em termos de vidas e dinheiro, mas Castruccio sabia que em Pistoia existiam duas facções, os Negros e os Brancos, que se odiavam. Ele negociou com os Negros, prometendo ajudá-los contra os Brancos; depois, sem que eles soubessem, prometeu aos Brancos que os ajudaria contra os Negros. E Castruccio manteve as suas promessas – enviou um exército para um dos portões da cidade controlado pelos Negros, que as sentinelas, é claro, deixaram entrar. Enquanto isso, outro exército seu entrava por um portão controlado pelos Brancos. Os dois exércitos se encontraram no meio do caminho, ocuparam a cidade, mataram os líderes das suas facções, terminaram a guerra interna e entregaram Pistoia a Castruccio.

Preservar a sua autonomia lhe dá opções quando as pessoas chegam às vias de fato – você pode bancar o mediador, o agente da paz, enquanto está na realidade garantindo os seus próprios interesses. Você pode prometer ajuda a um lado, e o outro terá que atraí-lo com uma oferta maior. Ou, como Castruccio, você pode dar a impressão de estar apoiando ambos os lados, depois representar o antagonista de um e de outro.

Frequentemente, num conflito, fica-se tentado a tomar o partido do mais forte, ou do que lhe oferecer as vantagens evidentes de uma aliança. Esse é um negócio arriscado. Primeiro, quase sempre é difícil prever qual dos lados prevalecerá no longo prazo. E mesmo que você acerte e se alie com o partido mais forte, poderá se ver engolido e perdido, ou convenientemente esquecido, quando eles se tornarem vitoriosos. Fique do lado do mais fraco, e você está condenado. Mas faça o jogo da espera, e não poderá perder.

Na França, depois de três dias de rebeliões durante a revolução de julho de 1830, o estadista Talleyrand, já idoso, sentou-se à sua janela em Paris ouvindo o repicar dos sinos que indicavam que as lutas tinham

feito, começou a miar: "Olha só! A minha parte agora ficou menor!" A raposa colocou de novo os óculos e avaliou a parte do gato. "Tem razão!", disse a raposa. "Espere só um momento, que eu conserto isso." E deu uma mordida no queijo do cão. E assim continuou, a raposa mordendo ora a parte do cão ora a do gato, até que finalmente comeu o queijo inteiro bem diante dos seus olhos.

A TREASURY OF JEWISH FOLKLORE, NATHAN AUSUBEL, ED. 1948

acabado. Voltando-se para um assistente, ele disse, "Ah, os sinos! Estamos ganhando." "'Nós', quem, *mon prince?*", perguntou o assistente. Fazendo um gesto para o homem se calar, Talleyrand replicou, "Nem uma palavra! Amanhã lhe direi quem somos nós". Ele sabia muito bem que só os tolos se precipitam – que se comprometendo rápido demais você perde a capacidade de manobra. As pessoas também respeitam você menos por isso: quem sabe amanhã, pensam elas, você vai se comprometer com outra causa diferente, visto que se entregou tão facilmente a esta. A boa sorte é uma divindade volúvel que muda de lado com muita frequência. O compromisso com uma das partes tira de você a vantagem do tempo e o luxo da espera. Deixe que os outros se apaixonem por este ou aquele grupo; mas quanto a você, não se apresse nem perca a cabeça.

Finalmente, há ocasiões em que é mais sensato abandonar qualquer pretensão de parecer prestativo alardeando, pelo contrário, a sua independência e autoconfiança. A atitude aristocrática independente é importantíssima para quem precisa conquistar o respeito. George Washington reconheceu isso no seu esforço para dar à jovem república americana uma base firme. Como presidente, Washington fugiu à tentação de se aliar à França ou Inglaterra, apesar das pressões que sofria nesse sentido. Ele queria que o país conquistasse o respeito mundial por sua independência. Embora um tratado com a França talvez o tivesse ajudado no curto prazo, com o passar do tempo ele sabia que era mais eficaz estabelecer a autonomia da nação. A Europa tinha de ver os Estados Unidos como uma potência no mesmo pé de igualdade.

Lembre-se: a sua energia e o seu tempo têm limite. Todos os momentos desperdiçados com os problemas alheios são subtraídos da sua energia. Você pode temer ser acusado de insensibilidade, mas no final, mantendo-se independente e confiante em si próprio, você será mais respeitado e conquistará o poder de escolher quando deve, ou não, tomar a iniciativa de ajudar os outros.

Imagem: Uma Mata de Arbustos. Na floresta, um arbusto se prende ao outro, envolvendo o vizinho nos seus espinhos, com as folhagens ampliando o seu domínio impenetrável. Só o que se mantém distante e se afasta pode crescer e se alçar acima da mata.

Autoridade: Considere que não se comprometer exige mais coragem do que vencer uma batalha, e lá onde já existe um tolo interferindo, cuidado para não existi- rem dois. (Baltasar Gracián, 1601-1658)

O INVERSO

Ambas as partes desta lei se voltarão contra você se exagerar. O jogo proposto aqui é delicado e difícil. Se você colocar muitos partidos se enfrentando, eles acabarão percebendo a manobra e conspirarão contra você. Se deixar um número cada vez maior de pretendentes esperando demais, não vai despertar o desejo, mas, sim, a desconfiança. As pessoas vão começar a perder o interesse. Você vai acabar achando que vale mais a pena se comprometer com uma das partes – nem que seja só pelas aparências, para provar que é capaz de ser solidário.

Mesmo nesse caso, entretanto, a chave será manter a sua independência interior – não se permitir envolver emocionalmente. Preservar a opção tácita de poder sair a qualquer momento e reclamar a sua liberdade, se o partido ao qual você se aliou ameaçar vir abaixo. Os amigos que você fez, enquanto estava sendo cortejado, lhe oferecerão um lugar para ir depois de abandonar o navio.

LEI 21

FAÇA-SE DE OTÁRIO PARA PEGAR OS OTÁRIOS – PAREÇA MAIS BOBO DO QUE O NORMAL

JULGAMENTO

Ninguém gosta de se sentir mais idiota do que o outro. O truque, portanto, é fazer com que suas vítimas se sintam espertas – e não só espertas, como também mais espertas do que você. Uma vez convencidas disso, elas jamais desconfiarão que você possa ter segundas intenções.

A LEI OBSERVADA

No inverno de 1872, o financista americano Asbury Harpending estava em Londres quando recebeu um telegrama: tinham descoberto uma mina de diamantes no Oeste americano. O telegrama vinha de uma fonte confiável – William Ralston, dono do Banco da Califórnia –, mas Harpending achou que era brincadeira, provavelmente inspirada pela recente descoberta de enormes minas de diamantes na África do Sul. O fato é que, quando se começou a falar de gente encontrando minas de ouro no Oeste dos Estados Unidos, ninguém acreditou, e no final era verdade. Mas uma mina de diamantes no Oeste! Harpending mostrou o telegrama para seu amigo financista, o barão Rothschild (um dos homens mais ricos do mundo), dizendo que deveria ser brincadeira. O barão, entretanto, retrucou, "Não tenha tanta certeza disso. A América é um país muito grande. Já surpreendeu o mundo de muitas formas. Talvez ainda guarde outras surpresas". Harpending pegou logo o primeiro navio para os Estados Unidos.

Quando Harpending chegou a San Francisco, havia uma excitação no ar que lembrava a Corrida do Ouro no final da década de 1840. Dois rudes garimpeiros chamados Philip Arnold e John Slack é que tinham descoberto a mina de diamantes. Não disseram onde exatamente, em Wyoming, mas tinham levado um técnico em minas muito respeitado até lá algumas semanas antes, dando várias voltas para ele não adivinhar onde estava. Lá, o técnico assistiu aos dois mineradores tirarem da terra os diamantes. Retornando a San Francisco, o técnico mostrou as pedras a vários joalheiros, um dos quais as avaliou em um milhão e meio de dólares.

Harpending e Ralston então pediram a Arnold e Slack para acompanhá-los até Nova York, onde o joalheiro Charles Tiffany ia conferir essas primeiras estimativas. Os garimpeiros responderam constrangidos – farejavam uma armadilha: Será que podiam confiar nestes espertalhões da cidade? E se Tiffany e os financistas ficassem com a mina deles? Ralston procurou tranquilizá-los colocando nas suas mãos cem mil dólares e mais outros trezentos mil em títulos. Se o negócio desse certo, eles receberiam mais trezentos mil dólares. Os mineradores concordaram.

O grupo viajou para Nova York, onde se reuniu na mansão de Samuel L. Barlow. A nata da aristocracia da cidade estava presente – o general George Brinton McClellan, comandante das forças da União na Guerra Civil; o general Benjamin Butler; Horace Greeley, editor do jornal *New York Tribune*; Harpending; Ralston e Tiffany. Só faltavam Slack e Arnold – turistas na cidade, eles resolveram dar uma volta.

Ora, não há nada de que um homem se orgulhe mais do que da sua capacidade intelectual, pois é ela que o coloca no comando do mundo animal. É muita imprudência deixar que alguém o veja como decididamente superior nesse ponto, e deixar que outras pessoas vejam isso também... Por conseguinte, embora a classe social e o dinheiro possam sempre contar com um tratamento privilegiado na sociedade, com isso a capacidade intelectual não pode contar: o maior favor que podem prestar à inteligência é ignorá-la; e se as pessoas a percebem, é porque a consideram uma impertinência, ou algo a que o seu possuidor não tem nenhum direito legítimo, e do qual ele apenas ousa se orgulhar; e, em retaliação e vingança por sua conduta, as pessoas secretamente tentam humilhá-lo de alguma outra forma; e se demoram para fazer isso é só porque esperam pela ocasião mais adequada. Um homem pode ser o mais humilde possível nesse sentido, e ainda assim dificilmente conseguirá que as pessoas lhe perdoem o pecado de se colocar intelectualmente acima delas. Em Garden of Roses,

> *Sadi observa: "Você deveria saber que os tolos são cem vezes mais avessos a se encontrar com o sábio do que o sábio tem disposição para estar em companhia de tolos."*
>
> *Por outro lado, ser idiota é uma recomendação verdadeira. Pois assim como o calor é agradável ao corpo, também é agradável à mente sentir a sua superioridade; e o homem procura a companhia que vai lhe dar essa sensação, tão instintivamente quanto ele se aproxima da lareira ou caminha no sol quando quer se aquecer. Mas isto significa que ele não agradará por sua superioridade; e, se um homem quer agradar, deve ser intelectualmente inferior.*
>
> ARTHUR SCHOPENHAUER, 1788-1860

Quando Tiffany anunciou que as gemas eram verdadeiras e valiam uma fortuna, os financistas ficaram excitadíssimos. Telegrafaram para Rothschild e outros magnatas para contar sobre a mina de diamantes e convidá-los a participar do investimento. Ao mesmo tempo, disseram aos garimpeiros que queriam fazer mais um teste. Eles faziam questão de escolher um perito para ir com Slack e Arnold até o local e verificar a riqueza da mina. Os garimpeiros concordaram relutantes. Enquanto isso, disseram, eles teriam de voltar para San Francisco. As pedras que Tiffany tinha examinado eles deixaram guardadas com Harpending.

Semanas depois, um homem chamado Louis Janin, o melhor técnico em mineração do país, encontrou-se com os garimpeiros em San Francisco. Janin era um cético de nascença e estava determinado a conferir se a mina não era uma fraude. Acompanhando Janin, vinham Harpending e vários outros financistas interessados. Como aconteceu com o técnico anterior, os garimpeiros conduziram o grupo por uma série complicada de cânions, deixando-os totalmente confusos, sem saber onde estavam. Chegando lá, os financistas viram espantados Janin escavar o terreno, derrubar cupinzeiros, revirar matacões descobrindo esmeraldas, rubis, safiras e, principalmente, diamantes. A escavação durou oito dias e, no final, Janin se convenceu. Disse aos investidores que eram donos das terras mais ricas da história da mineração. "Com uns cem homens e máquinas adequadas", informou, "eu garantiria a retirada de um milhão de dólares em diamantes por mês."

Voltando para San Francisco dias depois, Ralston, Harpending e companhia se apressaram a formar uma empresa de investidores privados com um capital de 10 milhões de dólares. Primeiro, entretanto, tinham de se livrar de Arnold e Slack. Isso significava dissimular o seu entusiasmo – não precisavam revelar o verdadeiro valor do terreno. Fizeram-se, portanto, de desentendidos. Quem garante se Janin está certo, disseram aos garimpeiros, a mina talvez não seja tão rica quanto pensamos. Os garimpeiros ficaram zangados. Mudando de tática, os financistas disseram aos dois homens que se insistissem em ficar com ações da mina, acabariam tosquiados pelos magnatas e investidores inescrupulosos que dirigiriam a empresa: é melhor, eles disseram, pegar os 700 mil dólares que estavam lhes oferecendo – uma quantia enorme na época – e deixar de lado a ganância. Isso os garimpeiros pareceram entender, e acabaram concordando em aceitar o dinheiro, cedendo-lhes em troca os seus direitos e os mapas também.

As notícias sobre a mina espalharam-se rapidamente. Garimpeiros chegavam de todas as partes de Wyoming. Enquanto isso, Harpending e o seu grupo começaram a gastar os milhões depositados pelos investidores, comprando equipamentos, contratando os melhores profissionais dessa área e decorando escritórios luxuosos em Nova York e San Francisco.

Semanas depois, era a primeira vez que voltavam ao local, souberam da triste verdade: não havia um só diamante ou rubi. Tinha sido tudo uma armação. Estavam arruinados. Harpending, involuntariamente, havia atraído os homens mais ricos do mundo para a maior fraude do século.

Interpretação
Arnold e Slack não armaram a sua estupenda trapaça usando um engenheiro falso ou subornando Tiffany: todos os especialistas tinham falado a verdade. Todos acreditaram sinceramente na existência da mina e no valor das gemas. O que os confundiu foram os próprios Arnold e Slack. Os dois homens pareciam tão caipiras, tão jecas, tão ingênuos, que ninguém acreditou, nem por um momento, que fossem capazes de inventar uma fraude tão audaciosa. Os garimpeiros simplesmente observaram a lei que diz que você deve parecer mais otário do que a sua vítima – o Primeiro Mandamento do trapaceiro.

A logística da fraude foi bastante simples. Meses antes de Arnold e Slack anunciarem a "descoberta" da mina de diamantes, eles foram comprar na Europa pedras verdadeiras pelas quais pagaram cerca de 12 mil dólares (parte do dinheiro economizado no tempo em que garimpavam ouro). Em seguida salgaram a "mina" com essas pedras, que o primeiro especialista recolheu e levou para San Francisco. Os joalheiros que as avaliaram, inclusive Tiffany, foram contagiados pela febre e lhes deram um valor exageradamente alto. E aí, Ralston deu aos garimpeiros cem mil dólares como garantia, e eles, de Nova York, antes de voltar para San Francisco, foram simplesmente até Amsterdam comprar vários sacos com pedras brutas. Quando salgaram pela segunda vez a mina, havia muito mais gemas para serem encontradas.

Mas a fraude funcionou não por causa desses truques, mas porque Arnold e Slack foram perfeitos representando os seus papéis. Na viagem a Nova York, onde se misturaram com milionários e magnatas, eles representaram a figura do caipira, de calças e paletós curtos e apertados, e agindo como se não acreditassem em tudo que viam na grande cidade. Ninguém achou que aqueles jecas pudessem estar passando a perna nos financistas mais desonestos e sem escrúpulos da época. E depois que Harpending, Ralston e até Rothschild aceitaram a existência da mina, quem duvidasse estaria duvidando da inteligência dos homens de negócios mais bem-sucedidos do mundo.

No final, a reputação de Harpending ficou arruinada e ele nunca mais se recuperou: Rothschild aprendeu a lição e não se deixou mais enganar; Slack pegou o seu dinheiro e desapareceu de vista, nunca mais foi encontrado. Arnold simplesmente foi para casa, em Kentucky. Afinal de contas, a venda dos seus direitos de mineração tinha sido legal; os compradores foram bem aconselhados e, se a mina se esgotara, o problema não era deles. Arnold usou o dinheiro para ampliar bastante a sua fazenda e abrir o seu próprio banco.

AS CHAVES DO PODER
A sensação de que alguém é mais inteligente do que nós é quase insuportável. Em geral, tentamos justificá-la de várias maneiras: "O conhecimento dele é só teoria, enquanto o meu se baseia na realidade." "Os pais dela pagaram para ela estudar. Se meus pais tivessem tido tanto dinheiro assim, se eu tivesse sido privilegiado..." "Ele não é tão inteligente quanto pensa." E: "Ela pode conhecer melhor do que eu a sua areazinha restrita, mas fora disso ela não é nem um pouco esperta. Até Einstein era um idiota, quando não se tratava de física."

Visto que a ideia de inteligência é tão importante para a vaidade da maioria das pessoas, é importante não insultar ou impugnar jamais, inadvertidamente, o poder do cérebro de uma pessoa. Esse é um pecado imperdoável. Mas, se você conseguir tirar vantagem desta regra, ela abrirá para você todas as portas para a fraude. Subliminarmente, assegure às pessoas de que elas são mais inteligentes do que você, ou mesmo que você é um tanto bronco, e vai conseguir fazer delas o que você quiser. A sensação de superioridade intelectual que você lhes dá afrouxará as suas desconfianças.

Em 1865, o conselheiro prussiano Otto von Bismarck queria que a Áustria assinasse um determinado tratado. Esse tratado era totalmente a favor da Prússia e contra os interesses da Áustria, e Bismarck teria de lançar mão de estratégias para convencer os austríacos. Mas o negociador austríaco, conde Blome, era um ávido jogador de cartas. Seu jogo preferido era o quinze, e ele costumava dizer que podia julgar o caráter de um homem pelo seu estilo de jogar. O prussiano mais tarde escreveria: "Foi a última vez que joguei quinze. Fui tão imprudente que todos ficaram atônitos. Perdi vários táleres [a moeda da época], mas consegui enganar [Blome], porque ele achou que eu era mais irresponsável do que sou na verdade, e recuou." Além de parecer afoito, Bismarck também se fez de ignorante e tolo, dizendo coisas absurdas e se pavoneando com um excesso de energia nervosa.

Tudo isso fez Blome achar que ele tinha informações valiosas. Ele sabia que Bismarck era agressivo – o prussiano já tinha essa fama, e o modo como jogava confirmava isso. E homens agressivos, Blome sabia, podem ser tolos e imprudentes. Por conseguinte, na hora de assinar o tratado, Blome achou que estava levando vantagem. Um tolo afoito como Bismarck, ele pensou, é incapaz de calcular e enganar a sangue-frio, por isso só olhou o tratado de relance antes de assinar – não leu as letrinhas miúdas. Assim que a tinta secou, um alegre Bismarck exclamou na sua cara: "Ora, pensei que eu não fosse encontrar um diplomata austríaco disposto a assinar esse documento!"

Os chineses têm um ditado: "Vestir a máscara do porco para matar o tigre." É uma referência a uma antiga técnica de caça em que o caçador se cobre com a pele e o focinho de um porco e sai grunhindo. O poderoso tigre pensa que um porco vem chegando, deixa-o se aproximar, saboreando a perspectiva de uma refeição fácil. Mas é o caçador quem ri por último.

Mascarar-se de porco funciona muito bem com quem, como os tigres, é muito arrogante e seguro de si. Quanto mais eles acham que é fácil apanhar você, mais facilmente você vira a mesa. Este truque também é útil se você for ambicioso, mas ocupa uma posição inferior na hierarquia – aparentar ser menos inteligente do que é, até meio tolo, é o disfarce perfeito. Pareça um porco inofensivo e ninguém acreditará que tem ambições perigosas. Podem até promovê-lo, pois você parece tão agradável e subserviente. Cláudio, antes de se tornar imperador de Roma, e o príncipe da França que mais tarde se tornou Luís XIII usavam esta tática quando seus superiores desconfiavam de que tinham pretensões ao trono. Bancando os tolos quando jovens, eles foram deixados em paz. Quando chegou a hora de atacar, e agir com vigor e decisão, eles apanharam todos desprevenidos.

A inteligência é a qualidade óbvia para ser minimizada, mas por que parar por aí? Gosto e sofisticação estão no mesmo nível da inteligência na escala das vaidades; faça as pessoas se sentirem mais sofisticadas do que você e elas baixarão a guarda. Como Arnold e Slack sabiam, um ar de total ingenuidade funciona às mil maravilhas. Aqueles elegantes financistas estavam rindo pelas suas costas, mas, no final, quem riu por último? Deixe sempre as pessoas acreditarem que são mais espertas e mais sofisticadas do que você. Elas os manterão por perto porque você as faz se sentir melhor, e quanto mais você ficar por perto, mais chances terá de enganá-las.

Imagem:
O Gambá. Fingindo-se de morto, o gambá se faz de idiota. Muitos predadores o deixaram em paz por isso. Quem acreditaria que uma criaturinha tão feia, burra e nervosa seria capaz de tamanha fraude?

Autoridade: Saiba usar a burrice: o homem sábio usa esta carta às vezes. Há momentos em que a maior sabedoria é parecer não saber nada – você não precisa ser ignorante, basta ser capaz de fingir que é. Não é muito bom ser sábio entre tolos e lúcido no meio de lunáticos. Quem se faz de tolo não é tolo, a melhor maneira de ser bem recebido por todos é fingindo ser um grande idiota. (Baltasar Gracián, 1601-1658)

O INVERSO

Raramente vale a pena revelar a verdadeira natureza da sua inteligência; você deve criar o hábito de minimizá-la sempre. Se as pessoas inadvertidamente ficarem sabendo da verdade – que você é mesmo mais esperto do que parece –, vão admirá-lo ainda mais por ser discreto e não ficar se exibindo. No início da sua ascensão, é claro, você não pode bancar o idiota; é bom deixar que seus chefes saibam, sutilmente, que você é mais esperto do que os seus concorrentes. À medida que você for subindo, entretanto, tente brilhar menos.

Existe, no entanto, uma situação em que vale a pena fazer o contrário – quando você pode encobrir uma trapaça demonstrando inteligência. Quando se trata de esperteza, como na maioria das coisas, o importante são as aparências. Se você parece ter autoridade e conhecimento, as pessoas acreditarão no que você diz. Isto pode servir para livrá-lo de uma enrascada.

Certa vez, o marchand Joseph Duveen estava numa festa, em Nova York, na casa de um magnata a quem acabara de vender um quadro de Durer por um preço altíssimo. Um dos convidados era um jovem crítico de arte francês que parecia extremamente culto e seguro de si. Querendo impressioná-lo, a filha do magnata lhe mostrou o Durer, que ainda não estava pendurado na parede. O crítico estudou-o alguns minutos, depois disse: "Sabe, não acho que isto seja um Durer." Ele seguiu a jovem quando ela foi correndo contar para o pai. "Sabe, meu jovem, que pelo menos uns vinte especialistas em arte, aqui e na Europa, foram consultados também e disseram que o quadro não é autêntico? E agora você cometeu o mesmo engano." O seu tom confiante e o ar de autoridade intimidaram o francês, que se desculpou pelo erro.

Duveen sabia que o mercado de arte estava inundado de fraudes e que muitos quadros tinham sido falsamente atribuídos a antigos mestres. Ele fazia o possível para distinguir o verdadeiro do falso, mas, no afã de vender uma obra, com frequência exagerava a sua autenticidade. O importante para ele era que o comprador acreditasse que tinha comprado um Durer e que o próprio Duveen convencesse todos da sua "perícia" com seu ar de impecável autoridade. Por isso é importante ser capaz de bancar o professor, quando necessário, e não impor aos outros essa atitude à toa.

LEI
22

USE A TÁTICA DA RENDIÇÃO: TRANSFORME A FRAQUEZA EM PODER

JULGAMENTO

Se você é o mais fraco, não lute só por uma questão de honra; é preferível se render. Rendendo-se, você tem tempo para se recuperar, tempo para atormentar e irritar o seu conquistador, tempo para esperar que ele perca o seu poder. Não lhe dê a satisfação de lutar e derrotar você – renda-se antes. Oferecendo a outra face, você o enraivece e desequilibra. Faça da rendição um instrumento de poder.

A LEI TRANSGREDIDA

A ilha de Melos situa-se estrategicamente no coração do Mediterrâneo. Na Antiguidade Clássica, a cidade de Atenas dominava o mar e as regiões litorâneas ao redor da Grécia, mas foi Esparta, no Peloponeso, quem primeiro colonizou Melos. Durante a Guerra do Peloponeso, portanto, os melianos se recusaram a firmar aliança com Atenas, permanecendo fiéis à Mãe Esparta. Em 416 a.C., os atenienses enviaram uma expedição contra Melos. Antes de atacar, entretanto, eles despacharam uma delegação para convencer os melianos a se renderem e se aliarem, para evitar a devastação e a derrota.

"Vocês sabem tão bem quanto nós", disseram os delegados, "que o critério de justiça depende da capacidade de constrangimento do poder e que de fato o forte faz o que tem poder para fazer e o fraco aceita o que tem de aceitar." Quando os melianos responderam que isso negava a noção de jogo limpo, os atenienses disseram que os que detinham o poder determinavam o que era justo e o que não era. Os melianos argumentaram que esta autoridade pertencia aos deuses, não aos mortais. "Nossa opinião sobre os deuses e nosso conhecimento dos homens", respondeu um membro da delegação ateniense, "nos leva a concluir ser uma lei geral e necessária da natureza dominar tudo o que for possível."

Os melianos não cederam. Esparta, eles insistiram, viria em sua defesa. Os atenienses retrucaram que os espartanos eram um povo prático, conservador, e não ajudariam Melos porque não ganhariam nada com isso, pelo contrário, perderiam.

Finalmente, os melianos começaram a falar de honra e do princípio de resistência à força bruta. "Não se deixe seduzir por uma falsa noção de honra", disseram os atenienses. "A honra, em geral, leva os homens à ruína quando se veem diante de um perigo óbvio que de alguma forma fere o seu orgulho. Não há nada de desonroso em ceder à maior cidade da Hélade quando ela lhe oferece termos tão razoáveis." Encerrou-se o debate. Os melianos discutiram a questão entre eles e decidiram confiar na ajuda dos espartanos, na vontade dos deuses e na justiça da sua causa. Delicadamente, recusaram a oferta de Atenas.

Poucos dias depois, os atenienses invadiram Melos. Os melianos lutaram com nobreza, mesmo sem os espartanos, que não apareceram para ajudar. Foram necessárias várias tentativas até os atenienses conseguirem cercar a principal cidade – eles mataram todos os homens em idade militar que conseguiram capturar, venderam as mulheres e crianças como escravos, e repovoaram a ilha com seus próprios colonizadores. Apenas um punhado de melianos sobreviveu.

O CASTANHEIRO E A FIGUEIRA
Um homem em cima de uma figueira puxava para si galhos para colher os frutos maduros e, colocando-os na boca, destruí-los com seus dentes duros. O castanheiro, vendo isso, esticou os longos galhos e, num ruflar agitado, exclamou: "Oh, figueira! Como a natureza a deixou menos protegida do que eu. Veja como meus frutos doces ficam juntos e apinhados; primeiro revestidos por uma capa macia sobre a qual se estende a casca dura, mas delicada. E não satisfeita com todo esse cuidado, a natureza também nos deu espinhos afiados, para que a mão do homem não nos machuque." Aí a figueira começou a rir, e depois disse: "Você sabe muito bem que o homem é tão engenhoso que é capaz de privá-lo também dos seus filhos. Mas no seu caso ele faz isso com pedras e varas; e quando os frutos caem ele pisa sobre eles ou bate com as pedras para quebrar sua armadura, enquanto eu sou tocada por suas mãos cuidadosas, e nunca, como você, com brutalidade."

LEONARDO DA VINCI, 1452-1519

Voltaire vivia exilado em Londres numa época em que estava no auge ser contra os franceses. Um dia, caminhando pelas ruas, ele se viu cercado por uma multidão irada. "Enforquem-no, enforquem o francês", gritavam. Voltaire calmamente se dirigiu à turba dizendo o seguinte: "Ingleses! Desejam me matar porque sou francês. Já não fui punido o suficiente por não ter nascido inglês?" A multidão aplaudiu as suas palavras sensatas, e o escoltaram de volta ao seu alojamento.
THE LITTLE, BROWN BOOK OF ANECDOTES, CLIFTON FADIMAN, ED. 1985

Interpretação

Os atenienses foram um dos povos mais pragmáticos da história, e argumentaram com os melianos da maneira mais pragmática possível. Se você é a parte mais fraca, não lucrará nada metendo-se numa briga inútil. Ninguém aparece para ajudar os fracos – isso só traz prejuízo. Os fracos estão sozinhos e devem se entregar. Lutar não lhe dará nada além do martírio, e muita gente que não acredita na sua causa morrerá.

Fraqueza não é pecado, e pode até se tornar uma força se você aprender a jogar corretamente. Se os melianos tivessem se rendido logo, teriam conseguido sutilmente sabotar os atenienses, ou se aproveitar ao máximo da aliança e depois cair fora quando os atenienses estivessem enfraquecidos, como de fato aconteceu vários anos depois. A sorte muda e os poderosos quase sempre são derrubados. A rendição disfarça um grande poder: despertando a complacência do inimigo, você tem tempo para se recuperar, tempo para ir minando o terreno, tempo para se vingar. Não sacrifique este tempo em troca do mérito de participar de uma batalha da qual não sairá vencedor.

Os fracos jamais cedem quando deveriam.
Cardeal de Retz, 1613-1679

A LEI OBSERVADA

Em algum momento na década de 1920, o escritor alemão Bertolt Brecht se converteu ao comunismo. A partir daí suas peças, ensaios e poemas refletiam o seu fervor revolucionário e, em geral, ele tentava declarar a sua ideologia da forma mais clara possível. Quando Hitler subiu ao poder na Alemanha, Brecht e seus colegas comunistas eram homens marcados. Ele tinha muitos amigos nos Estados Unidos – americanos que simpatizavam com suas crenças, assim como colegas intelectuais alemães que tinham fugido de Hitler. Em 1941, por conseguinte, Brecht emigrou para os Estados Unidos, estabelecendo-se em Los Angeles, onde esperava ganhar a vida na indústria de filmes.

Durante alguns anos, Brecht escreveu roteiros de filmes com tendências nitidamente anticapitalistas. Mas fez pouco sucesso em Hollywood e, em 1947, terminada a guerra, ele resolveu voltar para a Europa. Naquele mesmo ano, entretanto, a Comissão de Atividades Antiamericanas do Congresso dos Estados Unidos iniciou as suas investigações sobre uma suposta infiltração comunista em Hollywood. Começaram a colher informações sobre Brecht, que tinha tão abertamente defendido o marxismo, e no dia 19 de setembro de 1947, um mês antes da data planejada para deixar os Estados Unidos, ele foi intimado a se apresentar à comissão. Além de Brecht, vários outros roteiristas, produtores e diretores também foram chamados, e o grupo ficou conhecido como os 19 de Hollywood.

Antes de ir para Washington, os 19 de Hollywood se reuniram para decidir sobre um plano de ação. A abordagem deveria ser de confronto. Em vez de responder se eram ou não filiados ao Partido Comunista, eles leriam declarações preparadas com antecedência contestando a autoridade da comissão e argumentando que suas atividades eram inconstitucionais. Mesmo que a estratégia significasse serem todos presos, daria publicidade para a causa.

Brecht discordou. De que adiantava, perguntou ele, bancar os mártires e conquistar um pouquinho da simpatia do público se nisso eles perderiam a possibilidade de, futuramente, encenar suas peças e vender seus roteiros? Ele tinha certeza de que todos eram mais inteligentes do que os membros da comissão. Por que se rebaixar ao nível do adversário discutindo com ele? Por que não passar, sutilmente, a perna no adversário fingindo se render? Os 19 de Hollywood escutaram o que Brecht tinha a dizer, mas mantiveram o seu plano, deixando-o livre para fazer o que quisesse.

A comissão finalmente intimou Brecht a comparecer no dia 30 de outubro. Esperavam que ele agisse como os outros do grupo dos 19 de Hollywood que haviam prestado declarações antes dele: discutir, recusar-se a responder, desafiar o direito da comissão de realizar a sua auditoria e até gritar e vociferar insultos. Mas, para sua surpresa, Brecht foi a própria imagem da sociabilidade. Estava de terno (coisa rara), fumou um charuto (tinha ouvido dizer que o presidente da comissão era apaixonado por charutos), respondeu com educação às perguntas que lhe fizeram e se rendeu à autoridade deles.

Ao contrário das outras testemunhas, Brecht respondeu quando lhe perguntaram se pertencia ao Partido Comunista: não era membro, disse, o que era verdade. Alguém da comissão lhe perguntou: "É verdade que o senhor escreveu várias peças revolucionárias?" Brecht tinha escrito muitas peças com claras mensagens comunistas, mas respondeu: "Eu escrevi vários poemas, canções e peças na luta contra Hitler e, é claro, eles podem ser considerados revolucionários, porque eu apoiava a derrubada do seu governo." Esta declaração passou incontestada.

O inglês de Brecht era mais do que suficiente, mas ele usou um intérprete durante todo o depoimento, tática que lhe permitiu fazer jogos de palavras sutis. Se os membros da comissão viam tendências comunistas em versos das edições inglesas de seus poemas, ele os repetia em alemão para o intérprete que depois os retraduzia, e de certa forma eles surgiam inofensivos. Num determinado momento, um dos participantes da comissão leu em voz alta um dos poemas revolucionários de Brecht na sua versão inglesa e perguntou se eram dele. "Não", respondeu, "eu escrevi um poema em alemão, que é muito diferente disso aí." As respostas evasivas do autor deixaram a comissão frustrada, mas seus modos gentis e a forma como ele reconheceu a autoridade deles impossibilitou que ficassem zangados com ele.

Com uma hora só de interrogatório, a comissão se deu por satisfeita. "Muito obrigado", disse o presidente, "você é um bom exemplo para as [outras] testemunhas." Não só o deixaram livre, como ofereceram ajuda caso surgisse algum problema com os funcionários da imigração, que talvez tivessem as suas próprias razões para detê-lo. No dia seguinte, Brecht deixou os Estados Unidos, para sempre.

Interpretação
A abordagem contestadora dos 19 de Hollywood despertou muita simpatia, e anos depois eles conseguiram de uma certa forma se vingar através da opinião pública. Mas foram também para a lista proibida e perderam muitos anos preciosos de trabalho lucrativo. Brecht, por outro lado, manifestou o seu desagrado diante da comissão de uma forma mais indireta. Não mudou suas crenças nem comprometeu seus valores; mas, durante o seu breve depoimento, foi ele que se manteve na posição mais vantajosa parecendo ceder enquanto, o tempo todo, confundia a comissão com respostas vagas, mentiras que ninguém contestava porque estavam envoltas em enigmas e jogos de palavras. No final, ele continuou livre para escrever seus textos revolucionários (em vez de ficar preso ou detido nos Estados Unidos), mesmo tendo zombado sutilmente da comissão e da sua autoridade com uma pseudo-obediência.

Lembre-se: quem está tentando exibir a sua autoridade ilude-se facilmente com a tática da rendição. Se você se mostra submisso, eles se sentem importantes. Contentes, porque estão sendo respeitados, tornam-se alvos mais fáceis para um contra-ataque, ou para uma zombaria dissimulada como fez Brecht. Ao avaliar o seu poder ao longo do tempo, não sacrifique a capacidade de manobra no longo prazo pelas glórias efêmeras do martírio.

Quando o grande senhor passa, o camponês sábio se inclina profundamente e peida em silêncio.

Provérbio etíope

AS CHAVES DO PODER

O que nos causa problemas na esfera do poder é quase sempre a nossa própria reação exagerada aos movimentos de nossos inimigos e rivais. Esse exagero cria dificuldades que teríamos evitado se fôssemos mais sensatos. Tem também um efeito ricochete interminável, pois o inimigo vai reagir com o mesmo exagero, como os atenienses fizeram com os melianos. O nosso primeiro instinto é sempre o de reagir, enfrentar a agressão com outra agressão. Mas, da próxima vez que alguém lhe der um empurrão e você perceber que está começando a reagir, experimente isto: não resista nem brigue, ceda, dê a outra face, curve-se. Verá que isso quase sempre neutraliza o comportamento deles – eles esperavam, até queriam que você reagisse com energia e foram, portanto, apanhados desprevenidos e a sua não resistência os deixou confusos. Na verdade, ao ceder você passa a controlar a situação, porque isso faz parte de um plano maior para que eles acreditem que o derrotaram.

Esta é a essência da tática da rendição; no íntimo você permanece firme, mas por fora você se inclina. Sem mais motivos para se zangar, seus adversários ficam confusos. É improvável que reajam com mais violência, o que exigiria de você uma reação. Em vez disso, você tem tempo e espaço para armar um contramovimento para derrubá-los. No confronto entre o inteligente e o bruto agressivo, a tática da rendição é a melhor arma. Mas é preciso ter autocontrole: quem se rende de fato perde a liberdade e pode ser esmagado pela humilhação da derrota. Você deve se lembrar de só *parecer* que está se rendendo, como o animal que se finge de morto para salvar a pele.

Vimos que é melhor se render do que brigar: diante de um adversário mais forte e da garantia de uma derrota, quase sempre é melhor se render do que sair correndo. Na hora, a fuga pode ser a salvação, mas o agressor acabará alcançando você. Rendendo-se, entretanto, você terá oportunidade de se enroscar no inimigo e atacá-lo com unhas e dentes bem de perto.

Em 473 a.C., na antiga China, o rei Goujian de Yue sofreu uma terrível derrota nas mãos do governante de Wu, na batalha de Fujiao. Goujian quis fugir, mas um conselheiro lhe disse para se render e se colocar a serviço do governante de Wu, posição que lhe permitiria estudar o sujeito e planejar uma vingança. Decidido a seguir o conselho, Goujian deu ao governante todas as suas riquezas, e foi trabalhar nos estábulos do conquistador como o seu criado mais simples. Passou três anos se humilhando diante do governante, que, finalmente, satisfeito com a sua lealdade, permitiu que ele voltasse para casa. Secretamente, entretanto, Goujian naqueles três anos colheu informações e armou uma vingança.

Durante uma terrível seca que assolou Wu e o reino se viu enfraquecido por rebeliões internas, ele armou um exército, invadiu e venceu com facilidade. Este é o poder da rendição; você fica com tempo e flexibilidade para armar um contra-ataque devastador. Fugindo, Goujian teria perdido esta chance.

Quando o comércio exterior começou a ameaçar a independência do Japão, em meados do século XIX, os japoneses discutiram como derrotar os estrangeiros. Um ministro, Hotta Masayoshi, escreveu um memorando em 1857 que influenciou a política japonesa durante muitos anos: "Estou, portanto, convencido de que a nossa política deveria ser fazer alianças cordiais, enviar navios a todos os países estrangeiros e fazer comércio com eles, copiar os estrangeiros naquilo que eles fazem melhor, reparando assim as nossas próprias deficiências, incentivando a nossa força nacional e completando nossos armamentos, e submeter, assim, *gradualmente*, os estrangeiros à nossa influência até que, no final, todos os países do mundo conheçam as bênçãos da perfeita tranquilidade e a nossa hegemonia seja reconhecida no mundo inteiro." Esta é uma aplicação brilhante da lei: Use a rendição para ter acesso ao inimigo. Aprenda com ele, insinue-se lentamente, conforme-se externamente aos seus hábitos, mas no íntimo conserve a sua própria cultura. No fim você sairá vitorioso, pois enquanto ele o considera fraco e inferior, e não toma nenhuma precaução para se defender, você usa este tempo para se recuperar e ficar mais forte do que ele. Esta forma branda e permeável de invasão quase sempre é a melhor, pois o inimigo nenhum motivo tem para reagir, nada para se preparar ou resistir. E se os japoneses tivessem resistido à influência ocidental pela força, poderiam ter sofrido uma devastadora invasão que alteraria para sempre a sua cultura.

A rendição também é uma forma de você rir do inimigo, de virar o poder contra eles mesmos, como fez Brecht. O romance *A brincadeira*, de Milan Kundera, baseado nas experiências do autor numa colônia penal na Tchecoslováquia, conta que os guardas da prisão organizaram uma corrida de revezamento, guardas contra prisioneiros. Para eles esta era uma chance de exibir a sua superioridade física. Os prisioneiros sabiam que era para eles perderem, por isso fizeram tudo para agradar – fingindo um esforço exagerado enquanto mal se mexiam, caindo no chão depois de correr só alguns metros, capengando, andando cada vez mais devagar enquanto os guardas disparavam na frente. Aceitando ao mesmo tempo participar da corrida e perder, eles tinham obedecido aos guardas; mas o excesso de obediência tornou o evento ridículo a ponto de arruiná-lo. A "superobediência" – a rendição – nesse caso foi uma demonstração de superioridade ao inverso. A resistência teria colocado os prisioneiros num ciclo de violências, rebaixando-os ao nível dos guardas. A *superobediência*, entretanto, colocou os guardas numa situação ridícula, mas eles não podiam punir justamente os prisioneiros que só fizeram o que eles tinham pedido.

O poder está sempre fluindo – visto que o jogo é por natureza fluido e uma arena de lutas constantes, quem está com o poder quase sempre acaba se encontrando na descida do pêndulo. Se você se vir temporariamente enfraquecido, a tática da rendição é perfeita para levá-lo para cima de novo – ela disfarça a sua ambição; ensina a você a paciência e o autocontrole, habilidades-chave para o jogo, e o coloca na melhor posição possível para tirar vantagem do súbito deslize do seu opressor. Se você foge ou revida, não poderá vencer no longo prazo. Se você se rende, é quase certo sair vitorioso.

Imagem: Um Carvalho. O carvalho que resiste à ventania perde seus galhos um a um e, sem mais nada para protegê-lo, o tronco acaba se partindo. O carvalho que se curva, vive mais, seu tronco engrossa, suas raízes ficam mais profundas e tenazes.

Autoridade: Ouvistes o que foi dito: Olho por olho, dente por dente. Eu, porém, vos digo: Não resistais ao perverso; mas a qualquer que vos ferir a face direita, voltai-lhe também a outra; e ao que quer demandar convosco e tirar-vos a túnica, deixai-lhe também a capa. Se alguém vos obrigar a andar uma milha, ide com ele duas. (Jesus Cristo, em Mateus, 5:38-41)

O INVERSO
O objetivo da rendição é salvar a sua pele para quando você puder se firmar novamente. É para evitar o martírio que alguém se rende, mas há momentos em que o inimigo não descansa, e o martírio parece ser a única escapatória. Além do mais, se você estiver disposto a morrer, outros poderão tirar do seu exemplo poder e inspiração.

Mas o martírio, o inverso da rendição, é uma tática confusa, pouco precisa, e tão violenta quanto a agressão que ele combate. Para cada mártir famoso existem milhares que não inspiraram religiões nem rebeliões, de forma que, se o martírio às vezes confere um certo poder, isso é imprevisível. E, o que é mais importante, você não estará por aqui para usufruir desse poder. E existe decididamente algo de egoísmo e arrogância nos mártires, como se achassem que seus seguidores são menos importantes do que a sua própria glória.

Quando o poder o abandona, é melhor ignorar esta inversão da Lei. Deixe para lá o martírio: o pêndulo acaba oscilando para o seu lado novamente, e você precisa estar vivo para ver isso.

LEI 23

CONCENTRE AS SUAS FORÇAS

JULGAMENTO

Preserve suas forças e sua energia concentrando-as no seu ponto mais forte. Ganha-se mais descobrindo uma mina rica e cavando fundo do que pulando de uma mina rasa para outra – a profundidade derrota a superficialidade sempre. Ao procurar fontes de poder para promovê-lo, descubra um patrono-chave, a vaca cheia de leite que o alimentará durante muito tempo.

A LEI TRANSGREDIDA

Na China do início do século VI a.C., o reinado de Wu entrou em guerra com as províncias vizinhas do Reino Médio ao norte. Wu era uma potência em crescimento, mas faltava-lhe a história e a civilização do Reino Médio, durante séculos centro da cultura chinesa. Ao derrotar o Reino Médio, o rei de Wu elevaria instantaneamente o seu status.

A guerra começou com grandes fanfarras e várias vitórias, mas logo mergulhou num atoleiro. A vitória numa frente deixava os exércitos de Wu vulneráveis em outra. O primeiro-ministro e conselheiro do rei, Wu Tzu-hsiu, alertou-o de que o Estado bárbaro de Yueh, ao sul, estava começando a notar os problemas do reino de Wu e tinha intenções de invadi-lo. O rei achou graça – só mais uma vitória e o grande Reino Médio seria seu.

No ano de 490, Wu Tzu-hsiu mandou o filho para um local seguro no reino de Ch'i. Ao fazer isso, ele estava sinalizando ao rei que desaprovava a guerra e que acreditava que a sua ambição egoísta estava conduzindo Wu à ruína. O rei, farejando uma traição, atacou violentamente o ministro, acusando-o de deslealdade, e, num acesso de cólera, mandou que ele se matasse. Wu Tzu-hsiu obedeceu, mas, antes de enterrar a faca no peito, gritou: "Arranque meus olhos e os dependure no portão de Wu, para que eu possa ver a entrada triunfante de Yueh."

Como Wu Tzu-hsiu previu, em poucos anos um exército de Yueh atravessou os portões de Wu. Quando os bárbaros rodearam o palácio, o rei se lembrou das últimas palavras do seu ministro – e sentiu o olhar descarnado assistindo a sua desgraça. Incapaz de suportar a própria vergonha, o rei se matou, "cobrindo o rosto para não ver o olhar de reprovação do seu ministro no outro mundo".

Interpretação

A história de Wu é um paradigma de todos os impérios que encontraram a ruína querendo dar um passo maior que as pernas. Inebriados pelo sucesso e doentes de tanta ambição, esses impérios se expandem em proporções grotescas e encontram a ruína total. Foi o que aconteceu com a antiga Atenas, que desejou ardentemente a distante ilha da Sicília e acabou perdendo o seu império. Os romanos ampliaram as suas fronteiras ocupando vastos territórios; com isso tornaram-se mais vulneráveis e aumentaram as chances de invasão de outra tribo bárbara. A expansão inútil levou seu império ao esquecimento.

Para os chineses, o destino do reino de Wu serve de lição elementar sobre o que acontece quando você dispersa suas forças em várias

---

O GANSO E O CAVALO

Um ganso que estava arrancando capim num campo se sentiu ofendido com a presença de um cavalo que se alimentava perto dele; e, num tom sibilante, falou: "Sou certamente um animal mais nobre e perfeito do que você, pois todo âmbito e extensão das suas faculdades se limitam a um elemento. Eu posso pisar no solo, como você; além disso, tenho asas com as quais posso me alçar aos ares; e quando me apraz, posso nadar em tanques e lagos e me refrescar nas águas frias. Tenho diferentes poderes como um pássaro, um peixe e um quadrúpede." O cavalo, resfolegando com desdém, retrucou: "É verdade que você habita três elementos, mas não faz bela figura em nenhum deles. Você voa, de fato, mas o seu voo é tão pesado e deselegante que você não pode se considerar no mesmo nível da cotovia e da andorinha. Você pode nadar na superfície das águas, mas não pode viver nelas como os peixes; você não pode encontrar comida naquele elemento, nem deslizar suavemente no fundo. E quando você caminha, ou

frentes, perdendo de vista os perigos distantes em prol do ganho presente. "Se não estiver correndo perigo", diz Sun Tzu, "não lute." É quase uma lei física: O que cresce desmesuradamente vai entrar em colapso. A mente não deve vagar de um objetivo a outro, ou deixar que o sucesso a distraia de seu senso de propósito e limite. O que se concentra, o que é coerente e está conectado a seu passado tem poder. O que se dissipa, divide e distende apodrece e vem ao chão. Quanto mais ele cresce, mais se esborracha.

A LEI OBSERVADA

A família de banqueiros Rothschild começou humilde num gueto judeu de Frankfurt, na Alemanha. As rígidas leis da cidade impediam que os judeus se misturassem com quem não fosse do gueto, mas os judeus tinham transformado isso numa virtude – tornaram-se autoconfiantes e faziam questão de preservar sua cultura a qualquer custo. Mayer Amschel, o primeiro dos Rothschild a ficar rico emprestando dinheiro, no fim do século XVIII, compreendeu muito bem o poder que advém deste tipo de concentração e coesão.

Primeiro, Mayer Amschel se aliou a uma família, os poderosos príncipes de Thurn und Taxis. Em vez de espalhar seus serviços, ele se transformou no principal banqueiro desses príncipes. Segundo, ele não confiava nenhum dos seus negócios a pessoas de fora, usando apenas seus filhos e parentes próximos. Quanto mais unida e entrelaçada a família, mais poderosa ela seria. Não demorou muito e os cinco filhos de Mayer Amschel estavam dirigindo os negócios. E no seu leito de morte, em 1812, Mayer Amschel se recusou a indicar um herdeiro principal, organizando as coisas de forma que todos os filhos continuassem com a tradição da família, permanecendo unidos e resistindo aos perigos da descentralização e da infiltração de estranhos.

Assim que os filhos de Mayer Amschel passaram a controlar os negócios da família, concluíram que a chave para a fortuna em grande escala era garantir uma base nas finanças da Europa como um todo, em vez de ficar preso a um país ou príncipe. Dos cinco irmãos, Nathan já estava negociando em Londres. Em 1813, James se mudou para Paris. Amschel continuou em Frankfurt, Salomon se estabeleceu em Viena, e Karl, o mais novo, foi para Nápoles. Com todas as esferas de influência cobertas, eles poderiam apertar o cerco aos mercados financeiros europeus.

Esta ampla rede, é claro, deixou os Rothschild expostos exatamente àquele perigo sobre o qual o pai lhes alertara: descentralização, divisão, dissensão. Eles evitaram esse perigo, e se estabeleceram como a maior

---

melhor, bamboleia no chão, com seus pés largos, seu pescoço comprido esticado, assobiando para quem passa, você provoca risos. Eu confesso que fui feito para andar só no chão. Como sou gracioso! Como meus membros são bem torneados! Como todo o meu corpo é bem-acabado! Como sou forte! Como é surpreendente a minha velocidade! Prefiro estar limitado a um elemento, e ser admirado por isso, do que ser um ganso em todos os outros!"
FABLES FROM BOCCACCIO AND CHAUCER, Dr. JOHN AIKIN, 1747-1822

Cuidado para não dissipar os seus poderes; lute constantemente para concentrá-los. O gênio pensa que pode fazer tudo que vê os outros fazerem, mas vai se arrepender de tanto desperdício.
JOHANN VON GOETHE, 1749-1832

potência na política e nas finanças da Europa, recorrendo mais uma vez à estratégia do gueto – excluindo estranhos, concentrando suas forças. Os Rothschild criaram o sistema de courier mais rápido da Europa, que lhes permitia saber as notícias antes de todos os seus concorrentes. Eles mantinham um monopólio virtual das informações. E suas comunicações e correspondências internas eram escritas no iídiche de Frankfurt e num código que só os irmãos conseguiam decifrar. Não adiantava roubar informações – ninguém as compreendia. "Até os banqueiros mais espertos não conseguem se entender no labirinto dos Rothschild", reconheceu um financista que tentou se infiltrar no clã.

Em 1824, James Rothschild decidiu que estava na hora de se casar. Isto era um problema para os Rothschild, visto que significava incorporar um estranho no clã dos Rothschild, uma pessoa de fora que poderia trair seus segredos. James, portanto, resolveu se casar dentro da família, e escolheu a filha do seu irmão Salomon. Os irmãos ficaram em êxtase – era a solução perfeita para seus problemas de casamento. A escolha de James tornou-se a política familiar: dois anos depois, Nathan casou a filha com o filho de Salomon. Nos anos seguintes, os cinco irmãos arranjaram dezoito casamentos entre seus filhos, dezesseis dos quais foram contraídos entre primos em primeiro grau.

"Somos como o mecanismo de um relógio: todas as partes são essenciais", disse o irmão Salomon. Como num relógio, cada peça dos negócios girava com as outras, e o funcionamento interno era invisível para o mundo, que só via o movimento dos ponteiros. Enquanto outras famílias ricas e poderosas sofreram reveses irrecuperáveis durante a tumultuada primeira metade do século XIX, os coesos Rothschild não só conseguiram preservar como expandiram a sua fortuna sem precedentes.

Interpretação
Os Rothschild nasceram numa época estranha. Vinham de um lugar que não mudava havia séculos, mas viveram numa era que deu origem à Revolução Industrial, à Revolução Francesa e a uma interminável série de rebeliões. Os Rothschild conservaram vivo o passado, resistiram aos modelos de dispersão da sua era e por isso são o símbolo da lei de concentração.

Ninguém melhor para representar isso do que James Rothschild, o filho que se estabeleceu em Paris. Ao longo da sua vida, James assistiu à derrota de Napoleão, à restauração da monarquia Bourbon, à monarquia burguesa de Orleans, ao retorno a uma república e, finalmente, à coroação de Napoleão III. Durante todo este tumulto, os estilos e as modas francesas mudavam num ritmo implacável. Sem parecer uma relíquia do passado, James guiava sua família como se o gueto continuasse vivo dentro deles. Ele manteve viva a coesão e a força interior do seu clã. Somente com essa âncora no passado a família foi capaz de prosperar em meio ao caos. A concentração foi a base do poder, da riqueza e da estabilidade dos Rothschild.

> *A melhor estratégia é ser sempre muito forte; primeiro, em geral, depois no momento decisivo… Não há lei de estratégia melhor e mais simples do que manter as próprias forças concentradas… Em resumo, o primeiro princípio é: aja com a máxima concentração.*
> Da guerra, Carl von Clausewitz, 1780-1831

AS CHAVES DO PODER

O mundo está passando por uma epidemia de divisões cada vez maiores – dentro de países, grupos políticos, famílias, até indivíduos. Estamos todos num estado de total distração e difusão, mal conseguimos colocar nossas cabeças numa direção e já estamos sendo puxados para centenas de outras. O nível de conflito no mundo moderno está mais alto do que nunca, e já nos acostumamos com isso.

A solidão é uma forma de nos retirarmos para dentro de nós mesmos, para o passado, para formas mais concentradas de pensamento e ação. Como escreveu Schopenhauer: "O intelecto é uma medida de profundidade, não uma medida de superficialidade." Napoleão conhecia o valor de concentrar suas forças no ponto fraco do inimigo – era o segredo do seu sucesso nos campos de batalha. Mas a sua força de vontade e a sua mente também estavam moldadas segundo esta noção. O propósito único, a total concentração na meta, e o uso destas qualidades contra pessoas menos concentradas, pessoas distraídas – a flecha acertará sempre o alvo e conquistará o inimigo.

Casanova atribuía o seu sucesso na vida a sua capacidade de se concentrar num único objetivo e forçar até ele ceder. Foi a sua capacidade de se entregar totalmente às mulheres que desejava que o tornava tão sedutor. Durante as semanas ou meses em que uma destas mulheres vivia na sua órbita, ele não pensava em mais ninguém. Quando esteve preso nas traiçoeiras "passagens" do palácio dos doges em Veneza, prisão de onde ninguém jamais escapara, ele só pensava na fuga como seu único objetivo, dia após dia. Uma mudança de cela, que significou meses e meses de escavações inúteis, não o desencorajou; ele persistiu e acabou fugindo. "Sempre acreditei", escreveu ele mais tarde, "que se um homem coloca na cabeça que vai fazer uma coisa, e se ele se ocupa exclusivamente disso, acaba conseguindo, por mais difícil que seja. Esse homem se tornará grão-vizir ou papa."

Concentre-se numa única meta, uma única tarefa, e insista até conseguir. No mundo do poder, você está sempre precisando da ajuda dos outros, em geral daqueles que têm mais poder do que você. O tolo pula de um para o outro, acreditando que sobreviverá se espalhando. Mas um dos corolários da lei de concentração é que se economiza muita energia, e se obtém mais poder, fixando-se a uma única fonte adequada de poder. O cientista Nikola Tesla se arruinou acreditando que conservaria a sua independência se não tivesse de servir a um único senhor. Ele até rejeitou a oferta de J.P. Morgan, que lhe ofereceu um rico contrato. No final, a "independência" de Tesla significava que ele podia não depender de um único patrono, mas estava sempre tendo de adular uma dúzia deles. No final da vida, ele percebeu o seu erro.

Todos os grandes pintores e escritores renascentistas se debateram com este problema, não mais do que o escritor seiscentista Pietro Aretino. Ao longo de toda a sua vida, Aretino passou pela indignidade de ter que agradar a este ou àquele príncipe. Ele acabou dando um basta e foi cortejar Carlos V, prometendo ao imperador os serviços da sua poderosa pena. Finalmente ele descobriu a liberdade de servir a uma única fonte de poder. Michelangelo descobriu esta liberdade com o papa Júlio II, Galileu com os Medici. No final, o patrono único aprecia a sua lealdade e passa a depender dos seus serviços; com o tempo, o senhor serve ao escravo.

Finalmente, o poder está sempre concentrado. Em qualquer organização, é inevitável que um pequeno grupo controle tudo. E quase sempre não são aqueles com títulos. No jogo do poder, apenas o tolo golpeia aqui e ali sem fixar a sua meta. É preciso descobrir quem controla as operações, quem realmente dirige a cena por trás dos bastidores. Como Richelieu descobriu no início da sua ascensão ao topo do cenário político francês, no início do século XVII, não era o rei Luís XIII que decidia as coisas, era a mãe dele. Portanto, ele se ligou a ela e passou por cima de todos os níveis dos cortesãos, direto para o topo.

Basta encontrar petróleo uma vez – sua riqueza e poder estão garantidos para o resto da vida.

Imagem: A Flecha. Não se pode acertar dois alvos com uma só flecha. Se a mente divaga, você não acerta o coração do inimigo. Mente e flecha têm de ser uma só. Apenas com muita concentração mental e física a sua flecha acertará o alvo, bem no coração.

Autoridade: Preze a profundidade mais do que a superficialidade. A perfeição está na qualidade, não na quantidade. O superficial não sai da mediocridade, e a desgraça dos homens com interesses amplos e generalizados é que enquanto desejam comandar tudo acabam não comandando nada. A profundidade dá fama e equivale ao heroísmo em questões sublimes. (Baltasar Gracián, 1601-1658)

O INVERSO

A concentração pode ser perigosa, e há momentos em que a dispersão é a tática adequada. Lutando contra os nacionalistas pelo controle da China, Mao Tsé-tung e os comunistas fizeram uma guerra de retração em várias frentes, usando como suas principais armas a sabotagem e as emboscadas. A dispersão costuma ser adequada para o lado mais fraco; ela é, de fato, o princípio crucial das guerrilhas. Ao lutar contra um exército superior concentrando suas forças, você só se torna um alvo mais fácil – melhor se dispersar no cenário e frustrar seu inimigo com a intangibilidade da sua presença.

Ligar-se a uma única fonte de poder tem um grande perigo: se a pessoa morre, vai embora ou cai em desgraça, você sofre. Foi o que aconteceu com César Bórgia, cujo poder vinha do pai, o papa Alexandre VI. O papa é que deu a César exércitos e guerras para travar em seu nome. Quando ele morreu de repente (talvez envenenado), César também estava morto. Tinha feito inimigos demais ao longo dos anos e agora não tinha mais a proteção do pai. Nos casos em que você possa precisar de proteção, portanto, quase sempre é melhor se ligar a várias fontes de poder. Isso é bastante prudente em épocas de grandes tumultos e mudanças violentas, ou quando seus inimigos são numerosos. Quanto mais patronos e senhores você tiver, menor o risco que você corre se um deles perder o poder. Essa dispersão até permitirá que você jogue um contra o outro. Mesmo que você se concentre numa única fonte de poder, ainda deve ter cautela e se preparar para o dia em que o seu senhor, o patrono, não estiver mais aqui para protegê-lo.

Finalmente, exagerar num propósito único pode fazer de você um chato insuportável, especialmente nas artes. O pintor renascentista Paolo Uccello era tão obcecado com a perspectiva que suas pinturas chegam a parecer monótonas e falsas, enquanto Leonardo da Vinci se interessava por tudo – arquitetura, pintura, guerra, escultura, mecânica. A descentralização foi a fonte do seu poder. Mas gênios assim são raros; quanto ao restante de nós, é melhor pender para o lado da profundidade.

LEI 24

REPRESENTE O CORTESÃO PERFEITO

JULGAMENTO
O cortesão perfeito prospera num mundo onde tudo gira em torno do poder e da habilidade política. Ele domina a arte da dissimulação; ele adula, cede aos superiores e assegura o seu poder sobre os outros da forma mais gentil e dissimulada. Aprenda e aplique as leis da corte e não haverá limites para a sua escalada na corte.

OS DOIS CÃES

Barbos, o fiel cão de guarda que serve ao seu senhor com dedicação, vê sua velha amiga Joujou, a cadelinha de estimação de pelo encaracolado, sentada na janela sobre uma macia almofada de penas. Sorrateiro, ele se aproxima afetuosamente, como uma criança que procura os pais, e chora de emoção; e ali, debaixo da janela, abana o rabo e saltita. "Que vida você leva agora, Joujoutka, desde que o senhor a levou para a sua mansão? Você deve se lembrar, sem dúvida, de como passávamos fome no pátio. Como é o seu serviço atualmente?" "Seria um pecado reclamar da minha sorte", responde Joujoutka. "Meu senhor me dá toda a atenção possível. Vivo na riqueza e na abundância, e como e bebo em peças de prata. Brinco com o senhor e, se fico cansada, descanso sobre tapetes ou numa almofada macia. E como você está?" "Eu?", responde Barbos, deixando cair a cauda como um chicote, baixando a cabeça. "Vivo como costumava viver. Passo frio e fome; e aqui, enquanto guardo a casa do meu senhor, tenho

A CORTE

É característico do ser humano estruturar uma sociedade palaciana em torno do poder. No passado, a corte se reunia em torno do governante e tinha muitas funções: além de distrair o governante, era uma forma de solidificar a hierarquia da realeza, nobreza e classes superiores, e manter os nobres ao mesmo tempo subordinados e próximos do governante, que assim podia ficar de olho neles. A corte serve ao poder de várias maneiras, principalmente glorificando o governante, proporcionando-lhe um microcosmo que deve se esforçar para agradar-lhe.

Ser um cortesão era um jogo arriscado. Um viajante árabe do século XIX na corte de Darfur, onde hoje é o Sudão, relatou que os cortesãos tinham de fazer tudo que o sultão fizesse: se ele se machucasse, eles também tinham de se machucar; se ele caísse do cavalo durante uma caçada, eles caíam, também. Tais mímicas apareceram nas cortes do mundo inteiro. Mais problemático era o perigo de desagradar ao governante – um passo em falso significava morte ou exílio. O cortesão bem-sucedido tinha de fazer malabarismos, agradar, mas não muito, obedecer, mas de alguma forma se distinguindo dos outros cortesãos, embora sem se destacar tanto a ponto de deixar o governante inseguro.

Os grandes cortesãos ao longo da história dominaram a arte de manipular as pessoas. Eles fazem o rei se sentir mais rei; eles fazem todos os outros temerem o seu poder. São mágicos da aparência, sabendo que quase tudo na corte é julgado pelo que parecer ser. Os grandes cortesãos são graciosos e polidos; sua agressividade é velada e indireta. Donos do mundo, nunca dizem mais do que o necessário, levando sempre a melhor num elogio ou insulto velado. São ímãs de prazer – as pessoas querem ficar ao seu lado porque eles sabem agradar, no entanto, eles nunca adulam nem se humilham. Grandes cortesãos se tornam os favoritos do rei, gozando dos benefícios dessa posição. Com frequência, acabam mais poderosos do que o governante, pois são os magos da acumulação de influência.

Muitos hoje desprezam a vida na corte como uma relíquia do passado, uma curiosidade histórica. Argumentam, segundo Maquiavel, "como se os céus, o sol, os elementos e os homens tivessem mudado a ordem de seus movimentos e poder, e fossem diferentes do que eram na antiguidade". Pode não haver mais Rei Sol, mas ainda existe muita gente que acredita que o sol gira em torno delas. A corte real pode ter mais ou menos desaparecido, ou pelo menos ter perdido o seu poder, mas cortes e cortesãos continuam existindo porque o poder ainda existe. É raro hoje em dia pedir um cortesão que caia do cavalo, mas as leis que governam a política da corte são eternas como as leis do poder. Há muito o que aprender, portanto, com os grandes cortesãos do passado e do presente.

AS LEIS DA POLÍTICA DA CORTE
Evite a Ostentação. Não é prudente ficar falando muito de si mesmo ou chamar muita atenção para o que você faz. Quanto mais você falar sobre seus feitos, mais desconfiança despertará. Você pode também criar tanta inveja entre seus pares a ponto de induzir traições e punhaladas pelas costas. Tenha cuidado, muito cuidado, ao trombetear suas próprias conquistas, e sempre fale menos de você do que dos outros. É preferível a modéstia.

Pratique o Desinteresse. Nunca pareça estar se esforçando muito. Seu talento deve parecer fluir naturalmente, com uma facilidade que faz as pessoas o tomarem por um gênio e não um viciado no trabalho. Mesmo quando alguma coisa exige muito suor, faça com que pareça simples – as pessoas preferem não ver o seu sangue, suor e lágrimas, o que é outra forma de ostentação. É melhor que elas se encantem com o seu estilo tranquilo de conseguir as coisas do que se perguntem por que isso está dando tanto trabalho.

Seja Frugal nos Elogios. Pode parecer que seus superiores nunca se fartam de elogios, mas o excesso, até do que é bom, desmerece o seu valor. E também desperta a desconfiança nos seus pares. Aprenda a elogiar indiretamente – reduzindo a importância da sua própria contribuição, por exemplo, para colocar o seu senhor em melhor situação.

Providencie para ser Notado. Existe aí um paradoxo: Você não pode se exibir descaradamente, mas também deve se fazer notado. Na corte de Luís XIV, a pessoa para quem o rei decidisse olhar subia instantaneamente de nível na hierarquia palaciana. Você não tem nenhuma chance de subir se o governante não o notar submerso no meio de todos os outros cortesãos. Esta tarefa exige muita arte. No início, quase sempre é uma questão de ser visto, literalmente falando. Preste atenção à sua aparência física, portanto, e descubra como criar um estilo e uma imagem diferente – *sutilmente* diferente.

Altere o seu Estilo e Linguagem de Acordo com a Pessoa com Quem Está Lidando. A pseudocrença na igualdade – a ideia de que falar e agir da mesma maneira com todos, não importa o nível deles, faz de você um modelo de pessoa civilizada – é um terrível engano.

---

*que dormir encostado no muro, e fico encharcado na chuva. E se começo a latir na hora errada, sou chicoteado. Mas como você, Joujou, tão pequena e fraca, conseguiu cair nas suas graças, enquanto eu me esfolo inutilmente? O que você faz?"
"'O que você faz' é uma boa pergunta!", respondeu Joujou, com ar de zombaria. "Eu ando sobre as pernas traseiras."*
FABLES, IVAN KRILOFF, 1768-1844

É sensato ser polido; por conseguinte, é idiotice ser rude. Criar inimigos com a falta desnecessária e proposital de civilidade é insensatez tão grande quanto tocar fogo na própria casa. Porque a polidez é como uma ficha – uma moeda reconhecidamente falsa e com a qual é tolice agir com avareza. O homem de bom senso será generoso ao usá-la... A cera, substância naturalmente dura e quebradiça, pode se tornar macia aplicando-se um pouco de calor, adquirindo a forma que mais lhe agradar. Da mesma maneira, sendo polido e gentil, você pode tornar as pessoas dóceis e servis, mesmo que tendam

> *a ser rabugentas e malevolentes. Portanto, a polidez é para a natureza humana o que o calor é para a cera.*
> ARTHUR SCHOPENHAUER, 1788-1860

Quem estiver abaixo de você tomará isso como uma forma de condescendência, o que de fato é, e os que estão acima de você ficarão ofendidos, embora possam não admitir isso. Você deve mudar o seu estilo e a sua maneira de falar de acordo com cada pessoa. Isto não é mentir, é interpretar, e interpretar é uma arte, não um dom divino. Aprenda essa arte. Isto vale também para a grande variedade de culturas encontradas na corte moderna: *Jamais* suponha que os seus critérios de comportamento e julgamento são universais. Não só é o auge do barbarismo não conseguir se adaptar a outra cultura, como coloca você em desvantagem.

Não Seja o Portador de Más Notícias. O rei mata o mensageiro que lhe traz más notícias: é clichê, mas é verdade. Você deve se esforçar e, se necessário, mentir e enganar, para garantir que a sina do portador das más notícias caia sobre um colega, jamais sobre você. Leve apenas boas notícias e a sua abordagem alegrará o senhor.

Não Finja Amizade ou Intimidade com o seu Senhor. Ele não quer um amigo como subordinado, ele quer um subordinado. Jamais se aproxime dele com um ar à vontade e cordial, ou aja como se fossem muito amigos – essa prerrogativa é *dele*. Se *ele* escolher lidar com você neste nível, adote um ar circunspecto de intimidade. Ou, então, peque pelo excesso e deixe clara a distância entre vocês dois.

Não Critique Diretamente Quem Está Acima de Você. Pode parecer óbvio, mas há ocasiões em que uma certa crítica é necessária – ficar calado, ou não dar nenhum conselho, vai deixá-lo exposto a outros tipos de risco. Você deve aprender, entretanto, a dar o seu conselho ou fazer a sua crítica da forma mais indireta e polida possível. Pense duas vezes, ou três, para ter certeza de ter sido suficientemente indireto. Peque pela sutileza e gentileza.

Seja Frugal ao Pedir um Favor a Quem Está em Posição Superior a Você. Nada irrita mais um senhor do que ter de negar um pedido. Isto desperta o seu sentimento de culpa e ressentimento. Peça favores o mais raramente possível, e saiba quando parar. Melhor do que se fazer de suplicante é merecer os seus favores, de forma que o governante os conceda de boa vontade. Mais importante: Não peça favores em nome de outra pessoa, muito menos de um amigo.

Não Brinque com o Gosto nem com a Aparência. O bom humor e a espirituosidade são qualidades essenciais para um bom cortesão, e há momentos em que a vulgaridade é apropriada e interessante. Mas evite qualquer tipo de piada sobre gosto ou aparência, duas áreas altamente sensíveis, especialmente quando se trata de pessoas acima de você. Nem mesmo tente, se não estiverem por perto. Vai cavar a sua própria sepultura.

Não Seja Sarcástico. Expresse admiração pelo bom trabalho dos outros. Se você constantemente criticar seus iguais ou subordinados, parte dessa crítica vai sobrar para você, acompanhando-o como uma nuvem negra aonde quer que você vá. As pessoas vão resmungar a cada novo comentário cético, e você as irritará. Ao expressar uma modesta admiração pelas conquistas dos outros, você paradoxalmente chama atenção para as suas. A capacidade de se surpreender, e parecer sincero, é um talento raro e em extinção, mas ainda muito valorizado.

Tenha Autocrítica. O espelho é uma invenção milagrosa; sem ele você cometeria grandes pecados contra a beleza e o decoro. Você também precisa de um espelho para as suas ações. Ele pode às vezes vir na forma de outras pessoas que lhe dizem o que estão vendo em você, mas esse não é o método mais confiável: o espelho tem de ser *você*, treinando a sua mente para se ver como os outros o veem. Suas atitudes estão muito obsequiosas? Está se esforçando muito para agradar? Parece desesperado por atenção, dando a impressão de estar em declínio? Tenha autocrítica e evitará uma montanha de disparates.

Controle Suas Emoções. Como um ator numa grande peça, você deve aprender a chorar e a rir por encomenda e na hora certa. Deve ser capaz tanto de disfarçar sua raiva e frustração quanto de fingir que está satisfeito e de acordo. Você deve saber controlar a expressão do seu próprio rosto. Pode chamar de mentira, se quiser, mas, se preferir não fazer esse jogo e ser sempre honesto e direto, não se queixe quando os outros o chamarem de antipático e arrogante.

Entre no Espírito da Época. Uma leve afetação de uma era passada pode ser um charme, desde que já se tenham passado no mínimo vinte anos. Usar a moda de dez anos atrás é ridículo, a não ser que você goste do papel de bobo da corte. Seu espírito e maneira de pensar devem estar atualizados, mesmo que a moda agrida a sua sensibilidade. Pense muito à frente do seu tempo, entretanto, e ninguém o compreenderá. Não é uma boa ideia ficar muito em evidência nesta área; no mínimo, é mais vantajoso ser capaz de imitar o espírito da época.

Seja uma Fonte de Prazer. Isto é importante. Uma lei óbvia da natureza humana nos faz fugir do que é desagradável e repugnante, enquanto o charme e a promessa de prazer nos atraem como mariposas para a chama da vela. Seja a chama e você subirá ao topo. Como a vida é tão cheia de coisas desagradáveis e o prazer é tão raro, você se torna tão indispensável quanto comer e beber. Pode parecer óbvio, mas o óbvio às vezes é ignorado ou desvalorizado. Há graduações nisso: nem todos podem representar o papel do favorito, pois nem todos foram abençoados com charme e inteligência. Mas todos nós podemos controlar nossas qualidades desagradáveis e obscurecê-las quando necessário.

> *O homem que conhece a corte é senhor dos seus gestos,*
> *dos seus olhos e do seu rosto; ele é profundo, impenetrável;*
> *ele dissimula maus ofícios, sorri para os inimigos, controla sua*
> *irritação, disfarça suas paixões, desmente o seu coração,*
> *fala e age de modo diferente do que está sentindo.*
> Jean de La Bruyère, 1645-1696

CENAS DA VIDA NA CORTE: Atos Exemplares e Erros Fatais

Cena I

Alexandre, o Grande, conquistador da bacia do Mediterrâneo e do Oriente Médio através da Índia, teve o grande Aristóteles como tutor e mentor, e ao longo de toda a sua breve vida permaneceu fiel à filosofia e aos ensinamentos do seu mestre. Certa vez, ele se queixou com Aristóteles de, nas suas longas campanhas, não ter com quem discutir assuntos filosóficos. Aristóteles respondeu sugerindo que levasse Calistenes, um ex-aluno seu e filósofo promissor, junto com ele na próxima campanha.

Aristóteles tinha instruído Calistenes nas artes do bom cortesão, mas o jovem secretamente as achava ridículas. Ele acreditava na filosofia pura, nas palavras sem adornos, em dizer a verdade nua e crua. Se Alexandre gostava tanto de aprender, pensou Calistenes, não se incomodaria se alguém lhe dissesse o que pensava. Durante uma das principais campanhas de Alexandre, Calistenes disse demais o que pensava, e Alexandre mandou matá-lo.

Interpretação

Na corte, honestidade é bobagem. Não seja tão autocentrado a ponto de acreditar que o senhor está interessado nas suas críticas, mesmo que elas tenham fundamento.

Cena II
Começando pela dinastia Han, dois mil anos atrás, os eruditos chineses compilaram uma série de textos chamados *21 Histórias,* que são a biografia oficial de cada dinastia, incluindo histórias, estatísticas, números de censos e crônicas de guerra. Cada história possui também um capítulo chamado "Ocorrências Inusitadas", e aqui, entre as relações de terremotos e enchentes, às vezes aparecem descrições de manifestações bizarras como ovelhas de duas cabeças, gansos que voam para trás, estrelas surgindo de repente em diferentes partes do céu, e por aí vai. Os terremotos puderam ser historicamente conferidos, mas os monstros e estranhos fenômenos naturais foram nitidamente inseridos de propósito e ocorriam sempre aglomerados. O que isso queria dizer?

O imperador chinês era considerado mais do que um homem – ele era uma força da natureza. Seu reino era o centro do universo, e tudo girava ao seu redor. Ele personificava a perfeição do mundo. Criticá-lo ou a alguns de seus atos era o mesmo que criticar a ordem divina. Nenhum ministro ou cortesão ousava abordar o imperador com a mais leve palavra de advertência. Mas imperadores falham e o reino sofria muito com seus erros. Inserir visões de fenômenos estranhos nas crônicas da corte era a única forma de avisá-los. O imperador leria que os gansos estavam voando de trás para a frente e que a lua tinha saído de órbita, e perceberia que estava sendo advertido. Seus atos estavam desequilibrando o universo e precisavam mudar.

Interpretação
Para os cortesãos chineses, era muito importante saber como aconselhar o imperador. Ao longo dos anos, milhares deles tinham morrido tentando alertar ou aconselhar o seu senhor. Para serem seguras, suas críticas tinham de ser indiretas – mas se fossem indiretas *demais* não seriam ouvidas. As crônicas foram a solução, sem identificar ninguém como a origem da crítica, tornando o conselho o mais impessoal possível, mas informando o imperador sobre a gravidade da situação.

O seu senhor não é mais o centro do universo, mas continua achando que tudo gira em torno dele. Quando você o critica, ele vê a pessoa que faz a crítica, e não a crítica em si. Como os cortesãos chineses, você deve encontrar um jeito de sumir por trás do alerta. Use símbolos e outros métodos indiretos para pintar um quadro dos problemas futuros, sem colocar em risco o seu pescoço.

Cena III
No início da sua carreira, o arquiteto francês Jules Mansart foi chamado para projetar pequenos acréscimos ao palácio de Versalhes para o rei

Luís XIV. Para cada projeto ele desenhava as plantas, certificando-se de estarem de acordo com as instruções de Luís. Depois ele as apresentava a Sua Majestade.

O cortesão Saint-Simon descreveu a técnica de Mansart para lidar com o rei: "A sua habilidade estava em mostrar ao rei plantas nas quais havia alguma imperfeição, quase sempre tratando-se dos jardins, que não eram a especialidade de Mansart. O rei, como Mansart esperava, ia direto no problema e propunha uma solução, quando Mansart então exclamava, para todos ouvirem, que ele jamais teria notado o problema que o rei tão magistralmente descobriu e solucionou. Ele explodia em palavras de admiração, confessando que comparado ao rei ele não passava de um humilde aluno." Aos trinta anos de idade, tendo usado esses métodos repetidas vezes, Mansart recebeu uma encomenda real de grande prestígio: embora menos talentoso e experiente do que vários outros desenhistas franceses, ele foi encarregado de ampliar Versalhes. A partir de então, foi o arquiteto do rei.

Interpretação

Quando jovem, Mansart tinha visto muitos artesãos reais a serviço de Luís XIV perderem seus postos, não por falta de talento, mas devido a uma mancada social que lhes custou muito caro. Ele não cometeria o mesmo engano. Mansart sempre procurou deixar Luís satisfeito com ele mesmo, sempre procurou alimentar a vaidade do rei da maneira mais pública possível.

Não imagine que basta ter habilidade e talento. Na corte, a arte do cortesão é mais importante do que o seu talento. Não gaste tanto tempo estudando a ponto de negligenciar o traquejo social. E o mais importante é fazer o senhor parecer mais talentoso do que os outros.

Cena IV

Jean-Baptiste Isabey foi o pintor extraoficial da corte de Napoleão. Durante o Congresso de Viena, em 1814, quando Napoleão, derrotado, estava preso na ilha de Elba, aqueles que iam decidir o futuro da Europa convidaram Isabey para imortalizar os eventos históricos num quadro épico.

Quando Isabey chegou a Viena, Talleyrand, o principal negociador do lado dos franceses, foi visitar o artista. Considerando-se o seu papel no processo, o estadista explicou, ele esperava ser a figura dominante no quadro. Isabey cordialmente concordou. Dias depois, o duque de Wellington, principal negociador dos ingleses, também foi procurar Isabey e disse quase a mesma coisa que Talleyrand. O sempre polido Isabey concordou que o grande duque deveria ser o centro das atenções.

De volta ao estúdio, Isabey ponderou sobre a questão. Se desse projeção a um dos dois homens, causaria uma ruptura nas relações diplomáticas, criando ressentimentos numa época em que a paz e a concórdia eram fundamentais. Mas, quando o quadro finalmente foi mostrado, tanto Talleyrand como Wellington se sentiram honrados e satisfeitos. A obra retrata um grande saguão repleto de diplomatas e políticos de toda a Europa. De um lado, vê-se o duque de Wellington entrando na sala, e todos os olhos se voltam para ele: é o "centro" das atenções; no centro propriamente dito do quadro está sentado Talleyrand.

Interpretação
Quase sempre é muito difícil satisfazer um senhor, mas contentar dois senhores de uma só vez exige o talento de um grande cortesão. Esses apuros são comuns na vida de um cortesão: atendendo um, ele desagrada a outro. Você deve encontrar um meio de navegar entre Cila e Caribdes com segurança. Os senhores devem receber o que lhes é devido; jamais, inadvertidamente, desperte o ressentimento de um ao agradar ao outro.

Cena V
George Brummell, também conhecido como Beau Brummell (ou Belo Brummell), ficou famoso no final do século XVIII por sua extrema elegância, pela popularização das fivelas nos sapatos (logo imitadas por todos os dândis) e por sua habilidade com as palavras. Sua casa em Londres era *o* lugar elegante da cidade, e Brummell era a autoridade máxima quando se tratava de moda. Se ele não gostasse dos seus sapatos, você imediatamente se livrava deles e ia comprar logo seja lá o que fosse que *ele* estivesse usando. Foi ele quem aperfeiçoou a arte do nó da gravata: dizem que Lord Byron passava noites na frente do espelho tentando descobrir o segredo da perfeição dos nós de Brummell.

Um dos maiores admiradores de Brummell era o príncipe de Gales, que se julgava um jovem elegante. Ligando-se à corte do príncipe (e com uma pensão real), Brummell logo estava tão certo da sua própria autoridade ali que começou a fazer piadas sobre os quilos a mais do príncipe, referindo-se ao seu anfitrião como Big Ben. Visto que a esbeltez era uma qualidade importante para um dândi, esta era uma crítica mortal. À mesa do jantar, certa vez, quando o serviço estava demorando, Brummell disse para o príncipe, "Toque o sino, Big Ben". O príncipe tocou, mas quando o valete chegou ele o mandou mostrar a porta da rua a Brummell e nunca mais admiti-lo ali dentro.

Apesar de cair em desgraça com o príncipe, Brummell continuou tratando todos a sua volta com arrogância. Sem o patrocínio do príncipe de Gales para sustentá-lo, ele se atolou em dívidas enormes, mas continuou insolente e logo ninguém mais queria saber dele. Morreu na mais triste pobreza, sozinho e mentalmente perturbado.

Interpretação
A soberba espirituosidade de Beau Brummell foi uma das qualidades que o fizeram estimado pelo príncipe de Gales. Mas nem mesmo ele, o árbitro do bom gosto e da moda, conseguiu escapar impunemente a uma brincadeira com a aparência do príncipe, ainda mais por ter sido na sua frente. Não brinque com a gordura de ninguém, mesmo de forma indireta – e particularmente se for o seu senhor. Os asilos para indigentes estão repletos de pessoas que brincaram assim às custas dos seus senhores.

Cena VI
O papa Urbano VIII queria ser lembrado por sua habilidade como poeta, que infelizmente, na melhor das hipóteses, era medíocre. Em 1629, o duque Francesco d'Este, conhecendo as pretensões literárias do papa, enviou o poeta Fulvio Testi como seu embaixador ao Vaticano. Uma das cartas de Testi ao duque revela por que foi escolhido: "Quando acabamos a nossa discussão, eu me ajoelhei para partir, mas Sua Santidade fez um sinal e se encaminhou para o outro quarto onde dorme e, depois de procurar numa mesinha, pegou um maço de papéis e então, virando-se para mim com um sorriso, disse: 'Queremos que Vossa Senhoria ouça algumas das nossas composições.' E, de fato, ele leu para mim dois longos poemas pindáricos, um louvando a Virgem Santíssima e o outro falando da condessa Matilde."

Não sabemos exatamente o que Testi achou destes poemas tão longos, visto que seria perigoso para ele emitir abertamente a sua opinião, mesmo numa carta. Mas ele continuou escrevendo: "Eu, no mesmo estado de espírito, comentei cada um dos versos tecendo os devidos elogios e, tendo beijado o pé de Sua Santidade em agradecimento por um sinal tão inusitado de benevolência [a leitura dos poemas], saí." Semanas depois, quando o próprio duque foi visitar o papa, ele deu um jeito de recitar versos inteiros de seu poema elogiando-o o bastante para deixar o papa "tão jubiloso que pareceu perder a cabeça".

Interpretação
Em questões de gosto você nunca será obsequioso demais com seu senhor. O gosto é uma das partes mais melindrosas do ego; jamais impugne ou questione o gosto do senhor – sua poesia é sublime, sua roupa impecável e seus modos um modelo para todos.

Cena VII
Uma tarde, na antiga China, Chao, que governou Han de 358 a 333 a.C., bebeu demais e pegou no sono nos jardins do palácio. O guardador da coroa, cuja única tarefa era cuidar do adorno de cabeça do governante, passou pelo jardim e viu que seu senhor dormia sem casaco. Como estava começando a esfriar, o guardador da coroa colocou o seu próprio casaco sobre o governante e foi embora.

Quando Chao acordou e viu o casaco em cima dele, perguntou aos seus assessores: "Quem colocou mais roupa sobre meu corpo?" "O guardador da coroa", responderam. O governante imediatamente mandou chamar o seu guardador de casacos oficial e o puniu por ter negligenciado seus deveres. Mandou chamar também o guardador da coroa, a quem mandou decapitar.

Interpretação
Não passe dos seus limites. Faça o que lhe mandaram fazer, o melhor possível, e nada mais do que isso. A ideia de que fazendo mais você estará fazendo melhor é uma asneira muito comum. Não é bom parecer que está se esforçando demais – é como se você estivesse encobrindo alguma deficiência. Cumprir uma tarefa que não lhe foi solicitada só faz as pessoas desconfiarem. Se você é guardador de coroas, cuide da coroa. Economize o seu excesso de energia para quando não estiver na corte.

Cena VIII
Certo dia, para se distrair, o pintor italiano renascentista Fra Filippo Lippi (1406-1469) e alguns amigos foram velejar num barquinho em Ancona. Foram capturados por duas galés mouras, que os carregaram acorrentados para Barbária, onde foram vendidos como escravos. Durante dezoito longos meses, Filippo labutou sem esperanças de voltar para a Itália.

Filippo viu o homem que o comprara passar por ele várias vezes, e um dia resolveu fazer um esboço para um retrato dele, usando um pedaço de carvão da fogueira. Ainda acorrentado, ele encontrou uma parede branca onde desenhou um retrato em tamanho natural do seu dono em roupas mouras. O dono logo soube disso, pois ninguém por ali jamais vira tal habilidade para o desenho. Parecia um milagre, um dom divino. O desenho agradou tanto ao dono que ele, na mesma hora, libertou Filippo e lhe deu emprego na sua corte. Todos os grandes homens da costa da Barbária iam ver os magníficos retratos coloridos que Fra Filippo começou a fazer, e, finalmente, em gratidão pela fama que isso lhe trouxe, o dono de Filippo devolveu o artista são e salvo para a Itália.

Interpretação
Nós, que trabalhamos para os outros, de certa forma fomos capturados por piratas e vendidos como escravos. Mas, como Fra Filippo (embora num grau menor), a maioria de nós possui algum dom, algum talento, uma habilidade para fazer alguma coisa melhor do que as outras pessoas. Dê de presente o seu talento para o seu senhor e você se elevará acima dos outros cortesãos. Deixe que ele fique com o crédito, se necessário, pois será por pouco tempo: use-o como degrau, como uma forma de exibir o seu talento e acabar comprando a sua liberdade.

Cena IX
Um criado de Alfonso I de Aragão certa vez lhe contou que tinha tido um sonho na noite anterior: Alfonso o presenteava com armas, cavalos e roupas. Alfonso, homem generoso e nobre, achou que seria divertido realizar este sonho e, prontamente, deu ao criado aqueles presentes.

Pouco depois, o mesmo criado anunciou a Alfonso que tinha tido mais um sonho e que neste Alfonso lhe dera uma pilha considerável de florins de ouro. O rei sorriu e disse: "Não acredite mais em sonhos; eles mentem."

Interpretação
Ao lidar com o primeiro sonho do criado, Alfonso permaneceu no controle. Ao realizar um sonho, ele reivindicou para si um poder divino, ainda que de uma maneira suave e espirituosa. No segundo sonho, entretanto, a aparência de magia se foi; tudo não passou de uma feia tentativa de fraude. Não peça demais, portanto, e saiba quando parar. Dar é prerrogativa do senhor – dar quando ele quer e o que ele quer, e fazer isso sem ser solicitado. Não lhe dê chance de negar os seus pedidos. É melhor receber favores por merecê-los, para que sejam dados sem você pedir.

Cena X
O grande pintor de paisagens inglês, J. M. W. Turner (1775-1851), ficou conhecido por sua técnica no uso das cores, que ele aplicava com muito brilho e uma estranha iridescência. A cor nos seus quadros era tão surpreendente que os outros artistas não queriam suas obras penduradas ao lado dos quadros dele: tudo ficava inevitavelmente apagado.

O pintor Sir Thomas Lawrence certa vez teve o azar de ver a obra--prima de Turner, *Cologne*, numa exposição entre dois quadros seus. Lawrence queixou-se amargamente ao dono da galeria, que não lhe deu ouvidos: afinal de contas, *alguém* tinha de pendurar seus quadros ao lado dos de Turner. Mas Turner soube das queixas de Lawrence e, antes da inauguração, apagou um pouco o céu dourado brilhante em *Cologne*, tornando-o tão monótono quanto o de Lawrence. Um amigo de Turner que viu o quadro procurou horrorizado o artista: "O que fez com seu quadro!", disse ele. "Ora, o pobre do Lawrence estava tão infeliz", Turner retrucou, "e é só negro de fumo. Eu limpo depois da exposição."

Interpretação
Muitas das preocupações de um cortesão têm a ver com o senhor, onde reside a maioria dos perigos. Mas é um engano imaginar que o senhor é o único a determinar o seu destino. Seus iguais e subordinados também fazem o seu papel. A corte é um vasto viveiro de ressentimentos, medos e muita inveja. É preciso acalmar todos aqueles que um dia possam vir a prejudicar você, desviando seus ressentimentos e invejas e direcionando a hostilidade deles para outras pessoas.

Turner, eminente cortesão, sabia que a sua sorte e fama dependiam dos seus colegas pintores, assim como de seus marchands e patronos. Quantas personalidades ilustres foram derrubadas por colegas invejosos! É melhor apagar temporariamente o seu brilho do que sofrer as pedradas da inveja.

Cena XI
Winston Churchill era um artista amador, e depois da Primeira Guerra Mundial suas pinturas se tornaram peças de coleção. O editor americano, Henry Luce, criador das revistas *Time* e *Life*, tinha nas paredes do seu escritório particular em Nova York uma paisagem de Churchill.

Certa vez, numa turnê pelos Estados Unidos, Churchill estava no escritório de Luce e os dois examinaram juntos o quadro. O editor observou: "O quadro é bom, mas acho que precisa de alguma coisa em primeiro plano – uma ovelha, talvez." Para horror de Luce, a secretária de Churchill ligou para ele no dia seguinte e pediu para mandar o quadro para Londres. Luce mandou, mortificado com a possibilidade de ter ofendido o ex-primeiro-ministro. Dias depois, entretanto, o quadro estava de volta, mas com uma ligeira alteração: uma única ovelha pastava pacificamente em primeiro plano.

Interpretação
Em estatura e fama, Churchill estava acima de Luce. Mas Luce sem dúvida era um homem de poder, portanto vamos imaginar uma leve igualdade entre os dois. Mesmo assim, o que Churchill tinha a temer de um editor americano? Por que inclinar-se diante da crítica de um diletante?

Uma corte – neste caso todo o mundo de diplomatas e estadistas internacionais, e também de jornalistas que os cortejam – é um espaço de mútuas dependências. Não é sensato insultar ou ofender o gosto de pessoas de poder, mesmo que estejam abaixo ou no mesmo nível que você. Se um homem como Churchill é capaz de engolir as críticas de um homem como Luce, ele se mostra um cortesão ímpar. (Talvez o fato de ter corrigido o quadro sugerisse uma certa condescendência também, mas ele fez isso com tanta sutileza que Luce nem percebeu.) Imite Churchill: coloque a ovelha. É sempre vantajoso representar o cortesão prestativo, mesmo quando você não está servindo a nenhum senhor.

O DELICADO JOGO DE CORTEJAR: Um alerta

Talleyrand foi um consumado bajulador, especialmente ao servir ao seu senhor Napoleão. Quando os dois estavam começando a se conhecer, Napoleão certa vez disse de passagem: "Vou almoçar na sua casa um dia desses." Talleyrand tinha uma casa em Auteuil, nos subúrbios de Paris. "Ficarei encantado, *mon général*", retrucou o ministro, "e como minha casa fica próxima do Bois de Boulogne, o senhor poderá se distrair praticando tiro ao alvo à tarde."

"Não gosto de atirar", disse Napoleão, "mas gosto muito de caçar; tem javalis no Bois de Boulogne?" Napoleão vinha da Córsega, onde a caça ao javali é um esporte muito apreciado. Ao perguntar se existiam javalis num parque de Paris, ele se mostrou ainda um homem provinciano, quase um caipira. Talleyrand não riu, entretanto, mas não conseguiu resistir a uma piada sobre o homem que agora era seu superior na política, embora não no sangue e na nobreza, visto que Talleyrand era de uma antiga família aristocrática. À pergunta de Napoleão, portanto, ele respondeu simplesmente: "Poucos, *mon général*, mas aposto que o senhor dará um jeito de encontrar um."

Foi combinado que Napoleão chegaria à casa de Talleyrand no dia seguinte às sete horas e ficaria a manhã inteira lá. A "caça ao javali" seria de tarde. Durante toda a manhã o excitado general só fazia perguntar sobre a caça ao javali. Enquanto isso, Talleyrand mandou seus criados escondido ao mercado comprar dois enormes porcos pretos e levá-los para o parque.

Depois do almoço, os caçadores partiram com seus cães para o Bois de Boulogne. A um sinal secreto de Talleyrand, os criados soltaram um dos porcos. "Estou vendo um javali", Napoleão girou contente, saltando sobre o cavalo para correr atrás dele. Talleyrand ficou para trás. Meia hora de galope pelo parque e o "javali" foi finalmente capturado. No momento triunfal, entretanto, Napoleão foi abordado por um dos seus assessores, que sabia que aquela criatura não podia ser um javali e temia que o general caísse em ridículo quando a história se espalhasse: "Senhor", disse ele para Napoleão, "certamente está percebendo que isto não é um javali, e sim um porco."

Enfurecido, Napoleão imediatamente saiu a galope para a casa de Talleyrand. No caminho, ele percebeu que agora ia ser motivo de muitas piadas e que explodir com Talleyrand só o tornaria ainda mais ridículo. Era melhor demonstrar bom humor. Ainda assim, não escondeu o seu desagrado também.

Talleyrand achou melhor tentar apaziguar o ego ofendido do general. Disse para Napoleão não voltar logo para Paris – ele deveria ir caçar novamente no parque. Lá havia muitos coelhos, e caçá-los tinha sido um dos passatempos preferidos de Luís XVI. Talleyrand até sugeriu que Napoleão usasse um conjunto de pistolas que tinham pertencido a Luís. Com muito elogio e bajulação, ele conseguiu mais uma vez que Napoleão concordasse em caçar.

O grupo saiu para o parque no final da tarde. No caminho, Napoleão disse a Talleyrand: "Não sou Luís XVI, e certamente não vou matar nenhum coelho". Mas naquela tarde, por estranho que pareça, o parque estava cheio de coelhos. Napoleão matou uns cinquenta, e seu humor passou da raiva para a satisfação. Mas, no final dessa matança toda, o mesmo assessor se aproximou dele e sussurrou no seu ouvido: "Para falar a verdade, senhor, estou começando a acreditar que estes não sejam coelhos selvagens. Desconfio que esse tratante Talleyrand nos pregou outra peça." (O assessor estava certo: Talleyrand tinha mesmo mandado seus criados novamente ao mercado, onde compraram dezenas de coelhos que depois soltaram no Bois de Boulogne.)

Napoleão montou imediatamente no seu cavalo e saiu galopando, desta vez direto para Paris. Mais tarde ele ameaçou Talleyrand, alertando-o para não contar a ninguém o que tinha acontecido; se ele se tornasse alvo de piadas em Paris, ia ser um inferno.

Levou meses para Napoleão recuperar a confiança em Talleyrand, e nunca lhe perdoou totalmente por essa humilhação.

Interpretação

Cortesãos são como mágicos. Brincam com as aparências, deixando que as pessoas ao seu redor vejam apenas aquilo que ele quer. Com tanta trapaça e manipulação em jogo, é essencial impedir que as pessoas vejam seus truques e percebam o que você faz com as mãos.

Talleyrand era normalmente o Grande Mago da Corte e, não fosse o assessor de Napoleão, ele teria se saído muito bem na sua tentativa de agradar ao seu senhor e, ao mesmo tempo, divertir-se às suas custas. Mas a arte de cortejar tem suas sutilezas, e descuidar das armadilhas e possíveis erros podem arruinar os seus melhores truques. Não se arrisque a ser apanhado nas suas manobras; não deixe que as pessoas vejam seus artifícios. Se isso acontecer, elas passam a vê-lo não mais como um cortesão muito bem-educado, mas como um tratante execrável. É um jogo muito delicado; tenha o máximo cuidado para não deixar pistas, e não deixe que o seu senhor o desmascare.

LEI 25

RECRIE-SE

JULGAMENTO

Não aceite os papéis que a sociedade lhe impinge. Recrie-se forjando uma nova identidade, uma que chame atenção e não canse a plateia. Seja senhor da sua própria imagem, em vez de deixar que os outros a definam para você. Incorpore artifícios dramáticos aos gestos e ações públicas – seu poder se fortalecerá e sua personagem parecerá maior do que a realidade.

A LEI OBSERVADA I

Júlio César fez a sua primeira marca significativa na sociedade romana em 65 a.C., quando assumiu o cargo de *aedile*, o oficial encarregado da distribuição de grãos e dos jogos públicos. Ele estreou na opinião pública organizando uma série de espetáculos muito oportunos – caçadas a animais selvagens, espetáculos extravagantes com gladiadores, concursos de teatro. Em várias ocasiões ele pagou do seu próprio bolso esses espetáculos. Para o homem comum, Júlio César estava indelevelmente associado a estes eventos que o povo adorava. À medida que foi ascendendo até o posto de cônsul, sua popularidade entre as massas foi a base para o seu poder. Ele tinha criado para si mesmo a imagem de ótimo empresário de espetáculos para o público.

Em 49 a.C., Roma estava à beira de uma guerra civil entre líderes rivais, César e Pompeu. No auge da tensão, César, viciado em teatro, foi assistir a uma apresentação e depois, pensativo, ficou vagando na escuridão do seu acampamento às margens do Rubicão, rio que divide a Itália da Gália, onde estava em campanha. Atravessar o Rubicão com seus soldados de volta para a Itália significaria deflagrar uma guerra com Pompeu.

Diante da sua equipe, César discutia os dois lados da questão, formando as opções como um ator no palco, um precursor de Hamlet. Finalmente, dando um fim a este solilóquio, ele apontou para uma visão aparentemente insignificante à margem do rio – um soldado muito alto tocando a sua trombeta e depois atravessando a ponte sobre o Rubicão – e pronunciou: "Aceitemos isso como um sinal dos deuses e sigamos até onde eles acenam, vingando-nos de nossos inimigos hipócritas. A sorte está lançada." Tudo isto ele falou num tom portentoso e dramático, gesticulando em direção ao rio e olhando firme para seus generais. Ele sabia que esses generais ainda estavam indecisos, mas a sua oratória os convenceu pela dramaticidade do momento e a necessidade de aproveitar a ocasião. Um discurso mais prosaico não teria surtido o mesmo efeito. Os generais aderiram à sua causa, César e seu exército cruzaram o Rubicão e no ano seguinte venceram Pompeu. E César foi ditador de Roma.

Na guerra, César sempre representou com prazer o papel de protagonista. Era um cavaleiro tão hábil quanto qualquer um dos seus soldados e se orgulhava de superá-los na bravura e na resistência. Ele entrava na batalha montado no cavalo mais forte, para que seus soldados o vissem no meio deles, incentivando-os, posicionando-se sempre no centro, símbolo divino de poder e modelo a ser seguido. De todos os exércitos de Roma, o de César era o mais dedicado e fiel. Seus sol-

---

O homem que pretende fazer fortuna nesta antiga capital do mundo [Roma] deve ser um camaleão capaz de refletir as cores da atmosfera que o circunda – um Proteus capaz de assumir qualquer forma. Deve ser sutil, flexível, insinuante, secreto, inescrutável, frequentemente egoísta, às vezes sincero, às vezes pérfido, sempre escondendo parte do seu conhecimento, comprazendo-se em um só tom de voz, paciente, senhor perfeito de suas atitudes, frio como o gelo quando qualquer outro homem se inflamaria; e se, infelizmente, não for religioso – ocorrência muito comum em almas possuidoras dos requisitos acima –, deve ter a religião na mente, isto é, no rosto, nos lábios, nos modos; deve suportar em silêncio, se for um homem honesto, a necessidade de se saber um consumado hipócrita. O homem cuja alma odiaria tal vida deve deixar Roma e buscar fortuna em outro lugar. Não sei se estou tecendo louvores a mim mesmo ou me desculpando, mas de todas essas qualidades só possuo uma – isto é, a flexibilidade.

MEMÓRIAS, GIOVANNI CASANOVA, 1725-1798

dados, como os plebeus que assistiam aos seus espetáculos circenses, identificavam-se com ele e com a sua causa.

Depois da derrota de Pompeu, os espetáculos se tornaram ainda mais grandiosos. Nunca se vira nada igual em Roma. As corridas de bigas se tornaram ainda mais espetaculares, as lutas de gladiadores mais dramáticas, enquanto César encenava combates mortais entre a nobreza romana. Ele organizava enormes batalhas navais simuladas num lago artificial. Peças de teatro eram representadas em todos os pátios romanos. Um novo teatro gigantesco foi construído descendo dramaticamente a rocha Tarpeia. Multidões de todo o império afluíam a esses eventos, as estradas de Roma ficavam repletas de tendas de visitantes. E, em 45 a.C., escolhendo o momento certo para a sua entrada triunfal na cidade, César trouxe Cleópatra para Roma depois da sua campanha no Egito e encenou espetáculos ainda mais extravagantes.

Estes eventos não eram só um artifício para distrair as massas, eles melhoravam extraordinariamente o conceito do público sobre o caráter de César e o tornavam maior do que realmente era. César era senhor da sua imagem pública, à qual estava sempre atento. Ele aparecia diante das multidões vestido com mantos vistosos cor de púrpura. Ninguém o superava. Era notoriamente vaidoso da sua aparência – e dizia-se que um dos motivos de gostar tanto de ser homenageado pelo Senado e pelo povo era que nessas ocasiões podia usar uma coroa de louros que lhe disfarçava a careca. César era um orador magistral. Sabia dizer muito falando pouco, intuía o momento certo de terminar um discurso. Jamais deixava de incorporar um elemento de surpresa às suas aparições públicas – algum pronunciamento espantoso que acentuava a sua dramaticidade.

Imensamente popular entre o povo romano, César era odiado e temido por seus rivais. Nos idos de março – 15 de março – do ano 44 a.C., um grupo de conspiradores liderados por Brutus e Cassius o cercaram no senado e o mataram a facadas. Mesmo morrendo, ele manteve o seu senso dramático. Erguendo a parte de cima da túnica, ele soltou a parte de baixo de modo a deixá-la cair sobre as pernas, para morrer coberto e decente. Segundo o historiador romano Suetônio, suas últimas palavras ao velho amigo Brutus, que ia lhe dar o segundo golpe, foram em grego e como se ensaiadas para o final de uma peça: "Até tu, meu filho?"

Interpretação

O teatro romano era um acontecimento para as massas, assistido por multidões inimagináveis hoje em dia. Acotovelando-se em enormes auditórios, a plateia se divertia com comédias grosseiras ou se emocionava com grandes tragédias. O teatro parecia conter a essência da vida, na sua forma concentrada, dramática. Como um ritual religioso, o teatro tinha um apelo muito forte e instantâneo para a plebe.

Júlio César foi talvez a primeira figura pública a compreender o elo vital entre poder e teatro. Isto porque tinha um interesse obsessivo pela arte dramática. Ele sublimou esse interesse tornando-se ele mesmo ator e diretor no palco mundial. Ele dizia suas falas como se fosse um texto; gesticulava e se movia no meio da multidão pensando sempre na impressão que estava causando na plateia. Incorporava ao seu repertório o elemento surpresa, dando dramaticidade aos seus discursos, encenando suas aparições em público. Seus gestos eram suficientemente amplos para o homem comum compreendê-los na mesma hora. Ele se tornou imensamente popular.

César passou a ser o ideal de todos os líderes e pessoas de poder. Como ele, você deve aprender a ampliar suas ações com técnicas dramáticas que acrescentem elementos como surpresa, suspense, simpatia e identificação simbólica. Como ele também, você deve estar constantemente atento à sua plateia – ao que vai lhe agradar ou não. Você deve procurar ficar no centro, chamar atenção, e não se permitir ser colocado em segundo plano, custe o que custar.

A LEI OBSERVADA II

No ano de 1831, uma jovem mulher chamada Aurore Dupin Dudevant largou o marido e a família na província e se mudou para Paris. Queria ser escritora. O casamento, segundo ela, era pior do que uma prisão, pois não lhe dava tempo nem liberdade para fazer aquilo de que mais gostava. Em Paris, ela estabeleceria a sua independência e ganharia a vida como escritora.

Assim que chegou à capital, entretanto, Dudevant se deparou com a dura realidade. Para ser livre em Paris é preciso ter dinheiro. Para uma mulher, o dinheiro só existia no casamento ou na prostituição. Nenhuma mulher jamais conseguira se sustentar escrevendo. As mulheres escreviam como distração, sustentadas pelos maridos ou por uma herança. De fato, quando Dudevant mostrou seus textos a um editor, ele lhe disse: "Você devia estar fazendo filhos, não literatura."

Era óbvio que Dudevant tinha ido para Paris tentar o impossível. Mas ela acabou descobrindo uma estratégia para fazer o que nenhuma outra mulher tinha feito – uma estratégia para se recriar totalmente, forjando para si mesma uma imagem pública. Suas antecessoras tinham sido forçadas a se encaixar num papel já definido, o de artista medíocre que escrevia principalmente para outras mulheres. Dudevant decidiu que, se era preciso representar um papel, ela viraria o jogo: representaria o papel de homem.

Em 1832, um editor aceitou o primeiro grande romance de Dudevant, *Indiana*. Ela decidiu publicá-lo com um pseudônimo, "George Sand", e toda a Paris achou que este novo escritor fantástico era homem. Dudevant, antes de criar "George Sand", já usava roupas masculinas às vezes (ela sempre achou que as camisas e as calças de montaria dos homens eram mais confortáveis); agora, como figura pública, ela exagerou a imagem. Acrescentou ao seu guarda-roupa longos casacos masculinos, chapéus cinza, botas pesadas e gravatas elegantes. Fumava charutos e nas conversas se expressava como um homem, sem medo de dominar o assunto ou usar uma palavra mais pesada.

Esta estranha "escritora/escritor" fascinava o público. E ao contrário das outras escritoras, Sand foi aceita na panelinha dos artistas do sexo masculino. Ela bebia e fumava com eles, teve até casos com os mais famosos da Europa – Musset, Liszt, Chopin. Era ela quem os cortejava e também abandonava – ela fazia o que queria.

Quem conhecia Sand bem compreendia que a sua persona masculina a protegia dos olhos curiosos do público. No mundo exterior, ela gostava de exagerar a representação; na vida privada, continuava sendo ela mesma. Ela também percebeu que a personagem de "George Sand" poderia se tornar rançosa e previsível e, para evitar isto, às vezes alterava totalmente a imagem que ela mesma havia criado; em vez de viver casos de amor com homens famosos, ela se metia na política, liderando manifestações e inspirando rebeliões de estudantes. Ninguém lhe ditaria os limites da personagem que havia criado. Muito depois da sua morte, e quando a maioria das pessoas já não lia mais os seus romances, a excessiva teatralidade da personagem continuava exercendo fascínio e despertando inspiração.

Interpretação
Ao longo de toda a sua vida pública, gente conhecida e outros artistas que conviveram com Sand tinham a sensação de estarem na presença de um homem. Mas aos seus diários e aos amigos mais íntimos, como Gustave Flaubert, ela confessava que não tinha nenhuma vontade de ser homem e que estava representando um papel para consumo do público. O que ela realmente desejava era o poder de definir sua própria personagem. Ela não aceitava os limites impostos pela sociedade. Mas ela não conquistou esse poder sendo ela mesma. Ela criou, em vez disso, uma persona que pudesse constantemente adaptar aos seus próprios desejos, uma persona que chamasse atenção e lhe desse uma presença.

Compreenda isto: o mundo quer lhe atribuir um papel na vida. E no momento em que você aceitar este papel, estará perdido. O seu poder se limita apenas àquela minúscula porção consignada ao papel que você escolheu ou foi forçado a assumir. Um ator, pelo contrário, representa vários papéis. Goze deste poder multiforme, mas, se isso não for possível, forje pelo menos uma nova identidade, criada por você mesmo, sem os limites definidos por um mundo invejoso e ressentido. Esta é a rebeldia de Prometeu: você se torna responsável por sua própria criação.

A sua nova identidade o protegerá do mundo exatamente porque não é "você"; é uma roupa que você veste e depois tira. Não precisa levar as coisas para o lado pessoal. E a sua nova identidade o distinguirá, lhe dará uma presença dramática. Quem estiver lá na última fila poderá ver e ouvir você. Os da primeira fila ficarão maravilhados com a sua ousadia.

Socialmente não se comenta que um homem é um grande ator? Não se está dizendo que ele sente, mas que é ótimo simulador, embora não sinta nada.

Denis Diderot, 1713-1784

AS CHAVES DO PODER

A personalidade que lhe parece inata não é necessariamente você. Além das características herdadas, seus pais, amigos e colegas ajudaram a moldá-la. A tarefa prometeica do poderoso é a de assumir o controle do processo, não deixar mais que os outros tenham essa capacidade de limitá-la e moldá-la. Recrie-se como um personagem de poder. Esculpir você mesmo em um bloco de argila deve ser uma das tarefas mais importantes e agradáveis da sua vida. Faz de você basicamente um artista – um artista criando a si próprio.

De fato, a ideia da autocriação vem do mundo artístico. Durante milhares de anos, só os reis e o mais altos cortesãos eram livres para moldar a sua imagem pública e determinar a sua própria identidade. Da mesma forma, só os reis e os senhores mais ricos podiam contemplar a sua própria imagem na arte e conscientemente alterá-la. O resto da humanidade representava um papel restrito exigido pela sociedade e tinha pouca consciência de si mesma.

Uma mudança nesta condição pode ser vista no quadro de Velázquez, *Las Niñas*, feito em 1656. O artista aparece à esquerda na tela, de pé diante de uma tela que ele está pintando, mas de costas para nós – não podemos vê-lo. Ao seu lado está uma princesa, suas criadas e um dos anões da corte, todos observando-o trabalhar. As pessoas que posam para o quadro não estão diretamente visíveis, mas podem ser vistas em minúsculos reflexos num espelho na parede de trás – o rei e a rainha da Espanha, que devem estar sentados em algum lugar em primeiro plano, fora do quadro.

A pintura representa uma mudança drástica na dinâmica do poder e da capacidade de uma pessoa determinar a sua própria posição na sociedade. Pois Velázquez, o artista, está mais evidente do que o rei e a rainha. Em certo sentido, o pintor é mais poderoso do que eles, visto que está nitidamente no controle da imagem – a imagem *deles*. Velázquez não se via mais como um artista escravo e dependente. Ele se recriara como um homem de poder. E na verdade, além dos aristocratas, os primeiros a brincar abertamente com sua imagem na sociedade ocidental foram os artistas e os escritores, e mais tarde os dândis e boêmios. Hoje, o conceito de autocriação se infiltrou lentamente no resto da sociedade e já é um ideal almejado. Como Velázquez, você deve exigir de si próprio o poder de determinar a sua posição no quadro, e criar a sua própria imagem.

O primeiro passo no processo da autocriação é a autoconsciência – o estar consciente de si mesmo como ator e assumir o controle da sua aparência e das suas emoções. Como disse Diderot, o mau ator é aquele que é sempre sincero. As pessoas que estão sempre expondo a todos o que sentem são aborrecidas e constrangedoras. Apesar da sua sinceridade, é difícil levá-las a sério. Quem chora em público pode temporariamente despertar simpatia, mas a obsessividade dessas pessoas transforma logo a simpatia em desdém e irritação – elas choram para chamar atenção, é o que achamos, e um lado malicioso em nós não quer lhes dar essa satisfação.

Os bons atores se controlam mais. Eles podem *fingir* sinceridade e franqueza, podem simular uma lágrima e um ar compassivo se quiserem, mas não precisam sentir isso. Eles exteriorizam emoções de uma forma que os outros possam compreender. Representar segundo o Método é fatal no mundo real. Nenhum governante ou líder seria capaz de representar esse papel se todas as emoções mostradas tivessem de ser reais. Portanto, aprenda a se controlar. Adote a plasticidade do ator, que consegue expressar no rosto as emoções necessárias.

O segundo passo no processo da autocriação é uma variedade da estratégia de George Sand: a criação de uma personagem memorável, que chame atenção, que se erga acima dos outros atores no palco. Este era o jogo de Abraham Lincoln. O homem simples, do campo, era um tipo de presidente que a América nunca tivera antes, mas que ficaria encantada em eleger. Embora muitas destas qualidades lhe fossem naturais, ele as representava – o chapéu, as roupas, a barba. (Nenhum presidente antes dele usou barba.) Lincoln também foi o primeiro presidente a usar fotografias para divulgar a sua imagem, ajudando a criar o ícone do "presidente simples".

O bom drama, entretanto, requer mais do que uma aparência interessante, ou um único momento em evidência. O drama acontece ao longo do tempo – é um evento que se desdobra. O ritmo e o tempo são críticos. Um dos elementos mais importantes no ritmo do drama é o suspense. Houdini, por exemplo, às vezes era capaz de escapar em questão de segundos – mas prolongava o ato para deixar a plateia aflita.

A chave para manter a plateia sentada na beira da poltrona é deixar que os acontecimentos se desenrolem lentamente, depois acelerá-los no momento certo, de acordo com um plano e um andamento que é você quem controla. Os grandes governantes, de Napoleão a Mao Tsé-tung, usaram o ritmo dramático para surpreender e distrair seu público. Franklin Delano Roosevelt compreendeu a importância de encenar eventos políticos numa ordem e num ritmo particular.

Durante as eleições presidenciais de 1932, os Estados Unidos estavam passando por uma crise econômica muito difícil. Os bancos faliam numa velocidade alarmante. Logo depois de ganhar as eleições, Roosevelt entrou numa espécie de recesso. Não falou nada sobre seus planos ou indicações para o ministério. Até se recusou a se encontrar com o então presidente, Herbert Hoover, para discutir a transição. Quando Roosevelt tomou posse, o país se encontrava num estado de grande ansiedade.

No seu discurso, Roosevelt mudou de marcha. Falou com energia, esclarecendo que pretendia conduzir o país por uma direção totalmente nova, abandonando a timidez dos seus antecessores. A partir daí seus discursos e suas decisões públicas – indicações para ministérios, leis audaciosas – adquiriram um ritmo incrivelmente veloz. O período que se seguiu à posse ficou conhecido como os "Cem Dias", e o sucesso na mudança de estado de espírito do país se originou da espertiza e do uso do contraste dramático de Roosevelt. Ele mantinha a sua plateia em suspenso e impressionava com uma série de gestos corajosos que pareciam ainda mais imponentes porque não se sabia de onde vinham. Você precisa aprender a orquestrar assim os acontecimentos, sem mostrar todas as suas cartas de uma só vez, mas revelando-as aos poucos para dar mais dramaticidade.

Além de disfarçar inúmeros pecados, o bom drama pode também confundir e enganar o seu inimigo. Durante a Segunda Guerra Mundial, o dramaturgo alemão Bertolt Brecht estava em Hollywood, escrevendo para o cinema. Depois da guerra, ele foi intimado a se apresentar diante da Comissão de Atividades Antiamericanas para responder sobre a sua suposta simpatia pelos comunistas. Outros escritores que também foram chamados planejaram humilhar os membros da comissão adotando uma atitude rebelde muito emocional. Brecht foi mais sensato: ele agiria com tato, encantando-os e ao mesmo tempo fazendo-os de tolos. Ensaiou cuidadosamente as suas respostas e levou alguns acessórios, notadamente um charuto, que fumou, sabendo que o chefe da comissão gostava de charutos. E, na verdade, ele distraiu a comissão com respostas bem arquitetadas, mas ambíguas, engraçadas e com duplo sentido. Em vez de um discurso irado e franco, Brecht os atordoou com uma produção encenada, e eles o deixaram ir impune.

Outros efeitos dramáticos para o seu repertório incluem o *beau geste*, o gesto cavalheiresco, um ato num momento de clímax que simboliza o seu triunfo ou a sua coragem. César, ao cruzar dramaticamente o Rubicão, fez um *beau geste* – um movimento que atordoou os soldados e lhe deu uma dimensão heroica. Você deve também avaliar a importância das entradas e saídas de cena. Quando Cleópatra foi conhecer César, no Egito, chegou enrolada num tapete que mandou desenrolar aos seus pés. George Washington duas vezes deixou o poder com floreios e fanfarras (primeiro como general, depois como o presidente que se recusou a concorrer a um terceiro mandato), mostrando que sabia dar importância ao momento, dramática e simbolicamente. Você deve ter o mesmo cuidado ao planejar as suas próprias entradas e saídas de cena.

Lembre-se de que exagerar na representação pode ser contraproducente – é outra forma de se esforçar demais para chamar atenção. O ator Richard Burton descobriu, logo no início da sua carreira, que ficando totalmente parado em cena fazia as pessoas olharem para ele e não para os outros atores. O importante não é tanto o que você faz, nitidamente, mas como você faz – a sua imobilidade graciosa e imponente no palco social conta mais do que o exagero na representação e nos movimentos.

Finalmente: aprenda a representar muitos papéis, a ser aquilo que a ocasião exige. Adapte a sua máscara à situação – tenha múltiplas faces. Bismarck era excelente neste jogo: com os liberais ele era liberal, com os agressivos ele era agressivo. Ninguém conseguia agarrá-lo, e o que não se agarra não se consome.

Imagem:
O Deus Grego Marinho, Proteus.
Seu poder estava em ser capaz de
mudar de forma à vontade, de ser o que a
ocasião exigia. Quando Menelau, irmão de
Agamenon, tentou capturá-lo, Proteus se transformou em leão, depois em serpente, pantera, javali, água corrente e por fim numa árvore frondosa.

Autoridade: Saiba como ser todas as coisas para todos os homens. Um Proteus discreto – um erudito entre eruditos, um santo entre santos. Essa é a arte de conquistar todos, pois os iguais se atraem. Registre os temperamentos das pessoas que você conhece e se adapte a cada um deles – passe de sério a jovial, mudando de humor discretamente. (Baltasar Gracián, 1601-1658)

O INVERSO
Não pode haver o inverso para essa lei tão importante: mau teatro é mau teatro. Até para parecer natural é preciso ter arte – em outras palavras, representar. A canastrice só cria constrangimento. É claro que você não deve ser dramático *demais* – evite os gestos histriônicos. Mas isso é simplesmente mau teatro, já que desrespeita normas teatrais centenárias contra o exagero na representação. Em essência, o inverso não existe para esta lei.

LEI
26

MANTENHA AS MÃOS LIMPAS

JULGAMENTO
Você deve parecer um modelo de civilidade e eficiência: suas mãos não se sujam com erros e atos desagradáveis. Mantenha essa aparência impecável fazendo os outros de joguete e bode expiatório para disfarçar a sua participação.

PARTE I: ESCONDA OS SEUS ERROS – TENHA UM BODE EXPIATÓRIO POR PERTO PARA ASSUMIR A CULPA

A nossa boa reputação depende mais daquilo que escondemos do que daquilo que revelamos. Todos cometemos erros, mas quem é esperto consegue escondê--los e arranja alguém para acusar. É sempre conveniente ter um bode expiatório por perto nesses momentos.

A LEI OBSERVADA I

Estava para terminar o século II d.C. e o poderoso império Han da China lentamente entrava em decadência, quando o grande general e ministro imperial Ts'ao Ts'ao surgiu como o homem mais poderoso do país. Buscando ampliar sua base de poder e se livrar do seu último rival, Ts'ao Ts'ao iniciou uma campanha para assumir o controle da estrategicamente vital Planície Central. Durante o cerco a uma cidade-chave, ele calculou ligeiramente mal o dia em que os grãos deveriam chegar da capital. Enquanto aguardava, o exército começou a ficar sem alimento, e Ts'ao Ts'ao foi forçado a mandar o chefe do comissariado reduzir as rações.

Ts'ao Ts'ao controlava o exército com rédeas curtas e mantinha uma rede de informantes. Seus espiões vieram logo contar que os homens estavam se queixando, resmungando que ele vivia no bem-bom enquanto eles mal tinham o que comer. Ts'ao Ts'ao devia estar guardando a comida só para ele, murmuravam. Se o boato se espalhasse, Ts'ao Ts'ao teria um motim para resolver. Ele chamou o chefe do comissariado à sua tenda.

"Vou lhe pedir algo emprestado, e você não deve recusar", disse Ts'ao Ts'ao ao chefe. "O que é?", replicou o chefe. "Quero que me empreste sua cabeça para mostrar às tropas", disse Ts'ao Ts'ao. "Mas não fiz nada de errado!", chorou o chefe. "Eu sei", disse Ts'ao Ts'ao suspirando, "mas se eu não condená-lo à morte haverá um motim. Não chore – cuidarei da sua família quando você não estiver mais aqui." Dito assim, não restava outra escolha para o chefe, ele se resignou ao seu destino e foi decapitado no mesmo dia. Vendo a sua cabeça exibida em público, os soldados pararam de reclamar. Alguns compreenderam o gesto de Ts'ao Ts'ao, mas ficaram calados, surpresos e intimidados com a sua violência. E a maioria aceitou a sua versão do culpado, preferindo acreditá-lo sábio e justo do que cruel e incompetente.

Interpretação

Ts'ao Ts'ao assumiu o poder numa época extremamente tumultuada. Na luta pela supremacia no decadente império Han, havia inimigos por todo canto. A batalha pela conquista da Planície Central se mos-

---

A JUSTIÇA DE CHELM
Certa vez, aconteceu uma desgraça na cidade de Chelm. O sapateiro da cidade assassinou um dos seus clientes. Ele foi então levado ao juiz, que o condenou à forca. Anunciado o veredicto, um dos cidadãos se levantou e gritou: "Se me permite – Vossa Senhoria acaba de condenar à morte o único sapateiro da cidade! Só temos ele. Se o enforcar, quem vai consertar nossos sapatos?" "Quem? Quem?", gritaram todos da cidade de Chelm a uma só voz. O juiz balançou a cabeça concordando e reconsiderou o seu veredicto. "Bom povo de Chelm", disse ele, "o que dizem é verdade. Visto que só temos um sapateiro, seria um grave erro contra a comunidade deixá-lo morrer. E, como existem dois telhadores na cidade, que um deles seja enforcado no seu lugar."

A TREASURY OF JEWISH FOLKLORE, NATHAN AUSUBEL, ORG., 1948

trou mais difícil do que ele imaginara, e dinheiro e provisões eram uma constante preocupação. Não é de surpreender que sob tamanha tensão ele tenha se esquecido de encomendar as provisões a tempo.

Uma vez evidente que a demora tinha sido um erro crítico, e que o exército estava agitado querendo um motim, Ts'ao Ts'ao tinha duas opções: pedir desculpas ou arranjar um bode expiatório. Compreendendo o funcionamento do poder e a importância das aparências como ele compreendia, Ts'ao Ts'ao nem pensou: procurou logo ao redor a cabeça mais conveniente e serviu-a de imediato.

Erros ocasionais são inevitáveis – o mundo é imprevisível demais. As pessoas no poder, entretanto, não se destroem pelos erros cometidos, mas pela forma como lidam com eles. Como cirurgiões, precisam cortar fora o tumor rápida e irrevogavelmente. Desculpas são ferramentas cegas demais para esta delicada operação; os poderosos as evitam. Ao se desculpar, você abre a porta para todos os tipos de dúvida sobre a sua competência, suas intenções, sobre outros erros que você talvez não tenha confessado. Desculpas não satisfazem a ninguém e um pedido de perdão deixa todo mundo constrangido. O erro não desaparece com uma desculpa; ele cresce e se inflama. Melhor cortar fora imediatamente, distrair as atenções de você e focalizá-las sobre um bode expiatório conveniente antes que as pessoas tenham tempo de pensar na sua responsabilidade ou possível incompetência.

Eu prefiro trair o mundo inteiro do que deixar que o mundo me traia.
General Ts'ao Ts'ao, c. 155-220 d.C.

A LEI OBSERVADA II
Durante vários anos, César Bórgia fez campanhas para conquistar o controle de grandes partes da Itália em nome de seu pai, o papa Alexandre. Em 1500, ele conseguiu tomar a Romagna, no norte da Itália. A região há anos vinha sendo dominada por uma série de senhores gananciosos que saquearam suas riquezas em proveito próprio. Sem polícia ou qualquer outra força disciplinadora, ela havia decaído na ilegalidade, com áreas inteiras governadas por ladrões e famílias disputando entre si. Para estabelecer a ordem, César nomeou um general de divisão da região – Remirro de Orco, "homem cruel e vigoroso", segundo Nicolau Maquiavel. César deu poderes absolutos a De Orco.

Com energia e violência, De Orco estabeleceu uma justiça brutal e severa na Romagna, e em breve livrou-a de quase todos os seus elementos ilegais. Mas, no seu zelo, ele às vezes exagerava e depois de uns dois anos a população local ficou ressentida e até o odiou. Em dezembro de 1502, César tomou uma atitude decisiva. Primeiro fez saber que não aprovava os atos cruéis e violentos de De Orco, que se originavam da natureza agressiva do militar. Depois, no dia 22 de dezembro, mandou prender De Orco na cidade de Cesena, e, no dia seguinte ao Natal, o povo da cidade acordou e viu um espetáculo estranho no meio da praça: o corpo decapitado de De Orco, vestido luxuosamente com uma capa de cor púrpura, a cabeça empalada ao seu lado, a faca ensanguentada e o bloco do carrasco ao lado da cabeça. Segundo Maquiavel, encerrando seus comentários sobre o caso: "A ferocidade desta cena deixou o povo ao mesmo tempo surpreso e satisfeito."

Interpretação
César Bórgia era um mestre no jogo do poder. Sempre planejando com antecedência vários movimentos, ele armava para seus inimigos as armadilhas mais inteligentes. Por isto Maquiavel o exaltou mais do que a todos os outros em *O príncipe*.

César previu o futuro com interessante clareza na Romagna: só a justiça brutal colocaria ordem na região. O processo levaria muitos anos, e no início o povo o aceitaria. Mas em breve faria muitos inimigos, e os cidadãos se ressentiriam com a imposição de uma justiça tão implacável, especialmente por um estranho. O próprio César, portanto, não poderia ser visto como agente desta justiça – o ódio do povo causaria muitos problemas no futuro. Então ele escolheu o único homem capaz de fazer o trabalho sujo, sabendo de antemão que assim que a tarefa estivesse cumprida teria de exibir a cabeça de De Orco espetada num mastro. O bode expiatório neste caso foi planejado desde o início.

No caso de Ts'ao Ts'ao, o bode expiatório foi um homem totalmente inocente; na Romagna, foi uma arma ofensiva no arsenal de César que permitiu que ele fizesse o trabalho sujo sem manchar de sangue as próprias mãos. Com este segundo tipo de bode expiatório é de bom senso afastar-se do homem da machadinha num determinado momento, seja deixando-o oscilar ao vento ou, como César, entregando-o à justiça. Não só você evita se envolver no problema, como pode parecer aquele que o resolve.

Os atenienses mantinham regularmente uma quantidade de seres degradados e inúteis; e quando acontecia uma calamidade, tal como uma praga, enchente ou escassez de alimentos... [estes bodes expiatórios] eram levados... e depois sacrificados, aparentemente apedrejados do lado de fora da cidade.

The Golden Bough, Sir James George Frazer, 1854-1941

AS CHAVES DO PODER

O uso de bodes expiatórios é tão antigo quanto a própria civilização, e podemos encontrar exemplos em culturas do mundo inteiro. A ideia principal por trás destes sacrifícios é passar a culpa e o pecado para uma figura externa – objeto, animal ou homem –, que depois é banida ou destruída. Os hebreus costumavam pegar um bode vivo (daí o termo bode expiatório) sobre cuja cabeça o sacerdote colocava ambas as mãos enquanto confessava os pecados dos Filhos de Israel. Depois de transferidos esses pecados para o animal, ele era levado para o deserto e lá ficava abandonado. No caso dos atenienses e dos astecas, o bode expiatório era humano, quase sempre uma pessoa alimentada e criada com este objetivo. Visto se considerar que a fome e as pragas eram castigos impostos pelos deuses aos humanos por seus maus atos, o povo sofria não só com a fome e as pragas, mas com a culpa também. Eles se livravam desse sentimento de culpa transferindo-o para uma pessoa inocente, cuja morte tinha intenção de satisfazer os poderes divinos e banir o mal entre eles.

É uma atitude extremamente humana a de não procurar dentro de si mesmo a razão de um erro ou crime, mas sim olhar para fora e colocar a culpa num objeto, conveniente. Enquanto a praga assolava Tebas, Édipo procurava a causa por toda parte, exceto nele mesmo e no seu próprio pecado de incesto, que ofendera tanto os deuses e ocasionara o mal. Esta profunda necessidade de externar a própria culpa, de projetá-la em outra pessoa ou objeto, tem um poder imenso, que os astutos sabem como controlar. O sacrifício é um ritual, talvez o mais antigo de todos, e o ritual também é uma fonte de poder. Na morte de De Orco, observe a exibição ritualista e simbólica do corpo por César. Ao estruturá-la de forma tão dramática ele focalizou a culpa fora dele. Os cidadãos da Romagna reagiram instantaneamente. Como para nós é tão mais natural olhar para fora do que para dentro, aceitamos logo a culpa do bode expiatório.

O sacrifício sangrento do bode expiatório parece uma relíquia bárbara do passado, mas a prática persiste até hoje, embora de forma indireta e simbólica; visto que o poder depende das aparências, e quem está no poder tem de parecer que não erra nunca, os bodes expiatórios estão mais populares do que nunca. Que líder moderno assumiria a responsabilidade por seus erros? Ele procura outras pessoas para incriminar, um bode expiatório para sacrificar. Quando a Revolução Cultural de Mao Tsé-tung fracassou miseravelmente, ele não deu desculpas nem pediu perdão aos chineses. Pelo contrário, como Ts'ao Ts'ao antes dele, ofereceu bodes expiatórios, inclusive o seu próprio secretário particular e membro do alto escalão do Partido, Ch'en Po-ta.

Franklin D. Roosevelt tinha fama de homem honesto e justo. Ao longo de toda a sua carreira, entretanto, ele enfrentou muitas situações em que ser um bom sujeito significaria um desastre político – mas ele não poderia ser visto como agente de um jogo sujo. Durante vinte anos, portanto, seu secretário Louis Howe fez o papel de De Orco. *Ele* fazia os negócios nos bastidores, manipulava a imprensa, manobrava campanhas clandestinas. E sempre que se cometia um erro, ou vinha a público um truque sujo contradizendo a imagem cuidadosamente elaborada de Roosevelt, Howe servia de bode expiatório e nunca se queixou disso.

Além de convenientemente desviar a culpa, o bode expiatório serve de alerta aos outros. Em 1631, tramava-se para tirar do poder o cardeal francês Richelieu – um complô conhecido como "O Dia dos Trouxas". Quase conseguiram, visto que dele participavam os altos escalões do governo, inclusive a rainha-mãe. Mas com sorte e seus próprios cúmplices, Richelieu sobreviveu.

Um dos principais conspiradores era um homem chamado Marillac, o guardador dos selos. Richelieu não poderia mandar prendê-lo sem comprometer a rainha-mãe, tática que seria extremamente perigosa. Portanto, ele mirou o irmão de Marillac, um marechal do exército. Esse homem não tinha nada a ver com o complô. Richelieu, entretanto, temendo que houvesse ainda no ar outras conspirações, especialmente no exército, decidiu dar um exemplo. Forjou acusações sobre o irmão de Marillac, e ele foi julgado e executado. Assim, indiretamente, ele puniu o verdadeiro criminoso, que se achava protegido, e avisou aos futuros conspiradores que não relutaria em sacrificar inocentes para proteger o seu próprio poder.

De fato, quase sempre é preferível escolher a vítima mais inocente possível como bode expiatório. Pessoas assim não terão poder suficiente para lutar contra você, e seus protestos ingênuos poderão parecer exagerados – poderão ser vistos, em outras palavras, como sinal da sua culpa. Cuidado, entretanto, para não criar um mártir. É importante que *você* continue sendo a vítima, o pobre líder traído pela incompetência dos que o cercam. Se o bode expiatório parecer fraco demais e o seu castigo muito cruel, o tiro pode sair pela culatra. Às vezes você deve encontrar um bode expiatório mais poderoso – que desperte menos simpatia no longo prazo.

Seguindo esta tendência, a história tem demonstrado várias vezes que vale a pena usar um associado próximo como bode expiatório. Isto é conhecido como a "queda do favorito". A maioria dos reis teve um favorito pessoal na corte, um homem a quem eles distinguiam dos outros, às vezes sem nenhum motivo aparente, e cobriam de favores e atenção. Mas este favorito podia servir como um conveniente bode expiatório se a reputação do rei se visse ameaçada. O público facilmente acreditaria na culpa do bode expiatório – por que o rei sacrificaria o seu favorito, se ele não fosse culpado? E os outros cortesãos, já ressentidos com o favorito, se alegrariam com a sua queda. O rei, enquanto isso, se livrava de um homem que provavelmente já sabia demais sobre ele, tendo até atitudes arrogantes e desdenhosas. Escolher um associado próximo como bode expiatório tem o mesmo valor da "queda do favorito". Você pode perder um amigo ou ajudante, mas, a longo prazo é mais importante esconder seus erros do que confiar em alguém que um dia, provavelmente, vai se virar contra você. Além do mais, você sempre pode substituí-lo por outro favorito.

> **Imagem:** O Bode Inocente. No Dia da Expiação, o grande sacerdote traz o bode ao templo, coloca as mãos sobre a sua cabeça e confessa os pecados do povo, transferindo a culpa para o animal inocente, que é depois abandonado no deserto, desaparecendo com ele os pecados e as culpas do povo.

Autoridade: Loucura não é cometer loucuras, e sim não conseguir escondê-las. Todos os homens erram, mas o sábio esconde os enganos que cometeu, enquanto o louco os torna públicos. A reputação depende mais do que se esconde do que daquilo que se mostra. Se você não pode ser bom, seja cuidadoso. (Baltasar Gracián, 1601-1658)

O MACACO E O GATO
O macaco e o gato, travessos e brincalhões, dois irmãos declarados, ambos com um senhor em comum, qualquer diabrura na casa era obra de Pug e Tom...
Certo dia de inverno, o alegre par foi visto postado próximo à lareira da cozinha. Entre os rubros carvões a cozinheira colocara cuidadosamente algumas gordas castanhas para assar, e delas exalava uma forte fragrância oleosa que chegou às narinas do macaco. "Tom!", diz, matreiro Pug, "não poderíamos nós dois saborear esta sobremesa que a cozinheira está preparando? Se eu tivesse as suas garras, eu tentaria logo: empreste-me uma pata – será um golpe de mestre." Assim dizendo, ele pegou a pata do prestativo colega, agarrou a fruta e a enfiou na boca. Nisso voltou a senhora do templo, e rápido os gatunos se escafederam. Tom, por sua parte na pilhagem, ficou com a dor, enquanto Pug, com a guloseima, adoçou o seu paladar.
FÁBULAS, JEAN DE LA FONTAINE, 1621-1695

PARTE II: NÃO COLOQUE A SUA MÃO NO FOGO

Na fábula, o Macaco pega a pata do amigo, o Gato, e a usa para tirar as castanhas do fogo, conseguindo assim o que ele gosta sem se machucar. Se for preciso fazer alguma coisa desagradável ou pouco popular, é muito arriscado você mesmo fazer esse trabalho. A mão do outro apanha o que você quer, machuca quem você precisa machucar e não deixa que as pessoas percebam que você é o responsável. Que outra pessoa seja o carrasco, ou portador de más notícias, enquanto você só traz alegrias e boas-novas.

A LEI OBSERVADA I

Em 59 a.C., Cleópatra, a futura rainha do Egito, então com dez anos de idade, assistiu ao pai, Ptolomeu XII, ser derrubado do trono e banido por obra das suas filhas mais velhas – suas próprias irmãs. Uma das filhas, Berenice, liderou a rebelião e, para ter certeza de que governaria o Egito sozinha, mandou prender as outras irmãs e assassinou o marido. Isto pode ter sido necessário como uma etapa prática para garantir o seu governo. Mas o fato de um membro da família real, nada menos do que uma rainha, ter sido declaradamente responsável por tanta violência na sua própria família deixou os súditos horrorizados e gerou uma forte oposição. Quatro anos depois essa oposição conseguiu recolocar Ptolomeu no poder, e ele imediatamente mandou decapitar Berenice e as outras irmãs mais velhas.

Em 51 a.C., Ptolomeu morreu, deixando quatro filhos como herdeiros. Segundo a tradição no Egito, o filho mais velho, Ptolomeu XIII (com apenas dez anos na época), casou com a irmã mais velha, Cleópatra (agora com dezoito anos), e o casal subiu junto ao trono, como rei e rainha. Nenhum dos quatro filhos ficou satisfeito com isto; todos, inclusive Cleópatra, queriam mais poder. Cleópatra e Ptolomeu começaram a brigar, cada um tentando afastar o outro.

Em 48 a.C., com ajuda de uma facção do governo que temia as ambições de Cleópatra, Ptolomeu conseguiu forçar a irmã a fugir do país, ficando sozinho como único governante. No exílio, Cleópatra conspirou. Ela queria governar sozinha e restituir ao Egito a sua antiga glória, meta que ela achava que nenhum dos irmãos seria capaz de atingir; mas, enquanto eles vivessem, ela não poderia realizar o seu sonho. E o exemplo de Berenice deixara claro que ninguém serviria a uma rainha que fora vista assassinando a sua própria família. Até mesmo Ptolomeu não tinha ousado assassinar Cleópatra, embora soubesse que ela tramava contra ele no estrangeiro.

Um ano depois da expulsão de Cleópatra, o ditador romano Júlio César chegou ao Egito, determinado a fazer do país uma colônia romana. Cleópatra viu ali a sua chance: retornando disfarçada ao Egito, ela viajou centenas de quilômetros até alcançar César em Alexandria. Conta a lenda que ela se aproximou dele clandestinamente enrolada num tapete, que foi graciosamente desenrolado aos seus pés, revelando a jovem rainha. Cleópatra imediatamente começou o seu trabalho com o romano. Ela apelou para o seu gosto pelos espetáculos e para o seu interesse pela história do Egito, e deixou transbordar todos os seus encantos femininos. César não demorou a sucumbir e recolocou Cleópatra no trono.

Os irmãos de Cleópatra se agitaram – ela lhes havia passado a perna. Ptolomeu XIII não quis esperar para ver o que aconteceria em seguida: do seu palácio em Alexandria, ele convocou um grande exército para marchar sobre a cidade e atacar César. Em resposta, César imediatamente colocou Ptolomeu e o resto da família em prisão domiciliar. Mas a irmã mais nova de Cleópatra, Arsinoe, fugiu do palácio e se colocou à frente das tropas egípcias que se aproximavam, proclamando-se rainha do Egito. Agora Cleópatra finalmente viu a sua chance: convenceu César a libertar Ptolomeu da prisão domiciliar, se ele concordasse em intermediar uma trégua. É claro que ela sabia que ele ia fazer exatamente o contrário – ele disputaria com Arsinoe o controle do exército egípcio. Mas isto seria vantagem para Cleópatra, pois dividiria a família real. Melhor ainda, daria a César a chance de derrotar e matar seus irmãos em combate.

Com reforço de tropas vindas de Roma, César rapidamente derrotou os rebeldes. Na retirada dos egípcios, Ptolomeu se atirou no Nilo. César capturou Arsinoe e a mandou para Roma como prisioneira. Também mandou executar os inúmeros inimigos que tinham conspirado contra Cleópatra, aprisionando outros que tinham se oposto a ela. Para reforçar a sua posição como rainha incontestável, Cleópatra casou-se com o único irmão que lhe restou, Ptolomeu XIV – com apenas onze anos na época, e o mais fraco de todos. Quatro anos depois Ptolomeu morreu misteriosamente, envenenado.

Em 41 a.C., Cleópatra utilizou com um segundo líder romano, Marco Antônio, as mesmas táticas que tinha usado tão bem com Júlio César. Depois de seduzi-lo, ela lhe sugeriu que a irmã Arsinoe, ainda prisioneira em Roma, tinha conspirado para destruí-lo. Marco Antônio acreditou nela e prontamente mandou executar Arsinoe, livrando-se assim do último dos irmãos que tanto tinham ameaçado Cleópatra.

Interpretação

Conta a lenda que Cleópatra conseguiu tudo o que quis com seus encantos e poder de sedução, mas na verdade seu poder estava em conse-

O CORVO, A COBRA E O CHACAL
Certa vez um corvo e a sua esposa construíram um ninho numa árvore. Uma cobra grande subiu no tronco e comeu os filhotes enquanto ainda estavam chocando. O corvo não queria se mudar dali porque gostava muito da árvore, por isso foi se aconselhar com o amigo chacal. Arquitetaram um plano de ação. O corvo e a esposa saíram para executá-lo. Ao se aproximar de um lago, a esposa viu as mulheres da corte do rei se banhando, com pérolas, colares, gemas preciosas, roupas e uma corrente de ouro na beira d'água. A esposa pegou a corrente de ouro no bico e voou em direção à árvore, com os eunucos correndo atrás dela. Ao chegar na árvore, ela deixou cair a corrente num buraco. Quando os homens subiram na árvore em busca da corrente, viram a cabeça inchada da cobra. Assim eles mataram a cobra a pauladas, recuperaram a

corrente de ouro e voltaram para o lago. E o corvo viveu para sempre feliz com a sua esposa.
UM CONTO DO PANCHATANTRA, SÉCULO IV, RECONTADO EM A ARTE DO PODER, R. G. H. SIU, 1979

guir que as pessoas fizessem o que ela queria sem perceber que estavam sendo manipuladas. César e Antônio não só a livraram dos seus irmãos mais perigosos – Ptolomeu e Arsinoe –, como dizimaram *todos* os seus inimigos, tanto no governo como no exército. Os dois homens foram o seu instrumento. Foram eles que colocaram a mão no fogo, fizeram o trabalho sujo, porém necessário, enquanto impediam que ela fosse vista como a destruidora dos seus irmãos e concidadãos egípcios. E, no final, os dois homens concordaram com o seu desejo de governar o Egito não como uma colônia romana, mas como um reino aliado independente. E fizeram tudo isso por ela sem perceber que estavam sendo manipulados. Foi persuasão na sua forma mais sutil e poderosa.

Uma rainha não deve sujar as mãos com tarefas inglórias, nem um rei pode aparecer em público com o rosto manchado de sangue. Mas o poder não sobrevive sem o esmagar constante de inimigos – sempre haverá pequenas tarefas sujas que precisam ser feitas para manter você no trono. Como Cleópatra, você precisa que outro coloque a mão no fogo por você.

COMO DIVULGAR AS NOTÍCIAS
Quando Omar, filho de al-Khattab, se converteu ao islamismo, quis que a notícia da sua conversão fosse conhecida logo por todos. Foi então procurar Jamil, filho de Ma'mar al-Jumahi, famoso pela rapidez com que passava os segredos adiante. O que lhe contassem em sigilo, imediatamente todos ficavam sabendo. Omar lhe disse: "Agora sou muçulmano. Não diga nada. Guarde segredo. Não comente isso na frente de ninguém." Jamil saiu para a rua e começou a gritar bem alto: "Vocês acreditam que Omar, filho de al-Khattab, não é muçulmano? Bem,

Em geral, será alguém fora do seu círculo imediato, que provavelmente não perceberá que está sendo usado. Você encontra esses trouxas por toda parte – gente que gosta de prestar favores, especialmente se você lhes jogar um ossinho, ou dois, em troca. Mas enquanto realizam tarefas que para eles podem parecer bastante inocentes, ou pelo menos totalmente justificadas, na verdade abrem o caminho para você, espalhando as informações que você lhes dá, destruindo aos poucos pessoas que eles não percebem ser suas rivais, inadvertidamente promovendo a sua causa, sujando as mãos enquanto as suas permanecem imaculadas.

A LEI OBSERVADA II

No fim da década de 1920, explodiu uma guerra civil na China quando os partidos nacionalista e comunista resolveram brigar pelo controle do país. Em 1927, Chiang Kai-shek, o líder nacionalista, jurou matar até o último comunista, e nos anos seguintes quase conseguiu isso, empurrando tanto os seus inimigos que, em 1934-1935, os forçou à Longa Marcha, uma retirada de 950 quilômetros do sudeste até o remoto noroeste, por um terreno agreste, na qual a maioria das suas fileiras foi dizimada. No final de 1936, Chiang planejou uma última ofensiva para limpá-los do mapa, mas foi apanhado num motim: seus próprios soldados o capturaram, entregando-o aos comunistas. Agora ele só poderia esperar pelo pior.

Mas, enquanto isso, os japoneses começaram a invadir a China e, para surpresa de Chiang, em vez de matá-lo, o líder comunista, Mao

Tsé-Tung, lhe propôs um acordo: os comunistas o deixariam livre e o reconheceriam como comandante de seus exércitos e dos deles também se ele concordasse em combaterem juntos o inimigo comum. Chiang esperava ser torturado e executado; agora não podia acreditar na sua sorte. Como estes vermelhos estavam moles. Sem ter de combater uma ação na retaguarda contra os comunistas, ele sabia que podia derrotar os japoneses e, daqui a alguns anos, voltar e destruir os vermelhos facilmente. Ele só tinha a ganhar concordando.

Os comunistas continuaram combatendo os japoneses como vinham fazendo, com táticas de guerrilha, enquanto os nacionalistas faziam uma guerra mais convencional. Juntos, depois de tantos anos, eles conseguiram afastar os japoneses. Agora, entretanto, Chiang finalmente compreendia o verdadeiro plano de Mao. Seu próprio exército tinha enfrentado a violência da artilharia japonesa, estava muito enfraquecido e levaria alguns anos para se recuperar. Mas os comunistas não só tinham evitado o confronto direto com os japoneses como usaram o tempo para recuperar suas energias e espalhar e conquistar bolsões de influência por toda a China. Assim que terminou a guerra contra os japoneses, recomeçou a guerra civil – mas, desta vez, os comunistas cercaram os enfraquecidos nacionalistas e lentamente os derrotaram. Os japoneses foram a pata do gato para Mao, inadvertidamente preparando o campo para os comunistas e tornando possível a sua vitória sobre Chiang Kai-shek.

*não acreditem nisso! Eu estou lhes dizendo que é!"
A notícia da conversão de Omar ao islamismo se espalhou por toda parte. E era exatamente o que ele queria.*
THE SUBTLE RUSE: THE BOOK OF ARABIC WISDOM AND GUILE, SÉCULO XIII

Interpretação

A maioria dos líderes que aprisionaram inimigos tão poderosos como Chiang Kai-shek teria se garantido mandando matá-los. Mas ao fazer isso perderiam a chance que Mao aproveitou. Sem o experiente Chiang como líder dos nacionalistas, a luta para expulsar os japoneses poderia ter durado muito mais tempo, com resultados devastadores. Mao era esperto demais para deixar que a raiva estragasse a oportunidade de matar dois pássaros com um só tiro. Em essência, Mao usou as duas patas do gato para ajudá-lo a conquistar a vitória total. Primeiro ele espertamente jogou a isca para Chiang se encarregar da guerra contra os japoneses. Mao sabia que os nacionalistas liderados por Chiang fariam a maior parte do esforço na luta e conseguiriam tirar os japoneses da China, se não tivessem que se preocupar em combater os comunistas ao mesmo tempo. Os nacionalistas, então, foram a primeira pata, usada para expulsar os japoneses. Porém, Mao também sabia que no processo de liderar a guerra contra os invasores a artilharia japonesa e o apoio aéreo dizimariam as forças convencionais dos nacionalistas, provocando danos que os comunistas levariam décadas para causar. Por que

O LOUCO E O SÁBIO
Um sábio, que passeava sozinho, foi perturbado por um louco que lhe jogava pedras na cabeça. Voltando-se para olhá-lo de frente, ele disse: "Belo lance, meu rapaz! Aceite estes francos. Seu esforço vale bem mais do que um simples agradecimento. Todo esforço merece a sua recompensa. Mas está vendo aquele homem ali? Ele tem mais do que eu. Jogue-lhe algumas das suas pedras: elas lhe valerão um

bom pagamento." desperdiçar tempo e vidas, se os japoneses poderiam fazer o trabalho rapidamente? Foi esta política sábia de usar uma pata e depois a outra que permitiu que os comunistas vencessem.

Mordendo a isca, o idiota se apressou a repetir a afronta com o outro nobre cidadão. Desta vez, suas pedradas não foram retribuídas em dinheiro. Criados aparecem correndo e, agarrando-o, quebraram-lhe todos os ossos. Na corte dos reis há pestes assim, desprovidas de bom senso: eles fazem os seus senhores rirem às suas custas. Para calar a sua tagarelice você deve castigá-los grosseiramente? Talvez você não seja forte o bastante. Melhor convencê-los a atacar outra pessoa, capaz de fazer mais do que lhe retribuir à altura.

Há duas utilidades para a pata do gato: salvar as aparências, como fez Cleópatra, e economizar energia e esforço. A segunda em particular exige que você planeje vários movimentos com antecedência, percebendo que um passo atrás temporário (deixar livre Chiang, digamos) pode levar a um passo gigantesco para a frente. Se você estiver temporariamente enfraquecido e precisa de tempo para se recuperar, quase sempre é mais vantajoso usar as pessoas ao seu redor como uma cortina para esconder suas intenções e como uma pata de gato para fazer o trabalho por você. Procure uma terceira parte com quem dividir um inimigo (mesmo que por motivos diversos). Depois se aproveite do seu poder superior para dar golpes que lhe custariam muito mais energia, visto que você é mais fraco. Você pode até delicadamente guiá-los para atitudes hostis. Procure sempre o flagrantemente agressivo como patas de gato em potencial – com frequência eles estão mais dispostos a entrar numa briga, e você pode escolher exatamente a briga certa para o seu objetivo.

FÁBULAS SELECIONADAS, JEAN DE LA FONTAINE, 1621-1695

A LEI OBSERVADA III

Kuriyama Daizen era um adepto do Cha-no-yu (Água Quente para o Chá, a cerimônia do chá dos japoneses) e aluno do grande mestre do chá, Sen no Rikyu. Por volta de 1620, Daizen soube que um amigo seu, Hoshino Soemon, tinha pedido emprestado uma grande quantia de dinheiro (300 ryo) para ajudar um parente endividado. Mas, apesar de ter conseguido pagar a dívida do seu parente, o que Soemon fez foi simplesmente deslocar a carga para os próprios ombros. Daizen conhecia bem Soemon – ele não se preocupava com dinheiro nem entendia muito disso, e ia ter problemas se demorasse em pagar a dívida contraída com um rico mercador chamado Kawachiya Sanemon. Mas se Daizen se oferecesse para ajudar Soemon ele recusaria, orgulhoso, e talvez até se sentisse ofendido.

O PÁSSARO INDIANO Um mercador tinha um pássaro dentro de uma gaiola. Como ele estava indo para a Índia, terra de onde viera o pássaro, perguntou-lhe se queria alguma coisa de lá. A ave pediu a sua liberdade, que

Um dia, Daizen foi visitar o amigo e, depois de passear pelo jardim e apreciar as valiosas peônias de Soemon, eles se retiraram para a sala de estar. Ali Daizen viu um quadro do mestre Kano Tennyu. "Ah", Daizen exclamou, "uma esplêndida pintura... Acho que nunca vi nada melhor." Depois de vários elogios, Soemon não teve outra escolha: "Bem", disse ele, "já que você gosta tanto, espero que me faça o favor de aceitá-lo." De início Daizen recusou, mas diante da insistência de Soemon ele aceitou. No dia seguinte, Soemon por sua vez recebeu um embrulho de

Daizen. Dentro havia um belo e delicado vaso acompanhado por um bilhete de Daizen pedindo ao amigo que o aceitasse em troca do seu apreço pelo quadro que Soemon tão generosamente lhe dera no dia anterior. Ele explicou que o vaso tinha sido feito pelo próprio Sen no Rikyu e trazia a inscrição do imperador Hideyoshi. Se Soemon não gostasse do vaso, sugeriu Daizen, poderia dá-lo de presente para um adepto do Cha-no-yu – talvez o mercador Kawachiya Sanemon, que várias vezes manifestou o desejo de possuí-lo. "Ouvi dizer", continuou Daizen, "que ele tem um pedacinho de papel [o recibo dos 300 ryo] que você gostaria muito de ter. É possível que vocês combinem uma troca."

Percebendo a intenção do seu generoso amigo, Soemon levou o vaso para o rico mercador. "Você o conseguiu", exclamou Sanemon quando Soemon lhe mostrou o vaso. "Já ouvi falar muito dele, mas esta é a primeira vez que o vejo. É tão precioso que não tem permissão para atravessar os portões!" Na mesma hora ele ofereceu trocar a nota da dívida pelo vaso de flores e dar a Soemon mais 300 ryo. Mas Soemon, que não se importava com dinheiro, só queria a nota de volta e Sanemon ficou feliz em devolvê-la. Soemon foi correndo para a casa de Daizen agradecer a sua esperta ajuda.

Interpretação

Kuriyama Daizen sabia que prestar um favor não é coisa simples: não se deve fazer estardalhaço nem ser óbvio demais, pois quem recebe sente o peso da obrigação. Isto pode dar um certo poder a quem dá, mas é um poder que acaba se autodestruindo porque só desperta ressentimentos e resistência. Um favor prestado indiretamente e com elegância tem dez vezes mais poder. Daizen sabia que uma abordagem direta só teria ofendido Soemon. Ao permitir que o amigo lhe desse o quadro, entretanto, ele fez Soemon sentir que também tinha agradado ao amigo com um presente. No final, as três partes ficaram satisfeitas, cada qual a sua maneira.

Em essência, Daizen se fez de pata de gato, a ferramenta para tirar as castanhas do fogo. Ele deve ter sofrido ao se separar do vaso, mas ganhou não só o quadro como também, e isso é muito importante, o poder de quem corteja. O cortejador usa a mão enluvada para abrandar os golpes desfechados contra ele, disfarçar cicatrizes, tornar o ato de resgate mais elegante e limpo. Ao ajudar os outros, o cortejador acaba se ajudando. O exemplo de Daizen é um paradigma para todos os favores trocados entre amigos e colegas: jamais imponha um favor seu. Busque um jeito de se tornar a pata do gato, tirando indiretamente seus amigos de dificuldades sem se impor ou fazer com que eles se sintam devedores.

---

lhe foi recusada. Então ela pediu ao mercador que fosse visitar uma floresta na Índia e anunciasse a sua prisão aos pássaros livres que ali viviam. O mercador foi, e mal começou a falar quando uma ave selvagem, parecida com a sua, caiu de uma árvore, desacordada. O mercador achou que ela devia ser parente do seu pássaro e ficou triste por ter provocado a sua morte. Chegando a casa, o pássaro lhe perguntou se trazia boas notícias da Índia. "Não", disse o mercador, "temo trazer más notícias. Um dos seus parentes desmaiou e caiu aos meus pés quando mencionei o seu cativeiro." Mal essas palavras foram pronunciadas, o pássaro do mercador desmaiou e caiu no fundo da gaiola. "A notícia da morte do seu parente o matou também", pensou o mercador. Pesaroso, ele pegou o pássaro e o colocou sobre o peitoril da janela. Imediatamente o animalzinho recobrou os sentidos e voou para uma árvore próxima. "Agora você já sabe", disse ele, "que aquilo que você pensou que fosse desastre para mim foi uma boa notícia. E a mensagem, a

sugestão de como me comportar para me ver livre dessa gaiola, me foi transmitida por seu intermédio, meu captor." E saiu voando, livre finalmente.
TALES OF THE DERVISHES, IDRIES SHAH, 1967

DAVI E BETSABÁ
Decorrido um ano, no tempo em que os reis costumavam sair para a guerra, enviou Davi a Joabe, e a seus servos com ele, e a todo o Israel, que destruíram os filhos de Amon, e sitiaram Rabá; porém, Davi ficou em Jerusalém. Uma tarde, levantou-se Davi do seu leito, e andava passeando no terraço da sua casa real; daí viu uma mulher que estava tomando banho; era muito formosa. Davi mandou perguntar quem era. Disseram-lhe: "É Betsabá, filha de Eliã, e mulher de Urias, o heteu"... Pela manhã, Davi escreveu uma carta a Joabe e lha mandou por mão de Urias. Escreveu na carta, dizendo: "Ponde a Urias na frente da maior força da peleja; e deixai-o sozinho, para que seja ferido e morra"... Joabe... pôs a Urias no lugar onde sabia que estavam os homens mais

> *Não se deve ser direto demais. Veja a floresta. As árvores retas são cortadas, as retorcidas permanecem de pé.*
>
> Kautilya, filósofo hindu, século III a.C.

AS CHAVES DO PODER

Como líder você pode imaginar que o zelo constante, e a aparência de trabalhar mais do que todos, signifique poder. Na verdade, entretanto, tudo isso tem o efeito contrário: sugere fraqueza. Por que você trabalha tanto? Talvez seja incompetente e tenha de se esforçar mais para continuar onde está; talvez você seja uma dessas pessoas que não sabem delegar poderes e precisam se meter em tudo. Os verdadeiramente poderosos, por outro lado, não parecem nunca ter pressa ou estar sobrecarregados de trabalho. Enquanto os outros se esfalfam, eles descansam. Sabem onde encontrar quem que vai labutar enquanto eles poupam suas energias e não queimam suas mãos no fogo. Similarmente, você pode achar que assumindo o trabalho sujo, envolvendo-se diretamente em ações desagradáveis, está impondo o seu poder e inspirando temor. De fato, você está mostrando uma imagem feia e abusiva da sua alta posição. Pessoas verdadeiramente poderosas não sujam as mãos. Ficam cercadas apenas de coisas boas e só anunciam conquistas gloriosas.

Frequentemente você verá que é preciso, é claro, gastar energia ou ter uma atitude nociva porém necessária. Mas você não deve nunca parecer que é o agente dessa ação. Encontre alguém para sujar as mãos por você. Desenvolva a arte de encontrar, usar e, no devido tempo, se livrar dessas pessoas depois de cumprido o seu papel de pata do gato.

Na véspera de uma importante batalha naval, o grande estrategista chinês do século III, Chuko Liang, se viu falsamente acusado de trabalhar em segredo para o outro lado. Como prova da sua lealdade, seu comandante mandou que ele produzisse cem mil flechas para o exército em três dias ou morreria. Em vez de tentar fazer as flechas, uma tarefa impossível, Liang pegou uma dúzia de barcos e mandou amarrar montes de palha ao lado de cada um deles. No fim da tarde, quando o rio costumava ficar coberto de neblina, ele arrastou os barcos em direção ao campo inimigo. Temendo uma armadilha do astuto Chuko Liang, o inimigo não usou os seus próprios barcos para atacar os do adversário, que mal conseguia enxergar, mas fez chover sobre eles uma nuvem de flechas atiradas da margem. À medida que os barcos de Liang se aproximavam, ele ia aumentando a chuva de flechas, que ficavam espetadas na palha. Depois de várias horas, os homens escondidos a bordo desceram rapidamente o rio com os barcos até onde Chuko Liang os encontrou e recolheu as suas cem mil flechas.

Chuko Liang jamais fazia um trabalho que outros poderiam fazer por ele – estava sempre imaginando truques desse tipo. A chave para o planejamento de uma estratégia assim é a capacidade de pensar com antecedência, de imaginar formas de atrair os outros para fazer o trabalho por você.

Um elemento essencial para que esta estratégia funcione é disfarçar o seu objetivo, envolvendo-o numa capa de mistério, como os estranhos barcos inimigos que surgem indistintamente no meio da névoa. Se os seus rivais não têm certeza do que você está querendo, acabarão reagindo de forma a se prejudicar. De fato, eles é que sujarão as mãos por você. Se você disfarça suas intenções, fica muito mais fácil guiá-los para fazer exatamente o que você quer que seja feito mas prefere não fazer você mesmo. Isto pode exigir a execução anterior de vários movimentos, como uma bola de bilhar que ricocheteia nos cantos algumas vezes antes de acertar a caçapa.

Yellow Kid Weil, trapaceiro americano do início do século XX, sabia que, por mais hábil que fosse, se abordasse diretamente o otário rico perfeito, sendo ele um estranho, o sujeito ficaria desconfiado. Por isso Weil procurava alguém que o otário já conhecesse para sujar as mãos por ele – alguém numa posição inferior na hierarquia e que fosse um alvo improvável, menos suspeito. Weil fazia esse alguém se interessar por um esquema que prometia render uma enormidade de dinheiro. Convencido de que o esquema era para valer, ele costumava sugerir, sem ninguém o lembrar disso, que seu chefe ou amigo rico também deveria participar: com mais dinheiro para investir, esse chefe ou amigo aumentaria o tamanho do bolo e todos ganhariam mais. O sujeito que servia de pata de gato, então, envolveria o rico otário, que era o alvo de Weil desde o início, mas que não desconfiaria de uma armadilha, visto que o seu confiável subordinado é que o tinha amarrado. Artifícios desse tipo são, em geral, a melhor maneira de abordar a pessoa com poder: use um associado ou subordinado para fazer a ligação entre você e o seu alvo principal. O pata de gato estabelece a sua credibilidade e o protege da desagradável aparência de estar exagerando na bajulação.

A maneira mais fácil e eficaz de se aproveitar da pata do gato quase sempre é dando-lhe uma informação falsa que ele vai logo contar para o seu alvo principal. Informações falsas ou inventadas são uma arma poderosa, especialmente se divulgadas por um trouxa de quem ninguém desconfia. Você vai ver que é muito fácil bancar o inocente e não deixar ninguém perceber a origem delas.

O estratégico terapeuta Milton H. Erickson costumava ter entre seus pacientes casais em que a esposa queria fazer a terapia, mas o ma-

valentes. Saindo os homens da cidade, e pelejando com Joabe, caíram alguns do povo, dos servos de Davi; e morreu também Urias, o heteu. Então Joabe enviou notícias e fez saber a Davi tudo o que se dera na batalha... Ouvindo pois a mulher de Urias que seu marido era morto, ela o pranteou. Passado o luto, Davi mandou buscá-la e a trouxe para o palácio; tornou-se ela sua mulher e lhe deu à luz um filho.
VELHO TESTAMENTO, SAMUEL 2:11-12

rido se recusava terminantemente. Em vez de se cansar tentando tratar diretamente com o homem, Erickson atendia a esposa sozinha e, conforme ela ia falando, ele inseria na conversa interpretações do comportamento do marido que ele sabia que o irritariam. Com certeza, ela ia contar para o marido o que o médico tinha dito. Depois de algumas semanas, ele já estava tão furioso que acaba insistindo em acompanhar a mulher, para acertar as contas com o médico.

Finalmente, há ocasiões em que se oferecer deliberadamente para tirar a castanha do fogo pode lhe dar um grande poder. É o ardil do perfeito cortesão. Seu símbolo é Sir Walter Raleigh, que certa vez colocou o seu casaco na lama para que a rainha Elizabeth não sujasse os sapatos. Como o instrumento que protege um senhor ou um par de coisas desagradáveis ou perigosas, você ganha um imenso respeito, que mais cedo ou mais tarde dará seus dividendos. E lembre-se: se conseguir dar a sua assistência de uma forma sutil e graciosa, em vez de se mostrar orgulhoso e incômodo, sua recompensa será ainda mais satisfatória e poderosa.

Imagem: A Pata do Gato. Tem longas garras para pegar as coisas. É macia e acolchoada. Apodere-se do gato e use a sua pata para tirar as coisas do fogo, para segurar o inimigo, para brincar com o rato antes de devorá-lo. Às vezes você machuca o gato, mas, em geral, ele nem sente.

Autoridade: Faça você mesmo tudo que for agradável, para o que for desagradável você usa os outros. Com o primeiro procedimento você sai favorecido, com o segundo você desvia a má vontade. Negócios importantes quase sempre exigem recompensas e punições. De você só deve vir o que é bom, o ruim virá dos outros. (Baltasar Gracián, 1601-1658)

O INVERSO

A pata do gato e o bode expiatório devem ser usados com extrema cautela e delicadeza. Eles são cortinas que escondem do público o seu próprio envolvimento no trabalho sujo; se de repente a cortina se erguer e você for visto como manipulador, o senhor dos fantoches, toda a dinâmica mudará de rumo – sua mão será vista por toda parte, e você será acusado de infortúnios com os quais não tem nada a ver. Depois que a verdade vem à tona, as coisas vão tomando uma proporção incontrolável.

Em 1572, a rainha Catarina de Medici, da França, conspirava para acabar com Gaspard de Coligny, almirante da armada francesa e importante membro da comunidade huguenote (protestantes franceses). Coligny era amigo do filho de Catarina, Carlos IX, e ela temia a sua crescente influência sobre o jovem rei. Ela arrumou, portanto, um membro da família Guise, um dos clãs reais mais poderosos da França, para assassiná-lo.

Mas, secretamente, Catarina tinha outro plano: ela queria que os huguenotes acusassem os Guise de terem matado um de seus líderes e se vingassem. Com uma só tacada, ela apagaria ou prejudicaria dois perigosos rivais, Coligny e a família Guise. Mas os dois tiros saíram pela culatra. O assassino errou o alvo, ferindo apenas Coligny; sabendo que Catarina era sua inimiga, ele desconfiou seriamente de que ela é quem tinha tramado o ataque e contou para o rei. Acabou que o assassinato fracassado e as discussões que se seguiram deram origem a uma série de acontecimentos resultando numa sangrenta guerra civil entre católicos e protestantes, que culminou no horrível massacre conhecido como a Noite de São Bartolomeu, quando milhares de protestantes foram mortos.

Se tiver de usar a pata do gato ou o bode expiatório numa ação de sérias consequências, cuidado: exagerar pode ser prejudicial. É sempre mais sensato usar esses trouxas em tarefas mais inocentes, quando um erro não causará danos graves.

Finalmente, há momentos em que é mais vantajoso não disfarçar o seu envolvimento ou responsabilidade, mas assumir você mesmo a culpa por algum erro. Se você tem poder e está seguro dele, deve às vezes representar o penitente: com o olhar pesaroso, você pede perdão aos mais fracos. É o truque do rei que fica exibindo o seu sacrifício pelo bem-estar do povo. Ocasionalmente, também, é bom você se mostrar como o agente castigador, para inspirar medo e terror nos seus subordinados. Em vez da pata do gato, você mostra a sua mão poderosa com um gesto ameaçador. Use este trunfo com parcimônia. Se usá-lo com muita frequência, o medo se transformará em ressentimento e ódio. Quando você perceber, essas emoções já terão se transformado numa forte oposição que acabará por derrubá-lo. Habitue-se a usar a pata do gato – é muito mais seguro.

LEI
27

JOGUE COM A NECESSIDADE QUE AS PESSOAS TÊM DE ACREDITAR EM ALGUMA COISA PARA CRIAR UM SÉQUITO DE DEVOTOS

JULGAMENTO

As pessoas têm um desejo enorme de acreditar em alguma coisa. Torne-se o foco desse desejo oferecendo a elas uma causa, uma nova fé para seguir. Use palavras vazias de sentido, mas cheias de promessas; enfatize o entusiasmo de preferência à racionalidade e à clareza de raciocínio. Dê aos seus novos discípulos rituais a serem cumpridos; peça-lhes que se sacrifiquem por você. Na ausência de uma religião organizada e de grandes causas, o seu novo sistema de crença lhe dará um imensurável poder.

Para o charlatão, era vantagem que os indivíduos predispostos à credulidade se multiplicassem, que os grupos de adeptos crescessem em proporções maciças, garantindo uma perspectiva mais ampla para seus triunfos. E isso de fato ocorreu, com a popularização da ciência, a partir do Renascimento e com o passar dos séculos. Com o imenso avançar do conhecimento e divulgação pela imprensa na época moderna, a massa dos semieducados, a ansiosa presa ingênua do charlatão, também aumentou, tornando-se na verdade uma maioria; o poder real podia se basear nos seus desejos, opiniões, preferências e rejeições. O império do charlatão se ampliou coerentemente com a divulgação moderna do conhecimento; visto operar com base na ciência, por mais que a pervertesse, produzindo ouro com uma técnica copiada da química e seus maravilhosos bálsamos com o aparato da medicina, ele não poderia apelar para um povo totalmente ignorante. Os analfabetos se

A CIÊNCIA DO CHARLATANISMO, OU DE COMO CRIAR UM CULTO EM CINCO ETAPAS

Na busca, necessária, de métodos para obter o poder com o mínimo de esforço, você verá que a criação de um séquito de devotos é o mais eficaz. Ter um grande séquito abre inúmeras possibilidades de trapaça; não só eles o adorarão, como o defenderão de seus inimigos e assumirão voluntariamente o trabalho de atrair outros para o seu novo culto. Este tipo de poder o elevará a uma nova esfera: você não terá mais de se esforçar, ou usar de subterfúgios, para impor a sua vontade. Você é adorado e não erra.

Talvez você ache que criar um séquito desses seja uma tarefa colossal, mas ela é muito simples. Como seres humanos, temos uma necessidade desesperada de acreditar em alguma coisa, qualquer coisa. Isto nos torna eminentemente crédulos: simplesmente não suportamos longos períodos de dúvidas, ou o vazio de não se ter algo em que acreditar. Basta que acenem na nossa frente com uma nova causa, um novo elixir, um esquema para enriquecer rápido, ou a última tendência tecnológica ou movimento artístico que saltamos logo para morder a isca. Veja a história: as crônicas das novas tendências e cultos que formaram massas de seguidores, só elas bastam para encher uma biblioteca. Depois de alguns séculos, algumas décadas, alguns anos, alguns meses, em geral, tudo isso cai no ridículo, mas na época pareceu tão atraente, tão transcendental, tão divino.

Sempre apressados para acreditar em alguma coisa, criamos santos e crenças do nada. Não desperdice essa credulidade: torne-se você mesmo um objeto de adoração. Faça com que as pessoas criem um culto ao seu redor.

Os grandes charlatões europeus dos séculos XVI e XVII dominaram a arte da criação de cultos. Eles viveram, como sabemos, numa época de grandes transformações: a religião organizada estava em declínio, a ciência, em ascensão. As pessoas estavam desesperadas para se reunir em torno de uma nova causa ou fé. Os charlatões começaram mascateando elixires medicinais e atalhos alquímicos para a riqueza. Nas rápidas passagens de cidade em cidade, eles originalmente focalizavam pequenos grupos – até que, por acaso, tropeçaram num fato real da natureza humana: quanto maior o número de pessoas reunidas ao seu redor, mais fácil era enganá-las.

O charlatão subia numa plataforma de madeira (daí o termo "saltimbanco") e multidões afluíam ao seu redor. Em grupo, as pessoas tornavam-se mais emotivas, menos capazes de raciocinar. Se o charlatão tivesse falado com elas individualmente, elas o teriam achado ridículo, mas, perdidas na multidão, viam-se presas num estado comum de êxtase. Era difícil para elas encontrar o distanciamento que dá espaço para o ceticismo. Qualquer deficiência nas ideias do charlatão era encoberta pelo zelo da massa. A paixão e o entusiasmo apossavam-se da multidão como por contágio, e elas reagiam violentamente a quem quer que ousasse espalhar uma semente que fosse de dúvida. Estudando conscientemente esta dinâmica ao longo de décadas de experiência e, espontaneamente, se adaptando às situações conforme elas iam acontecendo, os charlatões aperfeiçoaram a ciência de atrair e conquistar multidões, transformando-as em seguidores e os seguidores, em culto.

O macete publicitário dos charlatões hoje em dia pode parecer antiquado, mas ainda existe entre nós milhares que continuam usando os mesmos métodos testados e comprovados que seus antecessores aperfeiçoaram séculos atrás, mudando apenas os nomes dos seus elixires e modernizando a cara dos seus cultos. Encontramos estes charlatões contemporâneos em todas as áreas da vida – negócios, moda, política, arte. Muitos deles, talvez, seguem a tradição charlatã sem ter nenhum conhecimento histórico, mas você pode ser mais sistemático e premeditado. Simplesmente siga as cinco etapas da criação de um culto que nossos ancestrais charlatões aperfeiçoaram ao longo dos anos.

Etapa 1: Seja Vago, Seja Simples. Para criar um culto, você deve primeiro chamar atenção. Isto não deve ser feito com ações, que são muito claras e de fácil compreensão, mas com palavras, que são nebulosas e enganadoras. No início, seus discursos, conversas e entrevistas devem incluir dois elementos: um, a promessa de algo grandioso e transformador; e outro, a total indefinição. Estes dois elementos combinados estimularão os mais variados tipos de sonho nebuloso nos seus ouvintes, que farão as suas próprias conexões e verão o que quiserem ver.

Torne atraente a sua indefinição, use palavras de grande ressonância mas significado obscuro, palavras cheias de calor e entusiasmo. Títulos sofisticados para coisas simples são úteis, como são o uso de números e a criação de novas palavras para conceitos vagos. Tudo isso cria a impressão de conhecimento especializado, dando a você um verniz de profundidade. Para provar o que estou dizendo, tente tornar o assunto do seu culto uma novidade, de forma que poucos o compreendam. Feita corretamente, a combinação de promessas vagas, conceitos nebulosos mas atraentes, e ardente entusiasmo alvoroça as almas das pessoas e um grupo se formará ao seu redor.

Use um discurso vago *demais*, e você perderá a credibilidade. Ser específico, porém, é mais perigoso. Se você explica em detalhes os benefícios que as pessoas terão seguindo o seu culto, você terá de satisfazê-las.

---

protegeriam de seus absurdos usando o seu saudável bom senso. A sua plateia de preferência seria composta de semialfabetizados, aqueles que tinham trocado o bom senso por um pouco de informações distorcidas e se defrontado com a ciência e a educação em algum momento da sua vida, embora rápida e malogradamente... A grande massa da humanidade sempre esteve disposta a se maravilhar diante de mistérios, e isto foi especialmente verdade em certos períodos históricos, quando os fundamentos seguros da vida pareciam abalados e os velhos valores, econômicos e espirituais, há muito aceitos como certezas, não eram mais confiáveis. Aí então se multiplicaram os trouxas enganados pelos charlatões – os "self-killers", como um inglês do século XVII os chamou.
THE POWER OF CHARLATAN, GRETE DE FRANCESCO, 1939

A CORUJA QUE ERA DEUS

Certa vez, no meio de uma noite sem estrelas, uma coruja estava pousada no galho de um carvalho. Duas toupeiras tentaram se esgueirar por ali sem serem vistas. "Você!", disse a coruja. "Quem?", elas perguntaram trêmulas, assustadas, porque não acreditavam que fosse possível alguém vê-las naquela escuridão toda. "Vocês duas!", disse a coruja. As toupeiras fugiram correndo e contaram para as outras criaturas do campo e da floresta que a coruja era o maior e o mais sábio de todos os animais porque era capaz de ver no escuro e sabia responder a qualquer pergunta. "Vou conferir isso", disse um pássaro serpentário, e foi visitar a coruja numa noite em que também estava muito escuro. "Quantas garras eu tenho aqui?", disse o serpentário. "Duas", disse a coruja, e estava certa. "Pode me dar outra expressão para 'digamos', ou 'isto é'?" "A saber", disse a coruja. "Por que o amante vai visitar o amor?", perguntou o serpentário. "Para namorar", disse a coruja. O serpentário voltou correndo para onde estavam as outras criaturas e

Como um corolário a essa indefinição, o seu apelo deve também ser simples. A maioria dos problemas das pessoas é de origem complexa: neuroses profundas, fatores sociais inter-relacionados, raízes num passado distante excessivamente difíceis de desemaranhar. Poucos, entretanto, têm paciência para lidar com isto: a maioria quer uma solução simples para seus problemas. A capacidade de oferecer este tipo de solução lhe dará um grande poder e aumentará o número dos seus seguidores. Em vez de explicações complicadas baseadas na vida real, volte às soluções primitivas dos nossos ancestrais, à velha medicina natural, às panaceias misteriosas.

Etapa 2: Enfatize os Elementos Visuais e Sensoriais, de Preferência aos Intelectuais. Depois que as pessoas começam a se congregar a sua volta, dois perigos surgem naturalmente: o tédio e o ceticismo. O tédio fará as pessoas se afastarem, o ceticismo lhes permitirá um distanciamento para analisar mais racionalmente o que você oferece, desfazendo a névoa que engenhosamente criou e revelando o que realmente pensa. Você precisa distrair os entediados, portanto, e afastar os céticos.

A melhor maneira é fazer teatro e outras coisas desse tipo. Cerque-se de luxo, atordoe seus seguidores com o esplendor visual, encha os olhos deles com espetáculos. Você não só impedirá que eles vejam que suas ideias são absurdas, que o seu sistema de crença é falho, como chamará mais atenção e atrairá mais seguidores. Apele para todos os sentidos: use incenso para as narinas, música tranquilizadora para os ouvidos, tabelas e gráficos coloridos para os olhos. Você pode até fazer cócegas na mente, usando talvez engenhocas tecnológicas recentes para dar ao seu culto um verniz pseudocientífico – desde que não faça ninguém pensar realmente. Use elementos exóticos – culturas distantes, costumes estranhos – para criar efeitos teatrais e fazer os incidentes mais banais e corriqueiros parecerem indícios de algo extraordinário.

Etapa 3: Copie as Formas da Religião Organizada para Estruturar o Grupo. Seu séquito está crescendo, é hora de organizá-lo. Descubra um jeito ao mesmo tempo alegre e agradável. As religiões organizadas há muito tempo exercem uma inquestionável autoridade sobre um grande número de pessoas, e continuam assim na nossa era supostamente secular. E mesmo que a religião tenha perdido um pouco da sua influência, suas formas ainda ecoam poder. As associações altivas e sagradas da religião organizada podem ser infinitamente exploradas. Crie rituais para os seus seguidores; organize-os hierarquicamente, nivelando-os em graus de santidade e dando-lhes nomes e títulos com matizes religiosos; peça-lhes sacrifícios que encherão o seu cofre e aumentarão o seu poder. Para enfatizar a natureza semirreligiosa do seu grupo, fale e aja como um profeta. Você não é um ditador, afinal de contas – você é um sacerdote, um guru, um sábio, um xamã, ou qualquer outro termo que dissimule o seu verdadeiro poder nas brumas da religião.

Etapa 4: Disfarce a Sua Fonte de Renda. O seu grupo cresceu, e você o estruturou como uma igreja. Seus cofres estão começando a se encher com o dinheiro dos seus fiéis. Mas você não deve parecer muito ávido de dinheiro e do poder que ele traz. É neste momento que você precisa disfarçar a sua fonte de renda.

Seus seguidores querem acreditar que, acompanhando você, tudo de bom lhes cairá no colo. Cercando-se de luxo você se torna prova da estabilidade do seu sistema de crença. Não revele jamais que a sua riqueza vem é do bolso deles; pelo contrário, faça parecer que ela se origina da autenticidade dos seus métodos. Eles imitarão todos os seus movimentos acreditando que alcançarão os mesmos resultados, e nesse afã não perceberão que a sua riqueza é puro charlatanismo.

Etapa 5: Estabeleça uma Dinâmica Nós-*versus*-eles. O grupo agora é grande e está prosperando, um ímã atraindo uma quantidade cada vez maior de partículas. Mas se você não prestar a atenção, vem a inércia, e o tempo acrescido do tédio desmagnetiza o grupo. Para manter unidos os seus seguidores, você agora deve fazer o que todas as religiões e sistemas de crenças fizeram: criar uma dinâmica nós-*versus*-eles.

Primeiro, certifique-se de que seus seguidores acreditam que participam de um clube exclusivo, unidos por uma mistura de objetivos comuns a todos. Depois, para reforçar esta união, crie a ideia de um inimigo traiçoeiro disposto a acabar com vocês. Existe um exército de infiéis que farão tudo para deter você. Qualquer forasteiro que tentar revelar a natureza charlatã do seu sistema de crença pode agora ser descrito como um membro desta força traiçoeira.

Se você não tiver inimigos, invente um. Achando um judas para malhar, seus seguidores ficarão mais unidos e coesos. Eles têm uma causa em que acreditar, a sua, e infiéis para destruir.

A LEI OBSERVADA

Observância I

Em 1653, um milanês de vinte e sete anos, Francesco Giuseppe Borri, afirmou ter tido uma visão. Ele saiu pela cidade dizendo para todo mun-

---

relatou que a coruja era realmente o maior e mais sábio animal do mundo porque via no escuro e porque era capaz de responder a todas as perguntas. "Ela pode ver no claro também?", perguntou a raposa-vermelha. "Sim", ecoaram um rato silvestre e um poodle francês. "Ela vê de dia, também?" Todas as outras criaturas acharam muita graça nesta pergunta tola e caíram em cima da raposa e dos seus amigos e os expulsaram da região. Em seguida, enviaram um mensageiro até onde estava a coruja e lhe pediram para ser sua líder. Quando a coruja apareceu entre os animais já era meio-dia e o sol estava muito forte. Ela caminhava devagar, o que lhe dava uma aparência de grande dignidade, e ficava espiando ao redor com seus grandes olhos arregalados, o que lhe dava um ar de tremenda importância. "Ela é Deus!", gritou uma galinha Plymouth Rock. E os outros começaram a gritar: "É Deus!" E assim começaram a segui-la onde quer que fosse, e quando ela começou a tropeçar nas coisas, todos começaram a tropeçar também. Finalmente chegaram *a uma estrada de concreto por onde ela entrou e todas as criaturas a seguiram. De repente um gavião, que funcionava de batedor, viu um caminhão se aproximando a oitenta quilômetros por hora e informou ao serpentário que informou à coruja. "Perigo à vista", disse o serpentário. "A saber?", disse a coruja. O serpentário lhe disse. "Não está com medo?", perguntou ele. "Quem?" disse a coruja calmamente, pois não podia ver o caminhão. "É Deus!", gritaram todas as criaturas novamente, e ainda estavam gritando "É Deus!" quando o caminhão passou por cima delas. Alguns animais só se machucaram, mas a maioria, inclusive a coruja, morreu. Moral: É possível enganar muita gente quase o tempo todo.*

THE THURBER CARNIVAL, JAMES THURBER, 1894-1961

do que o arcanjo Miguel lhe apareceu anunciando que ele fora escolhido como *capitano generale* do Exército do Novo Papa, um exército que dominaria e revitalizaria o mundo. O arcanjo revelou também que Borri agora tinha o poder de ler a alma das pessoas e que em breve encontraria a pedra filosofal – substância há muito buscada e que transformaria metais básicos em ouro. Os amigos e conhecidos que ouviram Borri explicar a visão, e que viram como ele estava mudado, ficaram impressionados porque antes ele só queria saber de vinho, mulheres e jogo. Agora tinha desistido de tudo isso, mergulhado em estudos alquímicos e só falando de coisas místicas e esotéricas.

A transformação foi tão repentina e milagrosa, e as palavras de Borri eram tão cheias de entusiasmo, que ele foi formando um grupo de seguidores. Infelizmente, ele começou a chamar a atenção também da inquisição italiana – que condenava todos que se metiam com ocultismo –, portanto, ele deixou a Itália e começou a vagar pela Europa, da Áustria até a Holanda, dizendo a todos que "aquele que me seguir se regozijará". Aonde quer que ele fosse, atraía seguidores. Seu método era simples: ele falava da sua visão, cada vez mais elaborada, e se oferecia para "examinar" a alma de quem acreditasse nele (e eram muitos). Aparentemente em transe, ele olhava fixo para este novo fiel durante algum tempo, depois afirmava ter visto a sua alma, o seu grau de iluminação e potencial para a grandeza espiritual. Se o que ele visse fosse promissor, a pessoa era aceita no seu grupo cada vez maior de discípulos, uma verdadeira honra.

O culto tinha seis graus, nos quais os discípulos eram inseridos segundo o que Borri tinha visto nas suas almas. Com esforço e total dedicação ao culto, eles iam subindo de grau. Borri – a quem chamavam de "Sua Excelência" e "Médico Universal" – exigia deles votos de pobreza muito rígidos. Tinham de lhe entregar todos os seus bens e dinheiro. Mas eles não se importavam porque Borri lhes dizia: "Em breve concluirei com sucesso os meus estudos com a descoberta da pedra filosofal, e com ela todos teremos o ouro que quisermos."

Cada vez mais rico, Borri começou a mudar seu estilo de vida. Alugando o apartamento mais esplêndido na cidade em que se estabelecia, ele o decorava com móveis e acessórios fabulosos, que tinha começado a colecionar. Ele passeava pela cidade numa carruagem salpicada de pedras preciosas, puxada por seis magníficos corcéis negros. Não ficava muito tempo num só lugar, e quando desaparecia dizendo que tinha de recolher mais almas para o seu rebanho, sua reputação só fazia crescer com a sua ausência. Ele se tornou famoso, embora na verdade nunca tivesse feito nada de concreto na vida.

De toda a Europa, cegos, aleijados e desesperados vinham ver Borri, pois diziam que ele curava as pessoas. Ele não cobrava por seus serviços, o que o fazia parecer ainda mais maravilhoso, e na verdade havia quem dissesse que nesta ou naquela cidade ele tinha feito uma cura milagrosa. Sugerindo, apenas, ele estimulava a imaginação das pessoas e tudo adquiria proporções fantásticas. Sua riqueza, por exemplo, vinha das enormes quantias que recolhia do seu grupo cada vez mais seleto de discípulos ricos; no entanto, supunha-se que ele tivesse realmente encontrado a pedra filosofal. A Igreja continuava atrás dele, denunciando-o por heresia e feitiçaria, e a resposta de Borri a estas acusações era o silêncio – o que só aumentava a sua fama e deixava seus fiéis mais apaixonados. Afinal de contas, só os grandes eram perseguidos. Quantos compreenderam Jesus Cristo na sua época? Borri não precisava dizer nada – seus seguidores agora chamavam o papa de Anticristo.

E assim o poder de Borri foi crescendo, crescendo, até que um dia ele deixou Amsterdam (onde já estava havia algum tempo), escapando com grandes quantias de dinheiro emprestado e diamantes que lhe haviam deixado em custódia. (Ele afirmava ser capaz de remover as falhas dos diamantes com o poder da sua mente privilegiada.) Agora ele tinha fugido. A Inquisição acabou alcançando-o, e ele passou os últimos vinte anos da sua vida numa prisão em Roma. Mas a crença nos seus poderes ocultos era tão grande que até o final ele continuava recebendo a visita de ricos fiéis, inclusive da rainha Cristina, da Suécia. Abastecendo-o com dinheiro e materiais, esses visitantes permitiram que ele continuasse a sua busca pela ilusória pedra filosofal.

Interpretação
Antes de formar o seu culto, Borri parece ter tropeçado numa descoberta importantíssima. Cansado de viver no deboche, ele resolve abandonar tudo e se dedicar ao ocultismo, um interesse autêntico. Deve ter percebido, entretanto, que, ao mencionar uma experiência mística (em vez da exaustão física) como sendo a origem da sua conversão, ele despertou a curiosidade de gente de todas as classes. Percebendo o poder que teria se atribuísse a mudança a algo externo e misterioso, ele continuou criando visões. Quanto mais grandiosa a visão, e maior o sacrifício exigido, mais a história parecia atraente e verídica.

Lembre-se: as pessoas não estão interessadas na verdade sobre a mudança. Elas não querem ouvir dizer que ela é resultado de muito esforço, ou foi motivada por coisas banais como exaustão, tédio ou depressão. Elas morrem de vontade de acreditar em algo romântico, do outro mundo. Querem ouvir falar de anjos e experiências extracorporais. Agrade a elas. Fale da origem mística de alguma mudança pessoal, envolva-a em

Para fundar uma nova religião é preciso ser psicologicamente infalível no conhecimento de um certo tipo mediano de almas que ainda não reconheceram que pertencem ao mesmo grupo.
FRIEDRICH NIETZSCHE, 1844-1900

Os homens são tão simplórios, e tão dominados por suas necessidades imediatas, que um mentiroso sempre encontrará muitos prontos para serem enganados.
NICOLAU MAQUIAVEL, 1469-1527

TEMPLO DA SAÚDE
[No final da década de 1780] o charlatão escocês James Graham... estava conquistando muitos seguidores e ganhando muito dinheiro em Londres... [Graham] mantinha um espetáculo de grande técnica científica. Em 1772... ele tinha visitado a Filadélfia, onde conheceu Benjamin Franklin e se interessou por suas recentes experiências com a eletricidade. Estas parecem ter inspirado o aparato no "Templo da Saúde", o fabuloso estabelecimento que

ele abriu em Londres para a venda de elixires... Na sala principal, onde recebia os pacientes, ficava "a maior bomba de ar do mundo" para ajudá-lo nas suas "investigações filosóficas" das doenças, e também um "estupendo condutor metálico", um pedestal ricamente dourado rodeado de retortas e frascos de "etéreos e outras essências" ... Segundo J. Ennemoser, que publicou uma história da magia em 1844 em Leipzig: "A casa [de Graham]... reunia o útil ao agradável. Por toda parte tudo era magnífico. Até no pátio externo, assegurava uma testemunha ocular, parecia como se a arte, a invenção e a riqueza tivessem ali exauridas. Nas paredes laterais dos quartos um arco luminoso era produzido por luz elétrica artificial; raios cintilavam; vidros transparentes de todas as cores estavam colocados em locais bem escolhidos e de bom gosto. Tudo isso, a mesma testemunha nos garante, era encantador e exaltava a imaginação ao mais alto grau." Os visitantes recebiam uma folha impressa com as regras

cores etéreas, e ao seu redor se formará um grupo cultuando-o. Adapte-se às necessidades das pessoas: o messias deve espelhar os desejos dos seus seguidores. E *mire* sempre bem alto. Quanto maior e mais ousada a sua ilusão, melhor.

Observância II

Em meados de 1700, espalhou-se entre a sociedade elegante europeia a notícia da existência de um médico do campo, Michael Schuppach, que praticava uma medicina diferente: ele usava os poderes curativos da natureza para realizar curas milagrosas. Em pouco tempo, pessoas abastadas de todo o continente, com doenças graves ou benignas, subiam a trilha até a aldeia alpina de Langnau, onde Schuppach morava e trabalhava. Quando chegavam em Langnau, já estavam se sentindo mais dispostas.

Schuppach, que ficou conhecido simplesmente como o "Médico da Montanha", tinha uma pequena farmácia na cidade. O local virou um centro de grande atividade: gente de todos os países apinhava-se na salinha, de paredes cobertas de garrafas coloridas de remédios à base de ervas. Enquanto a maioria dos médicos da época receitavam preparados de gosto ruim com nomes incompreensíveis em latim (como ainda se faz hoje em dia), as curas de Schuppach tinham nomes como "O Óleo da Alegria", "Coração de Florzinha", ou "Contra o Monstro", e o sabor era doce e agradável.

Quem ia a Langnau tinha de ter paciência para conseguir se consultar com o Médico da Montanha, porque todos os dias chegavam oitenta mensageiros trazendo frascos com urina colhida por toda a Europa. Schuppach afirmava ser capaz de diagnosticar a sua doença examinando simplesmente uma amostra da sua urina e lendo uma descrição por escrito das suas queixas. (Naturalmente ele lia a descrição com muito cuidado antes de receitar uma cura.) Quando finalmente lhe sobrava um minuto livre (as amostras de urina lhe tomavam muito tempo), ele chamava o visitante ao seu gabinete na farmácia. Aí então ele examinava a amostra de urina dessa pessoa, explicando que a sua aparência lhe diria tudo que precisava saber. Quem vive no campo tem sensibilidade para essas coisas, dizia ele – sua sabedoria vinha de uma vida simples, piedosa, sem as complicações urbanas. Esta consulta pessoal também incluía uma discussão de como as pessoas poderiam harmonizar melhor a sua alma com a natureza.

Schuppach tinha imaginado muitas formas de tratamento, todas bem diferentes das práticas comuns da medicina da época. Ele acreditava, por exemplo, na terapia por choques elétricos. A quem duvidasse se isto era coerente com sua crença no poder curativo da natureza, ele explicava que a eletricidade é um fenômeno natural e que ele estava simplesmente imitando o poder dos raios. Um de seus pacientes disse estar possuído por sete demônios. O médico o curou com choques elétricos e, enquanto os aplicava, ia exclamando que podia ver os demônios saindo do corpo do homem, um por um. Outro homem afirmava ter engolido uma carroça de feno e o seu condutor, o que lhe estava causando fortes dores no peito. O Médico da Montanha ouvia o paciente, dizia que estava escutando o estalar do chicote na barriga do homem, prometia curá-lo, e lhe dava um calmante junto com um purgativo. O homem pegava no sono numa cadeira do lado de fora da farmácia. Assim que ele acordava, vomitava, e assim que vomitava uma carroça de feno passava correndo por ele (o Médico da Montanha a havia contratado para a ocasião), o estalar do chicote o fazia sentir que na verdade a expelira sob os cuidados do médico.

Com o passar dos anos, crescia a fama do Médico da Montanha. Ele era consultado pelos poderosos – até Goethe subiu a trilha que levava à aldeia – e se tornou centro de um culto à natureza em que tudo que fosse natural merecia ser adorado. Schuppach teve o cuidado de criar efeitos que divertissem e inspirassem seus pacientes. Um professor que o visitou certa vez escreveu: "As pessoas se reúnem, jogam cartas, às vezes com uma jovem; uma hora é um concerto, outra hora um almoço ou jantar, a apresentação de um pequeno balé. Com um efeito muito feliz, a liberdade da natureza se encontra por toda parte unida aos prazeres do *beau monde*, e se o médico não é capaz de curar doenças, pelo menos cura a hipocondria e os maus humores."

Interpretação
Schuppach tinha começado a sua carreira como um médico comum de aldeia. Às vezes usava na sua prática os remédios que aprendera a utilizar na cidadezinha onde se criou, e aparentemente notou alguns resultados, pois logo estas tinturas de ervas e formas naturais de cura se tornaram a sua especialidade. E, de fato, a sua forma natural de curar tinha profundos efeitos psicológicos nos seus pacientes. Enquanto as drogas normais da época geravam medo e dor, os tratamentos de Schuppach eram agradáveis e tranquilizadores. A melhora do estado de espírito do paciente era um elemento crítico nas suas curas. Seus pacientes acreditavam tanto na sua capacidade que acabavam colaborando para sua própria cura. Em vez de zombar das explicações irracionais que davam para suas doenças, Schuppach usava a hipocondria deles para parecer que realizara uma grande cura.

O caso do Médico da Montanha nos ensina como formar um grupo de cultuadores. Primeiro, você precisa descobrir um jeito de despertar a vontade nas pessoas, fazer com que a fé que elas têm nos seus poderes

para uma vida saudável. No Grande Apartamento Apolo, eles podiam participar de rituais misteriosos, acompanhados de cantos: "Salve, Ar Vital, etéreo! Magia Magnética, salve!" E enquanto saudavam a magia do magnetismo, escureciam-se as janelas, revelando o teto salpicado de estrelas elétricas e uma jovem e encantadora "Rósea Deusa da Saúde" num nicho... Todas as noites este Templo da Saúde se enchia de convidados; era moda visitá-lo e experimentar a grande cama cerimonial, a "Grande Cama Celestial", que, dizia-se, curava qualquer doença... Esta cama, segundo Ennemoser, "ficava num quarto esplêndido, ao qual um cilindro vindo de uma alcova adjacente conduzia os fluidos curativos... ao mesmo tempo todos os tipos de odores agradáveis de ervas fortalecedoras e incenso oriental chegavam também por tubos de vidro. A cama celestial apoiava-se sobre seis sólidos pilares de vidro; os lençóis eram de seda púrpura e azul-celeste, estendidos sobre um colchão saturado de águas perfumadas árabes para se adequar

à corte persa. A alcova em que estava colocada ele a chamava de Sanctum Sanctorum... Além disso tudo, havia o som melodioso de uma harmônica, flautas doces, vozes agradáveis e um grande órgão."
THE POWER OF THE CHARLATAN, GRETE DE FRANCESCO, 1939

PODER DE UMA MENTIRA
Na cidade de Tarnopol vivia um homem chamado Reb Feivel. Um dia, quando ele estava em casa totalmente absorto no seu Talmude, ouviu um barulho forte lá fora. Chegando à janela, viu um bando de pequenos rufiões. "Estão a fim de alguma travessura, sem dúvida", ele pensou. "Crianças, rápido para a sinagoga", gritou, debruçando-se na janela e improvisando a primeira história que lhe veio à cabeça. "Vocês verão lá um monstro marinho, e que monstro! É uma criatura com cinco pés, três olhos e uma barba de bode, só que verde!" E as crianças, lógico, se escafederam e Reb Feivel voltou aos seus estudos. Ele sorriu intimamente ao pensar na peça que

seja tão forte que elas possam imaginar todos os tipos de benefícios. A crença delas terá uma qualidade autorrealizável, mas você deve garantir que você, e não a vontade delas, será considerado o agente de transformação. Encontre a crença, causa ou fantasia que as fará acreditar ardentemente e elas imaginarão o resto, adorando-o como curandeiro, profeta, gênio, seja lá o que você quiser.

Segundo, Schuppach nos ensina o poder eterno da fé na natureza e na simplicidade. A natureza, na realidade, está repleta de coisas assustadoras – plantas venenosas, animais ferozes, desastres súbitos, pragas. A crença na qualidade curativa e confortante da natureza é na verdade um mito inventado, um romantismo. Mas apelar para o que é natural pode lhe dar um grande poder, especialmente em épocas complicadas e estressantes.

Deve-se, entretanto, ter cuidado. Imagine uma espécie de teatro da natureza em que você, como o diretor, escolhe as qualidades adequadas ao romantismo da época. O Médico da Montanha representou perfeitamente este papel, apregoando a sua sabedoria e esperteza caseira, e encenando suas curas como peças dramáticas. Ele não se identificou com a natureza; pelo contrário, ele a moldou como um culto, uma construção artificial. Para criar um efeito "natural", você tem de trabalhar muito, tornando a natureza dramática e deliciosamente paga. De outra forma, ninguém vai notar. A natureza também deve seguir tendências e ser progressista.

Observância III
Em 1788, aos cinquenta e cinco anos, o médico e cientista Franz Mesmer se viu numa encruzilhada. Era pioneiro no estudo do magnetismo animal – a crença de que os animais contêm matéria magnética e que um médico ou especialista seria capaz de realizar curas milagrosas trabalhando com esta substância carregada de eletricidade –, mas em Viena, onde ele morava, suas teorias eram vistas com desprezo e ridicularizadas pelas autoridades médicas. Ao tratar de mulheres com convulsões, Mesmer afirmava ter feito inúmeras curas, e o de que mais se orgulhava era ter devolvido a visão a uma menina cega. Mas um outro médico que examinou a jovem disse que ela continuava cega, avaliação com a qual ela mesma concordou. Mesmer contrapôs que seus inimigos queriam acabar com ele conquistando-a para o lado deles. Esta afirmação só gerou mais ridículo. Estava evidente que os ponderados vienenses eram a plateia errada para as suas teorias, e ele resolveu se mudar para Paris e começar tudo de novo.

Alugando um esplêndido apartamento na sua nova cidade, Mesmer o decorou de acordo com suas intenções. Os vitrais em quase todas as janelas criavam uma atmosfera religiosa e os espelhos cobrindo todas as paredes produziam um efeito hipnótico. O médico anunciava que faria demonstrações do poder do magnetismo animal no seu apartamento, convidando os doentes e melancólicos a sentirem os seus poderes. Em pouco tempo, parisienses de todas as classes (mas principalmente mulheres, que pareciam mais atraídas pela ideia do que os homens) estavam pagando para ser testemunha dos milagres que Mesmer prometia.

Dentro do apartamento, o perfume de flor de laranjeira e incensos exóticos escapavam por respiradouros especiais. À medida que os iniciados se insinuavam no salão onde as demonstrações eram feitas, ouvia-se a música de uma harpa e os sons embaladores de uma vocalista numa outra sala. No centro do salão havia um recipiente oval cheio de água que Mesmer dizia ter sido magnetizada. De orifícios na tampa de metal do recipiente projetavam-se longas hastes de ferro móveis. Os visitantes eram instruídos para se sentarem ao redor do recipiente, colocar estas hastes magnetizadas na parte do corpo onde sentiam dor ou tinham problemas e depois, de mãos dadas com seus vizinhos, ficarem o mais próximo possível uns dos outros para ajudar a força magnética a passar por entre seus corpos. Às vezes, também, eles eram amarrados com cordas uns aos outros.

Mesmer saía da sala, e os "assistentes magnetizadores" – todos rapazes atraentes e robustos – entravam com jarros de água magnetizada com que borrifavam os pacientes, massageando-os com o líquido curativo até ser absorvido pela pele, levando-os a um estado de quase êxtase. E depois de poucos minutos uma espécie de delírio tomava conta das mulheres. Algumas soluçavam, outras arrepiavam-se arrancando os cabelos, outras ainda riam histericamente. No auge do delírio, Mesmer voltava à sala, vestido com um manto de seda flutuante bordado com flores douradas e carregando uma haste magnética branca. Movendo-se ao redor do recipiente, ele batia e tranquilizava os pacientes até restaurar a calma. Muitas mulheres mais tarde atribuiriam o estranho poder que ele tinha sobre elas ao seu olhar penetrante que, elas achavam, excitava ou tranquilizava os fluidos magnéticos em seus corpos.

Poucos meses depois de chegar a Paris, Mesmer já era moda. Entre seus defensores estava Maria Antonieta, rainha da França, esposa de Luís XVI. Como em Viena, ele foi condenado pela escola oficial de medicina, mas isso não teve importância. Seu crescente séquito de alunos e pacientes lhe pagava muito bem.

Mesmer ampliou suas teorias proclamando que toda a humanidade poderia entrar em harmonia pelo poder do magnetismo, conceito muito atraente na época da Revolução Francesa. Um culto ao mes-

tinha pregado àquelas pestinhas. Mas não demorou muito e seus estudos foram interrompidos de novo, desta vez pelo som de passos apressados. Aproximando-se da janela ele viu vários judeus correndo. "Para onde vão correndo?", gritou. "Para a sinagoga!", responderam os judeus. "Não está sabendo? Tem um monstro marinho, uma criatura com cinco pernas, três olhos e uma barba de bode, só que é verde!" Reb Feivel riu satisfeito, pensando na peça que tinha pregado, e sentou-se de novo com seu Talmude. Mal tinha começado a se concentrar quando ouviu uma barulhada lá fora. E o que ele viu? Uma multidão de homens, mulheres e crianças, todos correndo em direção à sinagoga. "O que está acontecendo?", gritou, espichando a cabeça para fora da janela. "Que pergunta! Então, não sabe?", responderam. "Bem em frente da sinagoga tem um monstro marinho. É uma criatura com cinco pernas, três olhos e uma barba de bode, só que verde!" E quando a multidão passou correndo, Reb Feivel percebeu de repente que o próprio rabino estava

ali no meio. "Senhor do mundo!", exclamou ele. "Se o próprio rabino está correndo junto com eles, deve certamente estar acontecendo alguma coisa. Onde há fumaça, há fogo!" Sem mais pensar, Reb Feivel passou a mão no chapéu, saiu de casa e começou a correr também. "Quem sabe?", ele murmurava para si mesmo enquanto corria, já sem fôlego, em direção à sinagoga.
A TREASURY OF JEWISH FOLKLORE, NATHAN AUSUBEL, ED., 1948

merismo se espalhou pelo país. Em várias cidades surgiram "Sociedades de Harmonia" fazendo experiências com magnetismo. Estas sociedades acabaram ficando famosas: tendiam a ser lideradas por libertinos que transformavam suas sessões numa espécie de orgia grupal.

No auge da popularidade de Mesmer, uma comissão francesa publicou um relatório baseado em anos de testes sobre a teoria do magnetismo animal. Conclusão: os efeitos do magnetismo sobre o corpo se originavam na verdade de uma espécie de histeria de grupo e da autossugestão. O relatório estava bem documentado, e arruinou a reputação de Mesmer na França. Ele saiu do país e se aposentou. Poucos anos depois, entretanto, surgiram imitadores por toda a Europa e o culto do mesmerismo se espalhou mais uma vez, seus fiéis mais numerosos do que nunca.

Interpretação

A carreira de Mesmer pode ser dividida em duas partes. Ainda em Viena, ele acreditava nitidamente na validade da sua teoria, e fez o possível para prová-la. Mas sua crescente frustração e a desaprovação de seus colegas o fizeram adotar outra estratégia. Primeiro ele se mudou para Paris, onde ninguém o conhecia, e onde suas teorias extravagantes encontraram um solo mais fértil. Depois ele apelou para o gosto dos franceses pelo teatro e pelos espetáculos, fazendo do seu apartamento uma espécie de mundo mágico onde uma sobrecarga sensorial de cheiros, visões e sons deixava seus clientes em transe. Mais importante de tudo, a partir daí ele começou a praticar seu magnetismo apenas em grupo. O grupo fornecia o ambiente em que o magnetismo teria o seu efeito adequado, um fiel contagiava o outro, superando qualquer incrédulo individual.

Mesmer passou, assim, de fiel defensor do magnetismo a charlatão que usava todos os truques possíveis para cativar seu público. O maior deles era brincar com a sexualidade reprimida que se agita sob a superfície de qualquer ambiente de grupo. Num grupo, o desejo de união social, mais antigo do que a própria civilização, anseia para ser despertado. Este desejo pode ser subordinado a uma causa unificadora, mas por baixo existe uma sexualidade reprimida que o charlatão sabe muito bem como explorar e manipular.

É isso o que Mesmer nos ensina: nossa tendência a duvidar, o distanciamento que nos permite racionalizar, acaba quando nos reunimos em grupo. O calor e o efeito contagiante do grupo vence o ceticismo do indivíduo. Este é o poder que você conquista criando um culto. Além disso, brincando com a sexualidade reprimida das pessoas, você as leva a ver a exaltação dos seus sentimentos como sinal da sua força mística.

Você adquire um poder imenso trabalhando com a insatisfação das pessoas no seu desejo de uma espécie de unidade promíscua e pagã.

Lembre-se também de que os cultos mais eficazes misturam religião com ciência. Pegue a tendência ou modismo tecnológico mais recente e misture-os a uma causa nobre, uma fé mística, uma nova forma de curar. As interpretações que as pessoas vão dar para o seu culto híbrido crescerão vertiginosamente, e elas lhe atribuirão poderes que você nunca imaginou dizer que tem.

> **Imagem:** O Ímã. Uma força invisível atrai para si os objetos, que por sua vez se tornam magnetizados, atraindo outros, fazendo crescer constantemente o magnetismo do todo. Mas retire o ímã original e tudo se desmonta. Seja você o ímã, a força invisível que atrai a imaginação das pessoas e as mantém juntas. Uma vez reunidas ao seu redor, nenhum poder as arrancará de lá.

> **Autoridade:** O charlatão adquire o seu grande poder abrindo simplesmente uma possibilidade para os homens acreditarem naquilo em que já acreditam... Os crédulos não conseguem se manter distantes, eles se aglomeram em torno do milagreiro, entram na sua aura pessoal, entregam-se à ilusão solenemente, como gado. (Grete de Francesco)

O INVERSO

Uma das razões para a criação de um séquito é que, em geral, é mais fácil enganar um grupo do que um indivíduo, e você fica com muito mais poder. Isso, entretanto, é perigoso: se num determinado momento o grupo perceber o que você está fazendo, você não se verá diante de uma alma iludida, mas de uma multidão irada que o estraçalhará tão avidamente quanto o seguiu antes. Os charlatões enfrentavam constantemente este risco e estavam sempre prontos para se mudar para outra cidade quando se tornava evidente que seus elixires não funcionavam e suas ideias eram uma impostura. Se demorassem, pagavam com a vida. Brincando com as multidões, você brinca com fogo, e deve ficar de olho sempre, à espreita de lampejos de dúvida, nos inimigos que colocarão a multidão contra você. Quando se brinca com as emoções de uma multidão, é preciso saber se adaptar, afinando-se constantemente com os humores e desejos do grupo. Use espiões, mantenha-se informado e no controle, e de malas prontas.

Por isso, talvez você prefira lidar com as pessoas individualmente. Isolando-as do seu ambiente normal, você pode conseguir o mesmo efeito de quando as coloca num grupo – elas ficam mais suscetíveis a sugestões e intimidações. Escolha o otário certo e, se ele acabar percebendo o que você faz, pode ser mais fácil fugir dele do que de uma multidão.

LEI
28

SEJA OUSADO

JULGAMENTO

Inseguro quanto ao que fazer, não tente. Suas dúvidas e hesitações contaminarão os seus atos. A timidez é perigosa: melhor agir com coragem. Qualquer erro cometido com ousadia é facilmente corrigido com mais ousadia. Todos admiram o corajoso; ninguém louva o tímido.

OS DOIS
AVENTUREIROS
O caminho do prazer não leva à glória! Os prodigiosos feitos hercúleos foram resultado de muita aventura, e embora quase nada exista, na fábula ou na história, que mostre que ele tivesse rivais, ainda assim está registrado que um cavaleiro errante, na companhia de um amigo aventureiro, buscou fortuna num país romântico. Não tinha ido muito longe quando seu companheiro observou um poste, no qual estava escrito o seguinte: "Bravo aventureiro, se desejar descobrir o que um cavaleiro errante jamais viu, tem apenas de atravessar esta torrente e levar nos braços um elefante de pedra e transportá-lo de um só fôlego até o alto da montanha, cujo nobre topo parece se confundir com o céu." "Mas", disse o companheiro do cavaleiro, "as águas podem ser tão profundas quanto rápidas, e embora tenhamos que atravessá-las, por que devemos nos sobrecarregar com o peso de um elefante? Que empresa absurda!" E filosoficamente, calculando bem, observou que o elefante poderia ser carregado quatro

AUDÁCIA E HESITAÇÃO: Uma Breve Comparação Psicológica
Audácia e hesitação despertam reações psicológicas diferentes em seus alvos: a hesitação coloca obstáculos no seu caminho, a audácia os elimina. Quando você compreender isso, verá que é essencial superar a sua timidez natural e praticar a arte da ousadia. Estes são alguns dos efeitos psicológicos mais pronunciados da audácia e da timidez.

Quanto Mais Ousada a Mentira, Melhor. Todos nós temos fraquezas e nossos esforços nunca são perfeitos. Mas agir com audácia tem a magia de ocultar nossas deficiências. Os trapaceiros sabem que, quanto maior a ousadia de uma mentira, mais convincente ela é. A audácia descarada torna a história mais verídica, distraindo a atenção das suas incoerências. Ao colocar em prática uma trapaça ou participar de algum tipo de negociação, vá mais longe do que planejou. Peça a lua e ficará surpreso com a frequência com que a terá.

Os Leões Rodeiam a Presa Hesitante. As pessoas têm um sexto sentido para as fraquezas alheias. Se, num primeiro encontro, você demonstra a sua disposição de se comprometer, de ceder e se retrair, você desperta o leão até nas pessoas que não estão necessariamente sedentas de sangue. Tudo depende da percepção, e depois de visto como aquele tipo que rapidamente se coloca na defensiva, que está disposto a negociar e ser dócil, você vai ser controlado sem misericórdia.

Coragem Lembra Medo; Medo Lembra Autoridade. Um movimento corajoso faz você parecer maior e mais poderoso do que é. Se for repentino, com a velocidade e a dissimulação de uma serpente, inspira medo ainda maior. Ao intimidar com um movimento corajoso, você estabelece um precedente; nos próximos encontros, as pessoas ficarão na defensiva, com terror de um novo ataque.

Fazendo as Coisas Pela Metade e de Modo Desanimado Você Cava Mais Fundo a Sua Sepultura. Se você começa a agir sem estar totalmente confiante, estará colocando obstáculos no seu próprio caminho. Se surgir um problema você ficará confuso, vendo opções onde elas não existem e criando, sem perceber, mais problemas ainda. Recuando diante do caçador, a lebre tímida cai mais rapidamente nas suas armadilhas.

A Hesitação Cria Lacunas, a Coragem as Desfaz. Quando você para para pensar, quando você hesita, cria uma lacuna que dá aos outros tempo para pensar também. Sua timidez contagia as pessoas com uma estranha energia, criando constrangimento. A dúvida surge de todos os lados.

A coragem desfaz essas lacunas. A rapidez de movimento e a energia da ação não dão aos outros espaço para dúvidas e preocupações. Na sedução, a hesitação é fatal – faz a sua vítima ter consciência das suas intenções. O movimento corajoso coroa de triunfo a sedução: não dá tempo para reflexões.

A Audácia Distingue Você do Rebanho. A coragem lhe dá presença e o faz parecer maior. O tímido se mistura com o papel de parede, o corajoso chama atenção, e o que chama atenção atrai poder. É impossível desviar o olhar do audacioso – ficamos ansiosos para ver qual será o seu próximo movimento.

A LEI OBSERVADA

Observância I

Em maio de 1925, cinco dos mais bem-sucedidos sucateiros franceses foram convidados para uma reunião "oficial", porém "altamente confidencial", com o vice-diretor-geral dos Correios e Telégrafos, no Hotel Crillon, na época o mais luxuoso de Paris. Quando os negociantes chegaram, foi o próprio diretor-geral, um tal de Monsieur Lustig, que os recebeu numa suíte sofisticada no último andar.

Os negociantes não podiam imaginar o motivo do convite e estavam explodindo de curiosidade. Depois dos drinques, o diretor explicou: "Senhores", disse ele, "este é um assunto urgente que requer sigilo total. O governo vai ter de desmontar a Torre Eiffel." Os negociantes ouviram pasmos, e em silêncio, enquanto o diretor explicava que a torre, como divulgado recentemente nos jornais, estava precisando urgentemente de reparos. Tinha sido projetada originalmente como uma estrutura temporária (para a Exposição de 1889) e o custo da sua manutenção havia subido muito ao longo dos anos, e agora, numa época de crise fiscal, o governo teria que gastar milhões para consertá-la. Muitos parisienses a consideravam um horror e gostariam muito de vê-la desaparecer de cena. Com o tempo, até os turistas a esqueceriam – ela continuaria existindo nas fotografias e nos cartões-postais. "Senhores", disse Lustig, "estão todos convidados a fazer uma oferta ao governo pela Torre Eiffel."

Ele deu aos negociantes folhas de papel com o timbre do governo, cheias de números, tais como a tonelagem do metal da torre. Os olhos deles se esbugalharam calculando quanto ganhariam com a sucata. Em seguida Lustig os acompanhou até uma limusine que os levou até a Torre Eiffel. Exibindo um distintivo oficial, ele os guiou pela área, tempe-

passos; mas levá-lo até o topo da montanha de um só fôlego não estava no poder de um mortal, a não ser que fosse um elefante anão, para ser colocado na ponta de um palito: e aí que mérito haveria nessa aventura? O argumentador, então, partiu. Mas o aventureiro apressou-se a atravessar as águas de olhos fechados, nem a profundidade, nem a violência o impediram, e segundo a inscrição ele viu o elefante deitado na outra margem. Ele o pegou e carregou até o topo da montanha, onde viu uma cidade. Um guincho do elefante assustou a cidade, que se armou enfurecida, mas o aventureiro, nem um pouco intimidado, estava resolvido a morrer como herói. O povo, entretanto, ficou pasmo com a sua presença, e ele ficou atônito ao ouvir que o proclamavam sucessor do seu rei, morto recentemente. Grandes feitos são alcançados só pelos espíritos aventureiros. Aqueles que calculam com demasiada precisão todas as dificuldades e obstáculos que poderão surgir no seu caminho perdem na

> *hesitação um tempo que os mais ousados usam para propósitos mais elevados.*
> FÁBULAS, JEAN DE LA FONTAINE, 1621-1695

> *Ponha-se a trabalhar sempre sem receio de imprudências. O medo do fracasso na mente de quem age já é, para o observador, evidência de fracasso... Ações são perigosas quando há dúvida quanto a sua sensatez; seria mais seguro não fazer nada.*
> BALTASAR GRACIÁN, 1601-1658

> A HISTÓRIA DE HUH SAENG
> *Numa casinha de teto baixo no vale de Namsan vivia um casal pobre, o senhor e a senhora Huh Saeng. O marido há sete anos se aposentara e só fazia ler no seu frio quarto... Certo dia, a mulher, toda chorosa, lhe disse: "Olha aqui, meu bom homem! De que adianta tanta leitura? Passei a minha juventude lavando e costurando para os outros e mesmo assim não tenho outro casaco ou saia para vestir, e não como nada há três dias. Estou com fome*

rando a visita com anedotas engraçadas. No final agradeceu e lhes deu quatro dias para entregarem suas ofertas na sua suíte no hotel.

Dias depois de feitas as ofertas, um dos cinco, um certo Monsieur P., recebeu a notícia de que vencera a concorrência e, para garantir a venda, deveria se apresentar na suíte do hotel dentro de dois dias, levando um cheque visado de mais de 250 mil dólares (o equivalente hoje a cerca de um milhão de dólares) – um quarto do preço total. No ato da entrega do cheque, ele receberia os documentos confirmando a sua propriedade da Torre Eiffel. Monsieur P. ficou entusiasmado – ficaria na história como o homem que tinha comprado e desmontado o infame marco. Mas ao chegar à suíte, com o cheque na mão, ele começou a duvidar do negócio. Por que marcar o encontro num hotel e não num prédio do governo? Por que não ouvira falar de outros funcionários? Seria uma brincadeira, uma fraude? Ao ouvir Lustig discutindo os arranjos para transformar a torre em sucata, ele hesitou e pensou em desistir.

Mas, de repente, ele percebeu que o diretor tinha mudado de tom. Em vez de falar da torre, ele estava se queixando do seu baixo salário, do desejo da mulher de possuir um casaco de peles, de como era exasperante trabalhar tanto e não ser valorizado. Ocorreu a Monsieur P. que este alto funcionário do governo estava querendo uma quantia por fora. O que ele sentiu, no entanto, não foi revolta, mas, sim, alívio. Agora tinha certeza de que Lustig estava falando a verdade, visto que todos os outros burocratas franceses com quem já tinha se encontrado inevitavelmente lhe pediram um pequeno suborno. Recuperada a sua confiança, Monsieur P. molhou a mão do diretor com milhares de francos em cédulas, depois lhe entregou o cheque visado. Em troca, recebeu a documentação, inclusive uma vistosa escritura de venda. Ele saiu do hotel sonhando com os lucros e a fama que viriam a seguir.

Conforme foram se passando os dias, entretanto, enquanto aguardava a correspondência do governo, Monsieur P. começou a perceber que havia alguma coisa errada. Alguns telefonemas esclareceram que não existia nenhum vice-diretor-geral Lustig, e também nenhum plano para destruir a Torre Eiffel: ele fora fraudado em 250 mil dólares!

Monsieur P. não procurou a polícia. Ele sabia como ficaria a sua reputação se a notícia de que tinha caído no conto do vigário mais absurdamente audacioso da história se espalhasse. Além da humilhação pública, seria suicídio em termos de negócio.

Interpretação

Se o conde Victor Lustig, extraordinário trapaceiro, tivesse tentado vender o Arco do Triunfo, uma ponte sobre o Sena, uma estátua de Balzac, ninguém teria acreditado ele. Mas a Torre Eiffel era grande demais, improvável demais para fazer parte de uma fraude. De fato era tão improvável que Lustig conseguiu voltar a Paris seis meses depois e "revender" a Torre Eiffel para outro sucateador e por um preço bem mais alto – uma soma em francos equivalente hoje a mais de um milhão e quinhentos mil dólares!

O desmesurado engana o olho humano. Distrai e nos assombra, e é tão evidente que não podemos imaginar que exista ali qualquer ilusão ou fraude. Arme-se de grandeza e coragem – estique as suas fraudes até onde puder, depois continue esticando. Se sentir que o otário desconfia, faça como o intrépido Lustig: em vez de recuar, ou baixar o preço, ele simplesmente o aumentou, pedindo e conseguindo um suborno. Pedindo mais você coloca a outra pessoa na defensiva, você corta o efeito prejudicial do compromisso e da dúvida, e a vence com a sua coragem.

Observação II
No seu leito de morte, Vasily III, grão-duque de Moscou e governante de uma Rússia semiunida, proclamou o filho de três anos, Ivan IV, seu sucessor. Nomeou a jovem esposa, Helena, regente até que Ivan alcançasse a maioridade e pudesse governar sozinho. A aristocracia – os boiardos – intimamente se regozijou: durante anos os duques de Moscou vinham tentando ampliar a sua autoridade sobre a gleba dos boiardos. Morto Vasily, deixando uma simples criança de três anos como seu herdeiro e uma jovem mulher encarregada de cuidar do ducado, os boiardos conseguiriam fazer baixar os ganhos dos duques, arrebatar o controle do estado e humilhar a família real.

Consciente desses riscos, a jovem Helena foi procurar o seu fiel amigo, o príncipe Ivan Obolensky, para ajudá-la a governar. Mas depois de cinco anos como regente, ela morreu de uma hora para outra – envenenada por um membro da família Shuisky, o clã boiardo mais temível. Os príncipes Shuisky passaram a controlar o governo e colocaram Obolensky na prisão, onde morreu de fome. Aos oito anos de idade, Ivan agora era um órfão desprezado, e qualquer membro da sua família ou boiardo que se interessasse por ele era imediatamente banido ou morto.

Assim Ivan vagava pelo palácio, faminto, malvestido e quase sempre se escondendo dos Shuisky, que o tratavam grosseiramente quando o viam. Ocasionalmente eles o procuravam, o vestiam com trajes reais, entregavam-lhe um cetro e o sentavam no trono – uma espécie de ritual ridículo para satirizar suas pretensões reais. Em seguida o enxotavam. Certa noite, vários deles perseguiram o metropolitano – chefe da Igreja Russa – pelo palácio, e ele procurou refúgio junto com Ivan; o menino assistiu horrorizado aos Shuisky invadirem o seu quarto, gritando insultos e espancando sem dó nem piedade o metropolitano.

e com frio. Não aguento mais!"... Ouvindo estas palavras, o estudioso de meia-idade fechou o livro... levantou-se e, sem dizer nada, saiu de casa... Chegando ao centro da cidade, ele interpelou um cavalheiro que vinha passando. "Alô, meu amigo! Quem é o homem mais rico da cidade?" "Pobre camponês! Não conhece Byônssi, o milionário? Sua casa de telhado cintilante e doze portões é logo ali." Huh Saeng virou seus passos para a casa do homem rico. Atravessou o grande portão, escancarou a porta da sala de visitas e se dirigiu ao seu anfitrião: "Preciso de dez mil yangs para o meu negócio e quero que você me empreste o dinheiro." "Muito bem, senhor, para onde mando o dinheiro?" "Para o mercado Ansông, aos cuidados de um agente comercial." "Muito bem, senhor. Mandarei para Kim, o maior agente comercial do mercado Ansông. O senhor receberá o dinheiro lá." "Adeus, senhor." Quando Huh Saeng se foi, os outros hóspedes na sala perguntaram a Byônssi por que dera tanto dinheiro a um estranho com aparência de

mendigo e cujo nome de família não conhecia. Mas o homem rico retrucou com expressão triunfante: "Mesmo vestido com trapos, ele falou claramente o que queria sem trair um sentimento de vergonha ou inferioridade, ao contrário das pessoas comuns que querem dinheiro emprestado para pagar dívidas. Um homem assim é louco ou tem confiança no negócio que vai fazer. A julgar por seu olhar destemido e voz retumbante, ele é um homem incomum com um cérebro sobre-humano, merecedor da minha confiança. Eu conheço dinheiro, e conheço os homens. O dinheiro, em geral, torna um homem pequeno, mas um homem como ele faz o dinheiro crescer. Estou feliz de ter ajudado um grande homem a fazer um grande negócio."
NOS BASTIDORES DOS PALÁCIOS REAIS DA COREIA, HA TAE-HUNG, 1983

Ivan tinha outro amigo no palácio, um boiardo de nome Vorontsov que o consolava e aconselhava. Um dia, entretanto, enquanto ele, Vorontsov e o mais recente metropolitano conferenciavam no refeitório do palácio, vários Shuisky entraram precipitadamente, bateram em Vorontsov e insultaram o metropolitano rasgando suas roupas. Em seguida, baniram Vorontsov de Moscou.

O tempo todo Ivan se manteve rigidamente calado. Para os boiardos parecia que o plano dera certo: o jovem se transformara num idiota obediente e aterrorizado. Podiam ignorá-lo agora, até deixá-lo em paz. Mas na noite de 29 de dezembro de 1543, Ivan, agora com treze anos, convidou o príncipe Andrei Shuisky para vir ao seu quarto. Quando o príncipe chegou, o aposento estava repleto de guardas palacianos. O jovem Ivan então apontou para Andrei e mandou que os guardas o prendessem, o matassem e jogassem o seu corpo para os cães de caça no canil real. Em seguida, mandou prender e banir do país todos os companheiros de Andrei. Apanhados de surpresa pela sua súbita coragem, os boiardos agora morriam de medo daquele jovem, o futuro Ivan, o Terrível, que tinha planejado e esperado cinco anos para executar um único ato rápido e corajoso que lhe garantiu o poder durante muito tempo.

Interpretação

O mundo está cheio de boiardos – homens que desprezam você, que temem a sua ambição e protegem ciumentamente as suas áreas cada vez menores de poder. Você deve estabelecer a sua autoridade e conquistar o respeito, mas assim que os boiardos perceberem a sua crescente audácia vão agir para contrariar você. Foi assim que Ivan enfrentou essa situação: ele ficou quieto, sem revelar ambição ou descontentamento. Ele esperou e, quando chegou a hora, atraiu para o seu lado os guardas do palácio. Os guardas odiavam os cruéis Shuisky. Assim que eles concordaram com o plano de Ivan, ele atacou com a rapidez de uma serpente, apontando para Shuisky e não lhe dando tempo para reagir.

Negocie com um boiardo e você estará lhe dando oportunidades. Um pequeno compromisso torna-se o ponto de apoio para acabar com você. Um súbito movimento audacioso, sem discussões ou avisos, desfaz esses pontos de apoio e aumenta a sua autoridade. Você aterroriza os que duvidam e desprezam e conquista a confiança dos muitos que admiram e glorificam quem tem coragem.

Observância III

Em 1514, Pietro Aretino, de vinte e dois anos, trabalhava como um mísero ajudante de cozinha na casa de uma rica família romana. Ele ambicionava ser um escritor importante, inflamar o mundo com o seu nome, mas como um simples lacaio seria capaz de realizar tais sonhos?

Naquele ano, o papa Leão X recebeu do rei de Portugal uma embaixada que incluía muitos presentes, sendo o mais óbvio entre eles um grande elefante, o primeiro em Roma desde a época do Império. O pontífice adorou o elefante e o enchia de atenções e presentes. Mas, apesar do seu amor e dos seus cuidados, o elefante, que se chamava Hanno, caiu mortalmente doente. O papa convocou médicos, que deram ao elefante duzentos quilos de purgante, mas que de nada adiantaram. O animal morreu e o papa ficou de luto. Para se consolar, ele chamou o grande pintor Rafael e mandou que ele pintasse um quadro em tamanho natural de Hanno para colocar sobre o túmulo do animal, com a inscrição "O que a natureza levou, Rafael com sua arte restaurou".

Naquela semana, circulou um panfleto por toda a Roma que despertou muitas risadas. Com o título "A Última Vontade e Testamento do Elefante Hanno", trazia escrito, em parte: "Para meu herdeiro, o cardeal Santa Croce, deixo meus joelhos, para que possa imitar a minha genuflexão... Para meu herdeiro, o cardeal Santi Quattro, deixo minhas mandíbulas, para que ele possa mais rapidamente devorar todas as receitas de Cristo... Para meu herdeiro, o cardeal Medici, deixo minhas orelhas, para que ele possa saber o que todos estão fazendo..." Para o cardeal Grassi, famoso por sua luxúria, o elefante deixou a parte adequada e exagerada da sua própria anatomia.

E assim seguia o anônimo panfleto, sem poupar nenhum dos grandes homens de Roma, nem mesmo o papa. Com cada um, o alvo era a sua fraqueza mais conhecida. O panfleto terminava com o verso: "Cuide de ter como amigo Aretino / Pois é um mau inimigo para se ter. / Só com suas palavras ele pode arruinar o santo papa / Portanto, que Deus proteja a todos da sua língua."

Interpretação

Com um único e curto panfleto, Aretino, filho de um sapateiro pobre e uma criada, se tornou famoso. Todos em Roma correram para ver quem era este ousado jovem. Até o papa, divertindo-se com sua audácia, o procurou e acabou lhe dando um emprego. Com o passar dos anos, ele ficou conhecido como o "Flagelo de Deus", e sua língua ferina lhe conquistou o respeito e o medo dos grandes, desde o rei da França até o imperador dos Habsburgo.

A estratégia de Aretino é simples: quando você é pequeno e desconhecido, como era Davi, precisa encontrar um Golias para atacar. Quanto maior o alvo, mais atenção você chama. Quanto mais corajoso o ataque, mais você se distingue na multidão e mais admirado será.

O medo, que sempre aumenta as coisas, dá corpo a todas as suas fantasias, que assumem a forma seja lá do que for que imaginem existir no pensamento do inimigo; daí que pessoas medrosas raramente deixam de vivenciar transtornos reais, ocasionados por riscos imaginários... E o duque, cuja característica predominante era estar sempre cheio de temores e desconfianças, era, de todos os homens que conheci, o mais capaz de pisar em falso, pelo medo que tinha de cair; sendo nisso semelhante às lebres.
CARDEAL DE RETZ, 1613-1679

A sociedade está repleta de gente com ideias ousadas, mas sem estômago para imprimi-las e publicá-las. Dê voz ao sentimento do público – a expressão de sentimentos em comum é sempre poderosa. Procure o alvo mais evidente possível e dê o seu tiro mais audacioso. O mundo gostará do espetáculo, e você dará ao pobre-diabo – isto é, você – glória e poder.

AS CHAVES DO PODER

Em geral, somos todos tímidos. Queremos evitar tensões e conflitos e agradar a todo mundo. Podemos imaginar uma ação corajosa, mas raramente a levamos a efeito. Ficamos assustados com as consequências, com o que os outros podem pensar de nós, com a hostilidade que despertaremos se ousarmos ir mais além.

Embora possamos disfarçar nossa timidez como uma preocupação com os outros, um desejo de não ofender ou magoá-los, na verdade é o contrário – estamos preocupados realmente é com nós mesmos e com a imagem que os outros fazem de nós. A coragem, por outro lado, é direcionada para fora e costuma fazer as pessoas se sentirem mais à vontade, visto que é menos reservada e menos reprimida.

Pode se ver isso mais claramente na sedução. Todos os grandes sedutores vencem pelo atrevimento. A audácia de Casanova não se revelava na sua ousada abordagem da mulher desejada, ou nas audaciosas palavras com que a elogiava, mas na sua capacidade de se entregar a ela totalmente e fazê-la acreditar que faria qualquer coisa por ela, até arriscar a própria vida, o que de fato ele fez algumas vezes. A mulher a quem ele dedicava suas atenções compreendia que ele não estava lhe escondendo nada. Isto era infinitamente mais enaltecedor do que elogios. Em nenhum momento durante a sedução ele mostrava hesitação ou dúvida, simplesmente porque nunca sentiu isso.

Parte do encanto de estar sendo seduzido é que isto nos faz sentir envolvidos, temporariamente fora de nós mesmos e das dúvidas habituais que permeiam nossas vidas. No momento em que o sedutor hesita, quebra-se o encanto, porque nos tornamos conscientes do processo, do seu esforço deliberado para nos seduzir, do seu constrangimento. A coragem direciona a atenção para fora e mantém viva a ilusão. Ela não induz à deselegância ou embaraço. Por isso admiramos o corajoso e preferimos ficar perto dele, porque a sua autoconfiança nos contagia e nos arranca do nosso próprio reino de introspecção e reflexões.

Raros são os que nascem ousados. Até Napoleão teve de cultivar o hábito nos campos de batalha, onde ele sabia que isso era uma questão de vida ou morte. Nos ambientes sociais, ele era desajeitado e tímido, mas tentava superar essa deficiência e ser ousado em todas as áreas da sua vida porque reconhecia o tremendo poder da ousadia, porque sabia que ela era capaz de literalmente tornar um homem maior (mesmo alguém, como Napoleão, que fosse obviamente pequeno). Vemos também esta mudança em Ivan, o Terrível: um menino inofensivo que se transforma de repente num jovem enérgico e autoritário, simplesmente apontando com um dedo e assumindo uma atitude corajosa.

Você deve praticar e desenvolver a sua ousadia. Encontrará frequentemente ocasiões para usá-la. O melhor lugar para começar quase sempre é o delicado mundo das negociações, particularmente aquelas discussões em que lhe pedem para fixar o seu próprio preço. Quantas vezes nos desvalorizamos pedindo muito pouco? Quando Cristóvão Colombo propôs que os espanhóis financiassem a sua viagem para as Américas, exigiu também, com insana ousadia, o título de "Grande Almirante dos Oceanos". A corte concordou. O preço que ele fixou foi o que recebeu – exigiu ser tratado com respeito, e foi. Henry Kissinger também sabia que, nas negociações, fazer exigências ousadas funciona melhor do que começar com concessões gradativas e tentar satisfazer o outro. Coloque o seu preço lá em cima e depois, como fez o conde Lustig, suba mais ainda.

Compreenda: se a ousadia não é natural, a timidez também não. Ela é um hábito adquirido, porque se quer evitar conflitos. Se você está dominado pela timidez, portanto, livre-se dela. O medo que você sente das possíveis consequências de uma ousadia não é proporcional à realidade, e de fato a timidez tem consequências piores. Seu valor é rebaixado e você cria um ciclo vicioso de dúvidas e desastres. Lembre-se: os problemas criados por uma atitude ousada podem ser disfarçados, até remediados, por uma ousadia ainda maior.

Imagem: O Leão e a Lebre. O leão não interrompe o seu caminho – seus movimentos são muito ágeis, suas mandíbulas muito rápidas e poderosas. A tímida lebre fará de tudo para fugir ao perigo, mas, na sua pressa de fugir, tropeça nas armadilhas e vai parar na boca do inimigo.

Autoridade: Eu certamente acho que é melhor ser impetuoso do que prudente, pois a sorte é uma mulher e é preciso, se deseja dominá-la, conquistá-la pela força; e é visível que ela se deixa dominar pelo ousado de preferência ao que age friamente. E portanto, como uma mulher, ela é sempre amiga dos jovens, pois são menos cautelosos, mais ferozes e a dominam com mais audácia. (Nicolau Maquiavel, 1469-1527)

O INVERSO

A ousadia não deve ser uma estratégia por trás de todas as suas ações. É um instrumento tático, para ser usado no momento certo. Planeje e pense com antecedência, e que o elemento final seja o movimento ousado que lhe dará o sucesso. Em outras palavras, visto que a ousadia é uma reação aprendida, também se aprende a controlá-la e utilizá-la à vontade. Passar pela vida armado apenas de audácia seria cansativo e também fatal. Você ofenderia muita gente, como provam os que não conseguem controlar a sua audácia. Uma dessas pessoas foi Lola Montez: sua ousadia lhe trouxe triunfos e a fez seduzir o rei da Baviera. Mas como não conseguia se controlar a ousadia causou também a sua ruína – na Baviera, na Inglaterra, para onde quer que ela se voltasse. Ela ultrapassou os limites entre a coragem e a aparente crueldade, insanidade até. Ivan, o Terrível, teve o mesmo destino: quando o poder da ousadia lhe trouxe o sucesso, ele se prendeu a ela, a tal ponto que ela se tornou durante toda a sua vida um padrão de violência e sadismo. Ele perdeu a capacidade de saber quando era conveniente, ou não, ser ousado.

A timidez não tem lugar no reino do poder; mas com frequência será vantajoso para você fingir que é tímido. Aí, é claro, não se trata mais de timidez, mas de uma arma ofensiva: você está iludindo os outros exibindo uma timidez, para lhes mostrar as suas garras corajosamente mais tarde.

LEI 29

PLANEJE ATÉ O FIM

JULGAMENTO

O desfecho é tudo. Planeje até o fim, considerando todas as possíveis consequências, obstáculos e reveses que possam anular o seu esforço e deixar que os outros fiquem com os louros. Planejando tudo até o fim, você não será apanhado de surpresa e saberá quando parar. Guie gentilmente a sorte e ajude a determinar o futuro pensando com antecedência.

A LEI TRANSGREDIDA

> *Existem poucos homens – e são a exceção – capazes de pensar e sentir além do presente momento.*
> CARL VON CLAUSEWITZ, 1780-1831

Em 1510, zarpou da ilha de Hispaniola (hoje Haiti e República Dominicana) um navio que ia para a Venezuela socorrer uma colônia espanhola sitiada. A vários quilômetros da costa, um passageiro clandestino saiu de dentro de um caixote de mantimentos: era Vasco Núñez de Balboa, um nobre espanhol que viera para o Novo Mundo em busca de ouro, mas se endividou e fugiu dos seus credores escondendo-se naquela caixa.

Balboa só pensava em ouro desde que Colombo retornara à Espanha contando histórias sobre um reino fabuloso, mas ainda desconhecido, chamado El Dorado. Balboa foi um dos primeiros aventureiros a vir em busca da terra do ouro de Colombo e tinha decidido desde o início que ele é quem a descobriria, com a simples audácia e firmeza de propósito. Agora que se livrara dos credores, nada o impediria.

Infelizmente o dono do navio, um rico jurista chamado Francisco Fernández de Enciso, ficou furioso quando soube do passageiro clandestino e mandou que Balboa fosse deixado na primeira ilha que aparecesse no caminho. Mas antes disso, Enciso recebeu a notícia de que a colônia que ia salvar tinha sido abandonada. Era a chance de Balboa. Ele contou aos marinheiros as suas viagens anteriores ao Panamá e os boatos que ouvira sobre a existência de ouro naquela região. Entusiasmados, os marinheiros convenceram Enciso de poupar a vida de Balboa e fundar uma colônia no Panamá. Semanas depois, eles batizaram a nova colônia de "Darien".

> **OS DOIS SAPOS**
> *Dois sapos viviam na mesma lagoa. Quando ela secou com o calor do verão, eles saíram em busca de outro lar. No caminho, passaram por um poço profundo e cheio de água. Ao vê-lo, um dos sapos disse para o outro: "Vamos descer e fazer a nossa casa neste poço, ele nos dará abrigo e alimento." O outro, mais prudente, respondeu: "Mas, e se faltar água, como sairemos de um lugar tão fundo?" Não faça nada sem pensar nas consequências.*
> FÁBULAS, ESOPO, SÉCULO VI a.C.

Enciso foi o primeiro governador de Darien, mas Balboa não era homem de deixar que lhe roubassem a iniciativa. Fez campanha contra ele entre os marinheiros, que acabaram deixando claro que o preferiam como governador. Enciso fugiu para a Espanha, temendo pela própria vida. Meses depois, quando chegou um representante da coroa espanhola para se estabelecer oficialmente como o novo governador de Darien, mandaram o homem embora. Na viagem de volta à Espanha, este sujeito morreu afogado. Foi um acidente, mas, segundo a lei espanhola, Balboa tinha assassinado o governador e usurpado o seu posto.

As bravatas de Balboa já o haviam livrado de enrascadas anteriormente, mas agora a sua esperança de glórias e riquezas parecia condenada ao fracasso. Para reivindicar direitos sobre o El Dorado, caso o encontrasse, ele precisaria da aprovação do rei da Espanha – o que, sendo um fora da lei, ele não teria jamais. Só restava uma solução: os índios panamenhos tinham dito a Balboa que havia um enorme oceano do outro lado do istmo da América Central e que, se ele seguisse em direção ao sul por essa costa ocidental, chegaria a uma fabulosa terra do ouro chamada, segundo o que seus ouvidos entenderam, "Biru". Balboa decidiu atravessar as selvas traiçoeiras do Panamá e ser o primeiro europeu a molhar os pés neste novo oceano. Dali ele marcharia para o El Dorado. Se fizesse isso em nome da Espanha, obteria a gratidão eterna do rei e garantiria a suspensão da sua pena – só que era preciso agir antes que as autoridades espanholas viessem prendê-lo.

Em 1513, portanto, Balboa partiu com 190 soldados. No meio do istmo (com uns 150 quilômetros naquele ponto), só restavam sessenta, muitos não aguentaram as duras condições da jornada – insetos, chuvas torrenciais, febre. Finalmente, do alto de uma montanha, Balboa foi o primeiro europeu a ver o oceano Pacífico. Dias depois, ele entrou na água vestido com a sua armadura, carregando a bandeira de Castela e reivindicando todos os seus mares, terras e ilhas em nome do trono espanhol.

Os índios da região receberam Balboa com ouro, joias e pérolas preciosas, como ele nunca vira antes. Quando ele quis saber de onde vinha tudo aquilo, os índios apontaram para o sul, para a terra dos incas. Mas Balboa tinha ficado com apenas alguns soldados. Por enquanto, ele decidiu, voltaria para Darien, mandaria as joias e o ouro para a Espanha como penhor de boa vontade e pediria um grande exército para ajudá-lo a conquistar o El Dorado.

Quando a notícia da corajosa travessia do istmo de Balboa chegou à Espanha, quando souberam da sua descoberta do oceano ocidental e da sua planejada conquista do El Dorado, o ex-criminoso se tornou um herói. Foi proclamado na mesma hora governador da nova terra. Mas, antes que o rei e a rainha soubessem da nova descoberta, já haviam mandado uns doze navios, sob o comando de um homem chamado Pedro Arias Dávila, "Pedrarias", com ordem de prender Balboa por assassinato e assumir o comando da colônia. Quando Pedrarias chegou ao Panamá, soube que Balboa tinha sido perdoado e que teria de dividir o governo com o ex-foragido.

Mesmo assim, Balboa não se sentiu à vontade. Ouro era o seu sonho, El Dorado o seu único desejo. Na busca do seu objetivo ele quase morrera várias vezes, e dividir a riqueza e a glória com um recém-chegado seria intolerável. Ele não demorou a descobrir também que Pedrarias era um homem invejoso, amargo e igualmente infeliz com a situação. Mais uma vez, a única solução para Balboa era tomar a iniciativa, propondo atravessar a selva com um exército maior, carregando materiais e ferramentas para construção de navios. Uma vez na costa do Panamá, ele criaria uma armada para conquistar os incas. Surpreendentemente, Pedrarias concordou com o plano – talvez percebendo que não ia dar certo. Centenas morreram nesta segunda marcha através da selva, e a madeira que carregavam apodreceu com as chuvas torrenciais. Balboa, como sempre, ficou impávido – nenhum

Veja o desfecho, não importa o que esteja considerando. Com frequência, Deus permite a um homem um vislumbre de felicidade para, em seguida, arruiná-lo totalmente.
AS HISTÓRIAS, HERÓDOTO, SÉCULO V a.C.

O REI, O SUFI E O CIRURGIÃO
Em épocas remotas, um rei da Tartária passeava acompanhado de alguns nobres quando um abdal (um sufi errante) na beira da estrada gritou: "Um bom conselho em troca de cem dinares." O rei parou e disse: "Abdal, que conselho é esse por cem dinares?" "Senhor", respondeu o abdal, "mande que me entreguem a quantia, e eu lhe direi imediatamente." O rei atendeu, esperando ouvir algo extraordinário. O dervixe lhe disse: "Este é o meu conselho: Não comece a fazer nada antes de pensar em como isso vai terminar." Os nobres e todos os presentes acharam graça, dizendo que o abdal tinha feito bem em pedir o seu pagamento adiantado. Mas o rei falou: "Não há motivo para rir do bom conselho

do abdal. Ninguém ignora o fato de que devemos pensar muito antes de fazer alguma coisa. Mas, diariamente, não nos lembramos disso, e as consequências são perniciosas. Gostei muito do conselho deste dervixe." O rei, decidido a não se esquecer jamais do conselho, mandou gravá-lo em letras douradas nas paredes e também na sua salva de prata. Não muito tempo depois, um conspirador subornou o cirurgião da corte prometendo-lhe o posto de primeiro-ministro se usasse um bisturi envenenado quando fosse aplicar uma sangria no rei. Quando chegou a hora de realizar o procedimento, trouxeram uma salva de prata para recolher o sangue. De repente, o cirurgião leu a frase gravada: *"Não comece a fazer nada antes de pensar em como isso vai terminar."* Foi aí que ele entendeu que, se o conspirador se tornasse rei, poderia mandar matar o cirurgião na mesma hora, e não precisaria cumprir a sua parte na barganha. O rei, vendo o cirurgião tremer, quis saber o que estava acontecendo. E o médico confessou a verdade na hora. O conspirador foi preso e o rei,

poder no mundo frustraria seus planos – e chegando ao Pacífico ele começou a derrubar árvores para conseguir madeira. Mas os homens que lhe restavam eram poucos e fracos demais para empreender uma invasão, e mais uma vez Balboa teve de voltar a Darien.

Em todo caso, Pedrarias tinha convidado Balboa a voltar para discutirem um novo plano e, nos arredores da colônia, o explorador foi interceptado por Francisco Pizarro, um velho amigo que o acompanhara na primeira travessia do istmo. Mas era uma armadilha: liderando uma centena de soldados, Pizarro cercou o ex-amigo, prendeu-o e o entregou a Pedrarias, que o julgou por tentativa de rebelião. Dias depois, a cabeça de Balboa caiu dentro de uma cesta, junto com as dos seus mais fiéis seguidores. Anos mais tarde, Pizarro chegou no Peru e os feitos de Balboa foram esquecidos.

Interpretação

A maioria dos homens segue o coração, não a cabeça. Seus planos são vagos e, diante de obstáculos, eles improvisam. Mas a improvisação só levará você até a próxima crise e não substitui, jamais, a previsão das próximas etapas e o planejamento até o final.

Balboa tinha um sonho, conquistar a glória e a riqueza, e um vago plano para realizá-lo. No entanto, seus feitos corajosos e a sua descoberta do Pacífico foram em grande parte esquecidos, pois ele cometeu o que no mundo do poder é um grave pecado: ficou no meio do caminho, deixando a porta aberta para os outros entrarem. Um verdadeiro homem de poder teria tido a prudência de ver o perigo a distância – os rivais que desejariam dividir as conquistas, os abutres que apareceriam rondando assim que ouvissem a palavra "ouro". Balboa deveria ter guardado segredo do que sabia sobre os incas até conquistar o Peru. Só então a sua riqueza e a sua cabeça estariam a salvo. Assim que Pedrarias entrou em cena, um homem de poder e prudência teria tramado matá-lo ou prendê-lo, e se apoderar do exército que ele tinha trazido para conquistar o Peru. Mas Balboa era prisioneiro do momento, sempre reagindo emocionalmente, jamais pensando com antecedência.

De que adianta ter o maior sonho do mundo se os outros colhem os benefícios e a glória? Não perca a cabeça com sonhos vagos e irrestritos – planeje até o fim.

A LEI OBSERVADA

Em 1863, o premier da Prússia, Otto von Bismarck, fez uma avaliação do tabuleiro de xadrez do poder europeu naquele momento. Os principais jogadores eram a Inglaterra, a França e a Áustria. A Prússia, ela mesma, era um dos vários Estados da vagamente aliada Federação Alemã. A Áustria, membro dominante da Federação, garantiu que os outros Estados alemães permanecessem fracos, divididos e submissos. Bismarck acreditava que a Prússia estava destinada a algo muito maior do que servir à Áustria.

Este foi o jogo de Bismarck. Seu primeiro movimento foi iniciar uma guerra com a humilde Dinamarca, a fim de recuperar as antigas terras prussianas de Schleswig-Holstein. Ele sabia que este rufar de independência prussiana deixaria a França e a Inglaterra preocupadas, portanto alistou a Áustria na guerra, alegando que estava recuperando Schleswig-Holstein em seu benefício. Em poucos meses, depois de decidida a guerra, Bismarck exigiu que as terras recém-conquistadas fizessem parte da Prússia. Os austríacos, é claro, ficaram furiosos, mas concordaram: primeiro aceitaram em dar Schleswig aos prussianos e, no ano seguinte, lhes venderam Holstein. O mundo começou a ver que a Áustria estava enfraquecendo e que a Prússia estava em ascensão.

O próximo movimento de Bismarck foi o mais corajoso: em 1866, ele convenceu o rei Guilherme da Prússia a se retirar da Federação Alemã, e ao fazer isso entrar em guerra com a própria Áustria. A esposa do rei Guilherme, o príncipe herdeiro e os príncipes dos outros reinos alemães se opuseram veementemente a essa guerra. Mas Bismarck, impávido, conseguiu forçar o conflito, e o exército superior da Prússia derrotou os austríacos na brutalmente rápida Guerra das Sete Semanas. O rei e os generais prussianos então quiseram marchar sobre Viena, tomando da Áustria o máximo de terras possível. Mas Bismarck os impediu – agora ele se apresentava como defensor da paz. O resultado foi que ele conseguiu fechar um tratado com a Áustria que garantia à Prússia e aos outros Estados alemães a total autonomia. Bismarck pôde então colocar a Prússia como o poder dominante na Alemanha e chefe da recém-formada Confederação da Alemanha do Norte.

Os franceses e os ingleses começaram a comparar Bismarck a Átila, rei dos Hunos, e a temer que ele tivesse planos para toda a Europa. Uma vez no caminho da conquista, não se sabia onde ele iria parar. E, na verdade, três anos depois Bismarck provocou uma guerra com a França. Primeiro ele pareceu permitir que a França fosse anexada à Bélgica, depois, no último momento, mudou de ideia. Brincando de gato e rato, ele deixou furioso o imperador da França, Napoleão III, e incitou o seu próprio rei contra os franceses. Sem causar surpresa a ninguém, a guerra estourou em 1870. A recém-formada federação alemã entusiasticamente se juntou à guerra contra a França, e mais uma vez a máquina militar prussiana e seus aliados destruíram o exército inimigo em questão de meses. Embora Bismarck fosse contrário a que se tomasse qualquer ter-

mandando chamar todos os que tinham escutado o conselho do abdal, disse: "Ainda riem do dervixe?"
CARAVAN OF DREAMS, IDRIES SHAH, 1968

Quem procura videntes para saber o futuro está se privando, inconscientemente, de uma sugestão interior mil vezes mais precisa do que qualquer coisa que eles possam dizer.
WALTER BENJAMIN, 1892-1940

ra dos franceses, os generais o convenceram de que a Alsácia-Lorena deveria fazer parte da federação.

Agora toda a Europa temia o próximo movimento do monstro prussiano, liderado por Bismarck, o "Chanceler de Ferro". E, de fato, um ano depois Bismarck fundou o Império Germânico, com o rei da Prússia como o novo imperador coroado e Bismarck como príncipe. Mas aí aconteceu algo estranho: Bismarck não fomentava mais as guerras. E, enquanto os outros poderes europeus se apossavam de terras para colônias em outros continentes, ele limitava severamente as aquisições coloniais da Alemanha. Não queria mais terras para a Alemanha, queria mais segurança. Pelo resto da sua vida ele lutou para manter a paz na Europa e impedir que houvesse mais guerras. Todos acharam que ele havia mudado, amolecido com o passar dos anos. Eles não compreenderam: esta foi a jogada final do seu plano original.

Interpretação

Existe um motivo muito simples para a maioria dos homens não saber quando sair do ataque. Eles não têm uma ideia concreta do seu objetivo. Obtida a vitória, eles querem mais. Parar – visar a um objetivo e não se desviar dele – parece quase inumano, de fato; porém, nada é mais importante para se manter o poder. Quem exagera nos seus triunfos cria uma reação que inevitavelmente leva a um declínio. A única solução é planejar em longo prazo. Prever o futuro com a mesma clareza dos deuses no Monte Olimpo, que veem através das nuvens o desfecho de todas as coisas.

Desde o início da sua carreira política, Bismarck tinha um objetivo: formar um Estado independente alemão liderado pela Prússia. Ele instigou a guerra com a Dinamarca, não para conquistar território, mas para agitar o nacionalismo prussiano e unir o país. Ele incitou a guerra com a Áustria só para conquistar a independência da Prússia. (Por isso ele se recusou a se apossar de território austríaco.) E ele fomentou a guerra com a França para unir os reinos alemães contra um inimigo comum, e assim preparar a formação de uma Alemanha unida.

Tendo conseguido isso, Bismarck parou. Ele jamais permitiu que o triunfo lhe subisse à cabeça, não se deixou tentar pelo canto da sereia. Manteve firme as rédeas e sempre que os generais, ou o rei, ou o povo prussiano pediam novas conquistas ele os continha. Nada estragaria a beleza da sua criação, certamente não uma falsa euforia excitando as pessoas a sua volta a tentarem ir além do objetivo que ele tão cuidadosamente planejara.

A experiência mostra que, prevendo com bastante antecedência os passos a serem dados, é possível agir rapidamente na hora de executá-los.

Cardeal Richelieu, 1585-1642

AS CHAVES DO PODER

Segundo a cosmologia dos antigos gregos, os deuses teriam a visão total do futuro. Eles viam tudo que aconteceria, nos mínimos e intrincados detalhes. Os homens, por sua vez, eram vítimas do destino, prisioneiros do momento e das suas emoções, incapazes de ver além do perigo imediato. Heróis como Ulisses, capazes de enxergar além do presente e planejar vários passos com antecedência, pareciam desafiar o destino, aproximar-se dos deuses na sua capacidade de determinar o futuro. A comparação continua válida – quem pensa com antecedência e, pacientemente, conduz seus planos à realização parece ter um poder divino.

Como a maioria das pessoas está presa demais ao momento para planejar com este tipo de previsão, a capacidade de ignorar perigos e prazeres imediatos se traduz em poder. É o poder de ser capaz de superar a tendência natural humana de reagir às coisas conforme elas vão acontecendo, em vez de treinar dar um passo atrás, imaginar as coisas maiores tomando forma além do seu campo imediato de visão. As pessoas, na sua maioria, acreditam que têm consciência do futuro, que estão planejando e pensando com antecedência. Em geral, se iludem. Na verdade, o que elas fazem é sucumbir aos seus próprios desejos, ao que elas querem que o futuro seja. Seus planos são vagos, baseados na imaginação e não na realidade. Elas podem acreditar que estão pensando em tudo até o fim, mas estão na verdade focalizando apenas o final feliz e se iludindo com a força do seu desejo.

Em 415 a.C., os antigos atenienses atacaram a Sicília, acreditando que a expedição lhes traria riquezas, poder e um desfecho glorioso para os dezesseis anos da Guerra do Peloponeso. Não pensaram nos perigos de uma invasão tão longe de casa, não previram que os sicilianos lutariam ainda mais ferozmente visto que as batalhas se dariam na terra deles, ou que todos os inimigos de Atenas se uniriam contra eles, ou que a guerra estouraria em várias frentes, exaurindo suas forças. A expedição siciliana foi um desastre total, levando à destruição uma das maiores civilizações de todos os tempos. Os atenienses foram conduzidos à ruína por seus corações, não por suas mentes. Eles viram apenas as chances de glória, não os perigos que assomavam a distância.

O cardeal de Retz, o francês do século XVII que se orgulhava da sua percepção das intrigas humanas e de como em geral elas fracassavam, analisou este fenômeno. No decorrer de uma rebelião que ele encabeçou contra a monarquia francesa, em 1651, o jovem rei Luís XIV e sua corte tinham deixado Paris de repente e se estabelecido num palácio fora da capital. A presença do rei tão perto do núcleo revolucionário tinha sido um peso tremendo para os rebeldes, e eles respiraram aliviados. Isto mais tarde, entretanto, foi a sua ruína, pois a corte, ausente de Paris, se viu com muito mais espaço de manobra. "A causa mais comum dos erros das pessoas", o cardeal de Retz mais tarde escreveu, "é se assustarem demais com o perigo presente e não o suficiente com o que é remoto."

Os perigos remotos, que avultam a distância – se pudéssemos vê-los tomando forma, quantos enganos evitaríamos. Quantos planos abortaríamos instantaneamente se percebêssemos que, evitando um pequeno perigo, só fazemos cair em outro maior. Há tanto poder, não no que você faz, mas no que você não faz – naquelas ações tolas e precipitadas de que você se abstém, antes que elas o metam em maiores confusões. Planeje todos os detalhes antes de agir – não permita que a indefinição dos seus planos lhe cause problemas. Haverá consequências não previstas? Surgirão novos inimigos? Alguém vai tirar proveito do meu esforço? Finais infelizes são muito mais comuns do que os felizes – não se deixe iludir pelo final feliz que você está imaginando.

As eleições de 1848 na França se resumiram a uma luta entre Louis-Adolphe Thiers, o homem da ordem, e o general Louis Eugène Cavaignac, o agitador de direita. Quando Thiers percebeu que tinha ficado inevitavelmente para trás nessa corrida, procurou desesperado uma solução. Seu olhar caiu sobre Luís Bonaparte, sobrinho-neto do grande general Napoleão, e um modesto representante no parlamento. Este Bonaparte parecia meio imbecil, mas bastava o seu nome para elegê-lo num país que ansiava por um governante forte. Ele seria uma marionete nas mãos de Thiers e, no final, seria empurrado para fora de cena. A primeira parte do plano funcionou perfeitamente, e Napoleão foi eleito com grande vantagem. O problema foi que Thiers não previu um fato muito simples: o "imbecil" era, na realidade, um homem de enormes ambições. Três anos depois ele dissolveu o parlamento, declarou-se imperador e governou a França por mais dezoito anos, para o horror de Thiers e do seu partido.

O desfecho é tudo. É ele que determina quem fica com a glória, o dinheiro, o prêmio. O seu desfecho deve ser cristalino, e você não deve perdê-lo de vista. Você deve também descobrir como se livrar dos abutres que ficam rondando lá em cima, tentando sobreviver das carcaças da sua criação. E você deve prever as muitas crises possíveis que o tentarão a improvisar. Bismarck venceu estes perigos porque planejou até o fim, manteve o curso em meio a todas as crises e jamais deixou que lhe roubasse a glória. Alcançado o seu objetivo, ele se encolheu como uma tartaruga no casco. Este tipo de autocontrole é divino.

Quando você prevê várias etapas com antecedência, e planeja seus movimentos até o fim, não será mais tentado pela emoção ou pelo desejo de improvisar. Sua lucidez o livrará da ansiedade e da indefinição que é a razão básica de tantos deixarem de concluir com sucesso as suas ações. Você enxerga o desfecho e não tolera desvios.

Imagem:
Os Deuses no
Olimpo. Olhando
as ações dos humanos,
lá de cima das nuvens,
eles anteveem o desfecho de
todos os grandes sonhos que levam à ruína e à tragédia. E riem da
nossa incapacidade de ver além do momento presente e de como nos iludimos.

Autoridade: Não entrar é tão mais fácil do que ter de sair! Devemos agir ao contrário do junco que, ao primeiro despontar, lança uma haste longa e reta, mas depois, como que exausto... faz vários nós densos, indicando que não possui mais o vigor e o impulso original. É melhor começar gentil e tranquilamente, poupando o fôlego para o embate e os golpes vigorosos para concluir o nosso trabalho. No início, nós é que orientamos os negócios e os mantemos em nosso poder; mas, frequentemente, uma vez colocados em ação, são eles que nos guiam e nos arrastam. (Montaigne, 1533-1592)

O INVERSO

Entre os estrategistas, já é comum a ideia de que o seu plano deve incluir alternativas e ter uma certa flexibilidade. Não há dúvida quanto a isso. Se você se prende a um plano com muita rigidez, não será capaz de lidar com as súbitas mudanças na sorte. Depois de examinar as possibilidades futuras e decidir qual é a sua meta, você deve aumentar as alternativas e estar aberto a novos caminhos para chegar até lá.

A maioria das pessoas, no entanto, perde menos com o excesso de planejamento e rigidez do que com a indefinição e a tendência a improvisar constantemente diante das circunstâncias. Portanto, não há motivo para se cogitar no inverso desta Lei, pois nada se ganha recusando-se a pensar no futuro e planejar tudo até o fim. Pensando com bastante clareza e antecedência, você verá que o futuro é incerto e que deve estar disposto a fazer adaptações. Só um objetivo claro e um plano de longo alcance lhe darão essa liberdade.

LEI 30

FAÇA AS SUAS CONQUISTAS PARECEREM FÁCEIS

JULGAMENTO

Seus atos devem parecer naturais e fáceis. Toda a técnica e o esforço necessários para a sua execução, e também os truques, devem estar dissimulados. Quando você age, age sem se esforçar, como se fosse capaz de muito mais. Não caia na tentação de revelar o trabalho que você teve – isso só despertará dúvidas. Não ensine a ninguém os seus truques ou eles serão usados contra você.

A LEI OBSERVADA I

A origem da cerimônia do chá no Japão, chamada Cha-no-yu ("Água Quente para o Chá"), é muito antiga, mas chegou ao auge do refinamento no século XVI com o seu mais famoso praticante, Sen no Rikyu. Embora não sendo de família nobre, Rikyu alcançou um grande poder tornando-se o mestre do chá preferido do imperador Hideyoshi e importante conselheiro sobre assuntos estéticos e até políticos. Para Rikyu, o segredo do sucesso consistia em parecer natural, escondendo o esforço do seu trabalho.

Certo dia, Rikyu e seu filho foram à casa de um amigo para a cerimônia do chá. Ao entrarem, o filho observou que o lindo portão de aparência antiga da casa do seu anfitrião lhe dava um ar solitário. "Não acho", respondeu o pai, "parece ter vindo de um mosteiro numa montanha muito distante e deve ter sido muito difícil e caro trazê-lo até aqui." Se o dono da casa tinha empenhado tanto esforço num só portão, isso se veria na sua cerimônia do chá – e, de fato, Sen no Rikyu saiu cedo da cerimônia, não suportando mais a afetação e o esforço que inadvertidamente ela revelava.

Numa outra noite, enquanto tomava chá na casa de um amigo, Rikyu viu seu anfitrião sair no escuro, carregando uma lanterna, para colher um limão no pé. Rikyu ficou encantado – o anfitrião precisou de um tempero para o prato que estava servindo e foi, espontaneamente, buscá-lo lá fora. Mas, quando o homem ofereceu o limão com um bolo de arroz de Osaka, Rikyu percebeu que o outro tinha planejado desde o início o corte do limão, para acompanhar esta iguaria cara. O gesto deixou de parecer espontâneo – foi um expediente usado pelo anfitrião para provar a sua habilidade. Acidentalmente, ele revelou o esforço que estava fazendo nesse sentido. Decepcionado, Rikyu recusou polidamente o bolo, pediu licença e se retirou.

O imperador Hideyoshi certa vez quis visitar Rikyu para uma cerimônia do chá. Na véspera, começou a nevar. Pensando rápido, Rikyu cobriu cada uma das pedras do caminho que atravessava o jardim até a sua casa com almofadas redondas. Um pouco antes de amanhecer, ele se levantou e, vendo que tinha parado de nevar, retirou as almofadas. Quando Hideyoshi chegou, ficou maravilhado com o espetáculo – pedras perfeitamente redondas, livres da neve – e observou que elas não chamavam atenção para a forma como Rikyu tinha conseguido fazer isso, apenas para a delicadeza do seu gesto.

Quando Sen no Rikyu morreu, suas ideias tiveram uma profunda influência sobre a prática da cerimônia do chá. O shogun de Tokugawa, Yorinobu, filho do grande imperador Ieyasu, foi discípulo de Rikyu. No seu jardim havia uma lanterna de pedra feita por um mestre famo-

---

KANO TANNYU, O MESTRE ARTISTA
Date Masamune certa vez chamou Tannyu para decorar um par de biombos de ouro com dois metros de altura. O artista disse que achava adequado fazer uns desenhos em preto e branco e, depois de analisá-los bem, voltou para casa. Na manhã seguinte, ele chegou cedo, preparou uma grande quantidade de tinta e, molhando uma ferradura na tinta, começou a imprimir um dos biombos. Depois, com um pincel grande, foi traçando várias linhas. Nisso, Masamune veio observar o seu trabalho, mas, irritadíssimo com o que viu, voltou resmungando para seus aposentos. Os criados contaram a Tannyu que Masamune estava de muito mau humor. "Ele não deveria ficar olhando enquanto trabalho, então", respondeu o pintor, "deveria esperar até eu terminar." E aí pegou um pincel menor e foi dando pinceladas aqui e ali, e as marcas de ferradura foram se transformando em caranguejos, e as pinceladas largas em juncos. Em seguida, virou-se para o outro biombo e salpicou-o todo de tinta, e

so, e o senhor Sakai Tadakatsu perguntou se poderia ir até lá um dia para vê-la. Yorinobu respondeu que se sentiria honrado e mandou que seus jardineiros deixassem tudo em ordem para a visita. Os jardineiros, desconhecendo os preceitos de Cha-no-yu, acharam que a lanterna de pedra estava malfeita, e que suas janelas eram muito pequenas para o gosto atual. Mandaram um operário da região aumentá-las. Poucos dias antes da visita de Sakai, Yorinobu fez uma excursão pelo jardim. Ao ver as janelas modificadas ele explodiu de raiva, prestes a empalar na sua espada o idiota que tinha arruinado a sua lanterna, alterando a sua graça natural e destruindo todo o propósito da visita de Sakai.

Mais calmo, Yorinobu se lembrou de que havia comprado duas dessas lanternas, e que a segunda estava no seu jardim na ilha de Kishu. Pagando caro, ele contratou uma baleeira e os melhores remadores que conseguiu encontrar, ordenando-lhes que trouxessem a lanterna em dois dias – façanha difícil, na melhor das hipóteses. Os marinheiros remaram dia e noite e, com o vento a favor, conseguiram chegar a tempo. Yorinobu, encantado, viu que esta lanterna de pedra era ainda mais magnífica do que a primeira, pois permanecera intocada durante vinte anos num bambuzal, adquirindo uma bela aparência de peça antiga coberta de musgo. Mais tarde, naquele mesmo dia, quando Sakai chegou, ficou fascinado com a lanterna, que era ainda mais imponente do que havia imaginado – tão graciosa e em harmonia com os elementos. Felizmente, ele não teve ideia do tempo e do esforço despendidos por Yorinobu para criar este efeito sublime.

depois de acrescentar algumas pinceladas aqui e ali, os pingos se transformaram num bando de andorinhas voando sobre os salgueiros. Quando Masamune viu o trabalho terminado, ficou tão satisfeito com a habilidade do artista quanto havia ficado contrariado com a aparente confusão que ele estava fazendo nos biombos.
CHA-NO-YU: THE JAPANESE TEA CEREMONY A. L. SADLER, 1962

Interpretação
Para Sen no Rikyu, a súbita visão de algo natural e quase acidentalmente gracioso era o auge da beleza. Esta beleza era inesperada e parecia não ter exigido nenhum esforço. A natureza tem suas próprias leis e processos para criar essas coisas, mas os homens criam com muito trabalho e artifício. E se mostram o esforço da produção, o efeito está arruinado. O portão viera de muito longe, o corte do limão parecera planejado.

Muitas vezes você terá de usar truques e engenhosidade para criar seus efeitos – as almofadas na neve, os homens remando a noite inteira –, mas a sua plateia não deverá jamais suspeitar do seu esforço físico ou mental para conseguir isso. A natureza não revela seus truques, e o que a imita parecendo não exigir nenhum esforço tem um poder semelhante.

A LEI OBSERVADA II
O grande ilusionista Harry Houdini anunciava o seu ato como "O Possível Impossível". E, na verdade, quem assistia às suas dramáticas es-

O MESTRE DE LUTA ROMANA
Era uma vez um mestre de luta romana versado em 360 golpes. Ele passou um certo tempo ensinando 359 a um aluno por quem tinha preferência. Nunca chegou a lhe ensinar o último golpe. Passaram-se alguns meses e o jovem já estava tão perito nessa arte que vencia todos que ousassem enfrentá-lo. Ele estava tão vaidoso da sua capacidade que um dia se

vangloriou na frente do sultão dizendo que derrotaria facilmente o seu mestre, não fosse o respeito por sua idade e a gratidão por sua tutela. O sultão ficou enraivecido com esta irreverência e ordenou que fosse realizada uma competição, imediatamente, a que toda a corte real assistiria. Ao soar do gongo, o jovem avançou gritando, e foi recebido com o golpe número 360. O mestre agarrou o seu ex-aluno, ergueu-o sobre a cabeça e o atirou ao chão. O sultão e a assembleia aplaudiram entusiasticamente. Quando o sultão perguntou ao mestre como ele tinha conseguido vencer um adversário tão forte, o mestre confessou que tinha reservado uma técnica secreta para ele mesmo usar em tal situação. Em seguida, contou o lamento de um mestre arqueiro que ensinou tudo que sabia. "Todos os que aprenderam comigo a arte do arco e flecha", queixou-se o pobre sujeito, "acabaram tentando me usar como alvo."
UMA HISTÓRIA DE SAADI, CONFORME CONTADA EM A ARTE DO PODER. R. G. H. SIU, 1979

capadas achava que o que ele fazia no palco contradizia todo o nosso julgamento sobre a capacidade humana.

Certa noite, em 1904, uma plateia de 4 mil londrinos encheu um teatro para ver Houdini enfrentar um desafio: livrar-se de um par de algemas anunciadas como as mais fortes jamais inventadas. Eram seis conjuntos de cadeados e nove estribos de retenção em cada algema; um fabricante de Birmingham levou cinco anos para fabricá-las. Os especialistas que as examinaram disseram nunca ter visto nada tão complexo, e era essa complexidade que tornaria impossível livrar-se delas.

A multidão viu os especialistas trancarem as algemas nos pulsos de Houdini. Depois o artista entrou numa caixa preta colocada no palco. Passaram-se alguns minutos e quanto mais tempo demorava, mais certo parecia que desta vez ele seria derrotado. Num determinado momento, ele saiu da caixa e pediu que tirassem as algemas para despir o casaco – estava quente lá dentro. Os desafiantes recusaram, desconfiando de um truque para descobrir como os cadeados funcionavam. Sem desanimar, e sem usar as mãos, Houdini conseguiu erguer o casaco sobre os ombros, virá-lo pelo avesso, retirar um canivete do bolso do colete com os dentes e, com um movimento de cabeça, cortar o tecido na altura dos braços. Livre do casaco, ele entrou de novo na caixa, a plateia aplaudindo estrondosamente a sua graça e destreza.

Finalmente, depois de deixar a plateia esperando bastante tempo, Houdini saiu do armário pela segunda vez, agora com as mãos livres erguendo triunfante as algemas. Até hoje não se sabe como ele conseguiu escapar. Embora tivesse demorado cerca de um hora, em momento algum pareceu preocupado com isso, ou deu sinal de dúvida. Na verdade, pareceu até que no final ele usou o tempo como um artifício para dar mais dramaticidade ao ato, deixando a plateia preocupada – pois nada mostrava que ele tivesse tido alguma dificuldade. Reclamar do calor também fazia parte da encenação. Os espectadores desta e de outras apresentações de Houdini devem ter achado que ele estava brincando com eles: estas algemas não são nada, ele parecia dizer, eu poderia ter me livrado delas muito mais cedo e de coisas bem piores.

Com o passar dos anos, Houdini escapou da carcaça acorrentada de um "monstro marinho" embalsamado (um animal meio polvo, meio baleia que encalhara perto de Boston); se fez selar dentro de um enorme envelope de onde emergiu sem rasgar o papel; passou por paredes de tijolos; livrou-se de camisas de força enquanto ficava dependurado no ar; saltou de pontes mergulhando na água gelada, com as mãos algemadas e as pernas acorrentadas; submergiu em caixas-d'água, com as mãos amarradas, enquanto a plateia o assistia intrigada tentando se livrar, lutando quase uma hora aparentemente sem respirar. Todas as vezes ele parecia cortejar a morte certa, mas sobrevivia com autodomínio sobre--humano. Enquanto isso, ele não falava sobre seus métodos, não dava pistas de como conseguia fazer seus truques – deixava a plateia e os críticos especularem, reforçando o seu poder e a sua fama com o esforço deles para entender o inexplicável. Talvez o truque mais surpreendente de todos tenha sido o de fazer um elefante de quatro toneladas e meia desaparecer diante dos olhos da plateia, feito que ele repetiu no palco durante dezenove semanas. Ninguém realmente conseguiu explicar como ele fazia isso, pois no auditório não havia onde esconder um elefante.

A facilidade para se livrar de situações complicadas levou alguns a pensar que Houdini usava forças ocultas, tinha habilidades mediúnicas superiores que lhe permitiam um controle especial sobre o corpo. Mas um outro ilusionista, um alemão chamado Kleppini, afirmou conhecer o segredo de Houdini: ele simplesmente usava artifícios complicados. Kleppini também disse ter derrotado Houdini numa competição de algemas na Holanda.

Houdini não se importava com todas essas especulações sobre seus métodos, mas não toleraria uma mentira deslavada e, em 1902, desafiou Kleppini para um duelo de algemas. Kleppini aceitou. Com ajuda de um espião, ele descobriu o código para destrancar um par de algemas francesas com fechadura de combinação que Houdini gostava de usar. Seu plano era escolher estas algemas para escapar em cena. Isto desmascararia definitivamente Houdini – seu "gênio" estava simplesmente em usar engenhocas mecânicas.

Na noite do desafio, exatamente como Kleppini planejara, Houdini lhe ofereceu a opção das algemas e ele escolheu as de combinação. Ele até conseguiu desaparecer com elas por trás de uma cortina para fazer um rápido teste, e voltou segundos depois, confiante na vitória.

Agindo como se farejasse uma fraude, Houdini se recusou a trancar as algemas de Kleppini. Os dois homens discutiram e começaram a brigar, chegando até a se atracar no palco. Passados alguns minutos, aparentemente zangado e frustrado, Houdini cedeu e trancou as algemas de Kleppini. Durante alguns minutos, Kleppini se esforçou para se livrar. Alguma coisa estava errada – minutos antes ele tinha aberto as algemas por trás da cortina; agora o mesmo código não funcionava mais. Ele suava, dando tratos à bola. Horas se passaram, a plateia foi embora e, finalmente exausto e humilhado, Kleppini desistiu, pedindo para ser solto.

As algemas que Kleppini tinha aberto por trás da cortina com a palavra "C-L-E-F-S" ("chaves" em francês) agora só se abriam com a palavra "F-R-A-U-D" ("fraude"). Kleppini nunca descobriu como Houdini conseguiu este feito inacreditável.

Não deixe que ninguém saiba exatamente do que você é capaz. O homem sábio não permite a ninguém sondar a fundo os seus conhecimentos e as suas habilidades, se quiser ser respeitado por todos. Ele permite que sejam conhecidos, mas não que sejam compreendidos. Ninguém deve conhecer a extensão das suas habilidades, para não se desapontar. A ninguém ele dá oportunidade de

compreendê-las totalmente. Pois suposições e dúvidas quanto à extensão dos seus talentos evocam mais respeito do que saber precisamente até onde eles vão, para que sejam sempre excelentes.
BALTASAR GRACIÁN,
1601-1658

Interpretação
Embora não se saiba exatamente como Houdini realizava muitas das suas engenhosas escapadas, uma coisa é evidente: os seus poderes não vinham de forças ocultas, nem de mágica, eram resultado de muito trabalho e prática constante que ele cuidadosamente ocultava do mundo. Houdini jamais confiava no acaso – estudava dia e noite o funcionamento de cadeados, pesquisava truques de prestidigitação centenários, lia atentamente livros sobre mecânica, tudo que pudesse usar. Enquanto pesquisava, ele trabalhava o corpo mantendo-se excepcionalmente flexível e aprendendo a controlar seus músculos e respiração.

Logo no início da sua carreira, um velho artista japonês com quem Houdini viajava lhe ensinou um antigo truque: engolir uma bola de mármore, depois regurgitá-la. Ele praticava isso sem parar com uma pequena batata descascada presa a um barbante – para cima e para baixo, ele manipulava a batata com os músculos da garganta, até eles estarem suficientemente fortes para movê-la sem o barbante. Os organizadores do desafio de algemas em Londres tinham examinado o corpo de Houdini, mas ninguém ia olhar dentro da sua garganta, onde ele poderia ter escondido pequenas ferramentas que o ajudariam a escapar. Mesmo assim, Kleppini errou fundamentalmente: não eram as ferramentas de Houdini, mas a sua prática, o seu trabalho e pesquisa que tornavam possíveis as suas escapadas.

Kleppini de fato levou a pior com Houdini, que armou tudo. Ele permitiu que o adversário soubesse o segredo das algemas francesas, depois o enrolou deixando que escolhesse o tipo de algemas no palco. Em seguida, durante a briga, o ágil Houdini conseguiu mudar o segredo para "*F-R-A-U-D*". Ele tinha passado semanas praticando o truque, mas a plateia não viu nada do suor e da labuta por trás dos bastidores. Nem Houdini jamais se mostrava nervoso; ele deixava os outros nervosos. (Ele demorava deliberadamente para dar mais dramaticidade à encenação e deixar a plateia ansiosa.) Suas escapadas da morte, sempre graciosas e fáceis, o faziam parecer um super-homem.

Como uma pessoa de poder, você deve pesquisar e praticar exaustivamente antes de aparecer em público, no palco ou outro lugar qualquer. Jamais exponha o suor e o esforço por trás da sua pose. Há pessoas que pensam que essa exposição mostrará que são honestas e diligentes, mas na verdade só parecerão mais fracas – como se bastasse a prática e o esforço para qualquer um fazer o que elas fizeram, ou como se não estivessem à altura da tarefa. Guarde para você o seu esforço e os seus truques, e parecerá ter a graça e a facilidade de um deus. Ninguém jamais vê revelada a origem do poder divino; só se vê os seus efeitos.

Um verso [de um poema] nos tomará uma hora, talvez;
Mas se não parecer a ideia de um momento,
O nosso coser e descoser terá sido inútil.

Adam's Curse, William Butler Yeats, 1865-1939

AS CHAVES DO PODER

A humanidade teve as suas primeiras noções de poder com os primitivos confrontos com a natureza – um relâmpago riscando o céu, uma súbita enchente, a rapidez e ferocidade de um animal selvagem. Estas forças não exigiam pensamento, nem planejamento – elas nos assombravam com sua repentina aparição, sua graciosidade e seu poder sobre a vida e a morte. E este continua sendo o tipo de poder que estamos sempre querendo imitar. Usando a ciência e a tecnologia recriamos a velocidade e o poder sublime da natureza, mas falta alguma coisa: nossas máquinas são barulhentas e desajeitadas, elas revelam o esforço que fazem. Até as melhores criações da tecnologia não anulam a nossa admiração por coisas que se movem rápida e facilmente. O poder que as crianças têm de nos fazer ceder às suas vontades vem de um tipo de encanto sedutor que sentimos na presença de uma criatura menos reflexiva e mais graciosa do que nós. Não podemos voltar a esse estado, mas, se pudermos criar a aparência deste tipo de facilidade, despertaremos nos outros a reverência primitiva que a natureza sempre evocou na humanidade.

Um dos primeiros escritores europeus a expor este princípio vinha de um dos ambientes mais antinaturais, a corte renascentista. Em *O livro do cortesão*, publicado em 1528, Baldassare Castiglione descreve os modos altamente elaborados e sofisticados do perfeito cidadão palaciano. E no entanto, explica Castiglione, o cortesão deve executar esses gestos com o que ele chama de *sprezzatura*, a capacidade de fazer o que é difícil parecer fácil. Ele recomenda ao cortesão que "pratique em tudo um certo descaso que dissimula o talento artístico e torna o que se diz e o que se faz aparentemente natural e fácil". Todos nós admiramos a realização de algum feito extraordinário, mas se ele for natural e gracioso nossa admiração é dez vezes maior – "enquanto (...) esforçar-se no que está fazendo e (...) não fazer mistério disso revela uma extrema falta de graça e faz com que tudo, não importa o seu valor, tenha um desconto".

A ideia de *sprezzatura* vem principalmente do mundo da arte. Todos os grandes artistas do Renascimento mantinham suas obras cuidadosamente em sigilo. Só depois de terminada a obra-prima era mostrada ao público. Michelangelo proibia até os papas de verem o seu trabalho em andamento. O artista renascentista tinha sempre o cuidado de fechar a porta de seus estúdios, seja para os patronos como para o público em geral, não por medo de imitações, mas porque a feitura da obra prejudicaria a magia do efeito e a sua estudada atmosfera de beleza fácil e natural.

O pintor renascentista Vasari, que foi também o primeiro grande crítico de arte, ridicularizava as obras de Paolo Uccello, obcecado com as leis de perspectiva. O esforço de Uccello para melhorar a aparência de perspectiva era óbvio demais nas suas obras – suas pinturas ficavam feias e elaboradas, sobrecarregadas com o esforço que ele fazia para conseguir os efeitos que desejava. Reagimos da mesma forma quando vemos artistas representando de uma forma muito exagerada: o excesso de esforço desfaz a ilusão. Também nos deixa constrangidos. Os artistas calmos e graciosos, por sua vez, nos deixam à vontade, dando a ilusão de naturalidade e de serem eles próprios, mesmo se tudo que eles fazem implique muito trabalho e prática.

A ideia de *sprezzatura* é relevante em todas as formas de poder, pois o poder depende vitalmente das aparências e das ilusões que você cria. Suas ações em público são como obras de arte: devem agradar aos olhos, criar expectativas, até divertir. Quando você revela o esforço da sua criação, torna-se mais um mortal entre tantos outros. O que é compreensível não inspira respeito – achamos que poderíamos fazer igual se também tivéssemos tempo e dinheiro. Evite a tentação de mostrar como você é brilhante – você é mais esperto ocultando os mecanismos do seu brilhantismo.

Ao aplicar este conceito à sua vida diária, Talleyrand ampliou muito a sua aura de poder. Nunca lhe agradou trabalhar demais, portanto fazia os outros trabalharem por ele – espionando, pesquisando, fazendo minuciosas análises. Com tanta força disponível, ele mesmo nunca parecia se cansar. Quando seus espiões revelavam que uma determinada coisa estava para acontecer, ele a comentava socialmente como se *estivesse sentindo* essa iminência. Consequentemente, as pessoas achavam que ele era clarividente. Suas declarações medulares e sua espirituosidade pareciam sempre resumir uma situação perfeitamente, mas estavam baseadas em muita pesquisa e raciocínio. Para quem estava no governo, inclusive o próprio Napoleão, Talleyrand dava a impressão de um poder imenso – efeito que dependia totalmente da aparente facilidade com que ele realizava suas proezas.

Existe um outro motivo para esconder seus atalhos e truques: se você deixa vazar essas informações, estará dando aos outros ideias que poderão usar contra você. Você perde o benefício do silêncio. Tendemos a querer que o mundo saiba o que fizemos – queremos recompensar a nossa vaidade conquistando aplausos por nosso esforço e brilhantismo, e até mesmo queremos simpatia pelas horas que levamos para fazer a nossa obra-prima. Aprenda a controlar esta tendência a dar com a língua nos dentes, pois o seu efeito será quase sempre o oposto do esperado. Lembre-se: quanto mais misteriosas as suas ações, maior será o seu poder. Você fica parecendo a única pessoa capaz de fazer o que você faz – e a aparência de ser possuidor de um talento exclusivo tem um poder imenso. Finalmente, como você consegue as coisas com graça e facilidade, as pessoas acham sempre que, esforçando-se, você poderia fazer mais. Isto desperta não só admiração, como um certo temor. Seus poderes são ilimitados – ninguém sabe até onde eles chegarão.

Imagem: O Cavalo de Corrida. De perto vemos a tensão, o esforço para controlar o cavalo, a respiração difícil e penosa. Mas de longe, de onde estamos sentados assistindo, ele é só elegância, cortando leve o ar. Mantenha os outros a distância e eles só verão a facilidade com que você se movimenta.

Autoridade: Qualquer ação [indiferença], por mais banal que seja, não só revela a habilidade da pessoa mas também, com muita frequência, a faz ser considerada maior do que é na realidade. Isto porque leva os observadores a acreditar que o homem que faz as coisas tão facilmente deve ser mais hábil do que é na verdade. (Baldassare Castiglione, 1478-1529)

O INVERSO
O sigilo com que você envolve suas ações deve aparentar despreocupação. O zelo em esconder o seu trabalho cria uma impressão desagradável, quase paranoica: você está levando o jogo muito a sério. Houdini tinha o cuidado de fazer o mistério dos seus truques parecer um jogo, tudo era parte do espetáculo. Não mostre o seu trabalho antes de terminá-lo, mas se você se esforçar demais para escondê-lo acabará como o pintor Pontormo, que passou os últimos anos da sua vida escondendo seus afrescos dos olhos do público, só conseguindo com isso ficar louco. Mantenha o seu bom humor.

Há momentos também em que vale a pena revelar o esforço dos seus projetos. Tudo depende do gosto da sua plateia e da época em que você opera. P. T. Barnum percebeu que o público queria participar dos seus espetáculos e adorava entender os seus truques, em parte, talvez, porque ao espírito democrático americano agradasse desmascarar implicitamente quem ocultava das massas a origem do seu poder. O público também apreciava o humor e a honestidade do *showman*. Barnum chegou ao exagero de publicar as suas próprias mistificações na sua popular autobiografia, escrita no auge da carreira.

Desde que a revelação *parcial* de truques e técnicas seja cuidadosamente planejada e não resulte de uma necessidade incontrolável de dar com a língua nos dentes, é o máximo da esperteza. Dá à plateia a ilusão de ser superior e de participar, mesmo que grande parte do que você faz ninguém veja.

LEI
31

CONTROLE AS OPÇÕES: QUEM DÁ AS CARTAS É VOCÊ

JULGAMENTO

As melhores trapaças são as que parecem deixar ao outro uma opção: suas vítimas acham que estão no controle, mas na verdade são suas marionetes. Dê às pessoas opções que sempre resultem favoráveis a você. Force-as a escolher entre o menor de dois males, ambos atendem ao seu propósito. Coloque-as num dilema: não terão escapatória.

O chanceler alemão, Bismarck, enfurecido com as constantes críticas de Rudolf Virchow (patologista alemão e político liberal), mandou suas testemunhas desafiarem-no para um duelo. "Como a parte desafiada, a escolha das armas é minha", disse Virchow, "e escolho estas." E ergueu duas grandes e aparentemente idênticas salsichas. "Uma delas", ele continuou, "está contaminada com germes mortais; a outra é perfeitamente saudável. Que Sua Excelência decida qual a que comerá, eu comerei a outra." Quase imediatamente retornou uma mensagem dizendo que o chanceler tinha resolvido cancelar o duelo.
THE LITTLE, BROWN BOOK OF ANECDOTES, CLIFTON FADIMAN, ORG., 1985

A LEI OBSERVADA I

Desde o início do seu reinado, Ivan IV, mais tarde conhecido como Ivan, o Terrível, teve de enfrentar uma desagradável realidade: o país precisava desesperadamente de uma reforma, mas ele não tinha poder para impô-la. A maior restrição a sua autoridade vinha dos boiardos, a classe aristocrática de príncipes russos que dominava o país e aterrorizava os camponeses.

Em 1553, aos vinte e três anos, Ivan ficou doente. Deitado na cama, quase morto, ele pediu aos boiardos que jurassem fidelidade ao seu filho como o novo czar. Alguns hesitaram, outros até recusaram. Ali, naquele momento, Ivan percebeu que não tinha poder sobre os boiardos. Ele se recuperou da doença, mas não esqueceu a lição: os boiardos queriam destruí-lo. E, na verdade, futuramente muitos dos mais poderosos desertaram para a Polônia e a Lituânia, principais inimigos da Rússia, onde tramaram a sua volta e a derrubada do czar. Até mesmo um dos amigos mais íntimos de Ivan, o príncipe Andrey Kurbski, de repente estava contra ele, fugindo para a Lituânia em 1564 e se tornando um dos seus mais ferrenhos inimigos.

Quando Kurbski começou a arregimentar tropas para uma invasão, a dinastia real pareceu subitamente mais precária do que nunca. Com nobres emigrados fomentando uma invasão pelo oeste, os tártaros atacando pelo leste e os boiardos armando confusão dentro do país, defender a enormidade do território russo se tornou um pesadelo. Não importa para que lado Ivan atacasse, ficava sempre vulnerável em outro. Só com um poder absoluto ele poderia vencer esta Hidra de múltiplas cabeças. E ele não tinha esse poder.

Ivan ficou remoendo as ideias até que na manhã de 3 de dezembro de 1564, quando os cidadãos de Moscou acordaram, viram uma cena estranha. Centenas de trenós enchiam a praça diante do Kremlin, carregados com os tesouros do czar e provisões para toda a corte. Eles ficaram assistindo descrentes quando o czar e sua corte subiram nos trenós e deixaram a cidade. Sem explicações, ele se estabeleceu numa cidadezinha ao sul de Moscou. Durante um mês inteiro a capital foi tomada por uma espécie de terror, pois os moscovitas temiam que Ivan os tivesse abandonado aos sanguinários boiardos. As lojas fecharam e as multidões amotinadas se reuniam diariamente. Por fim, no dia 3 de janeiro de 1565, chegou uma carta do czar explicando que não suportava mais as traições dos boiardos e tinha decidido abdicar de uma vez por todas.

Lida em voz alta em público, a carta teve um efeito surpreendente: mercadores e plebeus acusaram os boiardos pela decisão de Ivan e foram para as ruas, aterrorizando a nobreza com a sua fúria. Em breve, um grupo de delegados representando a Igreja, os príncipes e o povo fez uma viagem até a cidadezinha de Ivan e implorou ao czar, em nome da sagrada terra da Rússia, que voltasse ao trono. Ivan escutou, mas não mudou de ideia. Depois de vários dias ouvindo seus apelos, entretanto, ele ofereceu uma opção aos seus súditos: ou lhe davam poderes absolutos para governar como bem entendesse, sem interferências dos boiardos, ou poderiam procurar outro líder.

Entre a guerra civil e um poder despótico, quase todos os setores da sociedade russa "optaram" por um czar forte, pedindo a volta de Ivan a Moscou e a restauração da lei e da ordem. Em fevereiro, com muitas celebrações, Ivan voltou para Moscou. Os russos não podiam mais se queixar se ele se comportasse como ditador – eles mesmos tinham lhe dado este poder.

Interpretação

Ivan, o Terrível, enfrentava um grave dilema: ceder aos boiardos seria a destruição certa, mas uma guerra civil seria outro tipo de ruína. Mesmo que Ivan saísse vencedor nessa guerra, o país estaria devastado e suas divisões mais rígidas do que nunca. No passado, ele havia escolhido como arma uma atitude ousada e ofensiva. Mas agora esse tipo de estratégia se voltaria contra ele – quanto mais ousado ele fosse enfrentando seus inimigos, piores seriam as reações.

A principal desvantagem de uma demonstração de força é que ela desperta ressentimentos que acabam levando a uma reação que minará a sua autoridade. Ivan, imensamente criativo no uso do poder, viu muito bem que o único caminho para o tipo de vitória que desejava era simular uma retirada de cena. Ele não forçaria o país a aceitar a sua posição, ele lhe daria "opções": teriam de escolher entre a sua abdicação e a certeza da anarquia, ou a sua ascensão com poder absoluto. Para reforçar a sua atitude, ele deixou claro que preferia abdicar: "Desmascarem-me", disse ele, "e vejam o que acontecerá." Ninguém o desmascarou. Retirando-se por apenas um mês, ele deu ao país um vislumbre dos pesadelos que se seguiriam a sua abdicação – invasões tártaras, guerra civil, ruína. (Tudo isso acabou acontecendo depois da morte de Ivan, no famoso "Tempo de Problemas".)

A retração e o desaparecimento são as clássicas estratégias de controle das opções. Você deixa que as pessoas sintam que as coisas vão se desmoronar sem você, e lhes oferece uma "escolha": eu me afasto e vocês sofrem as consequências, ou volto nas minhas condições. Neste método de controle de opções, as pessoas escolhem a que lhe dará poder porque a outra alternativa é, simplesmente, desagradável demais. Você as força, mas indiretamente: elas parecem

O MENTIROSO
Era uma vez, na Armênia, um rei que, sentindo-se num estranho estado de espírito e precisando se divertir um pouco, enviou arautos por todo o reino proclamando o seguinte: "Ouçam todos! Aquele que provar ser o maior mentiroso da Armênia receberá uma maçã de ouro das mãos de Sua Majestade, o Rei!" Gente de todas as cidades e aldeias, de todos os níveis e condições, príncipes, mercadores, fazendeiros, sacerdotes, ricos e pobres, altos e baixos, gordos e magros vieram em multidão ao palácio. Não faltavam mentirosos naquela terra, e cada um contou a sua mentira ao rei. Governantes, entretanto, estão acostumados com

todos os tipos de mentira, e nenhuma daquelas convenceu o rei de que era a melhor.
Ele começou a se cansar com este novo esporte e já estava pensando em cancelar a competição sem declarar um vencedor, quando apareceu diante dele um homem pobre esfarrapado, carregando debaixo do braço uma grande ânfora de barro. "O que posso fazer por você?", perguntou Sua Majestade. "Senhor!", disse o homem, ligeiramente espantado. "Sem dúvida, não se recorda? Deve-me um pote de ouro e vim pegá-lo." "Você é um grande mentiroso!", exclamou o rei. "Não lhe devo nada!" "Um grande mentiroso, eu sou?", disse o homem pobre. "Então me dê a maçã de ouro!" O rei, percebendo que o homem estava tentando lhe passar a perna, esquivou-se. "Não, não! Você não é mentiroso!" "Então, me dê o pote de ouro que me deve, senhor", disse o homem. O rei se viu num dilema. E lhe entregou a maçã de ouro.
CONTOS E FÁBULAS DO FOLCLORE ARMÊNIO, RECONTADOS POR CHARLES DOWNING, 1993

ter opção. Quando as pessoas acham que têm escolha, caem na sua armadilha com muito mais facilidade.

A LEI OBSERVADA II

Como uma cortesã na França do século XVII, Ninon de Lenclos descobriu que sua vida tinha certos prazeres. Seus amantes eram da realeza e da aristocracia, e lhe pagavam bem, ela se divertia com sua espirituosidade e inteligência, eles satisfaziam suas necessidades sexuais um tanto exigentes e a tratavam quase como uma igual. Viver assim era infinitamente melhor do que se casar. Em 1643, entretanto, a mãe de Ninon morreu de repente, deixando-a aos vinte e três anos totalmente só no mundo – sem família, sem dote, sem nada em que se apoiar. Em pânico, ela entrou para um convento, dando as costas para seus ilustres amantes. Um ano depois, ela saiu de lá e se mudou para Lyons. Quando finalmente ela reapareceu em Paris, em 1648, um número ainda maior de amantes e pretendentes afluiu a sua porta. Ela era a cortesã mais animada e inteligente daquela época e haviam sentido muito a sua ausência.

Mas logo os cortejadores de Ninon descobriram que ela mudara de tática, estabelecendo um novo sistema de opções. Os duques, senhores e príncipes, se quisessem, poderiam continuar pagando por seus serviços, mas não controlavam mais a situação – ela dormiria com eles quando bem lhe aprouvesse. O dinheiro deles só comprava uma possibilidade. Se a ela agradasse dormir com eles só uma vez por mês, assim seria.

Quem não quisesse ser o que Ninon chamava de *payeur* poderia se juntar a um grupo cada vez maior de homens a quem ela chamava de *martyrs* – homens que visitavam seu apartamento interessados principalmente na sua amizade, na sua inteligência mordaz, para ouvi-la tocar o alaúde e estar em companhia das mentes mais vibrantes do período, inclusive Molière, La Rochefoucauld e Saint-Évremond. Os *martyrs* também alimentavam uma possibilidade: ela selecionava regularmente entre eles um *favori*, um homem que seria seu amante sem ter de pagar, e a quem ela se abandonaria totalmente enquanto o desejasse – uma semana, alguns meses, raramente mais do que isso. Um *payeur* não podia se tornar um *favori*, mas um *martyr* não tinha garantia de se tornar um deles, e na verdade poderia permanecer frustrado a vida inteira. O poeta Charleval, por exemplo, jamais gozou dos favores de Ninon, mas nunca deixou de visitá-la – ele não queria ficar sem a sua companhia.

Quando a alta sociedade francesa soube deste sistema, Ninon foi alvo de intensa hostilidade. Ao inverter o papel de cortesã, ela escandalizou a rainha-mãe e toda a sua corte. Para seu horror, entretanto, isso não desestimulou os pretendentes – na verdade só aumentou o seu número e intensificou o seu desejo. Tornou-se uma honra ser *payeur*, ajudar Ninon a manter o seu estilo de vida e seu brilhante salão, acompanhá-la às vezes ao teatro e dormir com ela quando ela quisesse. Ainda mais distintos eram os *martyrs*, que usufruíam da sua companhia gratuitamente e ainda alimentavam a esperança, embora remota, de um dia ser um dos seus *favori*. Essa possibilidade deixou muitos jovens nobres excitados, conforme se espalhava a fama de que não havia cortesã que superasse Ninon nas artes do amor. E assim, casados e solteiros, velhos e jovens caíam na sua teia e escolhiam uma das duas opções, e ambas as satisfaziam plenamente.

Interpretação

A vida de cortesã incluía a possibilidade de um poder negado à mulher casada, mas também tinha riscos óbvios. O homem que pagava pelos serviços da cortesã era, em essência, seu dono, determinando quando a possuiria e, mais tarde, quando a abandonaria. Com a idade, diminuíam as suas opções, com a redução gradual do número de homens que a procuravam. Para evitar uma vida de pobreza, ela precisava fazer fortuna enquanto jovem. A lendária ganância da cortesã, portanto, refletia uma necessidade prática, mas também diminuía o seu fascínio, visto que a ilusão de ser desejado é importante para os homens, que frequentemente se afastam ao perceber que a parceira está muito interessada no seu dinheiro. Com o avançar da idade, portanto, a cortesã se via diante de um destino muito difícil.

Ninon de Lenclos tinha horror a qualquer tipo de dependência. Desde cedo ela manteve um certo nível de igualdade com seus amantes, e não aceitaria um sistema que a deixasse com opções tão desagradáveis. Curiosamente, o sistema que ela imaginou para substituí-lo parecia satisfazer da mesma forma aos seus pretendentes. Os *payeurs* tinham que pagar, mas o fato de Ninon só ir para cama com eles quando quisesse lhes dava uma emoção inalcançável com qualquer outra cortesã: ela cedia porque sentia desejo. Os *martyrs*, ao evitarem a nódoa da relação paga, sentiam-se superiores: como membros da fraternidade de admiradores de Ninon, eles também poderiam um dia experimentar o prazer máximo de ser um dos seus *favori*. Finalmente, Ninon não forçava seus pretendentes a aceitar nenhuma das categorias. Eles podiam "escolher" de que lado preferiam ficar – liberdade que lhes deixava um vestígio de orgulho masculino.

É aí que está o poder de se dar às pessoas uma escolha, ou melhor, a ilusão de que podem escolher, pois é você quem dá as cartas. Enquanto as alternativas definidas por Ivan, o Terrível, envolviam um certo risco

---

J.P. Morgan Sr. certa vez contou a um conhecido, que era joalheiro, que estava interessado em comprar um alfinete de gravata de pérola. Semanas depois, o joalheiro encontrou uma magnífica pérola, montou-a devidamente e a enviou a Morgan, junto com uma conta de cinco mil dólares. No dia seguinte, o embrulho voltou. A nota de Morgan que a acompanhava dizia: "Gostei do alfinete, mas não do preço. Se aceitar o cheque anexo de 4 mil dólares, por favor retorne a caixa sem quebrar o selo." O joalheiro, irritado, não aceitou o cheque e dispensou o mensageiro. Ao abrir a caixa para guardar o alfinete recusado, ele não estava mais ali. Fora substituído por um cheque de cinco mil dólares.

THE LITTLE, BROWN BOOK OF ANECDOTES, CLIFTON FADIMAN, ORG., 1985

– uma das opções o teria feito perder o poder –, Ninon criou uma situação em que todas as opções redundavam em seu favor. Dos *payeurs* ela recebia o dinheiro necessário para manter o seu salão. E dos *martyrs* ela obtinha o poder máximo: podia se cercar de um bando de admiradores, um harém onde escolhia seus amantes.

O sistema, entretanto, dependia de um fator crítico: a possibilidade, embora remota, de que um *martyr* pudesse se tornar um *favori*. A ilusão de que, um dia, a riqueza, a glória ou satisfação sexual vão cair no colo da sua vítima é uma isca irresistível a ser incluída no seu rol de opções. Essa esperança, por menor que seja, fará os homens aceitarem as situações mais absurdas, porque lhes deixa a opção importantíssima do sonho. A ilusão da escolha, junto com a possibilidade de sorte no futuro, atrairá o otário mais renitente à sua teia cintilante.

AS CHAVES DO PODER

Palavras como "liberdade", "opções" e "escolha" evocam possibilidades muito além dos seus reais benefícios. Examinando bem, as nossas opções – no mercado, nas urnas, nos empregos – tendem a ser incrivelmente limitadas: quase sempre trata-se de escolher entre A e B, o resto do alfabeto não entra. No entanto, se houver a mais leve miragem de opção lá longe, raramente tentamos ver as que faltam. Nós "escolhemos" acreditar que o jogo é limpo e que mantemos a nossa liberdade. Preferimos não pensar muito no alcance da nossa liberdade de escolha.

Essa falta de vontade de sondar a limitação das nossas opções vem do fato de que liberdade em excesso gera ansiedade. A frase "opções ilimitadas" soa infinitamente promissora, mas na verdade as opções ilimitadas nos deixariam paralisados e perturbariam a nossa capacidade de optar. O nosso leque reduzido de opções é confortável.

Com isso, o esperto e o ardiloso ganham enormes oportunidades para trapacear. Quem está escolhendo entre duas alternativas acha difícil acreditar que está sendo manipulado ou enganado; não vê que você está lhe permitindo uma pequena porção de livre-arbítrio em troca da imposição muito mais forte do seu próprio arbítrio. Definir um leque estreito de opções, portanto, deve sempre fazer parte das suas trapaças. Existe um ditado: O pássaro que entra na gaiola por sua livre vontade canta melhor.

Estas são algumas das formas mais comuns de "controle de opções":

Disfarce as Opções. A técnica preferida de Henry Kissinger. Como secretário de Estado do presidente Richard Nixon, Kissinger se considerava mais bem informado do que o seu chefe, e acreditava que na maioria das situações era capaz de decidir melhor sozinho. Mas, se tentasse determinar a política, ofenderia ou, quem sabe, irritaria um homem notoriamente inseguro. Assim, Kissinger sugeria três ou quatro opções de ação para cada situação, e as apresentava de tal forma que a sua preferida sempre parecia ser a melhor comparada com as outras. Seguidas vezes, Nixon mordeu a isca, jamais desconfiando que estava sendo induzido por Kissinger. Era um artifício excelente para usar com o mestre inseguro.

Force o Resistente. Um dos principais problemas enfrentados pelo Dr. Milton H. Erickson, pioneiro da terapia pela hipnose na década de 1950, era a recaída. Seus pacientes pareciam estar se recuperando rapidamente, mas a aparente suscetibilidade à terapia mascarava uma profunda resistência: eles voltavam logo aos hábitos antigos, culpavam o médico e não o procuravam mais. Para evitar isso, Erickson começou a *mandar* que alguns pacientes tivessem uma recaída, que começassem a se sentir tão mal quanto na hora em que vieram procurá-lo – que voltassem para a estaca zero. Diante desta opção, os pacientes em geral "escolhiam" evitar a recaída – o que, é claro, era exatamente o que Erickson queria.

Esta é uma boa técnica para usar com crianças e outras pessoas voluntariosas que gostam de ser do contra: force-as a "escolher" o que você quer que elas façam, aparentando preferir o contrário.

Altere o Tabuleiro do Jogo. Na década de 1860, John D. Rockefeller decidiu criar um monopólio do petróleo. Se ele tentasse comprar as empresas menores, iam saber o que ele estava fazendo e reagiriam. Em vez disso, ele começou comprando secretamente as companhias de estradas de ferro que transportavam petróleo. Mais tarde, quando tentava comprar uma determinada empresa e encontrava resistência, ele lembrava que ela dependia das linhas de trem. Recusando-se a fazer o transporte, ou simplesmente aumentando as taxas, ele poderia arruinar o negócio deles. Rockefeller alterou o tabuleiro do jogo de tal forma que aos pequenos produtores de petróleo só restaram as opções que ele lhes oferecia.

Nesta tática, seus adversários sabem que estão sendo forçados, mas não importa. A técnica funciona com aqueles que resistem a qualquer custo.

Opções Reduzidas. O marchand do século XIX Ambroise Vollard aperfeiçoou esta técnica.

Os clientes vinham à loja de Vollard ver alguns Cézannes. Ele mostrava três quadros, esquecia de dizer o preço e fingia cochilar. Os visitantes tinham de sair sem ter decidido nada. Em geral, voltavam no dia seguinte para ver os quadros novamente, mas aí Vollard mostrava obras menos interessantes, fingindo achar que eram as mesmas da véspera. Os clientes desconcertados examinavam as novas ofertas e iam embora para pensar melhor e voltar depois. Mais uma vez a cena se repetia: Vollard mostrava quadros de qualidade ainda mais inferior. Finalmente os compradores percebiam que era melhor pegar o que ele estava mostrando porque amanhã poderiam ter de se satisfazer com algo pior, talvez até mais caro.

Uma variação desta técnica é elevar o preço todas as vezes que o comprador hesitar, adiando a decisão para o dia seguinte. É uma excelente tática de negociação com os indecisos crônicos, que vão achar que é melhor comprar hoje do que esperar até amanhã.

O Homem Fraco à Beira do Precipício. Os fracos são os mais fáceis de manobrar controlando suas opções. O cardeal de Retz, o grande agitador do século XVII, serviu como assistente extraoficial do duque de Orleans, que era notoriamente indeciso. Era uma luta constante tentar convencer o duque a agir – ele hesitava, pesava as opções e aguardava até o último momento, provocando úlceras nas pessoas que viviam a sua volta. Mas Retz descobriu um jeito de lidar com ele: descrevia todos os tipos de perigos, exagerando-os ao máximo, até que o duque visse abismos se abrindo em todas as direções exceto uma: a que Retz o estava forçando a seguir.

Esta tática é semelhante à de "Disfarce as Opções", mas com os fracos você precisa ser mais agressivo. Trabalhe com as emoções deles – use o medo e o terror para forçá-los a tomar uma atitude. Tente a razão e eles sempre encontrarão um jeito de deixar para depois.

Irmãos no Crime. Esta é uma técnica tradicional de trambicagem: você atrai suas vítimas para algum esquema criminoso, criando entre vocês um vínculo de sangue e culpa. Eles participam da sua fraude, cometem um crime (ou acham que cometem – veja a história de Sam Geezil na Lei 3) e são facilmente manipulados. Serge Stavisky, o grande trambiqueiro francês da década de 1920, envolveu o governo de tal forma nas suas fraudes e trapaças que o Estado não ousou processá-lo e "escolheu" deixá-lo em paz. É mais sensato envolver nas suas fraudes aquela pessoa que mais poderá prejudicá-lo se você falhar. Esse envolvimento pode ser sutil – a simples suposição de estarem envolvidos estreitará suas opções e comprará o seu silêncio.

As Garras de um Dilema. Esta ideia foi demonstrada na famosa marcha sobre a Georgia do general William Sherman, durante a Guerra Civil Americana. Embora os confederados soubessem em que direção Sherman estava indo, eles nunca sabiam se ele atacaria pela direita ou pela esquerda, pois ele dividia seus exércitos em duas alas – e, desviando-se de uma, eles enfrentavam a outra. Esta é uma técnica clássica usada pelos advogados nos julgamentos: o advogado leva as testemunhas a decidir entre duas explicações possíveis para o que aconteceu, ambas fragilizando a sua história. Elas têm de responder às perguntas do advogado, mas tudo que dizem as incrimina. A chave para este movimento é atacar rapidamente: não deixar que a vítima tenha tempo para pensar numa escapatória. Enquanto tentam resolver o dilema, cavam o próprio túmulo.

Compreenda: Na luta contra os seus rivais, em geral, é necessário que você os magoe. Se você for nitidamente o agente da punição deles, espere um contra-ataque – espere a vingança. Se, no entanto, acharem que são *eles mesmos* os agentes do seu próprio infortúnio, vão se submeter quietos. Quando Ivan, o Terrível, trocou Moscou por uma cidadezinha no campo, os cidadãos que lhe pediram para voltar concordaram com sua exigência de poder absoluto. No futuro, eles se ressentiram menos com o terror que ele desencadeou por todo o país, porque, afinal de contas, eles é que lhe tinham dado esse poder. Por isso, é sempre bom deixar que a vítima escolha o veneno, e dissimular ao máximo que é você quem está lhe oferecendo.

Imagem: Os Chifres do Touro. O touro o encurrala com seus chifres – não um só, do qual você talvez conseguisse fugir, mas um par de chifres que o mantém preso entre eles. Vire-se para a direita ou para a esquerda – seja para onde for, você não escapa de ser espetado.

Autoridade: Pois as feridas e todos os outros males que os homens infligem a si próprios espontaneamente, e por sua livre escolha, são, no longo prazo, menos dolorosos do que os infligidos por outras pessoas. (Nicolau Maquiavel, 1469-1527)

O INVERSO

O controle das opções tem um só propósito: despistá-lo como agente de poder e punição. A tática funciona melhor, portanto, com aqueles cujo poder é frágil, que são incapazes de agir abertamente sem despertar suspeitas, ressentimento e raiva. Até como regra geral, raramente é sensato ser visto exercendo o poder de maneira direta e prepotente, não importa o quanto você seja seguro ou importante.

Por outro lado, ao limitar as opções dos outros você às vezes limita as suas. Há situações em que é mais vantajoso deixar seus rivais com mais liberdade: vendo-os agir, você tem ótimas oportunidades para espionar, reunir informações e planejar suas fraudes. Um banqueiro do século XIX, James Rothschild, gostava deste método: ele sabia que se tentasse controlar os movimentos dos adversários perderia a chance de observar as suas estratégias e planejar uma ação mais eficaz. Quanto mais liberdade ele lhes dava no curto prazo, mais poderia impor a sua vontade no longo prazo.

LEI 32

DESPERTE A FANTASIA DAS PESSOAS

JULGAMENTO

Em geral evita-se a verdade porque ela é feia e desagradável. Não apele para o que é verdadeiro ou real se não estiver preparado para enfrentar a raiva que vem com o desencanto. A vida é tão dura e angustiante que as pessoas capazes de criar romances ou invocar fantasias são como oásis no meio do deserto: todos correm até lá. Há um enorme poder em despertar a fantasia das massas.

A LEI OBSERVADA

A cidade-estado de Veneza prosperou enquanto seus cidadãos sentiram que sua pequena república tinha o destino a seu favor. Durante a Idade Média e o Alto Renascimento, devido ao seu virtual monopólio do comércio com o Oriente, ela foi a cidade mais rica da Europa. Com um governo republicano generoso, os venezianos gozavam de liberdades que poucos italianos conheceram. Mas, no século XVI, a sorte mudou de repente. A descoberta do Novo Mundo transferiu o poder para a costa atlântica da Europa – para os espanhóis e portugueses, e depois para os holandeses e ingleses. Veneza não podia competir economicamente e seu império aos poucos encolheu. O golpe final foi a devastadora perda de uma valiosa possessão no Mediterrâneo, a ilha de Chipre, conquistada pelos turcos em 1570.

As famílias nobres começaram a falir em Veneza, e os bancos começaram a quebrar. Uma espécie de melancolia e depressão baixou sobre os cidadãos. Eles tinham conhecido um passado brilhante – eles tinham vivido ou escutado os mais velhos contarem essa história. O término de uma fase de glórias era humilhante. Os venezianos queriam acreditar que a deusa da Fortuna estava lhes pregando uma peça e que os velhos tempos retornariam em breve. Mas, por enquanto, o que fazer?

Em 1589, correram boatos em Veneza sobre a chegada ali perto de um homem misterioso chamado "Il Bragadino", mestre alquimista, um homem que havia acumulado uma riqueza incalculável com sua capacidade, dizia-se, de fazer ouro usando uma substância misteriosa. A notícia se espalhou rapidamente porque, alguns anos antes, um nobre veneziano, ao passar pela Polônia, ouviu um estudioso profetizar que Veneza recuperaria a sua passada glória e poder se encontrasse um homem que conhecesse a arte alquímica de fazer ouro. E assim, quando se soube em Veneza do ouro que este Bragadino possuía – ele estava sempre fazendo tilintar nas mãos as moedas, e seu palácio estava repleto de objetos de ouro –, teve gente que começou a sonhar: por seu intermédio, a cidade voltaria a prosperar.

Membros das famílias nobres mais importantes de Veneza se juntaram para ir a Brescia, onde morava Bragadino. Passearam pelo seu palácio e assistiram espantados enquanto ele mostrava como fazia ouro, pegando uma pitada de minerais aparentemente sem valor e transformando-os em vários gramas de ouro em pó. O senado veneziano preparava-se para discutir a ideia de um convite oficial a Bragadino para hospedar-se em Veneza às custas da cidade, quando souberam que estavam competindo com o duque de Mântua. Ouviram falar de uma festa magnífica no palácio de Bragadino para o duque, com roupas enfeitadas com botões dourados, relógios de ouro, pratos de ouro, e outras coisas

---

O FUNERAL DA LEOA
Tendo o leão perdido subitamente a sua rainha, todos se apressaram a mostrar fidelidade ao monarca oferecendo-lhe consolo. Mas infelizmente esses cumprimentos só estavam deixando o viúvo mais aflito. Noticiou-se por todo o reino a hora e o lugar do funeral, os oficiais receberam ordem para ficar de prontidão, dirigir a cerimônia e distribuir as pessoas segundo seus respectivos níveis na sociedade. Pode-se bem imaginar que não faltou ninguém. O monarca deu vazão à sua tristeza e toda a caverna, visto que leões não têm outros templos, ressoava com seus lamentos. Seguindo o seu exemplo, todos os cortesãos rugiram nos seus diferentes tons. A corte é um lugar onde todos ficam tristes, alegres ou indiferentes de acordo com o príncipe reinante; ou, se alguém não se sente assim, pelo menos tenta parecer que sente; todos procuram imitar o senhor. Diz-se que uma só cabeça anima milhares de corpos, mostrando nitidamente que os seres humanos não passam de máquinas. Mas voltemos ao nosso assunto. Só o veado não chorava. Como ele era capaz

mais. Preocupados com a possibilidade de perder Bragadino para Mântua, o senado votou quase unanimemente a favor de convidá-lo para ir a Veneza, prometendo-lhe a montanha de dinheiro necessária para sustentar o seu estilo luxuoso – mas ele tinha de ir imediatamente.

No final daquele ano, o misterioso Bragadino chegou a Veneza. Com seus olhos escuros e penetrantes sob as espessas sobrancelhas, e os dois enormes mastins negros que o acompanhavam por toda parte, era uma figura impressionante e ameaçadora. Ele fixou residência num palácio suntuoso na ilha de Judeca, com a república custeando seus banquetes, roupas caras e todos os seus caprichos. Uma febre de alquimia se espalhou por toda a Veneza. Nas esquinas, vendedores ambulantes vendiam carvão, aparelhos para destilação, foles, manuais sobre o assunto. Todos começaram a praticar alquimia – todos, menos Bragadino.

O alquimista parecia não ter pressa em começar a produzir o ouro que salvaria Veneza da ruína. Curiosamente, isto só aumentava a sua popularidade e o número de seguidores; vinha gente de toda a Europa, até da Ásia, para conhecer este homem notável. Passavam-se os meses, e chegavam presentes para Bragadino de todos os cantos. Mas ele não dava sinal do milagre que os venezianos confiavam tanto que ele realizasse. Os cidadãos no final já estavam impacientes, querendo saber se iam ter de esperar a vida toda. No início, os senadores aconselharam a não apressar o homem – era um diabo caprichoso que precisava ser bajulado. Acabou que a nobreza também começou a duvidar e pressionou o senado para mostrar um retorno do investimento cada vez maior que a cidade estava fazendo.

Bragadino não estava dando a mínima importância para os que duvidavam dele, mas respondeu. Disse que já estava depositada na casa da moeda da cidade a substância misteriosa com a qual multiplicaria o ouro. Ele poderia usar a substância toda de uma só vez e dobrar a quantidade de ouro, mas o processo, quanto mais demorado, mais produtivo seria. Se a deixassem descansando por uns sete anos, num cofre selado, a substância multiplicaria por trinta a quantidade de ouro existente na casa da moeda. Os senadores, na sua maioria, concordaram em esperar pela mina de ouro que Bragadino prometia. Outros, entretanto, ficaram zangados: mais sete anos com esse homem vivendo regiamente às custas da gamela pública! E muitos cidadãos plebeus de Veneza fizeram eco a esses sentimentos. Finalmente os inimigos do alquimista exigiram que ele desse uma prova das suas habilidades: queriam uma quantidade substancial de ouro, e logo.

Altivo, aparentemente dedicado a sua arte, Bragadino respondeu que Veneza, na sua impaciência, o havia traído e, portanto, perderia os seus serviços. Ele deixou a cidade, indo primeiro para a vizinha Pádua,

disso, realmente? A morte da rainha era uma desforra para ele; ela havia estrangulado a sua esposa e o seu filho. Um cortesão achou justo contar ao consternado monarca, e até afirmou ter visto o veado rir. A ira de um rei, diz Salomão, é terrível, principalmente a de um rei leão. "Miserável forasteiro!", exclamou, "ousas rir quando todos a sua volta se desfazem em lágrimas? Não sujaremos nossas garras reais com teu sangue profano! Vingarás, bravo lobo, a nossa rainha imolando esse traidor a sua augusta alma?" Ao que o veado respondeu: "Senhor, já não é mais hora de chorar, a tristeza aqui é supérflua. Vossa reverenciada esposa acabou de aparecer para mim, repousando sobre um leito de rosas; eu a reconheci instantaneamente. 'Amigo', ela me disse, 'termine essa pompa fúnebre, faça cessar essas lágrimas inúteis. Provei milhares de delícias nos campos Elísios, conversando com santos como eu. Deixe que o desespero do rei permaneça por uns tempos incontido, ele me gratifica.'" Mal ele havia falado, quando alguém

gritou: "Um milagre! Um milagre!" O veado, em vez de ser punido, recebeu um belo presente. Deixe que o rei sonhe, teça-lhe elogios e conte-lhe algumas mentiras agradáveis e fantásticas: por mais indignado que ele esteja com você, engolirá a isca e fará de você o seu melhor amigo.
FÁBULAS, JEAN DE LA FONTAINE, 1621-1695

Se quiser contar mentiras que pareçam verídicas, não conta a verdade na qual ninguém vai acreditar.
IMPERADOR TOKUGAWA IEYASU DO JAPÃO, SÉCULO XVII

depois, em 1590, para Munique, a convite do duque da Baviera, que, igual a toda a Veneza, tinha sido muito rico, mas falira devido aos seus próprios excessos e esperava recuperar a fortuna com os serviços do famoso alquimista. E assim Bragadino retomou a confortável posição que experimentara em Veneza, e a história se repetiu.

Interpretação

O jovem cipriota Mamugnà já tinha vivido muitos anos em Veneza antes de encarnar o alquimista Bragadino. Ele viu a tristeza tomar conta da cidade, todos esperando que a redenção viesse sabe-se lá de onde. Enquanto outros charlatões usavam a prestidigitação nas suas trapaças corriqueiras, Mamugnà era mestre na natureza humana. Tendo Veneza em mira desde o início, ele viajou, fez algum dinheiro com seus truques alquímicos e, depois, voltou para a Itália, estabelecendo-se em Brescia. Lá ele criou uma reputação que, ele sabia, chegaria até Veneza. Vista de longe, a sua aura de poder seria ainda mais imponente.

No início, Mamugnà não fazia demonstrações vulgares para convencer as pessoas da sua habilidade alquímica. A suntuosidade do seu palácio, a riqueza das suas vestes, o tilintar do ouro nas mãos, tudo isso era um argumento superior a qualquer ideia racional. E era o que estabelecia o ciclo que o mantinha atuante: a riqueza óbvia reforçava a reputação de alquimista e, aí, patronos como o duque de Mântua lhe davam mais dinheiro, o que lhe permitia viver luxuosamente e reforçava a sua reputação de alquimista, e assim por diante. Só quando a sua reputação já estava estabelecida, e ele era disputado por duques e senadores, é que recorria à fútil necessidade de uma demonstração. Mas então era fácil enganar as pessoas: elas queriam acreditar. Os senadores venezianos que o viram multiplicar ouro queriam tanto acreditar nisso que não perceberam o cilindro de vidro escondido na manga, de onde ele deixava escorregar ouro em pó nas suas pitadas de minerais. Inteligente e caprichoso, ele era o alquimista dos seus sonhos — e depois de criar uma aura como essa, ninguém notava as suas simples fraudes.

Tal é o poder das fantasias que tomam conta de nós, especialmente em épocas de escassez e declínio. As pessoas raramente acreditam que a origem dos seus problemas é a sua própria iniquidade e estupidez. A culpa é sempre de alguém ou alguma coisa externa — o outro, o mundo, os deuses —, e, portanto, a salvação também vem de fora. Se Bragadino tivesse chegado a Veneza armado com uma análise detalhada dos motivos do declínio econômico da cidade, e dos passos inflexíveis necessários para reverter a situação, ninguém o teria levado a sério. A realidade era feia demais e a solução muito dolorosa — na maior parte, o tipo de esforço que os ancestrais já haviam concentrado para criar um império. A fantasia, por outro lado – neste caso, o fascínio da alquimia –, era fácil de compreender e infinitamente mais apetitosa.

Para conquistar o poder, você tem de ser fonte de prazer para as pessoas que o cercam – e o prazer vem de brincar com as fantasias dessas pessoas. Não lhes prometa uma melhoria gradual por meio do trabalho árduo; pelo contrário, prometa-lhes a lua, a grande e súbita transformação, o pote de ouro.

> *Nenhum homem precisa se desesperar para convencer os outros das suas hipóteses mais extravagantes se tiver arte suficiente para apresentá-las em cores favoráveis.*
>
> David Hume, 1711-1776

AS CHAVES DO PODER

A fantasia não atua sozinha. Ela exige a rotina como pano de fundo. É a opressão da realidade que permite à fantasia enraizar-se e florescer. Na Veneza do século XVI, a realidade era o declínio e a perda de prestígio. A fantasia correspondente descrevia uma súbita recuperação das glórias passadas através do milagre da alquimia. Enquanto a realidade só fazia piorar, os venezianos habitavam num mundo feliz de sonhos em que sua cidade restaurava a sua fabulosa riqueza e poder da noite para o dia, transformando poeira em ouro.

Quem consegue tecer com os fios da dura realidade uma fantasia tem acesso a poderes incalculáveis. Na busca pela fantasia que vai dominar as massas, portanto, fique de olho nas trivialidades que pesam tanto sobre todos nós. Não se distraia com os retratos glamourosos que as pessoas fazem de si mesmas e das suas vidas; pesquise o que realmente as aprisiona. Uma vez descobrindo isso, você tem a chave mágica que colocará em suas mãos um grande poder.

Embora os tempos e as pessoas mudem, vamos examinar algumas das realidades opressivas que não mudam, e as oportunidades de poder que elas proporcionam:

A Realidade: *A mudança é lenta e gradual. Exige muito trabalho, um pouco de sorte, uma quantidade razoável de sacrifício pessoal e muita paciência.*
A Fantasia: *Uma transformação repentina provocará uma mudança total no destino de uma pessoa, evitando o trabalho, a sorte, o sacrifício pessoal e a demora de um só golpe fantástico.*

Esta é a fantasia por excelência dos charlatões que até hoje ficam nos rondando, e foi a chave do sucesso de Bragadino. Prometa uma grande e radical mudança – da pobreza para a riqueza, da doença para a saúde, da miséria para o êxtase – e você terá seguidores.

O que fez o grande trambiqueiro alemão do século XVI, Leonhard Thurneisser, para se tornar médico da corte do príncipe de Brandenburgo sem nunca ter estudado medicina? Em vez de receitar amputações, ventosas e purgativos de gosto ruim (medicamentos da época), Thurneisser oferecia elixires adocicados e prometia recuperação imediata. Os cortesãos sofisticados, especialmente, queriam a sua solução de "ouro potável", que custava uma fortuna. Se você fosse atacado por uma doença inexplicável, Thurneisser consultava um horóscopo e receitava um talismã. Quem resistia a essa fantasia – riqueza e bem-estar sem dor nem sacrifícios!

A Realidade: *A sociedade tem códigos e limites bem definidos. Nós compreendemos estes limites e sabemos que temos que nos mover dentro dos mesmos círculos familiares, dia e noite.*
A Fantasia: *Podemos entrar num mundo totalmente novo, de códigos diferentes e com a promessa de aventuras.*

No início do século XVIII, toda a Londres se alvoroçou com os boatos sobre um estranho misterioso, um jovem chamado George Psalmanazar. Ele acabara de chegar de uma terra que a maioria dos ingleses julgava fantástica: a ilha de Formosa (hoje Taiwan), na costa da China. A Universidade de Oxford contratou Psalmanazar para ensinar a língua que se falava naquela ilha; alguns anos depois ele traduziu a Bíblia e, em seguida, escreveu um livro – que se tornou logo um *best-seller* – sobre a história e a geografia de Formosa. A realeza inglesa recebia prodigamente o jovem e ele, onde quer que fosse, divertia seus anfitriões com histórias maravilhosas sobre a sua terra natal e seus costumes bizarros.

Quando Psalmanazar morreu, entretanto, seu testamento revelou que ele era apenas um francês com uma fértil imaginação. Tudo que ele contara sobre Formosa – seu alfabeto, seu idioma, sua literatura, toda a sua cultura – era invenção sua. Ele se baseou na ignorância de seus ouvintes para inventar uma complicada história que satisfazia um desejo pelo que era estranho e exótico. O rígido controle da cultura britânica sobre os perigosos sonhos das pessoas lhe deu uma oportunidade ótima para explorar as suas fantasias.

A fantasia com o exótico, é claro, passa também pela fantasia sexual. Mas não precisa chegar muito perto, porque o físico perturba o poder da fantasia; ele pode ser visto, agarrado, e depois se torna cansativo – o destino da maioria dos cortesãos. Os encantos físicos da amante só despertam o apetite do seu senhor por prazeres diferentes, é uma nova beleza a ser adorada. Para dar poder, a fantasia deve permanecer até certo ponto irrealizada, literalmente irreal. A dançarina Mata Hari, por exemplo, que ficou famosa em Paris antes da Primeira Guerra Mundial, tinha uma aparência bastante comum. Seu poder vinha da fantasia que ela criou sobre si mesma, como uma mulher exótica e estranha, impenetrável e indecifrável. O tabu com que ela operava não era tanto o sexo em si, mas o desrespeito aos códigos sociais.

Outra forma de fantasia com o exótico é simplesmente a esperança de alívio para o tédio. Os charlatões adoram brincar com a opressão do mundo do trabalho, com a sua falta de aventura. Suas trapaças envolvem, digamos, a recuperação do tesouro espanhol, com a possível participação de uma atraente *señorita* mexicana e uma conexão com o presidente de um país sul-americano – qualquer coisa que ofereça um alívio para a rotina.

A Realidade: *A sociedade é fragmentada e cheia de conflitos.*
A Fantasia: *As pessoas podem se juntar numa união mística de almas.*

Na década de 1920, o trapaceiro Oscar Hartzell ficou rico de repente com o velho truque de Sir Francis Drake – que prometia basicamente a qualquer otário que tivesse o sobrenome "Drake" uma boa parte do desaparecido "tesouro de Drake", ao qual Hartzell tinha acesso. Milhares de pessoas de todo o Meio-Oeste caíram no logro, que Hartzell espertamente transformou numa cruzada contra o governo e todos que tentassem impedir que a fortuna de Drake chegasse às mãos de seus legítimos herdeiros. Criou-se uma união mística dos oprimidos Drake, com encontros e comícios exaltados. Prometa uma união desse tipo e você conquistará muito poder, mas é um poder perigoso, que pode se voltar facilmente contra você. Esta é uma fantasia para demagogos.

A Realidade: *Morte. Os mortos não voltam, não se muda o passado.*
A Fantasia: *Uma súbita inversão deste fato intolerável.*

Esta trapaça tem muitas variações, mas exige grande habilidade e sutileza.

Há muito tempo que se reconhece a beleza e a importância da arte de Vermeer, mas seus quadros são poucos e extremamente raros. Na década de 1930, entretanto, começaram a surgir Vermeer no mercado de arte. Chamaram especialistas para conferir, e eles garantiram que eram autênticos. Possuir um destes novos Vermeer seria o auge da carreira de um colecionador. Era como a ressurreição de Lázaro: curiosamente, Vermeer tinha ressuscitado. Alterou-se o passado.

Só mais tarde se soube que os novos Vermeer eram obra de um falsário holandês de meia-idade, um tal Han van Meegeren. E ele tinha escolhido Vermeer porque compreendeu o mecanismo da fantasia: os quadros pareceriam reais exatamente porque o público e os especialistas também queriam muito acreditar que eram.

Lembre-se: a chave para a fantasia é a distância. O que está distante fascina e promete, parece simples e sem problemas. O que você está oferecendo, portanto, deve ser inalcançável. Não deixe que se torne opressivamente familiar; é a miragem lá longe, que vai se afastando conforme o tolo se aproxima. Não seja muito objetivo ao descrever a fantasia – mantenha-a indefinida. Como um forjador de fantasias, deixe a vítima se aproximar o bastante para ver e se sentir tentada, mantendo-a porém afastada o suficiente para continuar sonhando e desejando.

Imagem: A Lua. Inatingível, sempre mudando de forma, desaparecendo e reaparecendo. Nós a olhamos, imaginamos, nos maravilhamos e ansiamos por ela – jamais familiar, contínua provocadora de sonhos. Não ofereça o óbvio. Prometa a Lua.

Autoridade: A mentira é um feitiço, uma invenção, que pode ser ornamentada como uma fantasia. Pode estar revestida com ideias místicas. A verdade é fria, sóbria, não tão confortável de assimilar. A mentira é mais apetitosa. A pessoa mais detestável do mundo é a que sempre fala a verdade, nunca romanceia... Eu acho sempre mais interessante e lucrativo romancear do que dizer a verdade. (Joseph Weil, vulgo "The Yellow Kid", 1875-1976)

O INVERSO
Se há poder em despertar as fantasias das massas, também há riscos. A fantasia, em geral, tem um componente de jogo – o público percebe mais ou menos que está sendo enganado, mesmo assim alimenta o sonho, se diverte e aprecia o afastamento temporário da rotina que você está lhe proporcionando. Portanto, não exagere – não se aproxime demais do ponto onde se espera que você produza resultados. Esse lugar pode ser extremamente arriscado.

Quando se estabeleceu em Munique, Bragadino viu que os sóbrios bávaros acreditavam menos na alquimia do que os temperamentais venezianos. Só o duque tinha realmente fé, porque precisava desesperadamente disso para salvá-lo da incrível confusão em que se metera. Enquanto Bragadino fazia o seu costumeiro jogo de espera, aceitando presentes e contando com a paciência, o público foi ficando zangado. Gastava-se dinheiro e não se viam resultados. Em 1592, os bávaros exigiram justiça, e Bragadino acabou dependurado na forca. Como antes, ele prometeu e não cumpriu, mas desta vez ele superestimou a paciência dos seus anfitriões, e a sua incapacidade de satisfazer as fantasias deles foi fatal.

Uma última coisa: não cometa, jamais, o erro de achar que a fantasia é sempre fantástica. Ela sem dúvida contrasta com a realidade, mas a própria realidade é às vezes tão teatral e estilizada que a fantasia se torna um desejo por coisas simples. A imagem que Abraham Lincoln criou para si mesmo, por exemplo, como um simples advogado provinciano barbudo, fez dele o presidente do povo.

P. T. Barnum criou um ato de grande sucesso com Tom Thumb, um anão travestido de líderes famosos do passado, como Napoleão, e os satirizava maldosamente. O espetáculo agradava a todos, até a rainha Vitória, porque apelava para a fantasia da época: basta com os vaidosos governantes da história, o homem comum é que sabe das coisas. Tom Thumb inverteu o modelo familiar de fantasia em que o ideal é o que é estranho e desconhecido. Mas o ato continuava obedecendo à Lei, pois a base era a fantasia de que o homem simples não tem problemas e é mais feliz do que o rico e poderoso.

Tanto Lincoln quanto Tom Thumb representaram o plebeu que se mantinha cuidadosamente a distância. Se você jogar com essa fantasia, deve também ter o cuidado de cultivar o distanciamento e não deixar que a sua persona "plebeia" se torne familiar demais, ou não se projetará como fantasia.

LEI
33

DESCUBRA O PONTO FRACO
DE CADA UM

JULGAMENTO

Todo mundo tem um ponto fraco, uma brecha no muro do castelo. Essa fraqueza, em geral, é uma insegurança, uma emoção ou necessidade incontrolável; pode também ser um pequeno prazer secreto. Seja como for, uma vez encontrado esse ponto fraco, é ali que você deve apertar.

DESCOBRINDO O PONTO FRACO: Um Plano Estratégico de Ação
Todos nós temos resistências. Vivemos dentro de uma eterna armadura que nos defende de mudanças e intromissões de amigos e rivais. Só queremos que nos deixem fazer as coisas a nosso modo. Forçar constantemente essas resistências vai lhe custar muita energia. Uma das coisas mais importantes a respeito das pessoas, entretanto, é que todas elas têm um ponto fraco, alguma parte na sua armadura psicológica que *não* resistirá, que cederá à sua vontade se você conseguir encontrá-la e forçar a entrada. Algumas pessoas revelam abertamente as suas fraquezas, outras as disfarçam. Aquelas que disfarçam são as mais fáceis de destruir através dessa única brecha na armadura.

Ao planejar o seu ataque, tenha em mente estes princípios:

Preste Atenção a Gestos e Sinais Inconscientes. Como disse Sigmund Freud, "Nenhum mortal consegue guardar um segredo. Se os lábios se calam, ele fala com a ponta dos dedos; trai-se por todos os poros". Este é um conceito crítico na busca do ponto fraco de alguém – a fraqueza se revela em gestos aparentemente sem importância e palavras que escapam sem querer.

A chave não está apenas no que você está procurando, mas onde e como você procura. Conversas do dia a dia são uma mina riquíssima de pontos fracos, portanto treine o seu ouvido. Comece por parecer sempre interessado – um ouvido simpático incentiva qualquer um a falar. Um truque esperto, com frequência usado pelo estadista francês do século XIX, Talleyrand, é parecer disposto a se abrir com o outro, a dividir com ele um segredo. Pode ser tudo inventado, ou real, mas sem grande importância para você – o importante é que *pareça* sincero. Em geral, isto provoca uma reação não só tão franca quanto a sua, mas até mais autêntica – uma reação que revela uma fraqueza.

Se você desconfia de que alguém tem um ponto fraco, sonde indiretamente. Se, por exemplo, você percebe que um homem tem necessidade de ser amado, elogie-o abertamente. Se ele aceita sofregamente o seu elogio, você está no caminho certo. Treine o seu olho para detalhes – se a pessoa dá gorjeta ao garçom, do que ela gosta, a mensagem oculta na sua maneira de se vestir. Descubra os ídolos das pessoas, as coisas que elas adoram e farão tudo para conseguir ter – talvez você possa lhes proporcionar essas fantasias. Lembre-se: como todos tentamos esconder nossas fraquezas, há pouco o que aprender com nosso comportamento inconsciente. O que vem filtrado nas pequenas coisas que fogem ao nosso controle consciente é o que você quer saber.

O LEÃO, A CAMURÇA E A RAPOSA
*Um leão perseguia uma camurça num vale. Estava prestes a agarrá-la, e com olhos cúpidos previa um garantido e satisfatório repasto. Parecia impossível à vítima escapar, uma ravina profunda barrava o caminho tanto do caçador quanto da caça. Mas a ágil camurça, reunindo todas as suas forças, lançou-se como uma flecha sobre o abismo e parou do outro lado sobre uma pedra. Nosso leão deteve-se abruptamente. Mas naquele momento um amigo dele passava por ali. Esse amigo era a raposa. "O quê!", ela disse, "com a sua força e agilidade, você vai perder para uma fraca camurça? Basta querer, e será capaz de fazer maravilhas. Embora o abismo seja profundo, se você quiser mesmo, tenho certeza de que o vencerá. Sem dúvida você pode confiar na minha amizade desinteressada. Eu não exporia a sua vida a tanto risco se não conhecesse tão bem a sua força e destreza."
O sangue do leão ferveu nas veias. Ele se atirou com toda a força ao espaço. Mas não conseguiu vencer o abismo e caiu de cabeça, morrendo*

na queda. Então, o que fez o seu querido amigo? Desceu cautelosamente até o fundo da ravina, e lá, ao ar livre e no espaço aberto, vendo que o leão não precisava mais de elogios nem de obediência, se dispôs a prestar as últimas exéquias ao amigo morto e, de uma só vez, devorou-o até os ossos.
FABLES, IVAN KRILOFF, 1768-1844

Descubra a Criança Desamparada. A maioria das fraquezas começam na infância, antes que o ego construa defesas compensatórias. Talvez a criança tenha sido mimada ou tratada com muita condescendência numa área em particular, ou talvez uma certa necessidade emocional tenha ficado insatisfeita; quando essa criança cresce, a indulgência ou a deficiência pode ficar abafada, mas não desaparece. Conhecer uma necessidade da infância lhe dará uma poderosa chave para a fraqueza de uma pessoa.

Um indício deste ponto fraco é que as pessoas costumam reagir infantilmente quando ele é tocado. Fique atento, portanto, a qualquer comportamento que já deveria ter sido superado. Se na infância as suas vítimas ou rivais não tiveram algo importante, como apoio paterno por exemplo, forneça-o ou o seu simulacro. Se eles revelarem um gosto secreto, um prazer oculto, satisfaça-o. De uma forma ou de outra, eles não conseguirão resistir a você.

IRVING LAZAR
O [superagente em Hollywood] Irving Paul Lazar estava certa vez ansioso para vender uma peça para Jack L. Warner (um mandachuva dos estúdios de cinema). "Tive um longo encontro com ele hoje", Lazar explicou [ao autor da peça, Garson Kanin], "mas não mencionei o assunto, nem toquei nele." "Por que não?", perguntei. "Porque vou esperar até o próximo fim de semana, quando irei a Palm Springs." "Não estou compreendendo." "Não? Eu vou a Palm Springs todos os fins de semana, mas neste Warner não vai. Ele tem uma estreia ou coisa assim. Portanto, ele não vai aparecer por lá até o próximo fim de semana, e é

Procure Contrastes. Um traço evidente quase sempre esconde o oposto. Quem bate no peito normalmente é um grande covarde; um exterior pudico pode ocultar uma alma lasciva; o certinho com frequência está louco por uma aventura; o tímido morre por um pouco de atenção. Sondando além das aparências, frequentemente você vê que o ponto fraco das pessoas é o oposto do que elas revelam.

Descubra o Elo Frágil. Às vezes, na sua busca pelo ponto fraco, o importante não é o quê, mas quem. Nas versões atuais da corte, quase sempre tem alguém nos bastidores com um grande poder real, uma tremenda influência sobre a pessoa superficialmente no topo. Estes agentes de poder nos bastidores são o elo frágil do grupo: caia nas suas graças e indiretamente influenciará o rei. Por outro lado, mesmo num grupo em que todos parecem agir com uma só vontade – como o grupo que cerra fileiras para resistir ao ataque de um estranho –, existe sempre um elo frágil na cadeia. Descubra quem vai ceder à pressão.

Preencha o Vazio. Os dois principais vazios emocionais são a insegurança e a infelicidade. Os inseguros são ávidos por qualquer tipo de reconhecimento social; quanto aos infelizes crônicos, procure a origem da sua infelicidade. O inseguro e o infeliz são os menos capazes de disfarçar suas fraquezas. A capacidade para preencher os seus vazios emocionais é uma grande fonte de poder, e infinitamente prorrogável.

Alimente Emoções Incontroláveis. A emoção incontrolável pode ser um medo paranoico – um temor desproporcional à situação –

ou qualquer motivo básico como paixão, ganância, vaidade ou ódio. Gente presa a essas emoções não consegue se controlar, e você pode fazer esse controle para elas.

A LEI OBSERVADA

Observância I

Em 1615, o bispo de Luçon, que na época estava com trinta anos e depois ficou conhecido como cardeal Richelieu, fez um discurso para representantes de três estados da França – clero, nobreza e plebe. Richelieu fora escolhido para servir de porta-voz do clero – uma responsabilidade enorme para um homem ainda jovem e quase desconhecido. Em todas as questões importantes do dia o discurso seguiu a linha da Igreja. Mas, quase no final, Richelieu fez algo que não tinha nada a ver com a Igreja e tudo com a sua carreira. Ele se virou para o trono do rei Luís XIII, de treze anos, e para a rainha-mãe, Maria de Medici, que estava sentada ao lado do filho e era regente no governo da França até ele alcançar a maioridade. Todos esperavam que Richelieu dissesse as habituais palavras gentis ao jovem rei. Mas ele olhou diretamente e apenas para a rainha-mãe. Na verdade, o seu discurso encerrou com um longo e completo elogio a ela, tão veemente que chegou a ofender alguns membros da Igreja. Mas o sorriso no rosto da rainha ao aceitar os cumprimentos de Richelieu foi inesquecível.

Um ano depois, a rainha-mãe nomeou Richelieu secretário de Estado para assuntos estrangeiros, um golpe incrível para o jovem bispo. Ele agora tinha entrado para o círculo íntimo do poder, e estudava o funcionamento da corte como se fosse a engrenagem de um relógio. Um italiano, Concino Concini, era o favorito da rainha-mãe, ou melhor, seu amante, papel que o tornava talvez o homem mais poderoso da França. Concini era vaidoso e afetado, e Richelieu o manobrava à perfeição – assistia-o como se *ele* é que fosse o rei. Em poucos meses, Richelieu era um dos favoritos de Concini. Mas alguma coisa aconteceu em 1617 que virou tudo de cabeça para baixo: o jovem rei, que até então tinha dado todos os indícios de ser um idiota, mandou matar Concini e prender seus associados mais importantes. Assim fazendo, Luís assumiu o comando do país de uma só tacada, varrendo de cena a rainha-mãe.

Richelieu tinha agido mal? Estivera próximo de Concini e de Maria de Medici, cujos conselheiros e ministros tinham caído todos em desgraça, alguns estavam até presos. A própria rainha-mãe estava encerrada no Louvre, uma virtual prisioneira. Richelieu não perdeu tempo. Se todos estavam abandonando Maria de Medici, ele ficaria do seu lado.

aí que eu vou falar sobre isso com ele."
"Irving, estou cada vez mais confuso."
"Veja bem", disse Irving, já impaciente. "Eu sei o que estou fazendo. Sei como convencer Warner. Este é o tipo de assunto com o qual ele não se sente à vontade, por isso tenho que atacar firme e de repente, para receber um sim."
"Mas por que Palm Springs?"
"Porque em Palm Springs ele vai aos banhos no Spa todos os dias. E é lá que eu vou estar quando ele chegar. Agora tem uma coisa a respeito do Jack: ele tem oitenta anos e é muito vaidoso, e não gosta que as pessoas o vejam nu. Então quando eu me aproximar dele nu no The Spa – quero dizer, ele nu –, bem, eu também estarei nu, mas não me importo que me vejam. Ele se importa. Se eu me aproximo dele, e começo a falar sobre esse negócio, ele vai ficar constrangido. E vai querer se livrar de mim, e a maneira mais fácil é dizendo, 'Sim', porque ele sabe que se disser 'Não', eu não arredo pé e vou continuar insistindo. Para se ver livre de mim, ele provavelmente dirá 'Sim'."
Duas semanas depois, eu li sobre a aquisição desses

> *direitos autorais pela Warner Brothers. Telefonei para Lazar e perguntei como tinha conseguido. "O que acha?", perguntou ele. "Em pelo, foi assim... como eu lhe disse que ia funcionar."*
> HOLLYWOOD, GARSON KANIN, 1974

Ele sabia que Luís não poderia se livrar dela, pois ainda era muito jovem e, de qualquer forma, sempre fora excessivamente ligado a ela. Como o único amigo poderoso que restava a Maria, Richelieu preencheu a valiosa função de elo entre o rei e sua mãe. Em troca, recebeu a proteção dela, conseguindo sobreviver ao golpe no palácio e até prosperar. Nos anos seguintes, a rainha se tornou ainda mais dependente dele e, em 1622, ela retribuiu a sua lealdade: com a intercessão de seus aliados em Roma, Richelieu foi elevado ao poderoso posto de cardeal.

Em 1623, o rei Luís enfrentava dificuldades. Não tinha ninguém de confiança para aconselhá-lo e, apesar de não ser mais um menino, continuava infantil, e as questões de Estado eram difíceis para ele. Agora que ele havia assumido o trono, Maria não era mais a regente e teoricamente não tinha mais poder, mas o filho ainda a escutava e ela lhe dizia sempre que Richelieu era o seu único salvador possível. No início, Luís não queria ouvir – odiava o cardeal e só o suportava por amor a Maria. No final, entretanto, isolado na corte e tolhido por suas próprias indecisões, ele concordou com a mãe e nomeou Richelieu primeiro para o posto de conselheiro-chefe, em seguida para o de primeiro-ministro.

Agora Richelieu não precisava mais de Maria de Medici. Deixou de visitá-la e cortejá-la, não ouviu mais as suas opiniões, até discutia com ela e contrariava seus desejos. Mas se concentrava no rei, fazendo-se indispensável ao seu novo senhor. Todos os ministros anteriores, compreendendo a infantilidade do rei, tinham tentado mantê-lo afastado dos problemas; o astuto Richelieu o manobrou de outra forma, empurrando-o deliberadamente de um projeto ambicioso para outro, tais como uma cruzada contra o huguenotes e, finalmente, uma prolongada guerra com a Espanha. A extensão destes projetos só tornava o rei mais dependente do seu poderoso ministro, o único homem capaz de manter a ordem no reino. E assim, durante dezoito anos, Richelieu, explorando as fraquezas do rei, governou e moldou a França de acordo com a sua própria visão, unificando o país e fazendo dele uma forte potência europeia por vários séculos.

Interpretação

Richelieu via tudo como uma campanha militar, e nenhum movimento estratégico era mais importante para ele do que descobrir os pontos fracos do inimigo e pressioná-los. Desde o seu discurso em 1615, quando estava procurando o elo frágil na cadeia de poder e viu que era a rainha-mãe. Não que Maria fosse obviamente fraca – ela governava ao mesmo tempo a França e o filho; mas Richelieu viu que ela era realmente uma mulher insegura que precisava de constante atenção masculina. Ele a cumulou de afeto e respeito, chegando até a bajular o seu favorito, Con-

> **O IMPORTANTE SÃO AS PEQUENAS COISAS**
> *Com o passar do tempo comecei a procurar as pequenas fraquezas... São as pequenas coisas que importam. Certa ocasião, eu estava tentando influenciar o presidente de um grande banco de Omaha. O negócio [fraude] envolvia a compra de um sistema de trens urbanos de Omaha, incluindo uma ponte sobre o rio Mississippi. Meus chefes eram supostamente alemães e eu tinha que negociar com*

cini. Ele sabia que estava chegando a hora em que o rei ia ocupar o seu lugar no trono, mas também reconheceu que Luís amava demais a mãe e, quanto a ela, ele sempre seria uma criança. O jeito de controlar Luís, portanto, não era conquistando as suas graças, que poderiam mudar da noite para o dia, mas ganhando a preferência da sua mãe, por quem o seu afeto não mudaria nunca.

Uma vez alcançada a posição que desejava – a de primeiro-ministro –, Richelieu descartou a rainha-mãe, movendo-se para o próximo elo frágil da cadeia: o próprio caráter do rei. Havia uma parte dele que seria sempre uma criança indefesa necessitando de uma autoridade superior. Foi baseado na fraqueza do rei que Richelieu estabeleceu a sua própria fama e poder.

Lembre-se: ao entrar na corte, descubra o elo frágil. A pessoa que está no controle costuma não ser o rei ou a rainha: é alguém nos bastidores – o favorito, o marido ou a esposa, até mesmo o bobo da corte. Esta pessoa pode ter mais pontos fracos do que o próprio rei, porque o seu poder depende de muitos fatores caprichosos que fogem ao seu controle.

Finalmente, ao lidar com crianças indefesas incapazes de tomar decisões, aproveite-se dessa fraqueza e empurre-as para aventuras ousadas. Elas terão de depender cada vez mais de você, e você será a figura adulta em que elas confiam para tirá-las de enrascadas.

Observância II

Em dezembro de 1925, os hóspedes do hotel mais sofisticado de Palm Beach, na Flórida, assistiram curiosos a um homem misterioso chegar num Rolls-Royce dirigido por um chofer japonês. Durante alguns dias eles ficaram observando aquele homem simpático, que andava com uma bengala elegante, recebia telegramas a toda hora e só conversava rapidamente com as pessoas. Era um conde, ouviram dizer, conde Victor Lustig, e de uma das famílias mais ricas da Europa – mas isso foi tudo que conseguiram descobrir.

Imagine então a surpresa deles quando Lustig um dia se dirigiu a um dos hóspedes menos distintos do hotel, um certo Herman Loller, diretor de uma empresa de engenharia, e começou a conversar com ele. Loller era um novo-rico, e para ele era muito importante fazer conexões sociais. Ele se sentiu honrado e um tanto intimidado com a atenção daquele homem sofisticado, que falava num inglês perfeito com um leve sotaque estrangeiro. A partir daí os dois ficaram amigos.

Loller, é claro, é quem mais falava, e uma noite confessou que seus negócios iam mal, e haveria mais problemas ainda pela frente. Em troca, Lustig confessou ao seu novo amigo que ele também passara por sérias

Berlim. Enquanto aguardava notícia deles eu apresentei a minha proposta de ações falsas de uma mina. Como este homem era rico, decidi arriscar alto... Enquanto isso, eu jogava golfe com o banqueiro, frequentava a sua casa, ia ao teatro com ele e a esposa. Embora ele mostrasse algum interesse pelas minhas ações, ainda não estava convencido. Tinha que ir subindo até chegar a um investimento de um milhão e duzentos e cinquenta mil dólares. Desse total eu colocaria novecentos mil, o banqueiro trezentos e cinquenta mil. Mas ele continuava hesitante. Uma noite eu jantava na sua casa e estava com um perfume – "April Violets", da Coty. Na época não se considerava coisa de efeminado usar perfumes fortes. A esposa do banqueiro adorou. "Onde o conseguiu?" "É uma marca rara", eu lhe disse, "feita especialmente para mim por um perfumista francês. Gostou?" "Adorei", respondeu. No dia seguinte, fiz uma busca nos meus pertences e encontrei dois frascos vazios. Ambos tinham vindo da França, mas estavam vazios. Fui até a loja de departamentos no centro da cidade e comprei um litro de "April Violets" da Coty. Coloquei dentro dos dois frascos franceses, selei-os cuidadosamente e os embrulhei em papel de seda. Naquela noite, fui até a casa do banqueiro e os dei de presente a sua mulher. "Foram feitos especialmente para mim em Colônia", eu lhe disse. No dia seguinte o banqueiro me procurou no hotel. Sua esposa estava encantada com o perfume. Ela achava que nunca tinha usado uma fragrância tão maravilhosa e exótica. Eu não disse ao banqueiro que poderia comprar quanto quisesse ali mesmo em Omaha. "Ela falou", acrescentou o banqueiro, "que eu tinha sorte de estar associado com um homem como você." Desde aí a atitude dele mudou, ele acreditava plenamente no julgamento da sua mulher... E entregou os trezentos e cinquenta mil dólares. Esta, por acaso, foi a minha fraude mais valiosa.

"YELLOW KID" WEIL, 1875-1976

dificuldades financeiras – os comunistas haviam confiscado as terras da família e todos os seus bens. Ele estava velho demais para aprender um ofício e começar a trabalhar. Felizmente tinha achado uma solução – "uma máquina de fazer dinheiro". "Você falsifica dinheiro?", Loller murmurou chocado. Não, respondeu Lustig, explicando que, por um processo químico secreto, sua máquina duplicava com precisão qualquer tipo de papel-moeda. Era só inserir uma nota de dólar e seis horas depois você tinha duas, ambas perfeitas. Ele continuou explicando que a máquina tinha sido contrabandeada da Europa, que os alemães a haviam desenvolvido para prejudicar os britânicos e que ela já sustentava o conde havia vários anos, e foi por aí adiante. Quando Loller insistiu numa demonstração, os dois foram ao quarto de Lustig, onde o conde mostrou uma magnífica caixa de mogno cheia de ranhuras, manivelas e mostradores. Loller observou Lustig enfiar uma nota de dólar na caixa. Evidentemente, na manhã seguinte bem cedo, Lustig retirou duas notas, ainda úmidas das substâncias químicas.

Lustig deu as notas para Loller, que imediatamente as levou ao banco local – que as aceitou como autênticas. Agora o empresário implorava febrilmente para que Lustig lhe vendesse a máquina. O conde explicou que só existia uma, então Loller lhe fez uma oferta generosa: 25 mil dólares, na época uma quantia considerável (mais de 400 mil dólares, hoje). Ainda assim, Lustig parecia relutar: não se sentia bem fazendo o amigo pagar tanto. Mas acabou concordando com a venda. "Afinal de contas", disse ele, "não importa o que você vai me pagar. Em poucos dias você recupera tudo, duplicando as suas próprias notas." Fazendo Loller jurar que jamais revelaria a ninguém a existência da máquina, Lustig aceitou o dinheiro. Mais tarde, naquele mesmo dia, ele deixou o hotel. Um ano depois, após muitas tentativas em vão de duplicar as notas, Loller finalmente procurou a polícia para contar a história de como o conde Lustig o havia enganado com um par de notas de dólar, algumas substâncias químicas e uma caixa de mogno inútil.

Interpretação

O conde Lustig tinha um olho de lince para as fraquezas alheias. Ele as discernia nos mínimos gestos. Loller, por exemplo, exagerava nas gorjetas, parecia nervoso nas conversas com o zelador, falava muito alto dos seus negócios. Sua fraqueza, Lustig sabia, era a necessidade de reconhecimento social e o respeito que ele achava que merecia porque era rico. Era também cronicamente inseguro. Lustig estava no hotel atrás de uma vítima. Em Loller ele identificou o otário perfeito – um homem ávido por alguém que preenchesse o seu vazio psíquico.

Ao lhe oferecer a sua amizade, Lustig sabia que estava lhe oferecendo o respeito imediato dos outros hóspedes. Sendo um conde, Lustig também estava oferecendo ao empresário novo-rico o acesso ao mundo cintilante dos tradicionalmente ricos. E, como um golpe de misericórdia, parece que ele possuía uma máquina que ia solucionar os problemas de Loller. Até o colocaria em pé de igualdade com o próprio Lustig, que também tinha usado a máquina para manter o seu status. Não surpreende que Loller tenha mordido a isca.

Lembre-se: na sua busca de um otário, procure sempre o insatisfeito, o infeliz, o inseguro. Essas pessoas estão crivadas de pontos fracos e têm necessidades que você pode satisfazer. A carência delas é a ranhura onde você coloca a unha do polegar e força à vontade.

Observância III

Em 1559, o rei Henrique II, da França, morreu numa justa. O filho subiu ao trono como Francisco II, mas em segundo plano ficaram a esposa e rainha de Henrique, Catarina de Medici, uma mulher que havia muito já mostrara a sua habilidade em questões de Estado. Quando Francisco morreu no ano seguinte, Catarina assumiu o controle do país como regente do segundo filho na linha de sucessão, o futuro Carlos IX, com apenas dez anos de idade na época.

As principais ameaças ao poder da rainha eram Antoine de Bourbon, rei de Navarra, e o irmão dele, Louis, o poderoso príncipe de Condé, ambos em condições de reivindicar o direito de ser o regente em vez de Catarina, que, afinal de contas, era italiana – uma estrangeira. Catarina rapidamente nomeou Antoine general de divisão do reino, título que pareceu satisfazer a sua ambição. Isso também significava que ele teria que permanecer na corte, onde Catarina poderia ficar de olho nele. No seu próximo passo, ela se mostrou ainda mais esperta: Antoine tinha uma notória fraqueza por mulheres jovens, portanto ela designou a sua dama de honra mais atraente, Louise de Rouet, para seduzi-lo. Íntima de Antoine, Louise relatava a Catarina tudo o que ele fazia. A jogada funcionou tão bem que Catarina designou outra dama de honra para o príncipe de Condé, formando assim o seu *escadron volant* – "esquadrão volante" – de jovens que ela usava para manter sob controle os incautos machos da corte.

Em 1572, Catarina casou a filha, Marguerite de Valois, com Henri, filho de Antoine e o novo rei de Navarra. Colocar uma família que sempre lutara contra ela tão próxima do poder era uma jogada perigosa, então, para ter certeza da lealdade de Henri, ela soltou sobre ele a mais bela do seu "esquadrão volante", Charlotte de Beaune Semblançay, baronesa de Sauves. Catarina fez isso apesar de Henri estar casado com sua filha.

> E por falar nisso, existe um outro fato que merece atenção. É o seguinte. Um homem revela o seu caráter na maneira como lida com ninharias – pois é quando ele se descontrai. Esta normalmente é uma boa oportunidade para observar o infinito egoísmo da natureza de um homem e a sua total falta de consideração pelos outros; e se estes defeitos se mostram nas pequenas coisas, ou simplesmente nas atitudes dele, em geral, você verá que elas também fundamentam suas ações em questões importantes, embora ele possa disfarçar isso. Esta é uma oportunidade imperdível. Se nas pequenas coisas do dia a dia – as ninharias da vida... – um homem não tem consideração e busca apenas o que lhe é vantajoso ou conveniente, em prejuízo dos direitos alheios; se ele se apropria do que pertence a todos igualmente, pode ter certeza de que no seu coração não há justiça, e ele seria um grandessíssimo salafrário se a lei e a coerção não lhe tolhessem as mãos.
> ARTHUR SCHOPENHAUER, 1788-1860

A BATALHA DE FARSÁLIA
Quando os dois exércitos [de Júlio César e de Pompeu] chegaram a Farsália, e ambos acamparam ali, a ideia de Pompeu continuava a mesma de antes, contrária à luta... Mas os que o cercavam estavam muito confiantes no sucesso... como se já o houvessem conquistado... A cavalaria especialmente estava obstinada com a luta, esplendidamente armada e bravamente montada, e orgulhosa dos belos cavalos e da bela figura; e também da vantagem numérica, pois eram cinco mil contra os mil de César. Os da infantaria não eram em menor escala, sendo quarenta e cinco mil contra vinte e dois mil do inimigo. [No dia seguinte] enquanto a infantaria estava firmemente empenhada na principal batalha, pelo flanco seguia o cavalo de Pompeu, confiante, abrindo amplas fileiras, a fim de cercar a ala da direita de César. Mas, antes de travar combate, os exércitos de César se apressaram e os atacaram, e não atiraram de longe seus dardos, nem atiraram nas coxas e pernas, como costumavam fazer nas batalhas corpo a corpo, mas

Em poucas semanas, Marguerite de Valois escreveu nas suas memórias: "Mme. de Sauves cativou de tal forma meu marido que não dormimos mais juntos, nem mesmo conversamos."

A baronesa era uma excelente espiã e ajudou a manter Henri sob o domínio de Catarina. Quando o filho mais novo da rainha, o duque de Alençon, tornou-se muito amigo de Henri, ela chegou a temer uma conspiração entre os dois, e lhe mandou uma baronesa também. Este membro tão infame do esquadrão volante rapidamente seduziu Alençon, e em breve os dois jovens brigavam por ela e a amizade acabou logo, junto com o risco de uma conspiração.

Interpretação

Catarina percebeu desde cedo a influência que uma amante pode ter sobre um homem no poder: seu próprio marido, Henrique II, teve uma das mais infames amantes, Diane de Poitiers. O que Catarina aprendeu com essa experiência foi que um homem como seu marido queria se sentir capaz de cativar uma mulher por seus próprios encantos e não por seu status, que ele tinha herdado e não fizera força nenhuma para conquistar. E essa necessidade tinha um enorme ponto cego: se a mulher agisse como se ela é quem estivesse sendo conquistada, o homem não notaria, com o passar do tempo, que a amante é que o controlava, como fez Diane de Poitiers com Henrique. A estratégia de Catarina foi se aproveitar dessa fraqueza, usando-a como uma forma de conquistar e controlar os homens. Ela só precisava soltar as mulheres mais belas da corte, o seu "esquadrão volante", sobre os homens que ela sabia terem a mesma vulnerabilidade do seu marido.

Lembre-se: procure sempre paixões e obsessões incontroláveis. Quanto mais forte a paixão, mais vulnerável a pessoa. É curioso, pois as pessoas apaixonadas parecem fortes. Mas, de fato, elas estão simplesmente representando, distraindo as pessoas para que não vejam como realmente são fracas e impotentes. A necessidade que o homem sente de conquistar mulheres na verdade revela uma enorme impotência que há milhares de anos os faz de otários. Procure a parte mais visível das pessoas – a ganância, a luxúria, o medo intenso. Estas são emoções impossíveis de esconder, e sobre as quais elas não têm o menor controle. E o que as pessoas não conseguem controlar, você controla por elas.

Observância IV

Arabella Huntington, esposa do grande magnata das estradas de ferro do século XIX, Collis P. Huntington, era de origem humilde e sempre lutou pelo reconhecimento social entre seus pares ricaços. Quando dava uma festa na sua mansão em San Francisco, quase ninguém da elite social comparecia; eles a viam como uma mulher interesseira, diferente deles. Devido à fabulosa riqueza do marido, os marchands a cortejavam, mas com tamanha condescendência que obviamente a consideravam uma nova-rica. Só um homem importante a tratava de outra forma: o marchand Joseph Duveen.

No início do seu relacionamento com Arabella, Duveen não se esforçou para lhe vender peças de arte muito caras. Pelo contrário, ele a acompanhava às lojas elegantes, conversava sem parar sobre rainhas e princesas que ele conhecia, e outras coisas desse tipo. Finalmente, ela pensou, ali estava um homem que a tratava como uma igual, até superior, na alta sociedade. Enquanto isso, se Duveen não tentava lhe vender peças de arte, sutilmente ia educando Arabella de acordo com as suas próprias ideias estéticas – isto é, que a melhor arte era a mais cara. E depois que ela tivesse absorvido a sua maneira de ver as coisas, Duveen agiria como se ela sempre tivesse tido um gosto sofisticado, como se mesmo antes de o conhecer ela já possuísse um profundo gosto estético.

Quando Collins Huntington morreu, em 1900, Arabella herdou uma fortuna e imediatamente começou a comprar quadros caros, de Rembrandt e Velázquez, por exemplo – e só de Duveen. Anos depois, Duveen lhe vendeu o *Blue Boy* de Gainsborough pelo preço mais alto já pago por uma obra de arte na época, uma aquisição espantosa para uma família que nunca tinha se mostrado muito interessada por coleções.

Interpretação

Joseph Duveen compreendeu logo Arabella e o que a interessava: ela queria se sentir importante, à vontade em sociedade. Profundamente insegura porque vinha de uma classe inferior, ela precisava da confirmação do seu novo status social. Duveen esperou. Em vez de se apressar tentando convencê-la a colecionar obras de arte, ele sutilmente começou a trabalhar as suas fraquezas. Ele a fez sentir que merecia a sua atenção, não por ser a mulher de um dos homens mais ricos do mundo, mas por sua própria personalidade – e isto a deixou totalmente derretida. Duveen nunca foi condescendente com Arabella; em vez de ficar dissertando, ele ia lhe incutindo indiretamente as suas ideias. Consequentemente, ela se tornou uma das suas melhores e mais fiéis clientes, e também comprou *The Blue Boy*.

A necessidade que as pessoas têm de confirmação e reconhecimento, de se sentirem importantes, é o melhor tipo de fraqueza a explorar. Primeiro, é quase universal; segundo, explorá-la é facílimo. Basta você encontrar um jeito de fazer as pessoas se sentirem seguras do seu bom gosto, da sua posição social, da sua inteligência. Uma vez fisgado o pei-

---

miraram nos rostos. Pois assim César os havia instruído, na esperança de que os jovens cavaleiros, que não eram muito versados em batalhas e ferimentos, mas que vinham com seus longos cabelos, na flor da idade e no auge da beleza, ficassem mais apreensivos com esses golpes, não se importando em arriscar um perigo no presente e uma cicatriz no futuro. E assim foi, pois estavam tão longe de levar um golpe de dardo que não suportaram a sua visão, viraram as costas e cobriram os rostos para protegê-los. Desordenados, se voltaram prestes a fugir; e assim a maioria vergonhosamente arruinou tudo. Pois os que os venceram cercaram de novo imediatamente a infantaria e, atacando por trás, os estraçalharam. Pompeu, que comandava a outra ala do exército, ao ver a sua cavalaria assim trucidada e fugindo, se descontrolou, esquecendo-se de que era Pompeu o Grande, mas alguém a quem um deus privou dos sentidos, retirou-se para sua tenda sem dizer uma palavra e ali se sentou esperando o que ia acontecer, até que todo o exército debandou.
A VIDA DE JÚLIO CÉSAR, PLUTARCO, c. 46-120 d.C.

xe, você pode ficar lhe dando linha sempre – você está preenchendo um papel positivo, dando-lhes o que elas não conseguem sozinhas. Talvez jamais desconfiem de que você as está influenciando, e se desconfiarem talvez não se importem com isso, porque você está fazendo com que elas se sintam seguras, e isso não tem preço.

Observância V
Em 1862, o rei Guilherme da Prússia nomeou Otto von Bismarck premier e ministro das Relações Exteriores. Bismarck era conhecido por sua ousadia, sua ambição – e seu interesse em reforçar as forças armadas. Rodeado de liberais no governo e no gabinete, políticos que já queriam limitar seus poderes, foi muito perigoso para Guilherme colocar Bismarck nesta sensível posição. Sua mulher, a rainha Augusta, tinha tentado dissuadi-lo, mas, embora ela normalmente conseguisse exercer a sua influência sobre ele, desta vez Guilherme se manteve firme.

Bismarck era primeiro-ministro há apenas uma semana quando discursou de improviso para um grupo de ministros tentando convencê-los da necessidade de aumentar o exército. Ele terminou dizendo: "As grandes questões da época serão decididas não com discursos e resoluções da maioria, mas com ferro e sangue." A notícia do seu discurso espalhou-se imediatamente por toda a Alemanha. A rainha gritou com o marido, dizendo que Bismarck era um militarista bárbaro que estava querendo usurpar o controle da Prússia e que Guilherme tinha de exonerá-lo. Os liberais no governo concordavam com ela. O protesto foi tão veemente que Guilherme começou a temer acabar no cadafalso, como Luís XVI da França, se mantivesse Bismarck como primeiro-ministro.

Bismarck sabia que tinha de falar com o rei antes que fosse tarde demais. Ele também sabia que tinha feito uma besteira e que deveria ter temperado suas palavras inflamadas. Mas, analisando melhor a sua estratégia, ele resolveu não se desculpar e, sim, fazer exatamente o oposto. Bismarck conhecia bem o rei.

Quando os dois homens se encontraram, Guilherme, previsivelmente, estava agitadíssimo por causa da mulher. Ele reiterou o seu medo de morrer na guilhotina. Mas Bismarck respondeu apenas: "Sim, então morreremos! Devemos morrer mais cedo ou mais tarde, e haverá modo mais honroso de morrer? Eu morrerei lutando em defesa do meu rei e senhor. Vossa Majestade morreria selando com o próprio sangue seus direitos reais concedidos pela graça de Deus. Seja no patíbulo ou no campo de batalha, não faz diferença quando se arrisca a vida em defesa de direitos concedidos pela graça divina!" E assim ele foi, apelando para o senso de dignidade de Guilherme e para a majestade da sua posição como chefe do exército. Como o rei deixava que as pessoas o influenciassem? A honra da Alemanha não era mais importante do que sofismar sobre palavras? Não só o primeiro-ministro convenceu o rei a enfrentar a mulher e o parlamento, como o convenceu a aumentar o exército – o objetivo de Bismarck desde o início.

Interpretação
Bismarck sabia que o rei se sentia intimidado pelos que o cercavam. Ele sabia que Guilherme tinha uma formação militar e um profundo senso de dignidade e que se sentia envergonhado da sua covardia diante da mulher e do seu governo. Guilherme intimamente ansiava ser um grande e poderoso rei, mas não ousava expressar a sua ambição porque temia terminar como Luís XVI. Enquanto uma exibição de coragem usualmente esconde a timidez de um homem, a timidez de Guilherme ocultava a sua necessidade de se mostrar corajoso e bater no peito.

Bismarck percebeu um desejo de glória sob a máscara pacifista de Guilherme, e jogou com a insegurança do rei quanto a sua masculinidade, conduzindo-o finalmente a três guerras e à criação de um império germânico. A timidez é uma potente fraqueza a explorar. Almas tímidas, em geral, desejam ser o oposto – ser Napoleões. Mas não possuem a força interior. Você, em essência, pode se tornar o Napoleão delas, forçando-as a tomar atitudes ousadas que atenderão às suas necessidades ao mesmo tempo que também as faz depender de você. Lembre-se: procure os opostos e não acredite nas aparências.

Imagem: O Ponto Nevrálgico. Seu inimigo tem segredos guardados, pensamentos que ele não revela. Mas eles vêm à tona de uma forma incontrolável. Existe ali, em algum lugar, um ponto frágil na cabeça, no coração, na barriga. Uma vez encontrado, coloque ali o dedo e aperte.

Autoridade: Descubra o ponto fraco de cada homem. Esta é a arte de colocar em ação a vontade deles. É preciso mais habilidade do que resolução. Você precisa saber onde tocar. Cada vontade tem um motivo especial que varia de acordo com o gosto. Todos os homens são idólatras, alguns da fama, outros do interesse próprio, a maioria do prazer. Sabendo a origem principal dos motivos de um homem, você tem a chave para a vontade dele. (Baltasar Gracián, 1601-1658)

O INVERSO
Tirar proveito da fraqueza alheia tem um grande risco: você pode desencadear uma ação que não conseguirá controlar.

Nos seus jogos de poder, você prevê vários movimentos e planeja de acordo com eles. E você explora o fato de que as outras pessoas são mais emocionais e incapazes de tal previsão. Mas se você se aproveita da vulnerabilidades delas, das áreas sobre as quais elas têm menos controle, poderá desencadear emoções que alterarão seus planos. Force o tímido a ser ousado e ele poderá exagerar; responda à necessidade que ele tem de atenção e reconhecimento e ele poderá precisar de mais do que você quer lhe dar. O elemento impotente, infantil, do qual você está se aproveitando pode se virar contra você.

Quanto mais emocional for a fraqueza, maior o potencial de risco. Conheça os limites deste jogo, portanto, e não se deixe entusiasmar pelo controle que tem sobre suas vítimas. Você quer o poder, não a emoção do controle.

LEI
34

SEJA ARISTOCRÁTICO AO SEU PRÓPRIO MODO; AJA COMO UM REI PARA SER TRATADO COMO TAL

JULGAMENTO

A maneira como você se comporta, em geral, determina como você é tratado: no longo prazo, aparentando ser vulgar ou comum, você fará com que as pessoas o desrespeitem. Pois um rei respeita a si próprio e inspira nos outros o mesmo sentimento. Agindo com realeza e confiança nos seus poderes, você se mostra destinado a usar uma coroa.

> Não perca jamais o respeito por si mesmo, nem fique muito à vontade consigo mesmo quando estiver sozinho. Deixe que a sua integridade seja o seu próprio modelo de retidão, e confie mais na severidade do seu próprio julgamento do que em todos os preceitos externos. Abandone a conduta indecorosa, mais pelo respeito à sua própria virtude do que à censura da autoridade externa. Respeite-se, e não precisará do tutor imaginário de Sêneca.
>
> BALTASAR GRACIÁN, 1601-1658

A LEI TRANSGREDIDA

Em julho de 1830, estourou uma revolução em Paris que obrigou o rei, Carlos X, a abdicar. Uma comissão formada pelas mais importantes autoridades da terra se reuniu para escolher um sucessor, e o homem que eles escolheram foi Luís Filipe, duque de Orléans.

Desde o início estava claro que Luís Filipe seria um rei diferente, e não só porque ele era de um outro ramo da família real, ou porque não havia herdado a coroa, mas a recebera de uma comissão, colocando a sua legitimidade em dúvida. Mas porque não gostava das cerimônias e das armadilhas da realeza; ele tinha mais amigos banqueiros do que nobres; e seu estilo não era o de criar um novo tipo de governo aristocrático, como fizera Napoleão, mas minimizar o seu status, para se misturar melhor com os homens de negócio e com a classe média que o chamara para liderá-los. Assim os símbolos associados a Luís Filipe não são o cetro nem a coroa, mas o chapéu cinza e o guarda-chuva que usava para passear orgulhosamente pelas ruas de Paris, como se fosse um burguês. Quando Luís Filipe convidou James Rothschild, o banqueiro mais importante da França, para ir ao seu palácio, tratou-o como um igual. E, ao contrário do rei anterior, não só conversou de negócios com Monsieur Rothschild como foi literalmente só sobre isso que ele falou, pois adorava dinheiro e tinha juntado uma enorme fortuna.

Conforme o reinado do "rei burguês" ia se arrastando a duras penas, o povo começou a desprezá-lo. A aristocracia não suportava a visão de um rei pouco aristocrático, e em poucos anos o destituíram do cargo. Ao mesmo tempo, a crescente classe dos pobres, inclusive os radicais que tinham enxotado o rei Carlos X, não estava satisfeita com um governante que não agia como um rei nem governava como um homem do povo. Os banqueiros, que eram os maiores credores de Luís Filipe, perceberam logo que eram eles que controlavam o país, não ele, e o tratavam com crescente desprezo. Um dia, no início de uma viagem de trem organizada para a família real, James Rothschild o censurou – e em público – por chegar atrasado. No passado, o rei fora notícia por tratar o banqueiro de igual para igual; agora o banqueiro o tratava como um inferior.

Consequentemente, as insurreições do operariado que haviam derrubado o antecessor de Luís Filipe voltaram a acontecer, e o rei as abafou à força. Mas o que ele estava defendendo tão brutalmente? Não a instituição da monarquia, que ele desdenhava, nem uma república democrática, que o seu governo impedia. O que ele estava realmente defendendo, era o que parecia, era a sua própria fortuna e as dos banqueiros – o que não era uma forma de inspirar lealdade entre os cidadãos.

No início de 1848, franceses de todas as classes começaram a se manifestar a favor de reformas eleitorais que tornariam o país realmente democrático. Em fevereiro, as manifestações ficaram violentas. Para aplacar o populacho, Luís Filipe despediu seu primeiro-ministro e nomeou para substituí-lo um liberal. Mas isto criou o efeito contrário ao desejado: o povo sentiu que poderia influenciar o rei. As manifestações se transformaram numa revolução de verdade, com tiroteios e barricadas nas ruas.

Na noite de 23 de fevereiro, uma multidão de parisienses cercou o palácio. Com uma rapidez que apanhou a todos de surpresa, Luís Filipe abdicou naquela mesma noite e fugiu para a Inglaterra. Ele não deixou sucessor, nem mesmo como sugestão – todo o seu governo faliu e se desfez como um circo itinerante que deixa a cidade.

Interpretação
Luís Filipe conscientemente desfez a aura que pertence naturalmente a reis e líderes. Zombando do simbolismo da grandeza, ele acreditou no alvorecer de um novo mundo, onde os governantes deveriam agir e ser como cidadãos comuns. Ele estava certo: um novo mundo, sem reis e rainhas, estava, sem dúvida, a caminho. Ele errou profundamente, entretanto, ao prever uma mudança na dinâmica do poder.

O chapéu e o guarda-chuva burgueses do rei divertiram os franceses no início, mas logo começaram a irritar. O povo sabia que Luís Filipe não era igual a eles – que o chapéu e o guarda-chuva não passavam de um truque para incentivar a fantasia de que o país tinha de repente ficado mais igual. Na verdade, a divisão da riqueza nunca foi maior. Os franceses esperavam que o seu governante fosse vistoso, tivesse mais presença. Mesmo um radical como Robespierre, que assumira o poder por um breve período durante a Revolução Francesa cinquenta anos antes, tinha compreendido isso, e certamente Napoleão, que transformara a república revolucionária num regime imperial, sentira isso na pele. Na verdade, assim que Luís Filipe fugiu de cena, os franceses revelaram o seu real desejo: elegeram como presidente o sobrinho-neto de Napoleão. Era quase um desconhecido, mas esperavam que ele recriasse a poderosa aura do grande general, apagando a lembrança desagradável do "rei burguês".

Gente poderosa pode se sentir tentada a fingir uma aura de gente comum, procurando criar a ilusão de que elas e seus súditos ou subalternos são basicamente iguais. Mas as pessoas a quem este gesto falso pretende impressionar percebem logo. Compreendem que não estão recebendo mais poder – que só *parece* que estão compartilhando do destino da pessoa poderosa. O único tipo de toque plebeu que funciona

> **HIPOCLEIDE EM SICION**
> Na geração seguinte, a família ficou ainda mais famosa pela distinção que lhe foi conferida por Cleistenes, mestre de Sicion. Cleistenes (...) tinha uma filha, Agarista, que ele desejava se casasse com o melhor homem de toda a Grécia. Portanto, durante os jogos olímpicos, ao vencer a corrida de bigas, ele anunciou em público que o grego que se julgasse bom o bastante para ser genro de Cleistenes deveria se apresentar em Sicion dali a sessenta dias – ou mais cedo, se desejasse –, porque ele pretendia, no ano seguinte ao sexagésimo dia, casar a filha com o seu futuro noivo. Cleistenes mandou construir uma pista de corrida e uma arena especialmente para a ocasião, e logo os pretendentes começaram a chegar – todos os homens de nacionalidade grega que tinham algum motivo para se orgulhar do seu país ou de si próprio (...) Cleistenes começou perguntando a cada um [dos numerosos pretendentes] o nome do seu país e da sua família; depois os hospedou na sua casa durante um ano para conhecê-los bem, conversando com eles às vezes

foi o utilizado por Franklin Roosevelt, um estilo que dizia que o presidente compartilhava com o povo os seus valores e objetivos, mesmo continuando um aristocrata de coração. Ele nunca fingiu desfazer essa distância da multidão.

Líderes que tentam anular essa distância usando uma falsa camaradagem perdem aos poucos a capacidade de inspirar lealdade, medo ou amor. Em vez disso, eles inspiram desprezo. Como Luís Filipe, eles são vulgares demais até para merecer a guilhotina – o melhor que podem fazer é desaparecer na calada da noite, como se nunca tivessem existido.

A LEI OBSERVADA

Quando Cristóvão Colombo estava tentando encontrar um patrocinador para suas lendárias viagens, muitos acreditavam que ele vinha da aristocracia italiana. Esta ideia passou para a história numa biografia escrita depois da morte do explorador por seu filho, que o descreve como descendente de um conde Colombo do Castelo de Cuccaro, em Montferrat. Colombo, por sua vez, dizia-se descendente do lendário general romano Colonius, e dois dos seus primos em primeiro grau eram supostamente descendentes diretos de um imperador de Constantinopla. Uma ilustre origem, sem dúvida. Mas era apenas uma ilustre fantasia, pois Colombo na verdade era filho de Domenico Colombo, humilde tecelão que abriu uma casa de vinhos quando Cristóvão era rapaz, e depois ganhou a vida vendendo queijos.

O próprio Colombo criou o mito da sua nobre linhagem, porque desde o início sentiu que o destino lhe reservava coisas importantes, e que ele possuía uma certa realeza no sangue. Consequentemente, ele agia como se realmente viesse de uma família nobre. Depois de uma tranquila carreira como mercador num barco comercial, Colombo, original de Gênova, se estabeleceu em Lisboa. Usando a história inventada da sua origem nobre, ele se casou com uma moça de uma família muito conhecida de Lisboa e bem relacionada com a realeza portuguesa.

Por intermédio dos parentes da esposa, Colombo arranjou um encontro com o rei de Portugal, João II, a quem solicitou um financiamento para uma viagem ao Ocidente visando a descobrir um caminho mais curto para a Ásia. Em troca de anunciar em nome do rei todas as descobertas que fizesse, Colombo queria uma série de direitos: o título de grão-almirante do Mar Oceânico, o título de vice-rei de todas as terras encontradas e dez por cento do futuro comércio com elas. Todos esses direitos seriam hereditários e para sempre. Colombo fez estas exigências mesmo tendo sido antes um simples mercador, não conhecesse quase nada de navegação, não soubesse usar um quadrante e nunca tivesse liderado um grupo de homens. Além do mais, sua petição não incluía detalhes de como ele realizaria seus planos, apenas vagas promessas.

Quando Colombo terminou a sua apresentação, João II sorriu: delicadamente recusou a oferta, mas deixou uma porta aberta. Nessa ocasião, Colombo deve ter notado algo de que jamais se esqueceria: mesmo recusando o pedido de um marinheiro, o rei o tratou com respeito. Não riu de Colombo nem questionou suas origens e credenciais. De fato, o rei ficou impressionado com a ousadia dos pedidos de Colombo e se sentiu nitidamente à vontade na companhia de um homem que agia com tanta confiança. A reunião deve ter convencido Colombo do seu instinto: pedindo o impossível, ele elevou na mesma hora o seu status, pois o rei supôs que, a não ser que o homem que se valoriza tanto fosse louco, o que Colombo não parecia ser, ele deveria merecer respeito.

Poucos anos depois, Colombo mudou-se para a Espanha. Usando as conexões portuguesas, ele se instalou nos círculos mais altos da corte espanhola, recebendo subsídios de ilustres financistas e dividindo a mesa com duques e príncipes. Para todos ele repetia o pedido de financiamento para uma viagem ao Ocidente – e também os direitos que exigira de João II. Alguns, como o poderoso duque de Medina, quiseram ajudar, mas não puderam, pois não tinham poder para lhe dar os títulos e direitos que ele queria. Mas Colombo não desistiu. Percebeu logo que só uma pessoa poderia satisfazer às suas exigências: a rainha Isabel. Em 1487, finalmente ele conseguiu ser recebido pela rainha e, apesar de não convencê-la a patrocinar a viagem, a deixou encantada e se tornou um frequentador assíduo do palácio.

Em 1492, os espanhóis finalmente expulsaram os invasores mouros que séculos antes haviam se apropriado de parte do país. Com o tesouro aliviado dos custos de uma guerra, Isabel achou que agora poderia atender ao pedido do seu amigo explorador e resolveu financiar três navios, equipamentos, os salários da tripulação e uma modesta remuneração para Colombo. E, o mais importante, mandou redigir um contrato concedendo a Colombo os títulos e direitos de que ele tanto fazia questão. Só lhe negou – e isso nas letrinhas miúdas do documento – os dez por cento de todas as rendas das terras descobertas – uma exigência absurda, visto que ele não aceitava um limite de tempo. (Se a cláusula tivesse permanecido no contrato, Colombo e seus herdeiros teriam se transformado na família mais rica do planeta. Colombo não leu as letrinhas miúdas.)

Satisfeito porque suas exigências tinham sido aceitas, Colombo levantou âncoras naquele mesmo ano em busca de uma passagem para a Ásia. (Antes de partir, teve o cuidado de contratar o melhor navegador que conseguiu encontrar para ajudá-lo a chegar até lá.) A missão não

isoladamente, outras em conjunto, e testando a masculinidade, o temperamento, a educação e os bons modos de cada um (...) Porém o teste mais importante foi o comportamento à mesa de jantar. Tudo isso aconteceu enquanto permaneciam em Sicion, e o tempo todo ele os treinou muito bem. Por um motivo ou outro, foram os dois atenienses que melhor impressionaram Cleistenes e, dos dois, o filho de Tisander, Hipocleides, veio a ser o preferido... Finalmente chegou o dia do noivado e Cleistenes teve que declarar a sua escolha. Ele comemorou o dia sacrificando cem bois e depois oferecendo um banquete, para o qual foram convidados não só os pretendentes como também todas as pessoas importantes de Sicion. No término do banquete, os pretendentes começaram a competir entre eles na arte da música e da conversação. Nas duas, foi Hipocleides quem se mostrou de longe o mais hábil até que, no final, com uma farta distribuição de vinho, ele pediu ao flautista que tocasse para ele dançar. Ora, poderia muito bem ser que ele dançasse para a sua própria satisfação, mas Cleistenes, que observava o espetáculo, começou a ter sérias dúvidas. Logo em seguida, após uma breve pausa, Hipocleides pediu que lhe trouxessem uma mesa; trouxeram, e Hipocleides, subindo nela, dançou primeiro as danças laconianas, depois algumas danças áticas, e acabou de cabeça para baixo marcando o compasso com as pernas para o ar. As danças laconianas e áticas já tinham sido bem ruins, mas Cleistenes, embora já estivesse detestando a ideia de ter um genro assim, controlava-se para não explodir de raiva. Ao ver Hipocleides marcando o ritmo com as pernas para cima, porém, não suportou mais. "Filho de Tisander", gritou ele, "você fez o seu casamento dançar."

HISTÓRIAS DE HERÓDOTO, SÉCULO V a.C.

encontrou a passagem, mas quando Colombo solicitou à rainha o financiamento para outra viagem ainda mais ambiciosa no ano seguinte, ela concordou. Já via Colombo como alguém destinado a grandes feitos.

Interpretação

Como explorador, Colombo era medíocre na melhor das hipóteses. Conhecia menos o mar do que o marinheiro médio de um dos seus navios, não soube determinar a latitude e longitude de suas descobertas, confundiu vastos continentes com ilhas e tratava a tripulação muito mal. Mas para uma coisa ele tinha talento: ele sabia vender a sua imagem. De que outra forma explicar como o filho de um vendedor de queijos, um simples mercador, caiu nas graças das melhores famílias aristocráticas e da realeza?

Colombo tinha um incrível poder de encantar a nobreza, e tudo isso vinha da maneira como ele se comportava. Ele projetava uma confiança totalmente desproporcional com seus meios. E a sua confiança não era a autopromoção agressiva e desagradável do novo-rico – era uma autoconfiança calma e tranquila. De fato, era a mesma confiança demonstrada, em geral, pelos próprios nobres. Os poderosos das antigas aristocracias não sentiam necessidade de se afirmar; sendo nobres, sabiam que mereciam sempre mais e exigiam isso. No caso de Colombo, portanto, eles sentiram uma instantânea afinidade, pois ele se comportava exatamente como eles – acima da multidão, destinado à grandeza.

Compreenda: está em seu poder fixar o seu próprio preço. A maneira como você se comporta reflete o que você pensa de si mesmo. Se você pede pouco, arrasta os pés e abaixa a cabeça, as pessoas acharão que isto reflete o seu caráter. Mas este comportamento não é você – é só como você escolheu se apresentar aos outros. Você pode com a mesma facilidade apresentar a fachada de Colombo: leveza, confiança e a impressão de ter nascido para usar uma coroa.

Com todos os grandes impostores existe uma ocorrência notável à qual eles devem o seu poder. No próprio ato da fraude eles são dominados pela crença em si mesmo: é isto que vai transparecer de forma tão milagrosa e atraente para os que o cercam.

Friedrich Nietzsche, 1844-1900

AS CHAVES DO PODER

Na infância, começamos nossas vidas com grande exuberância, esperando e exigindo tudo do mundo. Isto normalmente se transporta para nossas primeiras incursões pela sociedade, quando iniciamos nossas carreiras. Mas com a idade, as rejeições e os fracassos que experimentamos estabelecem limites que se tornam cada vez mais firmes com o tempo. Esperando menos do mundo, aceitamos limitações que na realidade somos nós que nos impomos. Começamos a fazer mesuras e a nos desculpar até pelas solicitações mais simples. A solução para tamanha restrição de horizontes é nos forçarmos deliberadamente a tomar a direção oposta – minimizar os fracassos e ignorar as limitações, exigir e esperar como quando éramos crianças. Para isso, é necessário aplicar a nós mesmos uma estratégia. Chame-a de Estratégia da Coroa.

A Estratégia da Coroa se baseia num simples encadear de causas e efeitos: se acreditarmos que estamos destinados a grandes coisas, nossa crença se irradiará, assim como a coroa cria uma aura em torno do rei. Esta irradiação contagiará as pessoas que nos cercam, que pensarão que devemos ter algum motivo para estarmos tão confiantes. As pessoas que usam coroas parecem não perceber limites para o que podem pedir e conseguir. Isto também irradia. Os limites e as fronteiras desaparecem. Use a Estratégia da Coroa e você se surpreenderá com a frequência dos resultados. Tome como exemplo as crianças felizes que pedem tudo que querem e conseguem. Suas grandes expectativas são o seu charme. Os adultos sentem prazer em satisfazer seus desejos – assim como Isabel sentiu prazer em ceder aos desejos de Colombo.

Ao longo de toda a história, as pessoas de origem plebeia – as Teodora de Bizâncio, os Colombo, os Beethoven, os Disraeli – conseguiram fazer funcionar a Estratégia da Coroa, acreditando com tamanha firmeza na sua própria grandeza que ela se realizou. O truque é simples: deixe-se dominar pela autoconfiança. Mesmo sabendo estar de certa forma se iludindo, aja como um rei. Provavelmente será tratado como tal.

A coroa pode distinguir você das outras pessoas, mas depende de você tornar essa distinção real: você tem que agir de modo diferente, mostrar a sua distância dos outros. Uma forma de enfatizar a sua diferença é agir sempre com dignidade, não importam as circunstâncias. Luís Filipe não dava a ideia de ser diferente das outras pessoas – ele era o rei banqueiro. E quando os súditos o ameaçaram, ele cedeu. Todos perceberam isso e se aproveitaram. Sem dignidade aristocrática e firmeza de propósito, Luís Filipe parecia um impostor, e foi fácil derrubar a coroa da sua cabeça.

Não se deve confundir atitude de rei com arrogância. A arrogância pode parecer um direito do rei, mas na verdade revela insegurança. É o oposto de um comportamento aristocrático.

Haile Selassie, que governou a Etiópia por mais de quarenta anos, desde 1930, foi um dia um jovem chamado Lij Tafari. Ele vinha de uma família nobre, mas não tinha nenhuma chance de assumir o poder, pois estava longe na linha de sucessão do rei que ocupava o trono na época, Menelik II. Não obstante, desde muito jovem ele exibia uma autoconfiança e um comportamento aristocrático que surpreendiam a todos.

Aos quatorze anos, Tafari foi viver na corte, onde imediatamente impressionou Menelik e se tornou seu favorito. A graça de Tafari diante das críticas, a sua paciência e a sua calma autoconfiante fascinaram o rei. Os outros jovens nobres, arrogantes, fanfarrões e invejosos, tentavam intimidar aquele adolescente franzino que gostava de ler. Mas ele jamais se zangava – isso teria sido um sinal de insegurança, a que ele não se rebaixaria. Havia gente a sua volta achando que ele um dia ia chegar lá em cima, pois agia como se já estivesse lá.

Anos depois, em 1936, quando os fascistas italianos tomaram a Etiópia e Tafari, agora com o nome de Haile Selassie, estava exilado, ele se dirigiu à Liga das Nações para protestar em defesa do seu país. Os italianos na plateia o importunaram com apartes violentos, mas ele manteve a pose digna, como se nada o afetasse. Isto o colocou em posição de superioridade enquanto fazia os adversários parecerem ainda mais desagradáveis. A dignidade, de fato, é invariavelmente a máscara que se deve assumir em circunstâncias difíceis; é como se nada pudesse afetar você, e você tem todo o tempo do mundo para responder. É uma atitude extremamente poderosa.

Um comportamento aristocrático tem outras utilidades. Os farsantes há muito sabem o quanto vale uma fachada aristocrática; ela desarma as pessoas e as faz menos desconfiadas, ou então as intimida e as coloca na defensiva – e como o conde Victor Lustig sabia, uma vez na defensiva, o otário estava perdido. O trambiqueiro Yellow Kid Weil também costumava assumir a aparência de homem de posses, junto com um certo ar de indiferença que combina tão bem com eles. Aludindo a algum método mágico de fazer dinheiro, ele se mantinha distante, como um rei, transpirando confiança como se fosse mesmo fabulosamente rico. Os otários imploravam para entrar na farsa, para ter uma chance de participar da riqueza que ele tão claramente exibia.

Finalmente, para reforçar os truques psicológicos secretos envolvidos na projeção de um comportamento aristocrático, existem as estratégias externas que ajudam você a criar esse efeito. Primeiro, a Estratégia de Colombo: exija sempre com ousadia. Coloque o seu preço bem alto e não ceda. Segundo, com dignidade, procure a pessoa no andar mais alto do prédio. Isto colocará você imediatamente no mesmo plano do principal executivo que você está atacando. É a Estratégia de Davi e Golias: ao escolher um grande adversário, você cria a aparência de grandeza.

Terceiro, presenteie de alguma forma os que estão acima de você. Esta é a estratégia dos que têm um patrono: ao dar ao patrono um presente, você está basicamente dizendo que vocês dois são iguais. É o velho jogo de dar para receber. Quando o escritor renascentista Pietro Aretino quis o duque de Mântua como seu próximo patrono, ele sabia que se fosse servil o duque não lhe daria valor; portanto, aproximou-se do duque com presentes, neste caso, quadros do amigo do escritor, Ticiano. A aceitação dos presentes criou uma espécie de igualdade entre duque e escritor: o duque ficou à vontade sentindo que lidava com um homem da sua própria estampa aristocrática. E patrocinou Aretino generosamente. A estratégia do presente é sutil e brilhante porque você não implora: você pede ajuda de uma forma digna que sugere igualdade entre as duas pessoas, e um deles simplesmente acontece de ter o dinheiro.

Lembre-se: é você que define o seu próprio preço. Peça menos e é isso que conseguirá. Peça mais, e estará sinalizando que vale uma fortuna. Mesmo aqueles que lhe viram as costas o respeitam por sua autoconfiança, e você nem imagina como esse respeito acabará se revelando compensador.

> **Imagem:** A Coroa. Coloque-a sobre a cabeça e adote uma atitude diferente – uma autoconfiança tranquila porém irradiante. Não revele dúvidas, não perca a sua dignidade sob a coroa, ou ela não lhe caberá. Parecerá destinada a alguém mais merecedor. Não espere ser coroado, os grandes imperadores coroaram a si próprios.

Autoridade: Todos devem agir com realeza a seu próprio modo. Que todas as suas ações, mesmo não sendo as de um rei, sejam, na sua própria esfera, merecedoras de um deles. Seja sublime nas suas ações, distante nos seus pensamentos; e em tudo que fizer mostre que merece ser rei, mesmo não o sendo de verdade. (Baltasar Gracián, 1601-1658)

O INVERSO

A ideia por trás da aparência de segurança aristocrática é distinguir-se dos outros, mas o exagero será a sua ruína. Não cometa o erro de pensar que vai se distinguir humilhando os outros. Também não é uma boa ideia ficar muito acima da multidão – você se torna um alvo fácil. E há momentos em que uma pose aristocrática é eminentemente perigosa.

Carlos I, rei da Inglaterra na década de 1640, se viu diante de um profundo desencanto do público com a monarquia como instituição. Por todo o país estouravam rebeliões lideradas por Oliver Cromwell. Se Carlos tivesse tido visão para reagir aos tempos, apoiando reformas e demonstrando que estava sacrificando parte do seu poder, a história talvez fosse diferente. Mas ele adotou uma pose ainda mais aristocrática, parecendo ofendido com o ataque ao seu poder e à divina instituição da monarquia. Sua rígida realeza ofendeu o povo e instigou mais revoltas. E no final Carlos perdeu a cabeça, literalmente. Compreenda: você está irradiando autoconfiança, não arrogância ou desdém.

Finalmente, é verdade que você às vezes adquire um certo poder afetando uma espécie de vulgaridade grosseira, cujo exagero acaba sendo divertido. Mas à medida que você ganha porque ultrapassa os limites, distinguindo-se dos outros por parecer ainda mais vulgar do que eles, esse jogo se torna perigoso: sempre haverá gente mais vulgar do que você, e facilmente o substituirão por alguém mais jovem e pior do que você.

LEI
35

DOMINE A ARTE DE SABER O TEMPO CERTO

JULGAMENTO

Jamais demonstre estar com pressa – a pressa trai a falta de controle de si mesmo e do tempo. Mostre-se sempre paciente, como se soubesse que tudo acabará chegando até você. Torne-se um detetive do momento certo; fareje o espírito dos tempos, as tendências que o levarão ao poder. Aprenda a esperar quando ainda não é hora, e atacar ferozmente quando for propício.

A LIÇÃO DE SERTÓRIO
A força de Sertório estava agora aumentando rapidamente, pois todas as tribos entre o Ebro e os Pireneus estavam do seu lado, e as tropas vinham em bandos todos os dias juntar-se a ele de todas as regiões. Ao mesmo tempo, ele estava preocupado com a falta de disciplina e com o excesso de segurança desses bárbaros recém-chegados, que gritavam para que ele atacasse o inimigo e não tinham paciência com suas táticas proteladoras, e ele, portanto, tentou convencê-los com argumentos. Mas, ao ver que estavam descontentes e continuavam pressionando com suas exigências, apesar das circunstâncias, ele deixou que fizessem como queriam e travassem combate com o inimigo; ele esperava que sofressem uma grave derrota sem serem totalmente esmagados, e que isto os deixaria mais dispostos a obedecer às suas ordens no futuro. Tudo ocorreu como ele esperava e Sertório foi salvá-los, providenciou um ponto de reunião para os fugitivos

A LEI OBSERVADA

Começando a vida como um inexpressivo professor de seminário francês, Joseph Fouché vagou de cidade em cidade durante a maior parte da década de 1780, ensinando matemática a meninos. Mas ele nunca se comprometeu totalmente com a Igreja, nunca se ordenou padre – tinha planos maiores. Esperando pacientemente a sua chance, ele manteve suas opções em aberto. E quando estourou a Revolução Francesa, em 1789, Fouché não esperou mais: livrou-se da batina, deixou crescer os cabelos e se tornou um revolucionário. Pois esse era o espírito da época. Perder o barco neste momento crítico significaria o desastre. Fouché não perdeu o barco: fazendo amizade com o líder revolucionário Robespierre, ele rapidamente ascendeu nas fileiras rebeldes. Em 1792, a cidade de Nantes elegeu Fouché como seu representante na Convenção Nacional (criada naquele ano para estruturar uma nova constituição para uma república francesa).

Quando Fouché chegou a Paris para assumir a sua cadeira na convenção, havia se aberto uma violenta brecha entre os moderados e os radicais jacobinos. Fouché percebeu que, no longo prazo, nenhum dos dois lados sairia vitorioso. O poder raramente termina nas mãos dos que iniciam uma revolução, ou mesmo daqueles que a incentivam; o poder fica com quem a conduz a um desfecho. Era desse lado que Fouché queria estar.

O seu senso de oportunidade era fantástico. Ele começou como um moderado, pois os moderados eram a maioria. Na hora de decidir quanto a executar ou não Luís XVI, entretanto, ele viu que o povo clamava pela cabeça do rei e deu o voto decisivo – a favor da guilhotina. Agora ele tinha se tornado um radical. Conforme aumentavam as tensões em Paris, ele previu o risco de se associar demais a uma só facção e aceitou um posto na província, onde poderia passar despercebido por uns tempos. Meses depois, foi nomeado para o posto de procônsul em Lyons, onde supervisionou a execução de dezenas de aristocratas. Num determinado momento, entretanto, ele não quis mais saber de matanças, percebendo que o estado de espírito do país estava mudando – e, apesar das mãos sujas de sangue, os cidadãos de Lyons o saudaram como um salvador de uma situação que ficou conhecida como Terror.

Até então, Fouché tinha jogado suas cartas com brilhantismo, mas em 1794 seu velho amigo Robespierre o chamou novamente a Paris para responder por suas ações em Lyons. Robespierre tinha sido a mola propulsora do Terror. Havia feito rolar cabeças de esquerda e de direita, e a de Fouché, em que ele não confiava mais, parecia ser a próxima. Durante as semanas seguintes, a luta foi tensa: enquanto Robespierre queixava-se abertamente de Fouché, acusando-o de ambições perigosas e pedindo a sua prisão, o ardiloso Fouché agia mais indiretamente, conquistando de manso o apoio daqueles que já estavam se cansando do controle ditatorial de Robespierre. Fouché estava dando tempo ao tempo. Ele sabia que quanto mais tempo conseguisse continuar vivo, mais cidadãos insatisfeitos ele poderia unir contra Robespierre. Ele precisava de amplo apoio antes de agir contra o poderoso líder, e o obteve entre os moderados e os jacobinos, jogando com o medo que todos tinham de Robespierre – medo de serem os próximos a ir para a guilhotina. Isso se consumou no dia 27 de julho: a convenção se virou contra Robespierre, interrompendo o seu longo discurso de sempre. Ele foi logo preso e, dias depois, a cabeça de Robespierre, e não a de Fouché, é que foi parar no cesto.

Ao retornar à convenção depois da morte de Robespierre, Fouché fez a sua jogada mais inesperada: tendo liderado a conspiração contra Robespierre, esperava-se que ele se sentasse ao lado dos moderados, mas, vejam só, ele mais uma vez mudou de lado, juntando-se à minoria. Ele percebeu nitidamente que haveria uma reação: ele sabia que a facção moderada que tinha executado Robespierre, e estava agora para assumir o poder, iniciaria uma nova rodada de Terror, desta vez contra os radicais. Ficando do lado dos jacobinos, portanto, Fouché estava do lado dos futuros mártires – das pessoas que não seriam acusadas das perturbações que viriam a seguir. Juntar-se com o time que estava prestes a perder era um lance arriscado, é claro, mas Fouché deve ter calculado que conservaria a sua cabeça o tempo suficiente para agitar com calma o populacho contra os moderados e vê-los perder o poder. E, na verdade, embora os moderados pedissem a sua prisão em dezembro de 1795, e o teriam mandado para a guilhotina, já se passara muito tempo. As execuções tinham perdido a popularidade, e Fouché sobreviveu ao oscilar do pêndulo mais uma vez.

Instalou-se um novo governo, o Diretório. Não era um governo jacobino, entretanto, e sim moderado – mais moderado do que o governo que havia imposto novamente o Terror. Fouché, o radical, tinha conservado a sua cabeça, mas agora precisava se manter discreto. Ele esperou paciente no desvio durante vários anos, deixando que o tempo abrandasse qualquer rancor contra ele, depois se aproximou do Diretório e convenceu-os de que tinha uma nova paixão: colher informações secretas. Virou espião pago pelo governo, fez um trabalho excelente e, em 1799, foi recompensado com o cargo de ministro da Polícia. Agora não só ele tinha autoridade como exigia que o seu serviço de espionagem se estendesse por toda a França – responsabilidade que reforçaria

e os levou sãos e salvos de volta para o acampamento. O seu próximo passo foi reanimar seus espíritos abatidos, e, assim, passados alguns dias, ele convocou uma reunião geral. Antes arranjou dois cavalos, um velho e fraco, o outro grande, saudável e com uma cauda graciosa, notável pela espessura e beleza da crina. Ao lado do cavalo fraco colocou um homem forte e alto, e ao lado do cavalo enérgico, um homem baixo e de físico mediano. A um sinal, o homem forte agarrou a cauda do seu cavalo e tentou puxá-la em sua direção com toda força, como se fosse arrancá-la, enquanto que o homem fraco começou a puxar um por um os pelos da cauda do cavalo forte. O homem forte, depois de puxar inutilmente com toda a sua força, e com isso divertir muito os espectadores, acabou desistindo; enquanto o homem fraco rapidamente, e sem muito esforço, desnudou toda a cauda do seu cavalo. Em seguida, Sertório se ergueu e disse: "Agora vocês podem ver, meus amigos e aliados, que a perseverança é mais eficaz do que a força bruta, e

enormemente a sua natural habilidade para farejar para onde o vento estava soprando. Uma das primeiras tendências sociais que ele detectou, de fato, surgiu na pessoa de Napoleão, um jovem general atrevido cujo destino ele viu logo estar associado ao futuro da França. Quando Napoleão desencadeou um golpe de estado, em 9 de novembro de 1799, Fouché fingiu estar dormindo. Na verdade, ele dormiu o dia inteiro. Por esta ajuda indireta – deveria ser sua a tarefa, afinal de contas, impedir um golpe militar –, Napoleão o manteve como ministro da Polícia no novo regime.

Nos anos seguintes, Napoleão passou a confiar cada vez mais em Fouché. Deu até a esse ex-revolucionário um título, duque de Otranto, e o recompensou com uma grande fortuna. Em 1808, entretanto, Fouché, sempre sintonizado com a época, percebeu que Napoleão estava em decadência. Sua guerra fútil com a Espanha, país que não representava nenhuma ameaça para a França, era indício de que ele estava perdendo o senso de limite. Não sendo homem de naufragar junto com o navio, Fouché conspirou com Talleyrand para derrubar Napoleão. Embora a conspiração falhasse – Talleyrand foi exonerado, Fouché ficou, mantido, porém, a rédeas curtas –, ela divulgou um crescente descontentamento com o imperador, que parecia estar perdendo o controle. Em 1814, o poder de Napoleão ruiu e as forças aliadas finalmente o venceram.

O governo seguinte foi uma restauração da monarquia, com o rei Luís XVIII, irmão de Luís XVI. Fouché, com o nariz sempre farejando a próxima guinada social, percebeu que Luís não ia durar muito – ele não tinha a perspicácia de Napoleão. Fouché, mais uma vez, deu tempo ao tempo, escondendo-se longe dos refletores. Como esperado, em fevereiro de 1815, Napoleão escapou da ilha de Elba, onde estava prisioneiro. Luís XVIII entrou em pânico: a sua política tinha afastado os cidadãos, que agora clamavam pela volta de Napoleão. Assim, Luís se voltou para o único homem que poderia talvez salvar a sua vida, Fouché, o ex-radical que havia mandado seu irmão, Luís XVI, para a guilhotina, mas que agora era um dos políticos mais populares e admirados da França. Fouché, entretanto, não ia tomar o partido de um perdedor: recusou o pedido de ajuda de Luís fingindo que ela era desnecessária – jurando que Napoleão jamais retornaria ao poder (embora sabendo do contrário). Pouco tempo depois, é claro, Napoleão e seu novo exército de cidadãos se aproximavam de Paris.

Vendo seu reino prestes a entrar em colapso, sentindo que Fouché o havia traído, e certo de não desejar este homem capaz e poderoso no time de Napoleão, o rei Luís mandou prender e executar Fouché. No

---

que há muitas dificuldades que são insuperáveis se vocês tentarem fazer tudo de uma só vez, mas que cederão se vocês as dominarem pouco a pouco. A verdade é que um esforço firme e constante é irresistível, pois é assim que o Tempo domina e vence as maiores forças da terra. Ora, o Tempo, vocês devem se lembrar, é um bom amigo e aliado para quem usa a inteligência para escolher o momento certo, e um inimigo perigosíssimo para quem se precipita na hora errada."

A VIDA DE SERTÓRIO, PLUTARCO, c. 46-120 d.C.

O Sr. Shih tinha dois filhos: um gostava de estudar e o outro, de guerrear. O primeiro expôs seus ensinamentos morais diante da corte admirada de Ch'in e foi nomeado tutor, enquanto o segundo falou de estratégia na corte belicosa de Ch'u e foi nomeado general. O paupérrimo Sr. Meng, ouvindo falar de tais proezas, mandou seus dois filhos seguirem o exemplo dos filhos de Shih. O primeiro expôs seus ensinamentos morais na corte de Ch'in, mas o rei

dia 16 de março de 1815, a polícia cercou a carruagem de Fouché num bulevar de Paris. Seria este o seu fim? Talvez, mas não de imediato: Fouché contou à polícia que um ex-membro do governo não podia ser preso na rua. Eles acreditaram na história e o deixaram voltar para casa. Mais tarde, naquele mesmo dia, eles foram até lá e, mais uma vez, lhe deram voz de prisão. Fouché concordou – mas os oficiais teriam a bondade de permitir que um cavalheiro se lavasse e trocasse de roupa antes de deixar a sua casa pela última vez? A permissão foi dada e Fouché saiu da sala. O tempo foi passando e Fouché não voltava. Finalmente, os policiais foram até o quarto ao lado – onde viram uma escada encostada numa janela aberta que dava para um jardim lá embaixo.

Naquela dia e no dia seguinte a polícia vasculhou Paris atrás de Fouché, mas aí já se ouviam lá longe os canhões de Napoleão, e o rei com toda a sua corte tinha fugido de Paris. Assim que Napoleão entrou em Paris, Fouché saiu do esconderijo. Havia ludibriado mais uma vez o carrasco. Napoleão saudou o seu ex-ministro de Polícia e lhe devolveu com prazer o seu antigo posto. Durante os cem dias que Napoleão permaneceu no poder, até Waterloo, foi basicamente Fouché quem governou a França. Depois da queda de Napoleão, Luís XVIII voltou ao trono, e, como um gato com nove vidas, Fouché ficou para servir a mais um governo – a essa hora o seu poder e influência eram tão grandes que nem o rei ousava desafiá-lo.

Interpretação
Num período de tumultos sem precedentes, Joseph Fouché prosperou com o seu domínio da arte do oportunismo. Ele nos ensina muitas coisas importantes.

Primeira, é importantíssimo reconhecer o espírito da época. Fouché sempre olhava dois passos à frente, descobria a onda que o levaria ao poder e embarcava nela. Você deve sempre trabalhar a favor dos tempos, prever reviravoltas, e não perder o barco. Às vezes o espírito da época é obscuro: reconheça-o não pelo que é mais sonoro e óbvio, mas pelo que está escondido e adormecido. Procure os Napoleões do futuro e não se prenda aos destroços do passado.

Segunda, reconhecer os ventos prevalecentes não significa necessariamente seguir com eles. Qualquer movimento social potente cria uma forte reação, é mais sensato prever que reação será essa, como fez Fouché depois da execução de Robespierre. Em vez de navegar na crista da onda do momento, espere que a maré vazante o leve de volta ao poder. Ocasionalmente, aposte na reação que está fermentando e coloque-se na vanguarda.

---

de Ch'in disse: "No momento, os estados estão discutindo violentamente e todos os príncipes estão ocupados armando suas tropas até os dentes. Se eu der ouvidos ao palavrório deste moralista, em breve estaremos arrasados." E mandou castrar o sujeito. Enquanto isso, o segundo irmão exibia o seu gênio militar na corte de Wei. Mas o rei de Wei disse: "O meu estado é fraco. Se eu confiar na força em vez da diplomacia, em breve estaremos arrasados. Se, por outro lado, eu deixar este provocador solto, ele irá oferecer seus serviços a outro estado e aí é que estaremos em dificuldades." E mandou cortar fora os pés do sujeito. Ambas as famílias fizeram exatamente a mesma coisa, uma no momento certo, mas a outra na hora errada. Portanto, o sucesso não depende de lógica, mas de ritmo.

LIEH TZU, CITADO EM THE CHINESE LOOKING GLASS, DENNIS BLOODWORTH, 1967

> O sultão [da Pérsia] havia condenado à morte dois homens. Um deles, sabendo o quanto o sultão apreciava o seu garanhão, ofereceu-se para ensiná-lo a voar em um ano, em troca da sua vida. O sultão, imaginando-se como o único cavaleiro de um cavalo voador do mundo, concordou. O outro prisioneiro olhou para o amigo sem acreditar. "Você sabe que cavalos não voam. Que ideia louca foi essa? Você só está adiando o inevitável." "Não tanto", disse o [primeiro prisioneiro]. "Na verdade, eu me dei quatro chances de liberdade. Primeiro, o sultão talvez morra neste ano. Segundo, talvez eu morra. Terceiro, o cavalo talvez morra. E quarto... quem sabe eu ensino o cavalo a voar!"
> A ARTE DO PODER, R. G. H. SIU, 1979

Finalmente, Fouché tinha uma extraordinária paciência. Sem a paciência como sua espada e escudo, o seu senso de oportunidade falhará e você inevitavelmente se verá como um perdedor. Quando a época não era favorável a Fouché, ele não lutava, não se exaltava, nem atacava precipitadamente. Ele se mantinha calmo e discreto, conquistando com paciência o apoio dos cidadãos, o baluarte da sua próxima ascensão ao poder. Sempre que se via na posição do mais fraco, ele pedia um tempo, que ele sabia seria sempre seu aliado se fosse paciente. Reconheça o momento, portanto, de se esconder na grama ou por trás de uma pedra, assim como o momento de mostrar as presas e dar o bote.

> *O espaço se recupera, o tempo não.*
> Napoleão Bonaparte, 1769-1821

AS CHAVES DO PODER

Tempo é um conceito artificial que nós mesmos criamos para tornar a infinitude da eternidade e do universo mais suportável, mais humana. Visto que inventamos o conceito de tempo, somos também capazes de moldá-lo de certa forma, de fazer truques com ele. O tempo de uma criança é longo e lento, e muito vasto; o tempo de um adulto passa zunindo, assustadoramente rápido. O tempo, portanto, depende da percepção, que, nós sabemos, pode ser alterada intencionalmente. Esta é a primeira coisa que temos de compreender para dominar a arte de escolher o momento certo. Se um tumulto interno causado por nossas emoções tende a acelerar o tempo, controlando nossas reações emocionais o tempo vai andar bem mais devagar. Esta maneira alterada de lidar com as coisas tende a estender a nossa percepção do tempo futuro, abre possibilidades que o medo e a raiva fecham, e nos dá a paciência, que é o principal requisito na arte de escolher o momento certo.

São três os tipos de tempo com os quais temos que lidar: cada um deles traz problemas que podem ser solucionados com habilidade e prática. Primeiro, existe o *tempo longo*; o tempo que se arrasta, por anos, e que deve ser administrado com calma e paciência. Devemos lidar com o tempo longo de preferência na defensiva – esta é a arte de não agir impulsivamente, de esperar a oportunidade certa. Em seguida, tem o *tempo forçado*: o tempo curto que podemos manipular como uma arma ofensiva, perturbando a noção de tempo dos adversários. Finalmente, o *tempo final*, quando um plano tem que ser executado com força e rapidez. Nós esperamos, o momento é este e não devemos hesitar.

> A TRUTA E O GOBIÃO
> Um pescador, no mês de maio, lançava o seu anzol às margens do Tâmisa usando uma mosca artificial como isca. Ele jogava a sua isca com tamanha arte que uma jovem truta estava para abocanhá-la quando a mãe a impediu. "Jamais", falou ela, "se precipite se

Tempo Longo. O famoso pintor do século XVII da dinastia Ming, Chou Yung, conta uma história que mudou o seu comportamento para sempre. Numa tarde de inverno, ele foi visitar uma cidade que ficava do outro lado do rio. Levava alguns livros e documentos importantes e tinha contratado um menino para ajudá-lo. Quando a balsa estava se aproximando da outra margem do rio, Chou Yung perguntou ao barqueiro se teriam tempo de chegar à cidade antes que os portões se fechassem, visto que estavam a um quilômetro e meio de distância e anoitecia. O barqueiro olhou para o menino e para o pacote mal amarrado com os livros e documentos, e respondeu: "Sim, se não se apressarem."

Mas quando eles começaram a caminhar o sol já estava se pondo. Temendo ficar presos do lado de fora da cidade, à mercê dos bandidos da região, Chou e o menino apertaram o passo, disparando finalmente numa corrida. De repente, o barbante que segurava os documentos se rompeu e os papéis se espalharam pelo chão. Os dois levaram alguns minutos para refazer o pacote e quando chegaram aos portões da cidade já era tarde.

Quando você se apressa por medo ou impaciência, cria uma série de problemas que exigem conserto, e acaba levando muito mais tempo do que se tivesse ido com calma. Os apressados podem ocasionalmente chegar mais rápido, mas os papéis se espalham voando por todos os cantos, novos perigos surgem, e eles se veem em constantes crises, consertando problemas criados por eles mesmos. Às vezes, não agir diante do perigo é a melhor coisa a fazer – você espera, deliberadamente se acalma. Com o passar do tempo, acabam se apresentando oportunidades que você nem imaginou serem possíveis.

A espera envolve controle, não só das suas emoções como das emoções dos seus colegas, que, ao confundir ação com poder, podem tentar forçá-lo a agir precipitadamente. Nos seus rivais, por outro lado, você pode incentivar este mesmo erro: se você os deixa mergulhar de cabeça nos problemas enquanto fica para trás e espera, em breve descobrirá o momento certo de intervir e recolher os pedaços que sobraram. Esta política sensata foi a principal estratégia do grande imperador do Japão do início do século XVII, Tokugawa Ieyasu. Quando seu antecessor, o voluntarioso Hideyoshi, a quem ele servira como general, ensaiou uma invasão precipitada da Coreia, Ieyasu não se envolveu. Ele sabia que a invasão seria um desastre e que levaria à queda de Hideyoshi. Melhor esperar pacientemente no desvio, *mesmo que por muitos anos*, e depois estar em posição de se apossar do poder quando chegar a hora – exatamente o que fez Ieyasu, com grande perícia.

*houver possibilidade de risco, minha filha. Pense um pouco, antes de fazer algo que pode ser fatal. Como sabe de longe se é mesmo uma mosca, ou a cilada de um inimigo? Deixe que outro experimente antes de você. Se for uma mosca, ele provavelmente errará o primeiro ataque e o segundo poderá acontecer, se não com sucesso, pelo menos com segurança."
Mal ela havia acabado de falar e um gobião abocanhou a mosca falsa, e serviu de exemplo para a filha doidivanas que entendeu a importância do conselho da sua mãe.*
FABLES, ROBERT DODSLEY, 1703-1764

Você não retarda o tempo para viver mais, ou para sentir mais prazer naquele momento, mas para jogar melhor o jogo do poder. Primeiro, se a sua mente não está embaralhada por constantes emergências, você vê mais longe no futuro. Segundo, você será capaz de resistir às iscas que as pessoas acenam na sua frente e não se permitirá ser mais um tolo impaciente. Terceiro, você terá mais espaço para ser flexível. As oportunidades inesperadas, que você teria perdido forçando o passo, surgirão inevitavelmente. Quarto, você não passa de um negócio a outro sem antes completar o primeiro. Construir as bases do seu poder pode levar anos; certifique-se de que elas sejam firmes. Não seja fogo de palha – o sucesso conquistado com calma e segurança é o único que perdura.

Finalmente, retardando o tempo você tem uma perspectiva da época em que está vivendo, você se distancia e fica numa posição menos carregada emocionalmente para ver as coisas se formando no futuro. Os apressados quase sempre se enganam confundindo fenômenos superficiais com tendências reais, vendo apenas o que querem ver. Seria muito melhor ver o que está acontecendo de verdade, mesmo que seja desagradável ou torne a sua tarefa mais difícil.

Tempo Forçado. Aqui o truque é perturbar o senso de oportunidade dos outros – fazê-los correr, fazê-los esperar, fazê-los desistir do próprio ritmo, distorcer a sua percepção de tempo. Perturbando a noção de tempo do seu adversário enquanto você permanece paciente, você conquista um tempo para si mesmo, o que é metade do jogo.

Em 1473, o grande sultão turco, Mehmed, o Conquistador, propôs negociações com a Hungria para terminar a guerra intermitente que vinha se arrastando entre os dois países havia anos. Quando o emissário húngaro chegou à Turquia para iniciar os diálogos, os oficiais turcos se desculparam humildemente – Mehmed tinha acabado de deixar Istambul, a capital, para combater o seu inimigo de longo tempo, Uzun Hasan. Mas ele queria muito a paz com a Hungria e pedira que o emissário fosse encontrá-lo no front.

Quando o emissário chegou ao local da batalha, Mehmed já tinha ido embora, para o leste, atrás do seu veloz inimigo. Isto aconteceu várias vezes. Sempre que o emissário parava, os turcos o enchiam de presentes e ofereciam banquetes em sua homenagem, cerimônias agradáveis porém demoradas. Finalmente Mehmed derrotou Uzun e se encontrou com o emissário. Mas seus termos de paz com a Hungria eram excessivamente severos. Depois de alguns dias, as negociações terminaram e o jogo continuou empatado. Mas para Mehmed estava tudo bem. De fato, ele tinha planejado tudo: ao armar a sua campanha contra

Uzun, ele vira que desviando os seus exércitos para o leste deixaria vulnerável o flanco oeste. Para que a Hungria não se aproveitasse da sua fraqueza e da sua preocupação com outras coisas, ele primeiro iludiu o inimigo com a possibilidade de paz, depois o fez esperar – tudo nos seus próprios termos.

Fazer os outros esperar é um jeito ótimo de forçar o tempo, desde que não descubram o que você está pretendendo. Você controla o relógio, eles ficam no limbo – e rapidamente se desconcertam, abrindo oportunidades para você atacar. O efeito oposto é igualmente eficaz: você faz os seus adversários se apressarem. Inicie as negociações lentamente, depois de repente pressione, fazendo-os sentir que tudo está acontecendo de uma só vez. Quem não tem tempo para pensar cometerá erros – portanto, defina por eles os prazos finais. Esta era a técnica que Maquiavel admirava em César Bórgia, que de repente, durante as negociações, exigia veemente uma decisão, perturbando a noção de tempo e a paciência do seu adversário. Pois quem ousaria fazer César esperar?

Joseph Duveen, o famoso marchand, sabia que dando um prazo final para um comprador indeciso como John D. Rockefeller – o quadro tinha de sair do país, outro magnata estava interessado também –, o cliente compraria na hora. Freud percebeu que os pacientes que passavam anos fazendo psicanálise sem mostrar melhoras recuperavam-se milagrosamente assim que ele fixava uma data para o término da terapia. Jacques Lacan, o famoso psicanalista francês, tinha uma variação para esta tática – às vezes terminava os costumeiros sessenta minutos de sessão em dez, sem avisar. O paciente acabava percebendo, depois, que isso se repetia várias vezes, que era melhor aproveitar ao máximo o seu tempo, em vez de ficar falando de coisas sem importância. O prazo final, portanto, é uma ferramenta poderosa. Feche as perspectivas da indecisão e force as pessoas a se resolver – não aceite os termos excruciantes do jogo delas. Não lhes dê tempo.

Mágicos e artistas de espetáculos de variedades são especialistas em forçar o tempo. Houdini era capaz de se livrar das algemas em questão de minutos, mas esticava o espetáculo até uma hora, fazendo a plateia suar, quando o relógio parecia parar. Os mágicos sempre souberam que a melhor maneira de alterar a nossa percepção do tempo é diminuir o ritmo. O suspense cria uma pausa assustadora no tempo: quanto mais lentos os gestos do mágico, mais fácil é criar a ilusão de velocidade, fazendo as pessoas pensarem que o coelho apareceu instantaneamente. O grande mágico do século XIX Jean-Eugène Robert-Houdini notou explicitamente este efeito: "Quanto mais lentamente se conta uma história", disse ele, "mais curta ela parece."

Indo mais devagar, você torna o que está fazendo mais interessante – a plateia cede ao seu ritmo, fica extasiada. É um estado em que o tempo passa deliciosamente zunindo. Você deve praticar essas ilusões, que fazem parte do poder do hipnotizador de alterar as percepções do tempo.

Tempo Final. Você pode ter o maior talento para o jogo – esperar pacientemente pelo momento certo de agir, tirar o adversário de forma confundindo o tempo dele –, mas isso não vai adiantar nada se você não souber terminar. Não seja como essas pessoas que parecem modelos de paciência, mas na verdade só estão com medo de encerrar as coisas: a paciência é inútil se não estiver combinada com uma disposição para atacar sem piedade o seu adversário no momento certo. Você pode esperar o tempo que for necessário para chegar à conclusão, mas, quando chegar, ela deve ser rápida. Use a velocidade para paralisar o seu adversário, encubra os erros que você possa ter cometido e impressione as pessoas com a sua aura de autoridade e determinação.

Com a paciência de um encantador de serpentes, você a atrai com calma e constância de ritmo. Mas, quando ela já saiu, você fica balançando o pé sobre a sua mortífera cabeça? Não existe nenhum motivo que justifique a mais leve inquietação no seu lance final. Seu domínio do tempo na realidade só pode ser julgado pela forma como você usa o tempo final – como você muda rapidamente de ritmo e encerra com um movimento rápido e definitivo.

Imagem: O Falcão. Paciente e em silêncio, ele dá voltas no céu, lá em cima, tudo acompanhado com sua poderosa visão. Quem está embaixo não percebe que está sendo seguido. De repente, no momento certo, o falcão ataca violentamente, com uma rapidez contra a qual não há defesa. Antes que a presa perceba, as garras da ave já a transportaram para o céu.

Autoridade: Existe uma maré nos assuntos humanos, / Que, aproveitando-se o fluxo, leva à fortuna; / Omitida, toda a viagem de suas vidas / Está destinada a dar em bancos de areia e misérias. (Júlio César, William Shakespeare, 1564-1616)

O INVERSO
Não se obtém poder afrouxando as rédeas e adaptando-se ao que vier com o tempo. Até certo ponto você deve guiar o tempo, ou será impiedosamente sua vítima. Por conseguinte, não há inverso para esta lei.

LEI
36

DESPREZE O QUE NÃO PUDER TER: IGNORAR É A MELHOR VINGANÇA

JULGAMENTO

Reconhecendo um problema banal, você lhe dá existência e credibilidade. Quanto mais atenção você der a um inimigo, mais forte você o torna; e um pequeno erro às vezes se torna pior e mais visível se você tentar consertá-lo. Às vezes, é melhor deixar as coisas como estão. Se existe algo que você quer, mas não pode ter, mostre desprezo. Quanto menos interesse você revelar, mais superior vai parecer.

A LEI TRANSGREDIDA

O líder rebelde mexicano Pancho Villa começou como chefe de uma gangue de bandidos, mas depois que estourou a revolução no México, em 1910, ele se tornou uma espécie de herói folclórico – assaltando trens e dando o dinheiro para os pobres, liderando ataques de surpresa ousados e encantando as mulheres com aventuras românticas. Seus feitos fascinaram os americanos – ele parecia um homem de outra era, meio Robin Hood, meio Don Juan. Depois de alguns anos de amargas lutas, entretanto, o general Carranza surgiu como o personagem vitorioso da Revolução; o derrotado Villa e suas tropas voltaram para casa, no estado de Chihuahua, ao norte. Seu exército encolheu e ele voltou ao banditismo, arruinando a sua popularidade. Finalmente, talvez por desespero, ele começou a se queixar dos Estados Unidos, dos gringos, a quem culpava por suas dificuldades.

Em março de 1916, Pancho Villa atacou Columbus, Novo México. Invadindo a cidade, ele e a sua gangue mataram dezessete soldados e civis americanos. O presidente Woodrow Wilson, como muitos americanos, tinha admirado Villa; mas agora o bandido tinha de ser punido. Os conselheiros de Woodrow insistiram para que ele enviasse tropas ao México para capturá-lo. Para um país poderoso como os Estados Unidos, eles diziam, não revidar à invasão do seu território por um exército era um indício terrível. Além do mais, eles continuaram, muitos americanos viam Wilson como um pacifista, princípio de que o público duvidava como resposta à violência; ele precisava provar a sua coragem e hombridade ordenando que se usasse a força.

A pressão sobre Wilson era grande, e antes do fim do mês, com aprovação do governo de Carranza, ele enviou um exército de dez mil soldados para capturar Pancho Villa. A aventura foi chamada de Expedição Punitiva, e seu líder era o arrojado general John J. Pershing, que derrotara guerrilhas nas Filipinas e índios americanos do sudoeste do Estados Unidos. Certamente, Pershing encontraria e venceria Pancho Villa.

A Expedição Punitiva se tornou uma história sensacional, e vagões carregados de jornalistas acompanharam Pershing até o combate. A campanha, eles escreveram, seria um teste para o poder americano. Os soldados levavam as armas mais modernas, comunicavam-se por rádio e tinham o apoio do reconhecimento aéreo.

Nos primeiros meses, as tropas se dividiram em pequenas unidades para vasculhar os desertos do norte do México. Os americanos ofereceram 50 mil dólares em troca de informações que levassem à captura de Villa. Mas o povo mexicano, que se decepcionara quando ele voltou

---

A RAPOSA E AS UVAS
Uma raposa esfomeada (...) viu um cacho de uvas vermelhas e saborosas pendurado sobre a sua cabeça numa treliça. Ela gostaria muito de comê-las no almoço, mas, quando tentou alcançá-las e não conseguiu, disse: "Ah, devem estar azedas – que os tolos fiquem com elas!" Ela não foi sensata dizendo que as uvas estavam verdes em vez de ficar se lamentando?
FÁBULAS, JEAN DE LA FONTAINE, 1621-1695

Certa vez, quando as opiniões de G. K. Chesterton sobre economia foram criticadas na imprensa por George Bernard Shaw, seus amigos esperaram em vão que ele reagisse. O historiador Hilaire Belloc o repreendeu. "Meu caro Belloc", disse Chesterton, "eu lhe respondi. Para um homem com a inteligência de Shaw, o silêncio é a única réplica insuportável."
THE LITTLE, BROWN BOOK OF ANECDOTES, CLIFTON FADIMAN, ORG., 1985

> **O ASNO E O JARDINEIRO**
> Um asno certa vez perdeu o rabo num acidente e, muito aflito com isso, procurava-o por toda parte, achando que poderia colocá-lo novamente no lugar. Ele atravessou um campo e entrou num jardim. O jardineiro, ao vê-lo, irritado com o estrago que ele fazia pisando as suas plantas, correu até o asno e sem mais cerimônias cortou-lhe as duas orelhas e o encheu de pancadas. Assim o asno, que lamentava a perda do rabo, ficou ainda mais aflito quando se viu sem as orelhas.
> FÁBULAS, PILPAY, ÍNDIA, SÉCULO IV

> **O BOI PRODIGIOSO**
> Certa vez, na época em que era chefe da polícia imperial, o ministro da Justiça de Tokudaiji estava reunido com sua equipe no portão central quando um boi que pertencia a um oficial chamado Akikane se soltou e entrou no prédio do ministério. O animal subiu no estrado onde estava o chefe e ali se acomodou, ruminando. Todos tiveram certeza de que aquilo era algum grave presságio e insistiram para levar o animal a um adivinho. Mas o primeiro-ministro, pai

ao banditismo, agora o idolatrava por estar enfrentando este poderoso exército americano. Começaram a dar pistas falsas a Pershing: Villa tinha sido visto nesta aldeia, ou naquele esconderijo nas montanhas, aviões eram despachados, tropas disparavam atrás dele, e ninguém conseguia vê-lo. O ardiloso bandido parecia estar sempre um passo à frente do exército americano.

Mas, no verão daquele mesmo ano, a expedição aumentou para 123 mil homens. Eles sofriam com o calor absurdo, com os mosquitos, com o terreno árido. Arrastando-se por uma região rural com a qual eles já se ressentiam, estavam furiosos tanto com o povo local como com o governo mexicano. Em determinado momento, Pancho Villa se escondeu numa caverna na montanha para se recuperar de um tiro que recebera num conflito com o exército mexicano; observando lá de cima do seu ninho de águia, ele via Pershing liderar as exaustas tropas americanas, indo e vindo pelas montanhas, sem se aproximar jamais do seu objetivo.

Até o inverno, Villa fez o seu jogo de gato e rato. Os americanos começaram a considerar o caso uma palhaçada – de fato, estavam começando a admirar novamente Villa, respeitando-o por sua capacidade de iludir uma força superior. Em janeiro de 1917, Wilson finalmente ordenou a retirada de Pershing. Quando as tropas estavam retornando ao território americano, as forças rebeldes as perseguiram, forçando o Exército dos Estados Unidos a usar aviões para garantir a retaguarda. A Expedição Punitiva estava sendo punida – tinha se transformado na mais humilhante retirada.

Interpretação

Woodrow Wilson organizou a Expedição Punitiva como uma demonstração de força: ele daria uma lição a Pancho Villa, e no processo mostraria ao mundo que ninguém, pequeno ou grande, podia atacar os Estados Unidos e ficar por isso mesmo. A expedição terminaria em poucas semanas, e Villa estaria esquecido.

Mas não foi isso que aconteceu. Quanto mais demorada a expedição, mais ela chamava a atenção para a incompetência dos americanos e para a esperteza de Villa. Em pouco tempo, o que estava esquecido não era Villa, mas o ataque que dera origem a tudo aquilo. Quando um aborrecimento insignificante se tornou um constrangimento internacional, e os irados americanos despacharam mais tropas, o desequilíbrio entre o tamanho do perseguidor e o tamanho do perseguido – que continuava livre – fez o negócio parecer piada. E, no final, este elefante branco em que se transformou o exército teve de sair se arrastando do México, humilhado. A Expedição Punitiva teve o efeito oposto ao que deveria ter: Villa não só continuou livre, como a sua popularidade cresceu ainda mais.

O que Wilson poderia ter feito diferente? Poderia ter pressionado o governo de Carranza para capturar Villa para ele. Alternativamente, visto que muitos mexicanos já estavam cansados de Villa antes de começar a Expedição Punitiva, ele poderia ter trabalhado em silêncio junto com eles e conquistado o seu apoio para um ataque de surpresa, em escala bem menor, para capturar o bandido. Ele poderia ter organizado uma armadilha no lado americano da fronteira, prevendo o próximo ataque de Villa. Ou podia ter ignorado a questão totalmente por enquanto, esperando que os próprios mexicanos se livrassem de Villa espontaneamente.

Lembre-se: você *escolhe* deixar que as coisas o perturbem. Você pode da mesma forma escolher não notar o ofensor irritante, considerar o assunto banal e indigno do seu interesse. Este é o movimento poderoso. Aquilo a que você não reage não poderá arrastá-lo para uma discussão fútil. Seu orgulho não está envolvido. A melhor lição que você pode dar a um mosquito irritante é ignorá-lo. Se for impossível ignorá-lo (Pancho Villa afinal de contas tinha matado cidadãos americanos), então conspire em silêncio para acabar com ele, porém jamais inadvertidamente chame atenção para o inseto aborrecido que acabará indo embora ou morrendo sozinho. Se você perder tempo e energia nessas confusões, a culpa é sua. Aprenda a jogar com o desprezo e vire as costas para o que não poderá prejudicá-lo no longo prazo.

> do ministro da Justiça, disse: "Um boi não discrimina. Ele tem pernas – anda por toda parte. Não faz sentido privar um oficial mal pago do infeliz boi que lhe é tão necessário."
> E devolveu o boi ao seu dono, trocando o tapete onde ele tinha se deitado. Nada de desfavorável aconteceu depois disso. Dizem que, se você vir um prodígio e não o tratar como tal, seu caráter prodigioso deixa de existir.
> ENSAIOS SOBRE O ÓCIO, KENKO, JAPÃO, SÉCULO XIV

> *Pense – custou ao seu governo 130 mil dólares para se livrar de mim. Eu os levei por um país árido, montanhoso. Às vezes por uma extensão de 80 quilômetros sem água. Eles não tinham nada, a não ser sol e mosquitos... E não ganharam nada.*
>
> Pancho Villa, 1878-1923

A LEI OBSERVADA

No ano de 1527, o rei Henrique VIII, da Inglaterra, concluiu que tinha de descobrir um jeito de se livrar da esposa, Catarina de Aragão. Catarina não tinha conseguido lhe dar um filho, um herdeiro do sexo masculino que garantiria a continuação da sua dinastia, e Henrique achou que sabia como; tinha lido na Bíblia a passagem: "Se um homem tomar a esposa do seu irmão, isso é impuro: ele revelou a nudez do seu irmão; eles não terão filhos." Antes de se casar com Henrique, Catarina fora casada com o irmão mais velho dele, Arthur, mas Arthur morreu cinco meses depois do casamento. Henrique esperou um tempo segundo o decoro e se casou com a viúva do irmão.

> *E, quanto a isso, é aconselhável que todos que o conheçam – homem ou mulher – sintam que, ocasionalmente, você pode muito bem dispensar a sua companhia. Serve para reforçar a amizade. E não só isso, com a maioria das pessoas não fará mal, de vez em quando, acrescentar um toque de desdém ao tratar com elas; a sua amizade ficará ainda mais valorizada. Chi non stima vien stimato, como diz um sutil provérbio italiano – menosprezar é conquistar o apreço. Mas se temos uma pessoa em altíssimo conceito, devemos ocultar-lhe isso como um crime. Não é algo muito gratificante de fazer, mas é o correto. Pois se um cão não suporta ser tratado com excessiva bondade, imagine um homem!*
> ARTHUR SCHOPENHAUER, 1788-1860

Catarina era filha do rei Fernando e da rainha Isabel da Espanha, e casando com ela Henrique não deixara morrer uma preciosa aliança. Mas Catarina teve que lhe garantir que o seu breve casamento com Arthur nunca se consumara. Se não, Henrique consideraria o relacionamento dos dois incestuoso e o casamento nulo. Catarina insistia que permanecera virgem durante o seu casamento com Arthur, e o papa Clemente VII a apoiava abençoando a união, o que não poderia acontecer se ele a considerasse incestuosa. Porém, depois de anos casado com Henrique, Catarina não lhe dera um filho e, no início da década de 1520, entrou na menopausa. Para o rei isto só poderia significar uma coisa: ela havia mentido quanto à sua virgindade, a união dos dois era incestuosa, e Deus os punira.

Havia outro motivo para Henrique querer se livrar de Catarina: ele estava apaixonado por uma mulher mais jovem, Ana Bolena. Não só estava apaixonado como, casando-se com ela, ele ainda poderia ter esperanças de um filho legítimo. O casamento com Catarina tinha de ser anulado. Para isto, entretanto, Henrique tinha de pedir autorização ao Vaticano. Mas o papa Clemente não queria anular o casamento.

No verão de 1527, correu voz por toda a Europa que Henrique estava para tentar o impossível – anular o seu casamento à revelia de Clemente. Catarina jamais abdicaria, muito menos entraria voluntariamente para um convento, como Henrique insistia que fizesse. Mas ele tinha a sua própria estratégia: deixou de dormir na mesma cama com Catarina, pois a considerava sua cunhada, não a sua legítima esposa. Ele insistia em chamá-la princesa Viúva de Gales, seu título como viúva de Arthur. Finalmente, em 1531, ele a baniu da corte e a mandou para um castelo distante. O papa mandou que ele a trouxesse de volta, sob pena de excomunhão, a pena mais severa a que se poderia submeter um católico. Henrique não só ignorou esta ameaça, como insistiu que o seu casamento com Catarina tinha de ser anulado e, em 1533, casou-se com Ana Bolena.

Clemente recusou-se a reconhecer o casamento, mas Henrique não se importou. Ele não reconhecia mais a autoridade do papa e deu início ao rompimento com a Igreja Católica Romana, fundando a Igreja Anglicana para substituí-la, com o rei como seu chefe. E assim, o que não foi surpresa para ninguém, a recém-formada Igreja Anglicana proclamou Ana Bolena legítima rainha da Inglaterra.

O papa tentou de tudo, mas nada funcionou. Henrique simplesmente o ignorava. Clemente ficou furioso – jamais fora tratado com tanto desprezo. Henrique o humilhara e ele não tinha poder de recurso. Até a excomunhão (com a qual ele ameaçava constantemente, mas nunca concretizou) não importava mais.

Catarina também sentiu o devastador ferrão do desdém de Henrique. Ela tentou revidar, mas suas súplicas a Henrique caíam em ouvidos surdos, e em breve nos ouvidos de ninguém. Isolada da corte, ignorada pelo rei, louca de raiva e frustração, Catarina lentamente foi decaindo e acabou morrendo em janeiro de 1536, de um câncer de mama.

Interpretação
Se você dá muita atenção a alguém, vocês dois se tornam uma espécie de parceiros, cada um acompanhando o mesmo ritmo de ações e reações do outro. Nesse processo você perde a iniciativa. É a dinâmica de todas as interações: reconhecendo os outros, ainda que apenas para brigar com eles, você se expõe à sua influência. Se Henrique tivesse brigado com Catarina, teria se atolado em discussões intermináveis que enfraqueceriam a sua resolução e acabariam por desgastá-lo. (Catarina era uma mulher forte, teimosa.) Se ele tivesse se disposto a convencer Clemente a mudar o seu veredicto quanto à validade do casamento, ou tentasse entrar num acordo ou negociar com ele, teria ficado atolado na tática preferida de Clemente: pedir um tempo, prometer flexibilidade, mas na verdade conseguir o que os papas sempre conseguem – o que eles querem.

Henrique não queria saber disso. O seu jogo era de um poder devastador – o total desprezo. Ignorando as pessoas, você as tira de cena. Isto as desequilibra e as deixa furiosas – mas como não têm mais nada a tratar com você elas não podem fazer nada.

Este é o aspecto ofensivo da lei. O desprezo é uma arma imensamente poderosa, pois permite a você determinar as condições do conflito. É você quem dita os termos da guerra. Esta é a atitude fundamental do poder: você é o rei e ignora quem o ofende. Observe como essa tática enfurece as pessoas – metade do que elas fazem é para chamar a sua atenção e, se você, lhes nega isso, ficam loucas de frustração.

> HOMEM: Chute-o – ele lhe perdoará. Elogie-o – ele poderá ou não compreendê-lo. Mas ignore-o e ele o odiará.
>
> Idries Shah, Caravan of Dreams, 1968

AS CHAVES DO PODER
O desejo costuma criar efeitos paradoxais: quanto mais você quer alguma coisa, quanto mais você corre atrás dessa coisa, mais ela se esquiva de você. Quanto mais interessado você se mostra, mais afasta o objeto do seu desejo. Isto porque o seu interesse é muito forte – faz as pessoas

O MACACO E AS ERVILHAS
Um macaco carregava dois punhados de ervilhas. Uma delas caiu no chão. Ele tentou pegá-la e derramou vinte. Ele tentou pegar as vinte e deixou cair todas. Aí ele perdeu a paciência, espalhou ervilhas para todos os lados e saiu correndo.
FÁBULAS, LEON TOLSTOI, 1828-1910

Enquanto algumas pessoas fazem fuxico de tudo, outras de tudo fazem uma tempestade. Estão sempre exagerando, [e] levando tudo a sério, fazendo disso mistério e motivo de discussão. Você não

deve se magoar tanto com as coisas, pois só terá aborrecimentos inúteis. Levar muito a sério preocupações que você deveria ignorar é um comportamento confuso. Muitas coisas que parecem importantes [na época] revelam-se insignificantes quando ignoradas; e outras, que parecem fúteis, ficam formidáveis se você lhes der atenção. As coisas podem ser facilmente resolvidas no início, mas depois não. Em muitos casos, o próprio remédio é a causa da doença: deixar as coisas de lado não é a regra menos satisfatória na vida.
BALTASAR GRACIÁN, 1601-1658

se sentirem estranhas, até com medo. O desejo incontrolável faz você parecer fraco, indigno, patético.

Você tem que virar as costas para o que quer, mostrar o seu desprezo e desdém. Esta é a reação que vai deixar os seus alvos enlouquecidos. Eles reagirão com um desejo deles, que é simplesmente o de afetar você – talvez possuí-lo, talvez magoá-lo. Se quiserem possuí-lo, você completou com sucesso a primeira etapa da sedução. Se quiserem magoá-lo, você os perturbou e os fez jogar de acordo com as suas regras (ver Leis 8 e 39, sobre atrair as pessoas para que elas ajam).

Desprezo é prerrogativa dos reis. Para onde o seu olhar se volta, aquilo que ele decide ver é que é real; o que ele ignora e dá as costas morreu. Essa era a arma do rei Luís XIV – se ele não gostasse de você, agia como se você não estivesse ali, mantendo-se superior, cortando qualquer dinâmica de interação. Este é o poder que você tem quando joga com o desprezo, mostrando periodicamente que pode passar sem eles.

Se ao escolher ignorar você aumenta o seu poder, consequentemente a abordagem oposta – o compromisso e o envolvimento – quase sempre o enfraquece. Prestando excessiva atenção a um inimigo insignificante, *você* fica parecendo insignificante, e, quanto mais tempo você levar para esmagar esse inimigo, maior ele parecerá. Quando Atenas se dispôs a conquistar a Sicília, em 415 a.C., um poder gigantesco estava atacando outro minúsculo. Mas ao enredar Atenas num conflito interminável, Siracusa, a cidade-estado mais importante da Sicília, conseguiu crescer em estatura e confiança. Finalmente, ao derrotar Atenas, a sua fama durou séculos. Em épocas recentes, o presidente John F. Kennedy cometeu um erro semelhante na sua atitude com relação a Fidel Castro: o fracasso da invasão da Baía dos Porcos, em 1961, transformou Fidel Castro em herói internacional.

Um segundo perigo: se você consegue esmagar o irritante, ou mesmo se apenas o ferir, você desperta simpatia pelo lado mais fraco. Os críticos de Franklin D. Roosevelt se queixavam amargamente do dinheiro gasto por sua administração em projetos do governo, mas os ataques não tinham eco no público, que achava que o presidente estava trabalhando para acabar com a Grande Depressão. Seus adversários pensaram ter um exemplo que mostraria como ele era perdulário: seu cachorro, Fala, alvo de todas as suas atenções. Os críticos reclamavam da sua insensibilidade – gastar o dinheiro dos contribuintes num cachorro enquanto tantos americanos ainda viviam na pobreza. Mas Roosevelt tinha uma resposta: Como seus críticos tinham coragem de atacar um cãozinho inofensivo? Seu discurso em defesa de Fala foi um dos mais populares que ele fez. Neste caso, a parte fraca era o cachorro do presidente, e o ataque saiu pela culatra – no longo prazo, só atraiu mais simpatia para o presidente, visto que muita gente tende naturalmente a ficar do lado do oprimido, assim como o povo americano acabou simpatizando com o ardiloso, mas em condições numéricas inferiores, Pancho Villa.

É tentador querer consertar nossos erros, mas quanto maior a emenda, pior o soneto. Às vezes é melhor deixar as coisas como estão. Em 1971, quando o jornal *New York Times* publicou os Documentos do Pentágono, um conjunto de documentos do governo sobre a história do envolvimento dos Estados Unidos na Indochina, Henry Kissinger explodiu como um vulcão. Furioso com a forma vulnerável como o governo de Nixon tratou este tipo de vazamento nocivo, ele fez recomendações que acabaram levando à formação de um grupo, chamado de os Bombeiros, para tapar os buracos. Esta foi a unidade que mais tarde invadiu o escritório do Partido Democrático no Watergate Hotel, deslanchando a cadeia de eventos que conduziram à queda de Nixon. Na realidade, a publicação dos Documentos do Pentágono não era uma séria ameaça à administração, mas a reação de Kissinger a transformou num negócio seríssimo. Ao tentar consertar um problema, ele criou outro: uma paranoia com a segurança que no final foi muito mais destrutiva para o governo. Se ele tivesse ignorado os Documentos do Pentágono, o escândalo que eles tinham criado teria se dissipado.

Em vez de inadvertidamente chamar a atenção para um problema, fazendo-o parecer pior ao tornar público o quanto ele o está deixando preocupado e ansioso, quase sempre é melhor bancar o aristocrata desdenhoso, que não se digna reconhecer a existência do problema. Existem várias maneiras de colocar em prática essa estratégia.

Primeira, temos a abordagem das uvas que estão verdes. Se existe algo que você quer, mas sabe que não poderá ter, a pior coisa que você pode fazer é chamar atenção, queixando-se da sua frustração. Uma tática muito mais eficiente é agir como se nunca tivesse tido interesse por essa coisa. Quando os defensores da escritora George Sand a indicaram para ser a primeira mulher a ocupar uma cadeira na Académie Française, em 1861, Sand viu logo que jamais seria aceita. Mas, em vez de ficar se lamentando, ela disse que não estava interessada em pertencer àquele grupo de falastrões desgastados, superestimados e intocáveis. Seu desprezo foi a resposta perfeita: se ela tivesse se mostrado com raiva por ter sido excluída, teria revelado o quanto isso significava para ela. Em vez disso, ela rotulou a academia como um clube de velhos – e por que ela ficaria zangada ou desapontada por não ter que desperdiçar o seu tempo com eles? Gritar "as uvas estão verdes" às vezes é considerado como um reflexo do fraco; na verdade, é a tática do poderoso.

O HOMEM E A SUA SOMBRA
Era uma vez um homem original que queria pegar a sua própria sombra. Ele dá um passo ou dois em sua direção, mas ela se afasta. Ele acelera o passo, ela faz o mesmo. No final, ele começa a correr e a sombra corre também, recusando-se totalmente a se entregar, como se fosse um tesouro. Mas veja! Nosso excêntrico amigo de repente se vira e se afasta da sombra. E olha para trás, agora é ela que corre atrás dele. Senhoras, sinceramente, com frequência tenho observado (...) que a Sorte nos trata de forma semelhante. Um homem tenta com todas as suas forças agarrar a deusa, e só desperdiça tempo e trabalho. Outro parece estar fugindo dela; mas, não: é ela que tem prazer em persegui-lo.
FABLES, IVAN KRILOFF, 1768-1844

Segunda, se você é atacado por um inferior, desvie a atenção das pessoas, deixando claro que o ataque não foi nem mesmo registrado. Olhe para o outro lado, ou responda gentilmente, mostrando que o ataque não tem nada a ver com você. Da mesma forma, se você é quem cometeu um engano, a melhor reação quase sempre é minimizar o seu erro, tratando-o com leveza.

O imperador japonês, Go-Saiin, grande discípulo da cerimônia do chá, possuía uma xícara de chá antiga inestimável, que todos os cortesãos invejavam. Certo dia, um hóspede, Dainagon Tsunehiro, perguntou se poderia aproximar a xícara da luz, para examiná-la melhor. A xícara raramente saía da mesa, mas o imperador estava de bom humor e consentiu. Mas, quando Dainagon levou a xícara até a varanda e a ergueu contra luz, ela escorregou das suas mãos e se espatifou sobre uma pedra no jardim lá embaixo.

O imperador, é claro, ficou furioso. "Realmente fui muito desastrado deixando-a cair assim", disse Dainagon, com uma profunda reverência, "mas na verdade o estrago não foi muito grande. Esta xícara Ido é muito velha e é impossível dizer quanto tempo mais ela teria durado; de qualquer forma, não é algo de utilidade pública, portanto, acho que foi uma sorte ela ter se quebrado assim." Esta resposta surpreendente teve um efeito imediato: o imperador se acalmou. Dainagon não choramingou nem se desmanchou em desculpas, mas sinalizou o seu próprio valor e poder tratando o seu erro com um toque de desprezo. O imperador teve de reagir com uma indiferença aristocrática semelhante; sua raiva o fez parecer pequeno e mesquinho – uma imagem que Dainagon conseguiu manipular.

Entre iguais esta tática pode sair pela culatra: sua indiferença pode fazer você parecer insensível. Mas com o mestre, se você agir rapidamente e sem muito alarde, pode funcionar muito bem: você desvia a sua reação irada, você lhe poupa o tempo e a energia que ele desperdiçaria reclamando, e lhe dá oportunidade de exibir a sua própria magnanimidade publicamente.

Se pedimos desculpas e negamos quando apanhados em erro ou fraude, agitamos as águas e a situação piora. Quase sempre é melhor fazer o contrário. O escritor renascentista Pietro Aretino costumava se vangloriar da sua linhagem aristocrática, que era, é claro, uma ficção, visto que ele era na verdade filho de um sapateiro. Quando um inimigo seu finalmente revelou a constrangedora verdade, a história se espalhou logo e em breve toda a Veneza (onde ele vivia na época) ficou horrorizada com suas mentiras. Se ele tivesse tentado se defender, só teria se afundado ainda mais. Sua reação foi magistral: ele anunciou que era na verdade filho de um sapateiro, mas isto só prova a sua superioridade, visto que tinha ascendido de uma camada mais baixa da sociedade até o seu pináculo. A partir daí, ele nunca mais mencionou a primeira mentira, trombeteando, pelo contrário, a sua nova posição no que dizia respeito a sua ascendência.

Lembre-se: As melhores reações a ninharias, pequenos aborrecimentos e irritações são o desprezo e o desdém. Jamais mostre que alguma coisa o incomodou, ou que você está ofendido – isso só mostra que você reconheceu a existência de um problema. O desprezo é um prato que é melhor servir frio e sem afetações.

Imagem:
A Minúscula
Ferida.

É pequena, mas dói e irrita. Você tenta todos os tipos de remédio, você se queixa, coça e tira a casca. Os médicos só a tornam pior, transformando a feridinha num assunto gravíssimo. Seria melhor se apenas você a tivesse deixado em paz, esperando que ela sarasse com o tempo sem se preocupar tanto.

Autoridade: Saiba jogar com o desprezo. É a vingança mais política que existe. Pois há muita gente de cuja existência nem saberíamos se os seus distintos adversários as tivessem ignorado. A melhor vingança é o esquecimento, pois é o sepultamento do desprezível na poeira da sua própria insignificância. (Baltasar Gracián, 1601-1658)

O INVERSO
É preciso cuidado e delicadeza ao jogar com o desprezo. Os pequenos problemas, na sua maior parte, se resolvem sozinhos se você não lhes der importância; mas alguns crescem e inflamam se você não cuidar deles. Ignore alguém de estatura inferior e quando olhar novamente ele terá se tornado um sério rival, e o seu desprezo o terá transformado em uma pessoa vingativa também. Os grandes príncipes do renascimento italiano preferiram ignorar César Bórgia no início da sua carreira de jovem general do exército do seu pai, o papa Alexandre VI. Quando

abriram os olhos, já era tarde – o filhote tinha se transformado num leão, abocanhando a Itália. Com frequência, portanto, enquanto mostra publicamente o seu desprezo, você também precisa ficar de olho no problema, monitorando o seu estado e garantindo que ele desapareça. Não permita que ele se torne uma célula cancerosa.

Desenvolva a habilidade de perceber os problemas enquanto ainda são pequenos e cuide deles antes que se tornem intratáveis. Aprenda a distinguir entre o potencialmente desastroso e o levemente irritante, o incômodo que vai desaparecer tranquilamente sozinho. Em qualquer um dos casos, não tire totalmente os olhos de cima dele. Enquanto ele estiver vivo, pode ficar latente e se inflamar de uma hora para outra.

LEI 37

CRIE ESPETÁCULOS ATRAENTES

JULGAMENTO
Imagens surpreendentes e grandes gestos simbólicos criam uma aura de poder – todos reagem a eles. Encene espetáculos para os que o cercam, repletos de elementos visuais interessantes e símbolos radiantes que realcem a sua presença. Deslumbrados com as aparências, ninguém notará o que você realmente está fazendo.

ANTÔNIO E CLEÓPATRA
Ela confiava principalmente na sua presença física, e na magia e encanto que essa presença era capaz de criar (...) Ela veio subindo o rio Cydnus numa barca com a popa dourada e as velas cor de púrpura enfunadas, enquanto os remadores acariciavam a água com remos de prata ao ritmo da flauta, das gaitas e alaúdes. Cleópatra apresentava-se reclinada sob uma tenda de fios de ouro, vestida como Afrodite, como a vemos em suas pinturas, e do lado oposto, completando o quadro, meninos vestidos de Cupido a refrescavam com seus leques. No lugar da tripulação, a barca estava repleta das mais belas criadas vestidas como Nereidas e Graças, algumas ao leme, outras nos cordames das velas, e o tempo todo um perfume forte e indescritível exalava de inúmeros incensórios, chegando até as margens do rio. Grandes multidões acompanhavam esta real procissão, algumas vinham seguindo a rainha dos dois lados do rio desde a embocadura, enquanto outras desceram correndo da cidade de Tarsus para apreciar o

A LEI OBSERVADA I

No início da década de 1780, espalhou-se o boato em Berlim sobre a estranha e espetacular prática da medicina por um tal Dr. Weisleder. Ele realizava seus milagres numa enorme cervejaria reformada, diante da qual os berlinenses começaram a ver se formando filas cada vez mais longas – eram cegos, aleijados, qualquer um que tivesse uma doença incurável pela medicina tradicional. Quando se soube que o médico trabalhava expondo o paciente aos raios da lua, ele recebeu logo o apelido de Médico da Lua de Berlim.

Certa ocasião, em 1783, noticiou-se que o Dr. Weisleder tinha curado uma mulher rica de uma terrível doença. De repente, ele se tornou uma celebridade. Antes, só a população mais pobre de Berlim era vista aguardando maltrapilha do lado de fora da cervejaria. Agora, caruagens magníficas estacionavam por ali e cavalheiros de sobrecasaca e damas com enormes penteados enfileiravam-se na rua quando se aproximava o pôr do sol. Vinha até gente com doenças mais simples, só por curiosidade. Enquanto aguardavam na fila, os mais pobres explicavam às damas e aos cavalheiros que o médico só atendia quando era lua crescente. Muitos acrescentavam que eles mesmos já haviam sido expostos aos poderes curativos que ele evocava dos raios da lua. Até os que se sentiam curados voltavam, atraídos por esta forte experiência.

Dentro da cervejaria, o visitante se deparava com um estranho e excitante espetáculo: aglomerada no salão de entrada havia uma multidão de pessoas de todas as classes e origens étnicas, uma verdadeira torre de Babel. Através das altas janelas do lado norte do salão, o luar prateado jorrava de vários ângulos. O médico e a esposa, que parecia, também era capaz de curar, praticavam no segundo andar aonde se chegava por uma escada no final no salão. Conforme a fila avançava, os doentes escutavam gritos e choros lá em cima e comentava-se, talvez, que um senhor cego de repente recuperava a visão.

Uma vez lá em cima, a fila se dividia: para o norte, onde ficava a sala do médico, e para o sul onde sua esposa atendia apenas as senhoras. Finalmente, depois de horas de expectativa na fila, os pacientes do sexo masculino eram conduzidos para o assombroso médico, um homem idoso com uns fiapos rebeldes de cabelos grisalhos e uma aparência elétrica. Ele recebia o paciente (digamos um menino trazido pelo pai), descobria a parte doente do seu corpo e erguia o garoto até a janela, voltada para a luz da lua. Depois massageava o local do machucado ou da doença, murmurava algo ininteligível, olhava para a lua com ar de quem sabia das coisas e, em seguida, após recolher o seu pagamento, mandava embora o menino e o pai. Enquanto isso, na sala que dava para o sul, sua mulher fazia a mesma coisa com as senhoras – o que era estranho, realmente, porque a lua não podia aparecer em dois lugares ao mesmo tempo. Em outras palavras, não podia ser vista das duas janelas. Aparentemente o simples pensamento, ideia e símbolo da lua bastavam, pois as senhoras não se queixavam e observavam mais tarde, confidencialmente, que a esposa do Médico da Lua tinha os mesmos poderes curativos do marido.

Interpretação

O Dr. Weisleder podia não saber nada de medicina, mas conhecia a natureza humana. Ele reconhecia que as pessoas nem sempre querem palavras, nem explicações racionais ou demonstrações dos poderes da ciência. Elas querem um apelo imediato às suas emoções. Dê-lhes isso e elas farão o resto – tal como imaginar que podem ser curadas pela luz refletida numa rocha a 350 mil quilômetros de distância. O Dr. Weisleder não precisava de pílulas, nem de longas dissertações sobre os poderes da lua ou alguma engenhoca tola para ampliar seus raios. Ele compreendia que quanto mais simples o espetáculo, melhor – apenas o luar jorrando de um lado, a escada levando aos céus e os raios da lua, visíveis diretamente ou não. Qualquer outro efeito a mais e a lua pareceria não ser forte o bastante sozinha. E a lua *era* forte o bastante – era um ímã para as fantasias, como sempre foi ao longo da história. Associando-se simplesmente com a imagem da lua, o médico ganhava poder.

Lembre-se: a sua busca de poder depende de atalhos. Você deve sempre evitar a desconfiança das pessoas, o desejo perverso que elas têm de resistir ao que você quer. Imagens são atalhos extremamente eficazes: desviando-se da cabeça, sede da dúvida e da resistência, elas vão direto ao coração. Dominando o olhar, elas criam poderosas associações, unindo as pessoas e ativando suas emoções. Com a luz branca da lua nos olhos, elas não enxergam as suas trapaças.

A LEI OBSERVADA II

Em 1536, o futuro rei da França, Henrique II, conheceu a sua primeira amante, Diane de Poitiers. Diane tinha trinta e sete anos na época, e era viúva do grande senescal da Normandia. Henrique, por sua vez, era um rapaz alegre de dezessete anos, que estava apenas começando a se entregar às loucuras da juventude. No início, a união dos dois parecia simplesmente platônica, com Henrique mostrando uma devoção fortemente espiritual por Diane. Mas logo ficou evidente que ele a amava de todas as maneiras, preferindo-a na cama à sua jovem esposa, Catarina de Medici.

espetáculo. Pouco a pouco, as multidões se desviaram do mercado, onde Antônio aguardava a rainha na sua tribuna, até que no final ele ficou sozinho. E espalhou-se a notícia, de todos os lados, de que Afrodite viera festejar com Dionísio a felicidade da Ásia. Antônio enviou então uma mensagem convidando Cleópatra para jantar com ele. Mas ela achou mais apropriado que ele fosse até ela, e assim, desejando mostrar a sua cortesia e boa vontade, Antônio aceitou e foi. Ele viu que as preparações para recebê-lo eram magníficas e indescritíveis, porém, o que mais o surpreendeu foi a extraordinária quantidade de luzes. Tantas, dizem, desciam do teto e se espalhavam por toda parte ao mesmo tempo e estavam arranjadas e agrupadas em tão engenhosos desenhos, algumas em quadrados, outras em círculos, criando o espetáculo mais luminoso que se possa imaginar para o prazer dos olhos.
VIDA DE ANTÔNIO, PLUTARCO, c. 46-120 d.C.

> Na Idade Média, a atitude simbolista estava muito mais em evidência... O simbolismo parece uma espécie de atalho para o pensamento. Em vez de procurar a relação entre duas coisas, seguindo as variantes ocultas de suas conexões, o pensamento dá um salto e descobre a sua relação não na conexão de causa e efeitos, mas numa conexão de significado (...) O pensamento simbolista permite uma infinidade de relações entre coisas. Cada coisa pode denotar um número de ideias distintas por suas diferentes qualidades especiais, e uma qualidade pode ter vários significados simbólicos. Os mais altos conceitos têm milhares de símbolos. Nada é humilde demais para representar e glorificar o sublime. A nogueira significa Cristo: a doce semente é a Sua natureza divina, a pele externa verde e carnuda é a Sua humanidade, a casca rija no meio é a cruz. Assim, todas as coisas elevam seus pensamentos ao eterno (...) Cada pedra preciosa, além do seu natural esplendor, cintila com o brilho dos seus

Em 1547, o rei Francisco morre e Henrique sobe ao trono. Esta nova situação era arriscada para Diane de Poitiers. Ela tinha acabado de fazer quarenta e oito anos e, apesar dos notórios banhos frios e dos boatos sobre elixires da juventude, ela estava começando a mostrar a sua idade. Agora que Henrique era rei, talvez voltasse para a cama da rainha e fizesse o que outros reis tinham feito – escolher amantes entre o grupo de beldades que faziam da corte francesa a inveja da Europa. Afinal de contas, ele estava com apenas vinte e oito anos, e tinha uma bela estampa. Mas Diane não desistia tão facilmente, e continuou enfeitiçando o amante como vinha fazendo há onze anos.

As armas secretas de Diane eram os símbolos e as imagens, aos quais ela sempre prestava muita atenção. Logo no início do seu relacionamento com Henrique ela criou um emblema interligando as suas iniciais com as dele, para simbolizar a união dos dois. A ideia funcionava como um amuleto: Henrique espalhou esta insígnia por toda parte – nos seus mantos reais, em monumentos, igrejas, até na fachada do Louvre que na época era o palácio real em Paris. As cores favoritas de Diane eram o preto e o branco, que ela usava exclusivamente, e sempre que possível a insígnia aparecia nestas cores. Todos reconheciam o símbolo e o que ele queria dizer. Assim que Henrique subiu ao trono, entretanto, Diane foi ainda mais além: decidiu identificar-se com a deusa romana, Diana, sua xará. Diana era a deusa da caça, passatempo tradicional da realeza e uma paixão de Henrique. Igualmente importante, na arte renascentista ela simbolizava castidade e pureza. Para uma mulher como Diane, identificar-se com essa deusa evocaria na mesma hora estas imagens na corte, conferindo-lhe um ar de respeitabilidade. Simbolizando o seu "casto" relacionamento com Henrique, isso também a distinguiria das ligações adúlteras das amantes reais no passado.

Para efetuar esta associação, Diane começou transformando totalmente o seu castelo em Anet. Colocou abaixo o que já estava construído e no seu lugar ergueu um prédio com magníficas colunas dóricas, cópia de um templo romano. Foram usadas pedras brancas da Normandia salpicadas de sílica preta, reproduzindo as cores que eram a marca registrada de Diane. O emblema com as suas iniciais e as de Henrique apareciam nas colunas, nas portas, janelas e tapetes. Ao mesmo tempo, os símbolos de Diana – luas em quarto crescente, veados e cães de caça – enfeitavam os portões e a fachada. Dentro, enormes tapeçarias retratando episódios da vida da deusa cobriam o chão e as paredes. No jardim ficava a famosa escultura de Goujon,

Diane Chasseresse, que hoje está no Louvre, e que tem uma incrível semelhança com Diane de Poitiers. Quadros e outros retratos de Diana apareciam por todos os cantos do castelo.

Anet conquistou definitivamente Henrique, que logo estava proclamando aos quatro ventos a imagem de Diane de Poitiers como uma deusa romana. Em 1548, quando o casal apareceu junto em Lyons para uma comemoração real, o povo da cidade os recebeu com um *tableau vivant* retratando uma cena com Diana, a caçadora. O maior poeta da França na época, Pierre de Ronsard, começou a compor versos em homenagem a Diana – na verdade, instalou-se uma espécie de culto à deusa Diana, inspirado pela amante do rei. A Henrique parecia que Diane se envolvera numa espécie de aura divina, e que ele estava destinado a adorá-la para o resto da sua vida. E até a sua morte, em 1559, ele continuou fiel – dando-lhe o título de duquesa, uma riqueza incalculável, e demonstrando uma devoção quase religiosa a sua primeira e única amante.

Interpretação

Diane de Poitiers, mulher de origem burguesa modesta, conseguiu cativar Henrique por mais de vinte anos. Quando ele morreu, ela havia passado dos sessenta, mas a paixão dele só aumentou com o passar dos anos. Ela conhecia bem o rei. Ele não era um intelectual, mas um amante da vida ao ar livre – gostava particularmente das justas, com seus galhardetes de cores fortes, cavalos ricamente ajaezados e mulheres bem-vestidas. Diane via o gosto de Henrique pelo esplendor visual como uma infantilidade, e aproveitava todas as chances de jogar com essa fraqueza dele.

A estratégia mais astuciosa de Diane foi a sua apropriação da deusa Diana. Aqui ela não jogou apenas com a imagem física, ela entrou no reino dos símbolos psíquicos. Foi uma proeza e tanto transformar a amante do rei num emblema de poder e pureza, mas ela conseguiu. Sem a ressonância da deusa, Diane era apenas uma cortesã que estava ficando velha. Revestindo-se com a imagem e o simbolismo de Diana, ela parecia uma força mítica destinada à grandeza.

Você também pode jogar com imagens assim, tecendo pistas visuais numa *gestalt* abrangente, como fez Diane com suas cores e sua insígnia. Crie marcas registradas como essas para se distinguir dos outros. Em seguida, vá em frente: descubra uma imagem ou símbolo do passado que se encaixe perfeitamente à sua situação e envolva-se nela. Vai parecer maior do que é na realidade.

---

valores simbólicos. A assimilação de rosas e virgindade é muito mais do que uma comparação poética, pois revela a essência comum das duas. A cada noção que surge mentalmente, a lógica do simbolismo cria uma harmonia de ideias.
THE WANING OF THE MIDDLE AGES, JOHAN HUIZINGA, 1928

Era uma vez um homem chamado Sakamotoya Hechigwan que vivia no alto Kioto (...) Quando [o imperador] Hideyoshi realizou o seu grande Cha-no-yu [cerimônia do chá] em Kitano, no décimo mês de 1588, Hechigwan armou um grande guarda-sol com quase três metros de diâmetro sobre uma haste com dois metros de altura. Em torno do cabo ele fez uma cerca de junco com aproximadamente sessenta centímetros de tal forma que os raios do sol ali se refletiam,

difundindo ao redor as cores do guarda-chuva. Hideyoshi gostou tanto que recompensou Hechigwan com a isenção do pagamento de impostos.
CHA-NO-YU: THE JAPANESE TEA CEREMONY, A. L. SADLER, 1962

Diante da luz que se reflete nas outras estrelas formando a sua volta uma espécie de corte, diante da justa e igual distribuição de seus raios a todos igualmente, diante do benefício que leva a todas as partes, produzindo vida, alegria e ação, diante da sua forma constante e invariável, escolho o sol como a imagem magnífica para representar um grande líder.

Luís XIV, o Rei Sol, 1638-1715

AS CHAVES DO PODER

Defender-se com palavras é um negócio arriscado; elas são instrumentos perigosos e podem se perder pelo caminho. As palavras que as pessoas usam para nos convencer virtualmente nos convidam a refletir sobre elas com as nossas próprias palavras. Ficamos cismando e acabamos acreditando no contrário do que dizem. (Faz parte da nossa natureza perversa.) Acontece também que as palavras nos ofendem, despertam associações não pretendidas por quem as pronunciou.

O visual, por outro lado, encurta o caminho nesse labirinto de palavras. Ele ataca com um poder emocional e um imediatismo que não dá espaço para reflexões e dúvidas. Como a música, ele passa por cima do pensamento racional, sensato. Imagine o Médico da Lua tentando defender a sua prática médica, tentando convencer os não convertidos falando sobre os poderes curativos da lua e sobre a sua própria conexão especial com um objeto distante no céu. Ele teve sorte conseguindo criar um espetáculo atraente que tornava as palavras desnecessárias. Assim que seus pacientes entravam na cervejaria, a imagem da lua já era suficientemente eloquente.

Compreenda: as palavras colocam você na defensiva. Se você precisa se explicar, o seu poder já foi colocado em dúvida. A imagem, por outro lado, se impõe como um dom. Ela desencoraja perguntas, cria associações convincentes, resiste a interpretações não desejadas, comunica instantaneamente e forja vínculos que transcendem as diferenças sociais. As palavras geram discussões e divisões; as imagens unem as pessoas. Elas são os instrumentos quintessenciais do poder.

O símbolo tem o mesmo poder, seja ele visual (a estátua de Diana) ou uma descrição verbal de algo visual (as palavras "Rei Sol"). O objeto simbólico representa outra coisa, algo abstrato (tal como a imagem de "Diana" representando a castidade). O conceito abstrato – pureza, patriotismo, coragem, amor – está repleto de associações emocionais e poderosas. O símbolo é uma forma de expressão mais rápida, contendo dezenas de significados numa única frase ou objeto. O símbolo do Rei Sol, como explicado por Luís XIV, pode ser entendido em vários níveis, mas a sua beleza está no fato de que suas associações não exigiam explicação, falavam imediatamente aos seus súditos, o distinguiam de todos os outros reis e evocavam um tipo de majestade que ia muito além das próprias palavras. O símbolo tem poderes incalculáveis.

    O primeiro passo quando se usa símbolos e imagens é compreender a predominância da visão sobre os outros sentidos. Antes do Renascimento, dizem, a visão e os outros sentidos – como o paladar e o tato, por exemplo – operavam num plano relativamente igual. Desde aquela época, entretanto, a visão se tornou dominante, e é o sentido de que mais dependemos e no qual mais confiamos. Como disse Gracián: "A verdade é geralmente vista, raramente ouvida." Ao ser capturado como escravo pelos mouros, o pintor renascentista Fra Filippo Lippi reconquistou a liberdade desenhando o seu dono numa parede branca com um pedaço de carvão. Quando o dono viu o desenho, entendeu na mesma hora o poder de um homem que era capaz de fazer tais imagens, e libertou Fra Lippi. Uma única imagem foi muito mais eficaz do que qualquer argumento que o pintor pudesse apresentar com palavras.

    Não negligencie a sua maneira de apresentar as coisas visualmente. Fatores como cor, por exemplo, têm uma enorme ressonância simbólica. Quando o trapaceiro Yellow Kid Weil criou um boletim com informações secretas sobre as ações falsas que ele estava vendendo, ele o chamou de "Red Letter Newsletter" e mandou imprimi-lo em letras vermelhas a um custo considerável. A cor criou uma ideia de urgência, poder e sorte. Weil sabia que esses detalhes eram os elementos-chave de uma fraude – como sabem os publicitários modernos e marqueteiros modernos. Se você usar a palavra "ouro" no título de alguma coisa que estiver vendendo, por exemplo, imprima-a em letras douradas. Como o olhar predomina, as pessoas reagirão mais à cor do que à palavra.

    O visual contém um grande poder emocional. O imperador romano Constantino passou quase que a vida inteira adorando o sol como um deus. Mas, um dia, ele olhou para o sol e viu sobreposta uma cruz. A visão da cruz sobre o sol lhe mostrou a ascendência de uma nova religião, e logo em seguida ele não só se converteu ao cristianismo como levou todo o Império Romano a fazer o mesmo. Todas as pregações e todo o proselitismo no mundo não teriam tido tamanha eficácia. Encontre, e associe-se a eles, imagens e símbolos que comuniquem assim imediatamente hoje, e você terá um poder incalculável.

Mais eficaz do que tudo é uma nova combinação – uma fusão de imagens e símbolos que ainda não tenham sido vistos juntos, mas cuja associação demonstre claramente a sua nova ideia, mensagem, religião. A criação de novas imagens e símbolos a partir de outros antigos tem um efeito poético – as associações do espectador se excitam, dando-lhe a sensação de estar participando.

As imagens visuais costumam aparecer em sequência, e a ordem em que elas aparecem cria um símbolo. A primeira a surgir, por exemplo, simboliza poder, a do centro parece ter importância central.

Próximo do fim da Segunda Guerra Mundial, chegaram ordens do general Eisenhower para que as tropas americanas liderassem a entrada em Paris, libertada dos nazistas. O general francês Charles de Gaulle, entretanto, percebeu que esta sequência daria a ideia de que os americanos é que estavam comandando o destino da França. Usando de muita manipulação, De Gaulle garantiu que ele e a Segunda Divisão Armada Francesa aparecessem encabeçando a força libertadora. A estratégia funcionou: depois de realizar esta proeza com sucesso, os aliados passaram a tratá-lo como o novo líder de uma França independente. De Gaulle sabia que um líder tem de se colocar literalmente como a cabeça das suas tropas. Esta associação visual é importantíssima para a reação emocional que ele precisa inspirar.

As coisas mudam no jogo dos símbolos: provavelmente não é mais possível posar de "rei sol", ou se envolver no manto de Diana. Mas você pode se associar a esses símbolos de uma forma mais indireta. E, é claro, pode criar a sua própria mitologia a partir de personagens mais recentes da história, gente que está confortavelmente morta, mas ainda bastante associativa aos olhos do público. A ideia é criar para si próprio uma aura, uma estatura que a sua simples aparência normal não criaria. Por si só, Diane de Poitiers não possuía esses poderes irradiantes. Ela era tão comum e humana quanto a maioria de nós. Mas o símbolo a elevou acima dos humanos e a fez parecer divina.

O uso dos símbolos também causa um efeito palaciano, visto que, em geral, eles são mais delicados que as palavras rudes. O psicoterapeuta Milton H. Erickson sempre tentava encontrar símbolos e imagens para se comunicar com os pacientes de uma forma impossível de fazer com palavras. Quando atendia a um paciente gravemente perturbado, ele não começava logo com perguntas, mas procurava falar de coisas irrelevantes, assim como dirigir pelo deserto do Arizona onde ele exercia a sua prática desde a década de 1950. Ao descrever esses passeios ele acabava encontrando um símbolo adequado para o que desconfiava ser o principal problema daquele homem. Se sentisse que o paciente estava isolado, digamos, Erickson falava de uma única árvore da espécie pau-ferro e de como o seu isolamento a deixava exposta aos ventos. Ao fazer uma conexão emocional com a árvore como símbolo, o paciente se abria mais rápido às sondagens do médico.

Use o poder dos símbolos como uma forma de cerrar fileiras, animar e unir as suas tropas ou equipe. Durante a rebelião contra a coroa francesa, em 1648, aqueles que permaneceram fiéis ao rei subestimaram os rebeldes comparando-os aos estilingues (em francês, *frondes*) que os garotinhos usam para assustar os grandalhões. O cardeal de Retz decidiu transformar este termo depreciativo no símbolo dos rebeldes: a rebelião hoje é conhecida como a *Fronde*, e os rebeldes como *frondeurs*. Eles começaram usando faixas nos chapéus simbolizando o estilingue, e a palavra se tornou o seu grito de combate. Sem ele, a rebelião poderia muito bem ter perdido aos poucos a sua força. Encontre sempre um símbolo para representar a sua causa – quanto mais emocionais as associações, melhor.

A melhor maneira de usar imagens e símbolos é organizá-los como um grande espetáculo que assombre as pessoas e as distraia das realidades desagradáveis. Isso é fácil de fazer: elas gostam do que é grandioso, espetacular e sobrenatural. Apele para as suas emoções e elas comparecerão em massa ao seu espetáculo. O visual é o caminho mais fácil para seus corações.

Imagem:
A Cruz e o Sol. Crucificação e total radiação. Com um sobreposto ao outro, a nova realidade toma forma – um novo poder ascende. O símbolo – não é preciso explicar nada.

Autoridade: As pessoas se impressionam sempre com a aparência superficial das coisas... O [príncipe] deve, em épocas adequadas do ano, manter o povo ocupado e distraído com festividades e espetáculos. (Nicolau Maquiavel, 1469-1527)

O INVERSO
É impossível obter o poder quando se ignoram as imagens e os símbolos. O inverso desta lei não existe.

LEI
38

PENSE COMO QUISER, MAS COMPORTE-SE COMO OS OUTROS

JULGAMENTO

Se você alardear que é contrário às tendências da época, ostentando suas ideias pouco convencionais e modos não ortodoxos, as pessoas vão achar que você está apenas querendo chamar atenção e se julga superior. Acharão um jeito de punir você por fazê-las se sentir inferiores. É muito mais seguro juntar-se a elas e desenvolver um toque comum. Compartilhe a sua originalidade só com os amigos tolerantes e com aqueles que certamente apreciarão a sua singularidade.

A LEI TRANSGREDIDA

Por volta do ano 478 a.C., a cidade de Esparta enviou uma expedição a Pérsia, liderada pelo jovem nobre espartano Pausânias. As cidades-estados gregas tinham recentemente repelido uma poderosa invasão da Pérsia, e agora Pausânias, junto com navios aliados de Atenas, tinha ordens de punir os invasores e reconquistar as ilhas e cidades costeiras que os persas estavam ocupando. Tanto os atenienses quanto os espartanos tinham um grande respeito por Pausânias – ele havia se mostrado um guerreiro corajoso, com um certo gosto pelo dramático.

Com incrível rapidez, Pausânias e suas tropas tomaram Chipre, em seguida se dirigiram para a região no continente da Ásia Menor conhecida como Helesponto e capturaram Bizâncio (hoje Istambul). Dono agora de parte do império persa, Pausânias começou a dar sinais de um comportamento mais exagerado do que a sua pomposidade normal. Ele aparecia em público com os cabelos cheios de brilhantina, vestindo flutuantes mantos persas e acompanhado por guarda-costas egípcios. Dava banquetes luxuosos nos quais ficava sentado à maneira dos persas e exigia ser servido com todas as honras de um convidado. Deixou de ver os velhos amigos, passou a se comunicar com o rei dos persas, Xerxes, e em tudo afetava o estilo e as maneiras de um ditador persa.

Nitidamente o poder e o sucesso tinham lhe subido à cabeça. No início, seus exércitos – atenienses e espartanos – acharam que fosse um capricho passageiro: ele sempre fora um tanto extravagante mesmo. Mas quando ele exibiu o seu desprezo pelo estilo de vida simples dos gregos, e insultou o soldado grego comum, começaram a achar que ele estava exagerando. Embora não houvesse nenhuma evidência concreta, corriam boatos de que ele tinha se passado para o outro lado e sonhava se tornar uma espécie de Xerxes grego. Para sufocar um possível motim, os espartanos tiraram Pausânias do comando e o chamaram de volta para casa.

Pausânias, entretanto, continuou a se vestir no estilo persa, mesmo em Esparta. Meses depois, ele contratou um trirreme e retornou ao Helesponto, dizendo aos seus compatriotas que ia continuar lutando contra os persas. Na verdade, seus planos eram outros – ele queria governar toda a Grécia, com ajuda do próprio Xerxes. Os espartanos o declararam inimigo público e enviaram um navio para capturá-lo. Pausânias se rendeu, certo de que se livraria das acusações de traição. Durante o julgamento, revelou-se que, no período em que atuara como comandante, ele havia ofendido várias vezes seus companheiros gregos, erigindo monumentos, por exemplo, em seu nome em vez de fazê-lo em nome das cidades cujas tropas tinham lutado ao seu lado, como era o costume. Mas Pausânias estava certo: apesar das evidências de seus nu-

---

PENSE COMO A MINORIA E FALE COMO A MAIORIA
É fácil correr perigo tentando remar contra a maré. Só um Sócrates pôde tentar isso. A divergência é considerada ofensiva porque é a condenação das opiniões alheias; cresce a multidão de descontentes, por alguma questão que foi objeto de censura ou de louvor por alguém: a verdade é para a minoria, o erro é tão comum quanto vulgar. Nem o homem sábio deve ser reconhecido pelo que diz no mercado, pois ali ele não fala com a sua própria voz, mas com a da turba universal, por mais que seus pensamentos mais íntimos possam contradizer isso: o homem sábio evita ser contestado com tanta perseverança quanto evita contestar; a publicidade da censura é negada ao que prontamente a provoca. O pensamento é livre; não pode e não deve ser coagido; retire-se para o santuário do seu silêncio, e se às vezes se permitir quebrá-lo, que seja sob a égide de uma discreta minoria.
BALTASAR GRACIÁN, 1601-1658

merosos contatos com o inimigo, os espartanos se recusaram a prender um homem de origem tão nobre, e o deixaram ir.

Considerando-se agora intocável, Pausânias contratou um mensageiro para levar uma carta para Xerxes, mas o mensageiro a entregou às autoridades espartanas. Esses homens queriam saber mais, e mandaram o mensageiro combinar um encontro com Pausânias num templo onde poderiam ficar escutando escondidos atrás de um biombo. O que Pausânias disse os deixou chocados – jamais tinham ouvido tanto desprezo pelos seus hábitos expresso com tamanha arrogância por um compatriota –, e arranjaram para que ele fosse preso imediatamente.

Voltando para casa, Pausânias soube do que tinha acontecido. Foi correndo se esconder em outro templo, mas as autoridades o seguiram até lá e cercaram o lugar com sentinelas. Pausânias não quis se entregar. Sem querer retirá-lo à força do templo sagrado, as autoridades o mantiveram preso lá dentro até morrer de fome.

Interpretação

À primeira vista, pode parecer que Pausânias tenha simplesmente se apaixonado por outra cultura, um fenômeno velho como a história. Não se sentindo à vontade com o ascetismo espartano, ele ficou fascinado com o gosto dos persas pelo luxo e pelo prazer sensual. Ele usava os mantos e os perfumes persas sentindo-se livre da disciplina e da simplicidade dos gregos.

É isso que parece quando as pessoas adotam uma cultura diferente daquela em que foram criadas. Mas, quase sempre, está em jogo também uma outra coisa: quem ostenta o seu fascínio por uma cultura diferente está expressando desdém e desprezo pela sua. Está usando o exterior exótico para se distinguir das pessoas comuns, que vivem sem questionar as leis e os costumes locais, e expressar o seu sentimento de superioridade. Não fosse assim, agiria com mais dignidade, respeitando aqueles que não compartilham dos seus desejos. A necessidade de mostrar a sua diferença de forma tão dramática quase sempre desperta a antipatia das pessoas cujas crenças desafia, indireta e sutilmente talvez, mas não obstante de forma ofensiva.

Como escreveu Tucídides a respeito de Pausânias: "Ao desprezar as leis e imitar os modos estrangeiros, ele se tornou amplamente suspeito de não estar disposto a se conformar com padrões normais." As culturas têm normas que refletem séculos de crenças e ideais em comum. Não espere zombar de tudo isso impunemente. Você será punido de alguma forma, mesmo que apenas com o isolamento – uma situação de total impotência.

"Bene vixit, qui bene latuit" – "Vive bem quem se esconde bem."
OVÍDIO, c. 43 a.C.-18 d.C.

Homens sábios [deveriam ser] como cofres com fundo duplo: que aos olhos de quem os vê, abertos, não mostram tudo o que guardam.
SIR WALTER RALEIGH, 1554-1618

QUANDO AS ÁGUAS MUDARAM
Certa vez, Khidr, o professor de Moisés, fez um alerta à humanidade. Numa determinada data, todas as águas do mundo, menos as especialmente reservadas, desapareceriam. Em seguida seriam substituídas por uma água diferente que deixaria os homens loucos. Apenas um homem entendeu o significado desse aviso e guardou uma certa quantidade de água num lugar seguro, esperando acontecer a mudança. Na data indicada, os rios deixaram de correr, os poços secaram e o homem que tinha entendido, vendo tudo isso acontecer, foi para o seu esconderijo e bebeu da água reservada. Quando viu, do seu

posto seguro, que as cachoeiras estavam novamente correndo, ele voltou ao convívio dos outros filhos dos homens, observando que eles agora pensavam e falavam de outra maneira totalmente diferente, mas não se lembravam do que tinha acontecido, nem de terem sido avisados. Quando tentou falar com eles, percebeu que o julgavam louco, e se mostravam hostis ou compadecidos, mas não o compreendiam. No início, ele não bebia da nova água, voltando ao seu esconderijo todos os dias para se abastecer nas suas reservas. Finalmente, não suportando mais a solidão em que a sua vida tinha se transformado, porque ele se comportava e pensava diferente de todo mundo, resolveu beber da nova água. Bebeu e se tornou um deles. Depois não lembrou mais da sua reserva de água especial e passou a ser visto como o louco que havia milagrosamente recuperado a razão.
TALES OF THE DERVISHES, IDRIES SHAH, 1967

Muitos de nós, como Pausânias, se sentem atraídos pelo que é exótico, estrangeiro. Meça e modere este desejo. Alardear o seu prazer com modos de pensar e agir alienígenas revelará um motivo diferente – mostrar-se superior aos seus companheiros.

A LEI OBSERVADA

Durante o século XVI, explodiu uma forte reação contra a reforma protestante na Itália. A Contrarreforma, como foi chamada, incluía a sua própria versão da Inquisição para arrancar pela raiz tudo que se desviasse da Igreja Católica. Entre suas vítimas estava o cientista Galileu, mas outro importante pensador ainda mais perseguido foi o monge dominicano e filósofo Tommaso Campanella.

Seguidor da doutrina materialista do filósofo romano Epicuro, Campanella não acreditava em milagres, ou em céu e inferno. A Igreja havia promovido essas superstições, ele escreveu, para controlar o povo e mantê-lo atemorizado. Essas ideias beiravam o ateísmo, e Campanella foi imprudente ao expressá-las. Em 1593, a Inquisição o mandou para a prisão por suas crenças hereges. Seis anos depois, como uma forma de liberdade parcial, ele foi confinado num mosteiro em Nápoles.

O Sul da Itália era controlado pela Espanha naquela época, e, em Nápoles, Campanella se envolveu numa conspiração para combater e expulsar esses invasores. Sua esperança era fundar uma república independente baseada nas suas próprias ideias utópicas. Os líderes da Inquisição italiana, agindo junto com seus colegas espanhóis, prenderam-no de novo. Desta vez também o torturaram, para descobrir a verdadeira natureza das suas crenças ímpias: ele foi submetido à infame *la veglia*, uma tortura na qual a vítima ficava suspensa pelos braços e agachada, a poucos centímetros de uma cadeira crivada de pregos. Era impossível ficar muito tempo nessa posição e a pessoa acabava sentando-se sobre os pregos, que lhe rasgavam a sua carne ao mais leve contato.

Durante estes anos, entretanto, Campanella aprendeu alguma coisa sobre o poder. Diante da perspectiva de execução por heresia, ele mudou de estratégia: não renunciaria às suas crenças, mas sabia que era preciso disfarçar a sua aparência externa.

Para salvar a vida, Campanella se fingiu de louco. Deixou que seus inquisidores imaginassem que suas crenças se originavam de uma incontrolável instabilidade mental. Por uns tempos as torturas continuaram, para ver se a sua insanidade era falsa, mas, em 1603, sua sentença foi convertida em prisão perpétua. Ele passou os primeiros quatro anos acorrentado a uma parede numa caverna subterrânea. Apesar dessas condições, ele continuou escrevendo – embora não fosse mais tão tolo a ponto de expressar diretamente as suas ideias.

Um livro de Campanella, *A monarquia hispânica*, promovia a ideia de que a Espanha tinha a missão divina de expandir seus poderes por todo o mundo e, com esse intuito, oferecia ao rei espanhol conselhos práticos ao estilo de Maquiavel. Apesar do seu próprio interesse por Maquiavel, livro, de maneira geral, apresentava ideias completamente opostas as suas. *A monarquia hispânica* era de fato uma manobra, uma tentativa de mostrar a sua conversão à ortodoxia da maneira mais corajosa possível. Funcionou: em 1626, seis anos depois de publicada, o papa finalmente tirou Campanella da prisão.

Assim que se viu livre, Campanella escreveu *O ateísmo conquistado*, um livro que atacava os livres-pensadores maquiavélicos, calvinistas e hereges de todas as espécies. O livro está escrito na forma de debates nos quais os hereges expressam suas crenças e enfrentam argumentos divergentes em defesa da superioridade do catolicismo. Campanella estava obviamente reformado – seu livro deixava isso bem claro. Ou não?

Os argumentos na boca dos hereges jamais haviam sido expressos com tanta verve e tanto frescor. Fingindo apresentar o seu lado apenas para derrubá-lo, Campanella na verdade resumiu a acusação ao catolicismo com surpreendente paixão. Quando ele discutia o outro lado, supostamente o *seu* lado, ele recorria a clichês rançosos e lógicas confusas. Breves e eloquentes, os argumentos dos hereges pareciam ousados e sinceros. As extensas discussões a favor do catolicismo pareciam cansativas e pouco convincentes.

Os católicos que leram o livro o acharam perturbador e ambíguo, mas não se poderia dizer que era herético, ou que Campanella deveria voltar para a prisão. Sua defesa do catolicismo, afinal de contas, utilizava os mesmos argumentos que eles usavam. Mas *O ateísmo conquistado* acabou se tornando uma bíblia para os ateus, maquiavélicos e libertinos que usavam os argumentos que Campanella colocara em suas bocas para defender suas perigosas ideias. Combinando uma conformidade exterior com uma expressão das suas verdadeiras crenças de maneira a ser entendida por seus simpatizantes, Campanella mostrou que tinha aprendido a lição.

Interpretação

Em face da aterradora perseguição, Campanella imaginou três movimentos estratégicos que salvaram a sua pele, o livraram da prisão e permitiram que ele continuasse expressando suas crenças. Primeiro ele fingiu que estava louco – o equivalente medieval para se livrar da responsabilidade pelas próprias ações, como culpar os pais hoje em dia.

> Jamais conteste as opiniões de um homem, pois nem que os dois chegassem à idade de Matusalém você acabaria de colocar em ordem todas as coisas absurdas em que ele acredita. É bom também evitar corrigir os erros das pessoas durante uma conversa, por melhor que sejam as suas intenções, pois é fácil ofendê-las e difícil, se não impossível, consertá-las. Irritado ao escutar, por acaso, as observações ridículas de duas pessoas conversando, imagine estar ouvindo um diálogo entre dois tolos comediantes. Probatum est. O homem que vem ao mundo com a ideia de que vai realmente instruí-lo em questões importantíssimas pode agradecer aos astros se escapar ileso.
> ARTHUR SCHOPENHAUER, 1788-1860

Em seguida, escreveu um livro dizendo exatamente o contrário do que ele acreditava. Finalmente, e o que foi mais brilhante, disfarçou suas ideias ao mesmo tempo que as insinuava. É um truque antigo, mas que funciona: você finge discordar de ideias perigosas, mas no decorrer da discussão você expressa e expõe as suas próprias ideias. Você parece concordar com a ortodoxia prevalecente, mas quem sabe compreende a ironia. Você está protegido.

Na sociedade, é inevitável que certos valores e costumes percam de vista os seus motivos originais e se tornem opressivos. E sempre haverá aqueles que se rebelam contra essa opressão, alimentando ideias muito à frente do seu tempo. Como Campanella foi forçado a perceber, não faz sentido exibir suas ideias perigosas se elas só lhe causam sofrimentos e perseguições. O martírio não serve de nada – melhor continuar vivendo num mundo opressivo, até prosperando nele. Enquanto isso, descubra como expressar suas ideias sutilmente para aqueles que compreendem você. Distribuir suas pérolas aos porcos só lhe causará problemas.

Durante muito tempo não disse em que acreditava, nem acredito sempre no que digo, e se às vezes falo a verdade, eu a escondo entre tantas mentiras que é difícil encontrá-la.

Nicolau Maquiavel, numa carta a Francesco Guicciardini, 17 de maio de 1521

O CIDADÃO E O VIAJANTE
"Olhe em volta", disse o cidadão. "Este é o maior mercado do mundo." "Oh, certamente que não", disse o viajante. "Bem, talvez não o maior", disse o cidadão, "mas o melhor." "Você deve estar enganado", disse o viajante. "Eu lhe digo..."Enterraram o estrangeiro ao cair da noite.
FABLES, ROBERT LOUIS STEVENSON, 1850-1894

AS CHAVES DO PODER

Todos nós mentimos e escondemos nossos verdadeiros sentimentos, pois a total liberdade de expressão é uma impossibilidade social. Desde cedo aprendemos a dissimular nossos pensamentos, dizendo aos irritadiços e inseguros o que nós queremos que eles ouçam, prestando atenção para não ofendê-los. Para a maioria de nós isto é natural – existem ideias e valores aceitos pela maioria, e é inútil discutir. Acreditamos no que queremos acreditar, portanto, mas externamente usamos uma máscara.

Não obstante, há quem veja essas restrições como uma violação intolerável da sua liberdade, e precisa provar a superioridade de seus valores e crenças. No final, entretanto, seus argumentos convencem apenas a uns poucos e ofendem a muitos mais. Eles não funcionam porque a maioria das pessoas conserva seus valores e ideias sem pensar neles. Existe um forte conteúdo emocional nessas crenças: as pessoas realmente não querem mudar a sua maneira de pensar, e se você as desafia, seja diretamente com seus argumentos ou indiretamente com seu comportamento, elas se tornam hostis.

Pessoas sábias e inteligentes aprendem cedo que podem exibir comportamentos e ideias convencionais sem ter de acreditar neles. O poder que essas pessoas obtêm misturando-se aos outros é o de ficar à vontade para pensar o que elas quiserem, e dizer o que pensam a quem elas querem dizer, sem sofrer isolamento ou ostracismo. Depois de estabelecidas numa posição de poder, elas podem tentar convencer um círculo mais amplo de que suas ideias estão certas – trabalhando também indiretamente, usando como estratégia a ironia e a insinuação, como fez Campanella.

Se Maquiavel tivesse tido um príncipe como discípulo, a primeira coisa que teria lhe recomendado era escrever um livro contra o maquiavelismo.
VOLTAIRE, 1694-1778

No fim do século XIV, os espanhóis iniciaram uma perseguição em massa aos judeus, assassinando milhares deles e expulsando outros tantos do país. Os que permaneceram na Espanha foram forçados a se converter. Mas durante trezentos anos os espanhóis continuaram notando um fenômeno que os incomodava: muitos convertidos viviam exteriormente como católicos, mas conseguiam conservar suas crenças judaicas praticando a religião em segredo. Bem mais tarde descobriu-se que muitos desses chamados marranos (originalmente um termo depreciativo que significava, em espanhol, "porco"), que chegaram a ocupar altos cargos no governo, casaram-se com moças de famílias nobres e deram todas as evidências de piedade cristã, eram na verdade judeus praticantes. (A Inquisição espanhola tinha a incumbência específica de descobri-los.) Durante anos eles dominaram a arte da dissimulação, exibindo crucifixos, presenteando generosamente as igrejas, até ocasionalmente fazendo observações antissemíticas – e o tempo todo mantinham a sua liberdade interior e as suas crenças.

Em sociedade, os marranos sabiam, o importante eram as aparências. Isso ainda é verdade hoje em dia. A estratégia é simples: como fez Campanella ao escrever *O ateísmo conquistado*, mostre que está se misturando com os outros, chegando até ao ponto de ser o mais fiel defensor da ortodoxia prevalecente. Se você se aferrar às aparências convencionais em público, poucos acreditarão que você pensa diferente.

Não cometa a tolice de imaginar que na época em que você está vivendo não existem mais as velhas ortodoxias. Jonas Salk, por exemplo, achava que a ciência tinha ultrapassado a política e o protocolo. E, assim, pesquisando a vacina para a poliomielite, ele quebrou todas as regras – publicou uma descoberta antes de mostrá-la à comunidade científica, assumiu o crédito pela vacina sem reconhecer a participação de cientistas que lhe abriram o caminho, fez de si mesmo uma estrela. O público pode ter adorado, mas os cientistas o evitaram. O seu desrespeito pelas ortodoxias da sua comunidade o deixaram isolado, e ele passou anos tentando fechar essa brecha e lutando para conseguir patrocínios e cooperação.

Bertolt Brecht sofreu uma forma moderna de inquisição – o Comitê de Atividades Antiamericanas – e a enfrentou com considerável astúcia. Tendo trabalhado ocasionalmente na indústria do cinema americano durante a Segunda Guerra Mundial, em 1947 Brecht foi convocado a comparecer diante de uma comissão e responder sobre as suas supostas simpatias comunistas. Outros escritores chamados fizeram questão de atacar os membros da comissão e de agir da forma mais agressiva possível para conquistar para eles mesmos as simpatias. Brecht, por outro lado, que tinha realmente se empenhado na defesa da causa comunista, fez o jogo oposto: respondeu às perguntas com generalidades ambíguas que desafiavam uma fácil interpretação. Chame-se a isso de estratégia Campanella. Brecht até usou um terno – coisa rara, para ele – e fez questão de fumar um charuto durante o interrogatório, sabendo que um importante membro da comissão adorava charutos. No final, os membros da comissão ficaram encantados e o deixaram livre.

Brecht então se mudou para a Alemanha Oriental, onde encontrou um tipo diferente de Inquisição. Ali os comunistas estavam no poder e criticaram suas peças como decadentes e pessimistas. Ele não discutiu, mas fez pequenas mudanças nos scripts para calar a sua boca. Enquanto isso, conseguiu preservar os textos publicados como tinham sido escritos originalmente. Esta conformidade externa em ambos os casos lhe deu liberdade para trabalhar à vontade, sem ter de mudar as suas ideias. No final, ele se safou de épocas perigosas em diferentes países, dançando um pouco conforme as ortodoxias, e provou ser mais poderoso do que as forças da repressão.

Não só as pessoas com poder evitam as ofensas dos Pausânias e dos Salk, como elas também aprendem o papel da raposa esperta e fingem traços em comum. Esta tem sido a manobra de trambiqueiros e políticos nos séculos. Líderes como Júlio César e Franklin D. Roosevelt contiveram suas atitudes aristocráticas naturais para cultivar a familiaridade com o homem comum. Essa familiaridade eles expressam em pequenos gestos, quase sempre simbólicos, para mostrar ao povo que seus líderes compartilham de valores populares, apesar da sua diferença de status.

A extensão lógica desta prática é a inestimável capacidade de ser tudo para todos. Ao entrar para a sociedade, deixe para trás suas próprias ideias e valores, e vista a máscara mais adequada ao grupo em que você se encontra. Bismarck fez esse jogo com muito sucesso durante anos – havia quem compreendesse vagamente o que ele pretendia, mas não com clareza suficiente a importância disso. As pessoas engolem a isca porque se sentem envaidecidas, achando que você pensa do mesmo modo que elas. Não irão considerá-lo um hipócrita se você tiver cuidado – como podem acusá-lo de hipocrisia se você não as deixa saber exatamente de que lado está? Nem elas acharão que você não tem valores. É claro que você tem valores – aqueles que você divide com elas, quando está em sua companhia.

> **Autoridade:** Não dê aos cães o que é sagrado; e não jogue aos porcos as suas pérolas, para que eles não as pisoteiem e se voltem para atacá-lo. (Jesus Cristo, Mateus 7:6)

> **Imagem: A Ovelha Negra** O rebanho evita a ovelha negra, sem saber se ela pertence ou não ao grupo. Por isso, ela fica para trás, ou se extravia do rebanho, quando é encurralada por lobos e rapidamente devorada. Fique com o rebanho – há segurança na multidão. Reserve as suas diferenças para os seus pensamentos, não para a sua pele.

O INVERSO

Só vale a pena se distinguir dos outros quando você já se distinguiu – quando você já alcançou uma posição inabalável de poder e pode exibir a sua diferença como um sinal de distância entre você e os outros. Quando presidente dos Estados Unidos, Lyndon Johnson às vezes fazia reuniões sentado no banheiro. Como ninguém mais poderia usar, ou usaria, de tal "privilégio", Johnson estava mostrando às pessoas que ele não tinha de respeitar os protocolos nem os escrúpulos alheios. Calígula, o imperador romano, fazia o mesmo jogo: recebia hóspedes importantes vestindo um *négligée* feminino, ou um roupão de banho. Chegou até a eleger seu cavalo cônsul. Mas o tiro saiu pela culatra, pois o povo odiava Calígula, e suas atitudes acabaram por derrubá-lo. A verdade é que até para quem chega ao auge do poder seria bom afetar pelo menos um traço em comum, pois em algum momento o apoio popular pode ser necessário.

Finalmente, há sempre um lugar para o provocador, aquele que desafia com sucesso os costumes e zomba do que já está ultrapassado numa cultura. Oscar Wilde, por exemplo, conquistou um considerável poder social baseado nisto: ele deixava claro que desprezava a maneira usual como as coisas eram feitas, e, durante as suas palestras, o público não só esperava como aceitava ser insultado. Notamos, entretanto, que o seu papel excêntrico acabou por destruí-lo. Ainda que ele tivesse tido um fim melhor, lembre-se de que era dono de um gênio incomum: sem o seu talento para divertir e encantar, suas farpas teriam simplesmente ofendido as pessoas.

LEI
39

AGITE AS ÁGUAS
PARA ATRAIR OS PEIXES

JULGAMENTO
Raiva e reações emocionais são contraproducentes do ponto de vista estratégico. Você precisa se manter sempre calmo e objetivo. Mas, se conseguir irritar o inimigo sem perder a calma, você ganha uma inegável vantagem. Desequilibre o inimigo: descubra uma brecha na sua vaidade para confundi-lo e é você quem fica no comando.

A LEI TRANSGREDIDA

ITAKURA SHIGEMUNE MOI O SEU PRÓPRIO CHÁ
O Shoshidai Itakura Suwo-no-kami Shigemune de Kioto apreciava muito a Cha-no-yu (a cerimônia do chá) e costumava moer o seu próprio chá durante as sessões do tribunal onde era juiz. E este era o motivo: Certa vez ele pediu a um amigo, um mercador de chá chamado Eiki que era seu companheiro na Cha-no-yu, que lhe dissesse francamente qual era a opinião do público a seu respeito. "Bem", disse Eiki, "dizem que você se irrita muito se as pessoas não apresentam claramente as suas opiniões e as repreende; portanto, o povo tem medo de vir se queixar e, quando o faz, a verdade não é revelada." "Ah, fico contente por ter me dito isso", retrucou Shigemune. "Pensando bem, tenho essa maneira brusca de falar, e as pessoas humildes e aquelas que não se expressam com facilidade, sem dúvida, ficam confusas e não conseguem apresentar o seu caso com clareza. Vou cuidar para que isso não se repita." A partir de então, ele mandava colocar um moedor de chá

Em janeiro de 1809, um Napoleão agitado e ansioso voltou correndo das suas guerras na Espanha para Paris. Seus espiões e confidentes haviam confirmado os boatos de que o seu ministro das Relações Exteriores, Talleyrand, tinha conspirado contra ele junto com Fouché, o ministro da Polícia. Ao chegar, o chocado imperador mandou chamar imediatamente os seus ministros ao palácio. Acompanhando-os até a reunião, logo após terem chegado, ele começou a andar de um lado para o outro, falando vagamente sobre conspiradores que agiam contra ele, especuladores que derrubavam a bolsa de valores, legisladores que emperravam o andamento das suas políticas – e seus próprios ministros que o arruinavam.

Enquanto Napoleão falava, Talleyrand, apoiando-se no consolo da lareira, demonstrava total indiferença. Encarando Talleyrand, Napoleão anunciou: "Para estes ministros, a traição começou quando eles se permitiram duvidar." Ele esperava que o ministro se assustasse ao ouvir a palavra "traição". Mas Talleyrand sorriu apenas, calmo e entediado.

A visão da aparente serenidade de um subordinado diante de acusações que o poderiam levar à forca irritou Napoleão. Havia ministros, disse ele, que o desejavam morto, e deu um passo em direção a Talleyrand – que sustentou o seu olhar, impassível. Finalmente, Napoleão explodiu. "Você é um covarde", gritou na cara de Talleyrand, "um homem sem fé. Nada é sagrado para você. Venderia o próprio pai. Eu o entupi de riquezas e, no entanto, faz tudo para me magoar." Os outros ministros se entreolharam incrédulos – nunca tinham visto este destemido general, o conquistador de quase toda a Europa, tão perturbado.

"Merece ser estilhaçado como vidro", continuou Napoleão, batendo com o pé no chão. "Tenho poder para isso, mas eu o desprezo demais para me dar a esse trabalho. Por que não mandei dependurá-lo nos portões das Tulherias? Mas ainda é tempo." Aos berros, quase sem fôlego, o rosto vermelho, os olhos esbugalhados, ele continuou: "Você, por falar nisso, não passa de um merda com meias de seda... E a sua mulher? Nunca me disse que San Carlos era amante da sua mulher?" "Certamente, senhor, não me ocorreu que esta informação tivesse alguma importância para a glória de Vossa Majestade ou para a minha", disse Talleyrand calmo, imperturbável. Após mais alguns insultos, Napoleão se retirou. Talleyrand cruzou a sala lentamente, no seu claudicar característico. Enquanto os criados o ajudavam a vestir o casaco, ele se virou para os outros ministros (todos temendo não vê-lo nunca mais) e disse: "Que lástima, senhores, que um homem tão grande seja tão mal-educado."

Apesar da raiva, Napoleão não mandou prender o seu ministro das Relações Exteriores. Liberou-o apenas das suas obrigações e o baniu da corte, acreditando que para aquele homem a humilhação já era castigo suficiente. Ele não percebeu que a notícia do seu discurso se espalhou rápido – que o imperador tinha perdido totalmente o controle e que Talleyrand o humilhara mantendo a compostura e a dignidade. Uma página tinha sido virada: pela primeira vez o povo viu o grande imperador perder a paciência. Espalhou-se uma sensação de que ele estava em declínio. Como Talleyrand disse mais tarde: "É o começo do fim."

Interpretação

E foi mesmo o começo do fim. Faltavam ainda seis anos para Waterloo, mas Napoleão vinha lentamente caminhando para a derrota, concretizada em 1812 com a sua desastrosa invasão da Rússia. Talleyrand foi o primeiro a ver os sinais do seu declínio, especialmente na guerra irracional contra a Espanha. Em 1808, o ministro chegou à conclusão de que, para a futura paz da Europa, Napoleão tinha de desaparecer. E conspirou junto com Fouché.

É possível que a conspiração não tenha passado de uma manobra – um artifício para tirar Napoleão do sério. É difícil acreditar que dois dos homens mais pragmáticos da história tenham planejado alguma coisa pela metade. Poderiam estar apenas agitando as águas, tentando forçar Napoleão a cometer um deslize. E, na verdade, o que conseguiram foi um acesso de fúria que expôs a todos o descontrole do imperador. De fato, a explosão daquela tarde, de tão rápida fama, teve um efeito profundamente negativo sobre a sua imagem pública.

Este é o problema da reação irada. No início, assusta e aterroriza, mas não a todos. Com o passar do tempo, porém, a tempestade se acalma e surgem outras reações – constrangimento e embaraço com o descontrole daquele que gritou, e ressentimento pelo que foi dito. Com raiva, você faz acusações exageradas e injustas. Mais alguns desses destemperos e as pessoas começam a contagem regressiva para você desaparecer de cena.

Diante de uma conspiração contra ele, uma conspiração entre seus dois ministros mais importantes, Napoleão sem dúvida tinha o direito de ficar zangado e ansioso. Mas, reagindo com tanta raiva, e tão publicamente, ele só demonstrou a sua frustração. Mostrar-se frustrado é deixar que os outros vejam que você não tem mais poder sobre os acontecimentos; é a atitude da criança impotente que recorre a um ataque histérico para conseguir o que quer. O poderoso jamais revela este tipo de fraqueza.

---

na sua frente e na frente do moedor os shoji cobertos de papel, e ficava ali sentado moendo chá, procurando manter a calma, enquanto ouvia as queixas. Assim era fácil ele ver se estava tendo uma atitude irritada ou não observando o chá, que não cairia de maneira uniforme do moedor, nem na consistência adequada, caso ele se agitasse. A justiça então era feita imparcialmente e as pessoas iam embora satisfeitas.

CHA-NO-YU: THE JAPANESE TEA CEREMONY, A L. SADLER, 1962

*Se possível, não se deve tratar ninguém com animosidade (...) Dirigir-se a uma pessoa com raiva, mostrar o ódio com palavras ou expressões faciais, é uma atitude desnecessária – perigosa, tola, ridícula e vulgar.
Raiva e ódio não se devem revelar senão no que se faz; e os sentimentos serão muito mais eficazes na ação, desde que se evite*

exibi-los de qualquer outra maneira. Só os animais de sangue frio têm a mordida venenosa.
ARTHUR SCHOPENHAUER, 1788-1860

Napoleão poderia ter feito várias coisas nesta situação. Poderia ter considerado que dois homens eminentemente sensatos deveriam ter algum motivo para se voltarem contra ele, e os teria escutado e aprendido com eles. Poderia ter tentado reconquistá-los. Até poderia ter se livrado deles, mandando prendê-los ou matá-los numa demonstração sinistra de poder. Sem discursos exaltados, sem ataques infantis, sem efeitos posteriores embaraçosos – apenas um tranquilo e definitivo cortar de laços.

Lembre-se: acessos de raiva não intimidam nem inspiram lealdade. Só criam dúvidas e intranquilidade quanto ao seu poder. Expondo a sua fraqueza, estas erupções tempestuosas quase sempre anunciam uma queda.

A LEI OBSERVADA

No fim da década de 1920, Haile Selassie já havia quase atingido a sua meta de assumir o total controle da Etiópia, país que ele sentia precisava de uma liderança forte e unificada. Como regente da imperatriz Zauditu (enteada da falecida rainha) e herdeiro do trono, Selassie havia passado vários anos enfraquecendo o poder de diversos generais etíopes. Agora só um obstáculo real se interpunha no seu caminho: a imperatriz e o marido, Ras Gugsa. Selassie sabia que o casal real o odiava e queria se livrar dele, então, para frustrar uma conspiração dos dois, nomeou Gugsa governador de uma província ao norte de Begemeder, forçando-o a deixar a capital, onde vivia a imperatriz.

O MACACO E O MARIMBONDO
Um macaco, mastigando uma pera madura, foi importunado pela desfaçatez de um marimbondo que, a todo custo, queria um pedaço. Depois de ameaçá-lo com sua ira se continuasse hesitando em atender a sua exigência, o marimbondo pousou na fruta; mas foi logo dali enxotado pelo macaco. O irritante marimbondo agora tinha motivo para reclamar – e, depois de muitos insultos, a

Durante vários anos, Gugsa representou o papel de fiel administrador. Mas Selassie não confiava nele: sabia que Gugsa e a imperatriz planejavam vingança. Conforme o tempo se passava e Gugsa não se mexia, as chances de uma conspiração só aumentavam. Selassie sabia o que tinha que fazer: atrair Gugsa, irritá-lo e forçá-lo a agir antes da hora.

Durante vários anos, uma tribo do norte, os Azebu Gallas, mantivera-se virtualmente em rebelião, roubando e pilhando aldeias locais e recusando-se a pagar impostos. Selassie não havia feito nada para impedi-los, deixando que se fortalecessem cada vez mais. Finalmente, em 1929, ele ordenou que Ras Gugsa chefiasse um exército contra a tribo desobediente. Gugsa obedeceu, mas no íntimo ficou irritado – não tinha nada contra os Azebu Gallas, e a exigência de combatê-los feriu o seu orgulho. Não podia desobedecer à ordem, mas enquanto reunia um exército ele começou a espalhar um boato desagradável – que Selassie estava mancomunado com o papa e planejava converter o país ao catolicismo romano e transformá-lo numa colônia italiana. O exército de Gugsa cresceu e algumas tribos de onde vinham seus soldados acabaram concordando secretamente em combater Selassie. Em março de 1930, uma enorme tropa com 35 mil homens iniciou a marcha, não em direção aos Azebu Gallas, mas para o sul, para a capital Addis Abeba. Confiante na sua crescente força, Gugsa agora liderava abertamente uma guerra santa para depor Selassie e colocar o país novamente nas mãos dos verdadeiros cristãos.

Ele não percebeu a armadilha. Antes de mandar Gugsa lutar contra os Azebu Gallas, Selassie garantiu o apoio da Igreja etíope. E antes que se armasse a rebelião, ele já havia subornado vários aliados de importância vital para Gugsa, convencendo-os a não comparecer. Enquanto o exército rebelde marchava para o sul, aviões lançavam folhetos anunciando o reconhecimento de Selassie como o verdadeiro líder da Etiópia pelos altos oficiais da Igreja e a excomunhão de Gugsa por fomentar uma guerra civil. Estes folhetos neutralizaram seriamente as emoções por trás da santa cruzada. E à medida que se aproximava a hora da batalha e o apoio prometido pelos aliados de Gugsa não vinha, os soldados começaram a fugir ou desertar.

Quando a batalha começou, o exército rebelde rapidamente desmoronou. Recusando-se a se render, Ras Gugsa morreu lutando. A imperatriz, enlouquecida com a morte do marido, morreu poucos dias depois. No dia 30 de abril, Selassie emitiu uma proclamação formal anunciando o seu novo título: Imperador da Etiópia.

> que o outro escutou tranquilamente, ficou tão exaltado que, sem pensar nas consequências, voou para cima do macaco e lhe deu uma ferroada na cara com tamanha raiva que não conseguiu mais retirar a sua arma, e foi obrigado a ir embora sem ela, largando-a na picada – determinando assim a própria morte lenta, com um sofrimento muito maior do que o que ele provocou.
> FABLES, JONATHAN BIRCH, 1783-1847

Interpretação

Haile Selassie sempre foi um homem previdente. Sabia que se deixasse Ras Gugsa decidir a hora e o lugar da revolta, o perigo seria muito maior do que se o forçasse a agir nos seus próprios termos. Por isso, incitou-o à rebelião ofendendo o seu orgulho masculino, pedindo que combatesse um povo, com o qual não discordava, em benefício de um homem a quem odiava. Pensando em tudo com antecedência, Selassie garantiu o fracasso da rebelião de Gugsa e a possibilidade de aproveitar a ocasião para se livrar dos seus dois últimos inimigos.

Esta é a essência da Lei: em águas tranquilas, seus adversários têm tempo e espaço para tramar ações que eles iniciam e controlam. Portanto, agite as águas, force os peixes a vir para a superfície, faça-os agir antes de estarem prontos, roube-lhes a iniciativa. Para isto, a melhor maneira é jogar com emoções incontroláveis – orgulho, vaidade, amor, ódio. Uma vez agitadas as águas, os peixes pequenos não podem deixar de morder a isca. Quanto mais zangados, menos controle eles têm e acabam apanhados no redemoinho que você provocou e se afogam.

> SUMO SACERDOTE DA VALA
> Kin'yo, oficial de segunda categoria, tinha um irmão chamado Sumo Sacerdote Ryogaku, homem extremamente mal-humorado. Ao lado do seu mosteiro crescia um enorme

pé de urtiga, origem do apelido que o povo lhe dera, Sumo Sacerdote da Urtiga. "Esse nome é um insulto", disse o Sumo Sacerdote, e cortou a árvore. O toco ficou ali e as pessoas começaram a chamá-lo de Sumo Sacerdote do Toco. Mais furioso do que nunca, Ryogaku mandou arrancar fora o toco, mas no lugar ficou uma grande vala. As pessoas agora o chamam de Sumo Sacerdote da Vala.
ENSAIOS SOBRE O ÓCIO, KENKO, JAPÃO, SÉCULO XIV

Um soberano jamais deve colocar em ação um exército motivado pela raiva; um líder jamais deve iniciar uma guerra levado pela ira.

Sun Tzu, século IV a.C.

AS CHAVES DO PODER

As pessoas zangadas, em geral, ficam ridículas, porque a sua reação parece desproporcionada. Elas levaram as coisas muito a sério, exagerando a mágoa ou o insulto que sofreram. São tão sensíveis às desfeitas que é engraçado ver como levam tudo para o lado pessoal. Ainda mais cômico é que elas acham que as suas explosões denotam poder. A verdade é exatamente o contrário: petulância não é poder, é sinal de impotência. As pessoas podem se sentir intimidadas durante um certo tempo com seus acessos de raiva, mas acabam perdendo o respeito por você. Percebem também que é fácil abalar alguém tão descontrolado.

Mas a solução não é reprimir as reações de raiva ou emocionais. A repressão nos tira a energia e nos força a ter comportamentos estranhos. Temos é que ver as coisas de outra maneira: temos de perceber que nada na esfera social, e no jogo do poder, é pessoal.

Todo mundo está preso a uma cadeia de acontecimentos que vem de muito longe. Nossa raiva quase sempre vem de problemas na nossa infância, de problemas que nossos pais, por sua vez, tiveram na infância deles, e assim por diante. Nossa raiva também é proveniente de nossas muitas interações com outras pessoas, de decepções e tristezas acumuladas. Parece que um determinado indivíduo é o responsável pela raiva que estamos sentindo, mas as coisas são mais complicadas, não é só aquilo que ele nos fez. Se alguém explode de raiva com você (e isso parece desproporcional com o que você lhe fez), lembre-se de que a explosão não se dirige exclusivamente a você – não seja tão vaidoso. A causa é muito maior, está lá no passado, envolve dezenas de mágoas anteriores e, na verdade, nem vale a pena tentar compreender. Em vez de considerar isso como um rancor pessoal, pense como sendo uma atitude de poder disfarçada, uma tentativa de controlar ou punir você escondida por baixo de sentimentos de mágoa e raiva.

Esta mudança de perspectiva permitirá que você faça o jogo do poder com mais clareza e energia. Em vez de reagir exageradamente, e se envolver nas emoções das pessoas, você tira proveito do descontrole delas: enquanto elas perdem a cabeça, a sua não sai do lugar.

Durante uma importante batalha na Guerra dos Três Reinos, no século III d.C., os conselheiros do comandante Ts'ao Ts'ao descobriram documentos que provavam que alguns generais tinham se aliado ao inimigo para tramar uma conspiração e insistiram para que esses homens fossem presos e executados. Mas Ts'ao Ts'ao mandou queimar os documentos e esquecer o assunto. Naquele momento crítico da batalha, ficar aborrecido ou exigir justiça repercutiria mal para ele: uma atitude tempestuosa chamaria a atenção para a deslealdade dos generais, o que seria prejudicial para o moral das tropas. A justiça podia aguardar – ele trataria dos generais quando chegasse a hora. Ts'ao Ts'ao manteve a sua cabeça no lugar e tomou a decisão certa.

Compare isto com o modo como Napoleão reagiu a Talleyrand: em vez de levar a conspiração para o lado pessoal, o imperador deveria ter feito o jogo de Ts'ao Ts'ao, pesando atentamente as consequências de todas as suas atitudes. A reação mais eficaz no final teria sido ignorar Talleyrand, ou trazer aos poucos o ministro para o seu lado, e puni-lo mais tarde.

A raiva só reduz as suas opções, e o poderoso não avança sem opções. Uma vez aprendendo a não levar as coisas para o lado pessoal, e a controlar suas reações emocionais, você terá se colocado numa posição de enorme poder: agora você pode jogar com as reações emocionais dos outros. Provoque o inseguro desconfiando da sua masculinidade, e acenando com a possibilidade de uma vitória fácil. Faça como Houdini ao ser desafiado pelo mágico de menos sucesso, Kleppini: demonstre uma aparência de fraqueza (Houdini deixou Kleppini roubar a combinação de um par de algemas) para levar o seu adversário a agir. Depois você o vence facilmente. Com o arrogante também você pode parecer mais fraco do que é, fazendo-o agir precipitadamente.

Sun Pin, comandante dos exércitos de Ch'i e fiel discípulo de Sun Tzu, certa vez liderou suas tropas contra os exércitos de Wei, duas vezes maior. "Vamos acender cem mil fogueiras quando o nosso exército entrar em Wei", sugeriu Sun Pin, "cinquenta mil no dia seguinte, e só trinta mil no terceiro dia." No terceiro dia, o general Wei exclamou: "Eu sabia que os homens de Ch'i eram uns covardes, e em apenas três dias mais da metade desertou!" E aí, deixando para trás a sua lenta infantaria pesada, o general resolveu aproveitar a ocasião e atacar rapidamente o acampamento de Ch'i com uma força levemente armada. As tropas de Sun Pin recuaram, atraindo os homens de Wei para uma estreita passagem, onde armaram uma emboscada e os destruíram. Com o general Wei morto e suas forças dizimadas, Sun Pin derrotou o resto do seu exército.

Diante de um inimigo com a cabeça quente, a melhor reação é não reagir. Siga a tática de Talleyrand: nada é mais irritante do que um homem que mantém a calma enquanto os outros a perdem. Se é vantagem para você perturbar as pessoas, adote uma pose aristocrática, entediada, sem ridicularizar nem se mostrar triunfante, mas simplesmente indiferente. Vão ficar irritadíssimas. Enquanto elas enfiam os pés pelas mãos num acesso de raiva, você terá obtido várias vitórias, e uma delas é a de ter conservado a sua dignidade e a sua compostura diante de uma atitude tão infantil.

Imagem: O Tanque de Peixes. A água está límpida e tranquila, e os peixes nadam no fundo. Agite-a e eles aparecem. Agite-a ainda mais e eles ficam zangados, vêm à tona, abocanhando o que estiver na frente – inclusive o anzol com a isca fresca.

Autoridade: Se o seu adversário tem um temperamento irado, procure irritá-lo. Se é arrogante, tente encorajar o seu egoísmo... O especialista em fazer o inimigo agir cria a situação adequada; atrai o inimigo com algo que certamente ele pegará. Ele mantém o inimigo em movimento segurando a isca, e depois o ataca com tropas seletas. (Sun Tzu, século IV a.C.)

O INVERSO
É preciso ter cuidado quando se joga com as emoções das pessoas. Estude o inimigo antes: é melhor deixar alguns peixes no fundo do lago.
    Os líderes da cidade de Tiro, capital da antiga Fenícia, tinham certeza de que conseguiriam resistir a Alexandre, o Grande, que havia conquistado o Oriente, mas não chegara a atacar a cidade deles, bem protegida pela água. Mandaram embaixadores dizer a Alexandre que o reconheciam como imperador, mas não permitiriam que ele, ou os seus homens, entrassem em Tiro. Claro que ele ficou furioso com isso e imediatamente cercou a cidade. Durante quatro meses ela resistiu ao assédio de Alexandre, e ele acabou achando que não valia a pena tanto esforço e resolveu fazer um acordo com os tírios. Mas eles, percebendo que já tinham feito Alexandre morder a isca e certos de que poderiam continuar resistindo, recusaram-se a negociar – de fato, mataram os seus mensageiros.
    Alexandre ficou furioso. Agora não importava mais quanto tempo ia durar o cerco, ou quantos homens seriam necessários: ele tinha recur-

sos e faria o que fosse preciso. Voltou a atacar com tamanha tenacidade que em poucos dias capturou Tiro, reduziu-a a cinzas e vendeu seus habitantes como escravos.

Você pode atrair os poderosos e levá-los a se comprometer e dividir suas forças como fez Sun Pin, mas veja antes como está a água. Encontre uma brecha na sua fortaleza. Se não houver – se eles forem insuportavelmente fortes –, você não tem nada a ganhar, só a perder, provocando-os. Escolha bem para quem você vai lançar a sua isca, e não excite os tubarões.

Finalmente, às vezes explodir de raiva na hora oportuna pode lhe fazer bem, mas deve ser uma raiva produzida e controlada por você. Nesse caso, você pode determinar exatamente a quem ela afetará e como. Não desperte reações que o prejudicarão com o passar do tempo. E raramente esbraveje ameaças terríveis, para que elas sejam ainda mais intimidantes e significativas. Encenadas de propósito ou não, se as suas explosões forem muito frequentes, acabam perdendo o poder.

LEI 40

DESPREZE O QUE VIER DE GRAÇA

JULGAMENTO

O que é oferecido de graça é perigoso – normalmente é um ardil ou tem uma obrigação oculta. Se tem valor, vale a pena pagar. Pagando, você se livra de problemas de gratidão e culpa. Também é prudente pagar o valor integral – com a excelência não se economiza. Seja pródigo com seu dinheiro e o mantenha circulando, pois a generosidade é um sinal e um ímã para o poder.

DINHEIRO E PODER

Quando se trata de poder, tudo deve ser julgado pelo seu custo, e tudo tem um preço. O que se oferece de graça, ou a preço de banana, quase sempre vem com uma etiqueta de preço psicológica – sentimentos complicados de gratidão, concessões na qualidade, a insegurança originada por essas concessões, e outras coisas mais. Os poderosos aprendem desde cedo a proteger o que têm de mais precioso: independência e espaço de manobra. Pagando o preço real, eles se livram de envolvimentos arriscados e preocupações.

Estar aberto e flexível em questões de dinheiro também ensina o quanto vale a generosidade estratégica, uma variação do velho truque de "dar quando estiver prestes a tirar". Presenteando da forma adequada, você coloca o outro na situação de devedor. A generosidade amolece as pessoas – para serem enganadas. Conquistando fama de pródigo, você ganha a admiração das pessoas sem deixar que elas percebam o seu jogo de poder. Esbanjando estrategicamente a sua riqueza, você encanta os outros cortesãos, gerando prazer e fazendo preciosos aliados.

Veja os mestres do poder – os Césare, as rainhas Elizabeth, os Michelangelo, os Medici: nenhum deles foi mesquinho. Até os grandes trambiqueiros gastam a rodo para roubar. O pão-duro não é atraente – quando envolvido no jogo da sedução, Casanova entregava-se totalmente, não só a si mesmo como a sua carteira. Os poderosos sabem que o dinheiro tem uma carga psicológica e que ele também é o veículo da polidez e da sociabilidade. Eles fazem do aspecto humano do dinheiro uma arma.

Para cada um que sabe jogar com o dinheiro, milhares de outros fecham-se numa recusa suicida de usá-lo com estratégia e criatividade. Estes são o extremo oposto do poderoso, e você deve aprender a reconhecê-los – seja para evitar suas naturezas venenosas ou para tirar proveito da sua inflexibilidade.

O Peixe Voraz. A pessoa excessivamente ambiciosa não vê o aspecto humano do dinheiro. Insensível e cruel, ela só vê o frio balancete; considerando os outros apenas como peões ou obstáculos na sua busca de riqueza, ela atropela os sentimentos alheios e afasta aliados valiosos. Ninguém quer saber de trabalhar com um peixe voraz, e, com o passar dos anos, ele acaba sozinho, o que é a sua ruína.

É desses peixes vorazes que se alimentam os trambiqueiros: atraídos pelo dinheiro fácil, eles engolem isca, anzol, linha e chumbada. São fáceis de enganar porque passam tanto tempo lidando só com números (e não com pessoas) que não entendem mais nada de psicologia, nem da própria. Evite-os antes de ser explorado, ou então explore a voracidade deles.

O TESOURO ENTERRADO
Muita gente tola nas cidades espera descobrir riquezas debaixo da terra e lucrar com isso. No Maghrib existem muitos "estudantes" berberes incapazes de ganhar a vida normalmente. Eles mostram para as pessoas ricas alguns papéis rasgados nas margens e com textos redigidos numa língua diferente do árabe, ou então dizem ser a tradução de um documento escrito pelo proprietário de um tesouro dando a pista do local secreto onde ele foi enterrado. Assim eles procuram se sustentar, convencendo os ricos a mandá-los cavar para achar o tesouro. Ocasionalmente, um destes caçadores de tesouros dá uma informação estranha ou faz algum truque notável de mágica para que as pessoas acreditem no que ele vai continuar dizendo, embora não entenda nada de mágicas e de como elas funcionam (...) O que foi dito sobre caça ao tesouro não tem base científica, nem se baseia em informações reais. Deve-se perceber que, embora se encontrem tesouros, isto só acontece raramente e por acaso, não sistematicamente...

> Quem se ilude ou aflige com essas coisas deve pedir a Deus que o proteja da sua incapacidade de se sustentar e da sua preguiça nesse sentido. Essas pessoas não devem se ocupar com histórias absurdas e mentirosas.
>
> O MUQADDIMAH, IBN KHALDÛN, 1332-1406

O Demônio da Pechincha. Gente que tem poder avalia tudo pelo seu custo, não apenas em dinheiro, mas em tempo, dignidade e paz de espírito. E isto é exatamente o que o Demônio da Pechincha não consegue fazer. Desperdiçando um tempo precioso atrás de uma pechincha, ele está sempre pensando no que poderia achar por um preço mais em conta em outro lugar. Para culminar, o que ele acaba comprando quase sempre está em mau estado, talvez precise de um conserto que vai sair caro, ou terá que ser substituído muito mais rápido do que um artigo de boa qualidade. Os custos dessa busca – nem sempre em dinheiro (embora o preço da pechincha quase sempre seja uma farsa), mas em tempo e paz de espírito – desencorajam a pessoa normal, mas para o Demônio da Pechincha ela é um fim em si mesma.

Estes tipos parecem prejudicar apenas a si próprios, mas suas atitudes são contagiantes: se você não resistir, eles também o farão se sentir inseguro achando que deveria ter procurado melhor para encontrar um preço mais barato. Não discuta com eles, nem tente modificá-los. Basta somar mentalmente o custo, em tempo e paz interior, se não for o custo financeiro embutido, da busca irracional de uma pechincha.

> O SOVINA
> O sovina, querendo proteger seu patrimônio, vendeu tudo que tinha, transformou numa barra de ouro e escondeu num buraco no chão, e ia sempre lá ver como estava. Isto despertou a curiosidade de um dos seus operários que, desconfiando haver ali um tesouro, assim que o patrão virou as costas foi até lá e roubou a barra. Quando o sovina voltou e viu o buraco vazio, chorou e arrancou os cabelos. Mas um vizinho, assistindo a essa extravagante tristeza e sabendo o motivo, disse: "Não te angusties mais, pega uma pedra e coloca-a no mesmo lugar, e

O Sádico. Sádicos financeiros fazem jogos perversos de poder com o dinheiro como uma forma de afirmar o seu poder. Eles podem, por exemplo, deixar você esperando por uma quantia que lhe é devida, jurando que o cheque já foi enviado. Ou se contratam você para trabalhar para eles, se metem em tudo, fazendo objeções e lhe dando úlceras. Os sádicos parecem achar que o fato de estar pagando por alguma coisa lhes dá direito de torturar e agredir o vendedor. Eles não sentem o elemento bajulador no dinheiro. Se você tiver o azar de se ver envolvido com um tipo desses, aceitar uma perda financeira pode ser melhor, no longo prazo, do que se deixar enredar nos seus destrutivos jogos de poder.

O Doador Sem Critério. A generosidade tem uma função clara no poder: atrai as pessoas, as amolece, as transforma em aliados. Mas tem de ser usada estrategicamente, com um objetivo definido. O Doador Sem Critério, por sua vez, é generoso porque quer ser amado e admirado por todos. E a sua generosidade é tão pouco criteriosa e tão pobre que talvez não tenha o efeito desejado: se ele dá indiscriminadamente, por que a pessoa que recebe deve se sentir especial? Por maior que seja a tentação de dar um trambique num Doador Sem Critério, qualquer envolvimento com este tipo lhe trará o peso adicional de suas carências emotivas insaciáveis.

A LEI TRANSGREDIDA

Transgressão I

Depois que Francisco Pizarro conquistou o Peru, em 1532, o ouro do Império Inca começou a jorrar na Espanha, e espanhóis de todas as classes começaram a sonhar com possibilidade da fortuna rápida no Novo Mundo. Logo se espalhou a história de um chefe indígena, a leste do Peru, que uma vez por ano se cobria ritualmente de ouro em pó e mergulhava num lago. O boato não demorou a transformar o *El Dorado*, o "Homem Dourado", num império chamado El Dorado, mais rico do que o inca, onde as ruas eram pavimentadas e os prédios cobertos de ouro. A história inventada parecia plausível, porque um chefe capaz de desperdiçar ouro em pó num lago certamente deveria governar um império dourado. Em breve os espanhóis estavam buscando o El Dorado por toda a América do Sul.

Em fevereiro de 1541, partiu de Quito, no Equador, a maior expedição nesta aventura liderada por Gonzalo, irmão de Pizarro. Resplandecentes nas suas armaduras e sedas coloridas, 340 espanhóis dirigiram-se para o leste, levando quatro mil indígenas para transportar suprimentos e servir de patrulheiros, quatro mil porcos, dezenas de lhamas, e quase mil cachorros. Mas a expedição foi logo atingida por uma chuva torrencial, que apodreceu os equipamentos e estragou a comida. Nesse meio-tempo, os índios que Gonzalo Pizarro ia interrogando pelo caminho e que pareciam não querer dar informações, ou nem tinham ouvido falar do fabuloso reino, eram torturados e entregues aos cães. A notícia da violência assassina dos espanhóis se espalhou rapidamente entre os índios, que perceberam que a única maneira de escapar da ira de Gonzalo era inventar histórias sobre El Dorado e mandá-lo para bem longe. Seguindo as orientações dos índios, portanto, Gonzalo e seus homens eram obrigados a se embrenhar cada vez mais na floresta.

O ânimo dos exploradores arrefecia. Os uniformes havia muito já tinham virado farrapo; as armaduras enferrujadas eles jogavam fora; os sapatos desmanchavam-se e eles eram obrigados a andar descalços; os escravos índios que haviam levado estavam mortos ou tinham desertado; os porcos, assim como os sabujos e as lhamas, eles comeram. Viviam de raízes e frutas. Percebendo que não poderiam continuar assim, Pizarro decidiu arriscar uma viagem pelo rio, e construíram uma balsa com madeira podre. Mas descer o traiçoeiro rio Napo não foi fácil. Acampado na margem do rio, Gonzalo mandou os patrulheiros na frente com a balsa para ver se encontravam aldeias indígenas com comida. E ficou esperando que voltassem, até descobrir que tinham decidido desertar e continuar descendo o rio por conta própria.

---

pensa que é a tua barra de ouro; pois, como não pretendias usá-la nunca, vai lhe servir tão bem quanto a outra." O valor do dinheiro não está na sua posse, mas no seu uso.
FÁBULAS, ESOPO, SÉCULO VI a.C.

Existe um provérbio no Japão que diz "Tada yori takai mono wa nai", ou seja: "Nada custa mais caro do que aquilo que é dado de graça."
THE UNSPOKEN WAY, MICHIHIRO MATSUMOTO, 1988

DINHEIRO
Yusuf Ibn Jafar costumava cobrar em dinheiro, e às vezes muito, de quem vinha estudar com ele. Um distinto estudioso das leis, visitando-o certo dia, lhe disse: "Estou encantado e impressionado com suas aulas, e tenho certeza de que está orientando adequadamente os seus discípulos.

Mas não está de acordo com a tradição cobrar por um conhecimento. Além do mais, agindo assim poderá ser mal interpretado." El-Amudi respondeu: "Jamais vendi qualquer conhecimento. Não há dinheiro no mundo que o pague. Quanto a ser mal interpretado, deixando de cobrar não impedirei que isso aconteça, pois encontrarão um outro motivo. Já deveria saber que quem cobra pode ser ou não ganancioso. Mas aquele que não cobra nada é forte suspeito de estar roubando a alma do seu discípulo. Quem diz, 'Não quero nada em troca', pode estar roubando da sua vítima o exercício da vontade."
THE DERMIS PROBE, IDRIES SHAH, 1970

O HOMEM QUE DAVA MAIS VALOR AO DINHEIRO DO QUE À VIDA
Era uma vez um velho lenhador que subia a montanha quase todos os dias para cortar madeira. Dizia-se que era um homem avarento, que guardava as suas moedas de prata esperando que virassem ouro, e que ele dava mais valor a esse metal do que a qualquer outra coisa

A chuva continuava sem parar. Os homens de Gonzalo esqueceram o El Dorado, queriam era voltar para Quito. Finalmente, em agosto de 1542, pouco mais de cem homens, de uma expedição originalmente com milhares, conseguiram encontrar o caminho de volta. Para os habitantes de Quito, eles pareciam saídos do inferno, enrolados em peles e farrapos, os corpos cobertos de feridas, irreconhecíveis de tão magros e abatidos. Durante mais um ano e meio eles marcharam num círculo enorme, três mil e duzentos quilômetros a pé. Todo aquele dinheiro investido na expedição não deu em nada – nem sinal de El Dorado, e nem de ouro.

Interpretação
Mesmo depois do desastre de Gonzalo Pizarro, os espanhóis continuaram mandando expedições em busca de El Dorado. E, como Pizarro, os conquistadores queimavam e saqueavam aldeias, torturavam índios, suportavam dificuldades incríveis, e nem por isso chegaram mais perto do ouro. O dinheiro gasto nestas expedições é incalculável; mas apesar dos fracassos o fascínio da fantasia se mantinha.

Não só a busca de El Dorado custou milhões de vidas – tanto de índios quanto de espanhóis –, como ajudou na ruína do império espanhol. O ouro se tornou uma obsessão para a Espanha. O ouro que retornava à Espanha – e era muito – era novamente investido em mais expedições, ou gasto em luxos, não na agricultura ou em qualquer outro empreendimento produtivo. Cidades inteiras na Espanha ficaram vazias quando seus homens foram embora atrás de ouro. Propriedades agrícolas se arruinaram, e não havia recrutas no exército para combater as suas guerras na Europa. No final do século XVII, toda a população do país estava reduzida à metade; dos 400 mil habitantes da cidade de Madri restavam 150 mil. Com seus esforços durante tantos anos rendendo cada vez menos, a Espanha entrou em declínio, e não se recuperou mais.

O poder exige autodisciplina. A perspectiva de riqueza, principalmente a riqueza fácil, rápida, é devastadora sob o aspecto emocional. Quem enriquece de repente sempre acha que pode ficar ainda mais rico. O que é gratuito, o dinheiro que vai cair no seu colo, está logo ali na esquina.

Nesta ilusão, os gananciosos descuidam de tudo aquilo de que o poder realmente depende: autocontrole, a boa vontade dos outros, e outras coisas mais. Compreenda: a não ser uma coisa – a morte –, nenhuma outra mudança permanente no destino acontece de uma hora para outra. A riqueza repentina raramente dura, porque não tem uma base sólida. Não permita que o fascínio pelo dinheiro o tire da fortaleza protetora e duradoura do verdadeiro poder. Faça do poder a sua meta e o dinheiro virá até você. Deixe El Dorado para os otários.

Transgressão II
No início do século XVIII, não havia ninguém em posição mais privilegiada na sociedade inglesa do que o duque e a duquesa de Marlborough. O duque, depois de liderar com sucesso várias campanhas contra os franceses, era considerado o mais importante general e estrategista da Europa. E sua esposa, a duquesa, depois de muitas manobras, estabelecera-se como a favorita da rainha Anne, que começou a governar a Inglaterra em 1702. Em 1704, o triunfo do duque na Batalha de Blenheim o consagrou como a figura mais celebrada da Inglaterra, e, para homenageá-lo, a rainha lhe concedeu uma grande extensão de terra na cidade de Woodstock e fundos para a construção ali de um grande palácio. Chamando a sua planejada casa de Palácio de Blenheim, o duque escolheu para seu arquiteto o jovem John Vanbrugh, um tipo renascentista que escrevia peças de teatro tão bem quanto desenhava prédios. E assim começou a construção, no verão de 1705, com muitas fanfarras e esperanças.

Vanbrugh tinha uma noção teatral de arquitetura. Seu palácio seria um monumento ao brilhantismo e ao poder de Marlborough, e deveria ter lagos artificiais, pontes enormes, jardins complicados e outros toques fantásticos. Desde o primeiro dia, entretanto, nada satisfazia a duquesa: ela achava que Vanbrugh estava esbanjando dinheiro com mais uma fileira de árvores, e queria que o palácio ficasse pronto o mais rápido possível. A duquesa torturava Vanbrugh e seus operários sem deixar passar um só detalhe. Preocupava-se com questões mesquinhas; embora o governo estivesse pagando a construção de Blenheim, ela contava cada tostão. Até que as suas reclamações, sobre Blenheim e outras coisas também, acabaram gerando um atrito irreparável entre ela e a rainha Anne, que, em 1711, a despediu da corte mandando-a desocupar seus aposentos no palácio real. Ao sair (furiosa com a perda da sua posição e também do seu salário real), ela levou tudo, até as maçanetas de cobre.

Depois disso, durante dez anos, as obras em Blenheim foram suspensas e retomadas várias vezes, conforme crescia a dificuldade de conseguir que o governo as custeasse. A duquesa achou que Vanbrugh estava querendo arruiná-la. Ela criticava cada carregamento de pedra e alqueire de cal, contava cada metro a mais de grade de ferro ou centímetro de lambri, gritando com os operários, empreiteiros e supervisores perdulários. Marlborough, velho e cansado, só queria se instalar no seu palácio para ali viver os seus últimos anos de vida, mas o projeto estava atolado num pantanal de litígios. Os operários processavam a duquesa

no mundo. Um dia ele foi atacado por um tigre e, por mais que corresse, não conseguiu escapar e o animal sumiu com ele. O filho, vendo o pai em perigo, correu para tentar salvá-lo. Levou uma faca comprida e, quando corria mais rápido do que o tigre, que tinha que carregar um homem, logo os alcançou. O pai não estava muito machucado porque o tigre o agarrara pelas roupas. Quando o lenhador viu o filho prestes a esfaquear o tigre, gritou assustado: "Não lhe estrague a pele! Não lhe estrague a pele! Se puder matá-lo sem furar a pele, poderemos trocá-la por muitas moedas de prata. Mate-o, mas não o corte." Enquanto o filho ouvia as instruções do pai, o tigre saiu em disparada para a floresta, levando o velho até onde o rapaz não pudesse alcançá-los, e o matou.
"CHINESE FABLE", VARIOUS FABLES FROM VARIOUS PLACES. DIANE DI PRIMA, ORG., 1960

A HISTÓRIA DE MOISÉS E O FARAÓ
Está escrito nas histórias dos profetas que Moisés foi enviado ao faraó com muitos

milagres, prodígios e honras. Ora, a ração diária na mesa do faraó era de 4 mil ovelhas, 400 vacas, 200 camelos e uma quantidade correspondente de galinhas, peixe, bebidas, frituras, doces e outras coisas. Todo o povo do Egito e todo o seu exército costumavam vir comer nesta mesa todos os dias. Durante 400 anos, ele havia afirmado ser divino e jamais deixou de proporcionar esse alimento. Quando Moisés rezou dizendo "Oh Senhor, destrua o faraó", Deus respondeu às suas preces e disse: "Eu o destruirei na água, e concederei a você e ao seu povo toda a sua riqueza e a dos seus soldados." Vários anos se passaram depois dessa promessa, e o faraó, condenado à ruína, continuava vivendo em toda a sua magnificência. Moisés estava impaciente para que Deus destruísse logo o faraó, e não suportava mais esperar. Então ele jejuou durante quarenta dias e foi para o Monte Sinai. No seu encontro com Deus, disse: "Oh Senhor, prometestes destruir o faraó, mas no entanto ele ainda não abandonou nenhuma das suas blasfêmias e

porque atrasava os salários; a duquesa, por sua vez, processava o arquiteto. No meio desta disputa interminável, o duque morreu. Não chegou a dormir nenhuma noite no seu amado Blenheim.

Depois da morte de Marlborough, descobriu-se que ele possuía um vasto patrimônio, valendo mais de dois milhões de libras – mais do que o suficiente para terminar o palácio. Mas a duquesa não cedia: recusava-se a pagar os salários de Vanbrugh e dos operários, e acabou despedindo o arquiteto. O homem que o substituiu terminou Blenheim em poucos anos, seguindo à risca o projeto de Vanbrugh, que morreu em 1726 proibido de entrar no palácio pela duquesa, sem poder colocar os pés na sua maior criação. Prenunciando o movimento romântico, Blenheim dera início a uma nova tendência na arquitetura, mas para o seu criador foram vinte anos de pesadelo.

Interpretação

Para a duquesa de Marlborough, o dinheiro servia para jogos de poder sádicos. Para ela, perder dinheiro era perder simbolicamente o poder. No caso de Vanbrugh, sua distorção foi ainda mais profunda: ele era um grande artista e ela invejava o seu poder criativo, o seu poder de conquistar uma fama para ela inalcançável. Ela poderia não ter o talento dele, mas tinha o dinheiro para torturá-lo e violentá-lo por mesquinharias – para arruinar a sua vida.

Essa forma de sadismo, no entanto, tem um preço terrível. Fez uma construção, que normalmente seria feita em dez anos, demorar vinte. Envenenou muitos relacionamentos, afastou a duquesa da corte, magoou profundamente o duque (que só queria viver em paz em Blenheim), gerou inúmeros processos judiciais e tirou anos de vida de Vanbrugh. E também, no final, a posteridade ficou com a última palavra: Vanbrugh é reconhecido como um gênio, enquanto a duquesa ficou para sempre na lembrança por sua consumada mesquinhez.

O poderoso deve ter grandeza de espírito – não pode se mostrar mesquinho. E é na relação com o dinheiro que melhor se vê a grandeza ou a mesquinhez. Portanto, é preferível gastar livremente e ficar conhecido como uma pessoa generosa, o que no final lhe trará grandes dividendos. Não deixe que detalhes financeiros o impeçam de ver o que as pessoas pensam a seu respeito. O ressentimento delas vai lhe sair caro no longo prazo. E se você quiser se meter no trabalho das pessoas criativas que contratou, pelo menos pague-as bem. O seu dinheiro comprará a submissão delas melhor do que as suas exibições de poder.

A LEI OBSERVADA

Observância I

Pietro Aretino, filho de um simples sapateiro, já tinha se lançado como escritor famoso de sátiras mordazes. Mas, como todo artista renascentista, precisava encontrar um patrono que lhe desse um padrão de vida confortável sem interferir no seu trabalho. Em 1528, Aretino decidiu tentar uma nova estratégia nesse jogo. Saiu de Roma e se estabeleceu em Veneza, onde era pouco conhecido. Ele tinha uma quantia considerável em dinheiro que conseguira economizar, mas era só isso. Logo depois de se mudar para a nova casa, entretanto, ele escancarou as portas para ricos e pobres, regalando-os com banquetes e divertimentos. Fez amizade com todos os gondoleiros, dando fartas gorjetas. Distribuía o seu dinheiro pelas ruas com liberalidade, a mendigos, órfãos e lavadeiras. Entre as pessoas do povo logo se espalhou a fama de que Aretino era mais do que um grande escritor, era um homem de poder – uma espécie de lorde.

Artistas e homens influentes logo começaram a frequentar a casa de Aretino. Em poucos anos, era uma celebridade. Nenhum dignitário que visitasse Veneza pensaria em sair de lá sem falar com ele. A sua generosidade tinha lhe custado a maior parte das economias, mas lhe comprara influência e boa reputação – pedra angular do poder. Visto que na Itália renascentista, assim como em todas as outras partes do mundo, esbanjar dinheiro era privilégio dos ricos, a aristocracia achou que Aretino devia ser um homem de prestígio, pois gastava como se fosse. E como a influência de um homem influente merece ser comprada, Aretino começou a receber presentes e dinheiro de tudo quanto era tipo. Duques e duquesas, ricos mercadores, papas e príncipes competiam por seus favores e o presenteavam de todas as formas.

Os hábitos perdulários de Aretino eram, é claro, uma estratégia, e ela funcionava como um feitiço. Mas, para ter dinheiro e conforto de verdade, ele precisava dos bolsos sem fundos de um grande patrono. Depois de analisar as várias possibilidades, ele se decidiu pelo marquês de Mântua, homem riquíssimo, e lhe dedicou um poema épico. Esta era uma prática comum entre os escritores que estavam atrás de um patrocínio: em troca da dedicatória, recebiam uma pequena remuneração, o bastante para escrever mais um poema, e assim eles passavam a vida numa espécie de servilidade constante. Aretino, entretanto, queria o poder, não um mísero salário. Ele dedicava um poema ao marquês, mas o oferecia de presente, sugerindo com isso que não era um escritor contratado querendo remuneração, mas que ele e o marquês eram iguais.

pretensões. Quando o destruirás?" Um voz veio da Verdade dizendo: "Oh, Moisés, queres que eu destrua o faraó o mais rápido possível, mas um milhão de servos querem que eu não faça isso, pois usufruem da sua bondade e da tranquilidade do seu governo. Por Meu poder, juro que, enquanto ele proporcionar alimento e conforto em abundância à minha criação, não o destruirei." Moisés disse: "Então, quando a Vossa promessa se cumprirá?" "A Minha promessa se cumprirá quando ele deixar de alimentar as Minhas criaturas. Se ele começar a restringir a sua generosidade, saiba que a sua hora se aproxima." Aconteceu que um dia o faraó disse a Haman: "Moisés reuniu a sua volta os Filhos de Israel e está nos deixando preocupados. Não sabemos o que vai nos acontecer. Devemos manter nossas reservas cheias para não sermos apanhados sem recursos. Portanto, devemos cortar pela metade nossas rações diárias e economizar o resto." Ele deduziu duas mil ovelhas, 200 vacas e 100 camelos, e a cada dois ou três dias reduzia similarmente

a ração. Moisés então soube que a promessa da Verdade estava próxima de se cumprir, pois economia em excesso é sinal de declínio e mau agouro. Os mestres da tradição dizem que no dia em que o faraó se afogou só duas ovelhas foram mortas na sua cozinha. Nada é melhor do que a generosidade (...) Se um homem é rico e deseja, sem um título de nobreza, agir como um senhor; se ele quer que os homens se humilhem diante dele, o reverenciem e o chamem de senhor e príncipe, então diga-lhe para colocar todos os dias uma mesa repleta de víveres. Todos os que ficaram famosos no mundo, foi principalmente por meio da hospitalidade, enquanto o sovina e o avarento são desprezados em ambos os mundos.
THE BOOK OF GOVERNMENT OR RULES FOR KINGS, NIZAM AL-MULK, SÉCULO XI

Essa tática de Aretino não parou por aí: amigo íntimo de dois dos maiores artistas venezianos, o escultor Jacopo Sansovino e o pintor Ticiano, ele os convenceu a participar do seu esquema de presentes. Aretino tinha estudado o marquês antes de começar a agir e conhecia o seu gosto de trás para a frente; podia aconselhar Sansovino e Ticiano quanto aos temas que mais agradariam ao marquês. Quando em seguida ele lhe mandou de presente uma escultura de Sansovino e um quadro de Ticiano, em nome dos três, o homem não coube em si de tão contente.

Durante alguns meses, Aretino continuou mandando presentes – espadas, selas, trabalhos em vidro típicos de Veneza, coisas que ele sabia que o marquês valorizava. Logo ele, Ticiano e Sansovino começaram a receber em troca presentes do marquês. E a estratégia não ficou só nisso: quando o genro de um amigo de Aretino foi preso em Mântua, Aretino conseguiu que o marquês mandasse soltá-lo. O amigo de Aretino, um rico mercador, era um homem muito influente em Veneza. Utilizando-se da benevolência do marquês que ele havia conquistado, Aretino conseguiu comprar também a gratidão do amigo, que por sua vez o ajudaria sempre que possível. O círculo de influência crescia. Repetidas vezes, Aretino conseguiu tirar proveito do imenso poder político do marquês, que também o ajudou nos seus vários romances.

O relacionamento, entretanto, ficou tenso quando Aretino começou a achar que o marquês deveria retribuir melhor a sua generosidade. Ele não ia se rebaixar a implorar ou se lamentar: como a troca de presentes entre os dois os fizera iguais, não parecia direito falar em dinheiro. Aretino simplesmente se afastou do círculo social do marquês e foi atrás de outra presa rica, atacando primeiro o rei da França, Francisco, depois os Medici, o duque de Urbino, o imperador Carlos V e outros mais. No final, com tantos patronos, ele não precisava se curvar diante de nenhum deles, e o seu poder comparava-se ao de um grande lorde.

Interpretação

Aretino compreendeu duas propriedades fundamentais do dinheiro: primeira, ele tem de circular para trazer poder. O dinheiro não é para comprar objetos inertes, mas, sim, o poder sobre as outras pessoas. Mantendo o dinheiro em constante circulação, Aretino comprou um círculo crescente de influências que no final compensou mais do que o esperado os seus gastos.

Segunda, Aretino compreendeu a importância de um presente. Presentear é insinuar que você e o outro que o recebe são no mínimo iguais, ou que você é superior. Um presente também implica uma dívida ou obrigação: quando os amigos, por exemplo, lhe oferecem alguma coisa de graça, esteja certo de que estão esperando algo em troca, e que para conseguir o que querem colocam você em situação de devedor. (O mecanismo pode ou não ser consciente, mas é assim que funciona.)

Aretino evitou esses entraves a sua liberdade. Em vez de agir como um subalterno que espera que os poderosos o sustentem, ele inverteu a dinâmica; em vez de ficar devendo aos poderosos, ele os fez seus devedores. Esta era a finalidade dos presentes, era uma escada que o levou aos mais altos patamares da sociedade. No final da sua vida ele tinha se tornado o escritor mais famoso da Europa.

Compreenda: o dinheiro pode determinar relacionamentos de poder, mas esses relacionamentos não dependem necessariamente de quanto dinheiro você tem; dependem, também, de como você usa esse dinheiro. Gente poderosa dá liberalmente, comprando influências em vez de objetos. Se você aceitar uma posição inferior porque ainda não tem uma fortuna, pode não sair mais dali. Use o truque de Aretino com a aristocracia italiana: imagine-se um igual. Banque o lorde, dê liberalmente, abra as suas portas, faça o seu dinheiro circular e crie a fachada de poder transformando alquimicamente dinheiro em influência.

Observância II

Logo depois de fazer a sua fortuna em Paris, no início da década de 1820, o barão James Rothschild enfrentou o problema mais difícil da sua vida: como um judeu e alemão, um total intruso na sociedade francesa, poderia conquistar o respeito das xenofóbicas classes mais altas francesas? Rothschild era um homem que compreendia os mecanismos do poder – ele sabia que a sua fortuna lhe traria status, mas, se permanecesse socialmente alienado, nem o seu status nem a sua fortuna durariam muito. Então ele analisou a sociedade da época e procurou saber o que conquistaria seus corações.

Caridade? Os franceses não queriam saber disso. Influência política? Isso ele já tinha e, além do mais, só fazia as pessoas desconfiarem mais dele. O ponto fraco, ele decidiu, era o tédio. No período da restauração da monarquia, as classes mais altas francesas estavam entediadas. E Rothschild começou a gastar quantias extraordinárias para distraí-las. Contratou os melhores arquitetos da França para projetar seus jardins e o salão de baile; contratou Marie-Antoine Carême, o mais famoso chefe francês, para preparar festas sofisticadas como Paris nunca tinha visto; nenhum francês resistiria, mesmo que as festas fossem dadas por um judeu alemão. As noitadas semanais de Rothschild começaram a atrair um número cada vez maior de pessoas. Em poucos anos ele tinha conquistado a única coisa que garantiria o poder a um estrangeiro: aceitação social.

O CASACO FLAMEJANTE
Durante a campanha de Cambises no Egito, muitos gregos visitaram esse país por um motivo ou outro: alguns, como era de esperar, para fazer comércio, outros para servir no exército, e outros ainda, sem dúvida, por simples curiosidade, para ver o que pudessem ver. Entre estes estava Aeces, filho de Siloson, o irmão exilado de Polícrates de Samos. Enquanto ele estava no Egito, Siloson teve uma sorte extraordinária: caminhava pelas ruas de Mênfis usando um casaco de cor flamejante quando Dario, que na época era membro da guarda de Cambises e não era assim tão importante, o viu por acaso e, com um súbito desejo de possuir aquele casaco, aproximou-se dele e quis comprá-lo. Era tão óbvia a sua extrema ansiedade para ficar com o casaco que Siloson, inspirado, disse: "Não quero dinheiro. Se quiser, pode levá-lo de graça." Dario agradeceu muito e levou o casaco. Na hora, Siloson só pensou que, por ser um sujeito de bom coração, acabara perdendo o casaco. Mas aí, Cambises morreu, houve a revolta dos sete contra Magus, e

Dario subiu ao trono. Siloson ficou sabendo então que o homem a quem dera o casaco flamejante no Egito era o rei da Pérsia. Correu para Susa, sentou-se à entrada do palácio real e reivindicou o seu direito de ser incluído na lista oficial dos benfeitores do rei. A sentinela de plantão foi falar com Dario, que perguntou surpreso quem era o homem. "Pois certamente", disse, "como assumi recentemente o trono, não pode ser um grego a quem devo algum serviço. Quase nenhum apareceu por aqui ainda, e sem dúvida não me lembro de dever nada a um grego. Mas traga-me esse homem assim mesmo, para que eu saiba o que significa isso." O guarda escoltou Siloson até o rei e, quando os intérpretes lhe perguntaram quem era e o que tinha feito para afirmar ser benfeitor do rei, ele lembrou a Dario a história do casaco e disse que era o homem que o havia dado de presente. "Senhor", exclamou Dario, "é o mais generoso dos homens; pois quando eu ainda era uma pessoa sem poder ou importância, me deu um presente – pequeno, na verdade, mas que merece de minha parte tanta

Interpretação

A generosidade estratégica é sempre uma excelente arma na construção de uma base de apoio, particularmente para alguém de fora. Mas o barão de Rothschild foi ainda mais esperto: ele sabia que o seu dinheiro é que tinha criado a barreira entre ele e os franceses, dando-lhe uma imagem feia e pouco confiável. A melhor maneira de superar isso era gastar literalmente enormes quantias, mostrando com esse gesto que dava mais valor à cultura e à sociedade francesa do que ao dinheiro. O que ele fazia se parece muito com os famosos *potlatch*, os festivais de distribuição de presentes dos índios norte-americanos: destruindo periodicamente as suas riquezas numa gigantesca orgia de festivais e fogueiras, uma tribo indígena simbolizava o seu poder sobre as outras tribos. A base do seu poder não era o dinheiro, mas a sua capacidade de gastá-lo, e a sua confiança numa superioridade que a faria recuperar tudo que a festança tinha destruído.

No final, os saraus do barão refletiam o seu desejo de se misturar não só ao mundo de negócios da França, mas à sua sociedade também. Gastando dinheiro nos seus *potlatches*, ele esperava demonstrar que o seu poder transcendia o dinheiro, entrando pela esfera mais preciosa da cultura. Rothschild pode ter conquistado a aceitação social gastando dinheiro, mas a base de apoio que ele conseguiu não foi do tipo que se compra apenas com o dinheiro. Para garantir a sua fortuna ele teve que "esbanjá-la". Em resumo, generosidade estratégica é isso – capacidade de ser flexível com a sua riqueza, colocá-la para funcionar, não para comprar objetos, mas para conquistar o coração das pessoas.

Observância III

Os Medici da Florença renascentista haviam conquistado o seu imenso poder com base na fortuna que fizeram como banqueiros. Mas em Florença, uma república com séculos de existência, a ideia de que o dinheiro comprava poder batia de frente com todos os orgulhosos valores democráticos da cidade. Cosimo de Medici, o primeiro da família a ficar famoso, contornou isso mantendo-se discreto. Ele jamais se vangloriava da sua riqueza. Mas, quando o neto Lorenzo atingiu a maioridade, na década de 1470, a fortuna da família era grande demais e a sua influência muito evidente para continuar sendo mascarada.

Lorenzo resolveu o problema à sua maneira, desenvolvendo a estratégia de distração que tem servido às pessoas ricas desde então: ele se tornou o mais ilustre patrono das artes de que a história já teve notícia. Não só gastava prodigamente em pinturas, como criou as melhores escolas de aprendizado para jovens artistas. Foi numa delas que o jovem Michelangelo chamou a atenção de Lorenzo, que o convidou para morar na sua casa. Ele fez o mesmo com Leonardo da Vinci. Uma vez debaixo das suas asas, Michelangelo e Leonardo da Vinci retribuíram a generosidade tornando-se fiéis artistas da sua coleção.

Sempre que Lorenzo enfrentava um inimigo, ele brandia as armas do patronato. Quando Pisa, tradicional inimiga de Florença, ameaçou se rebelar, em 1472, Lorenzo aplacou o seu povo injetando dinheiro na sua universidade, que um dia fora o seu orgulho e alegria, mas que havia muito perdera o brilho. Pisa não teve defesa diante desta manobra insidiosa, que simultaneamente alimentava o seu amor pela cultura e frustrava o seu desejo de batalha.

Interpretação
Lorenzo, sem dúvida, amava as artes, mas o seu apoio aos artistas tinha o seu lado prático também, do qual ele tinha bastante consciência. Naquela época, em Florença, a atividade bancária era talvez a forma menos admirada de se ganhar dinheiro, e certamente não era uma fonte respeitável de poder. As artes estavam no polo extremo, o da transcendência quase religiosa. Gastando com as artes, Lorenzo diluiu as opiniões do povo sobre a feia origem da sua fortuna, disfarçando-se na nobreza. Não há uso melhor para a generosidade estratégica do que o de desviar as atenções de uma realidade ofensiva e se envolver no manto da arte e da religião.

Observância IV
Luís XIV tinha um olho de lince para o poder estratégico do dinheiro. Quando subiu ao trono, a nobreza poderosa vinha recentemente se mostrando um tormento para a monarquia e fervilhava de rebeldia. Então ele empobreceu esses aristocratas fazendo-os gastar quantias enormes para manter suas posições na corte. Tornando-os dependentes da generosidade real para a sua subsistência, ele lhes pôs as garras.

Em seguida, Luís subjugou os nobres com a generosidade estratégica. Era assim que as coisas funcionavam: sempre que notava um cortesão teimoso cuja influência precisava conquistar, ou cujas encrencas queria abafar, ele usava a sua vasta fortuna para amaciar o terreno. Primeiro, ignorava a vítima, deixando-a ansiosa. Depois o homem descobria de repente que tinham dado ao seu filho um cargo bem pago, ou que haviam investido fundos liberalmente na sua região natal, ou que ele tinha ganhado um quadro havia muito cobiçado. Os presentes escorriam pelas mãos de Luís. Finalmente, semanas ou meses depois, Luís pedia o favor que desde o início estava querendo. O homem que um dia jurara fazer qualquer coisa para acabar com o rei descobria que tinha

gratidão quanto os mais esplêndidos presentes que recebo hoje. Retribuirei com mais prata e ouro que conseguirá contar, para que jamais lamente ter feito um favor a Dario, filho de Histapes." "Meu Senhor", retrucou Siloson, "não me dê prata ou ouro, mas recupere Samos para mim, minha ilha nativa, que desde que Oroetes matou meu irmão Policrates está nas mãos de um de nossos servos. Que Samos seja o seu presente para mim – mas que nenhum homem na ilha seja morto ou escravizado." Dario concordou com o pedido de Siloson, e despachou uma força sob o comando de Otanes, um dos sete, com ordens de fazer tudo o que Siloson quisesse.
AS HISTÓRIAS DE HERÓDOTO, SÉCULO V a.C.

Não há situação em que se gaste dinheiro com mais proveito do que quando se é lesado; pois de um só golpe comprou-se a prudência.
ARTHUR SCHOPENHAUER, 1788-1860

perdido o desejo de lutar. Um suborno direto teria aumentado a sua rebeldia; isto era muito mais insidioso. Diante de um solo árido onde nada criaria raízes, Luís preparava o terreno antes de lançar as suas sementes.

Interpretação
Luís compreendeu que existe um elemento emocional profundamente enraizado nas nossas atitudes com relação ao dinheiro, cuja origem está lá na infância. Quando somos crianças, todos os tipos de sentimentos complicados no que se refere aos nossos pais giram em torno de presentes; vemos o ato de presentear como um sinal de amor e aprovação. E esse elemento emocional não desaparece. Quem recebe presentes, financeiros ou não, fica de repente vulnerável como uma criança, principalmente se eles vierem de uma autoridade. A pessoa não consegue deixar de baixar a guarda; a vontade cede, como Luís fazia o terreno ceder.

Para ter mais sucesso, o presente deve ser inesperado. Deve ser notável pelo fato de ser inusitado, ou de ter sido precedido por uma certa frieza por parte de quem o deu. Quanto maior a frequência com que você presenteia determinadas pessoas, mais inútil se torna essa arma. Quando elas não se acostumam com seus presentes e tornam-se monstros de ingratidão, acabam magoadas com o que lhes parece ser caridade. O presente inusitado, repentino, inesperado não estragará seus filhos; os manterá sob o seu domínio.

Observância V
Certa vez, o antiquário Fushimiya, que vivia na cidade de Edo (antigo nome de Tóquio), no século XVII, parou numa casa de chá de uma aldeia. Depois de tomar o chá, ele ficou algum tempo examinando a xícara, que acabou comprando. Um artesão local, vendo isso, esperou Fushimiya sair e foi perguntar à velha, dona da casa de chá, quem era aquele homem. Ela lhe disse que era o mais famoso conhecedor de antiguidades do Japão, que negociava peças de arte para o senhor de Izumo. O artesão saiu correndo, alcançou Fushimiya e implorou que lhe vendesse a xícara, que obviamente deveria ser valiosa, se Fushimiya assim o julgara. Fushimiya achou muito engraçado: "É só uma xícara comum de porcelana Bizen", explicou ele, "e não tem valor algum. Fiquei examinando por causa do vapor que a envolvia de uma forma interessante, e quis saber se tinha algum vazamento." (Os adeptos da cerimônia do chá se interessavam por qualquer beleza estranha ou acidental na natureza.) Como o artesão ainda parecia muito excitado com isso, Fushimiya lhe deu a xícara de graça.

O homem andou por todo canto com a xícara, tentando encontrar um especialista que a avaliasse por um bom preço, mas como todos a consideraram uma peça comum, ele não conseguiu nada. Ele já não cuidava mais dos seus negócios, só pensava na xícara e na fortuna que faria com ela. Finalmente foi procurar Fushimiya no seu ateliê, em Edo. Aí o negociante, percebendo que inadvertidamente tinha feito muito mal àquele homem, levando-o a acreditar que a xícara tinha um grande valor, pagou-lhe 100 ryo (moedas de ouro) por bondade. A xícara era mesmo medíocre, mas ele queria livrar o artesão daquela obsessão, sem deixar que ele sentisse que se esforçara à toa. O artesão agradeceu e seguiu o seu caminho.

Em breve espalhou-se a notícia da xícara comprada por Fushimiya. Todos os negociantes do Japão insistiam para que ele a vendesse, pois uma xícara pela qual ele havia pagado 100 ryo deveria valer muito mais. Ele tentava explicar como tinha sido a compra, mas os negociantes não se convenciam. Fushimiya acabou cedendo e colocou a xícara à venda.

Durante o leilão, dois compradores ofereceram ao mesmo tempo 200 ryo pela xícara, e começou a briga para decidir quem tinha falado primeiro. Nisso, derrubaram a mesa e a xícara caiu, espatifando-se no chão. O leilão, obviamente, estava terminado. Fushimiya catou os cacos e consertou a xícara, depois guardou pensando que o caso estava encerrado. Anos depois, entretanto, o grande mestre do chá, Matsudaira Fumai, foi visitá-lo e pediu para ver a xícara, que então já se transformara em lenda. Fumai a examinou. "Como peça", disse ele, "não vale muito, mas um Mestre do Chá preza o sentimento e as associações mais do que o valor intrínseco." E comprou a xícara por uma grande quantia. Uma peça colada comum tinha se tornado um dos objetos mais famosos do Japão.

Interpretação

A história mostra, em primeiro lugar, um aspecto essencial do dinheiro: foram os homens que o inventaram, e são os homens que lhes conferem valor e significado. Em segundo, com objetos, assim como com o dinheiro, o que o cortesão preza mais é o valor sentimental e emocional embutido – aí é que está o valor de possuí-los. A lição é simples: Quanto mais os seus presentes e atos de generosidade jogarem com os sentimentos, mais poderosos eles serão. O objeto ou conceito que joga com uma forte emoção, ou toca uma corda sentimental, tem mais poder do que o dinheiro que você esbanja num presente caro, mas sem vida.

Observância VI

Akimoto Suzutomo, rico adepto da cerimônia do chá, deu ao seu pajem 100 ryo (moedas de ouro) e o mandou comprar uma xícara de chá que um negociante estava vendendo. Quando o pajem viu a xícara, duvidou

---

UM PEIXE DE PRESENTE
Kung-yi Hsiu, primeiro-ministro de Lu, gostava muito de peixe. O povo de todo o país, portanto, comprava peixe sempre e queria lhe dar de presente. Mas Kung-yi não aceitava presentes. Contrário a essa atitude, o irmão mais novo protestou, dizendo: "Você gosta de peixe, por que não o aceita de presente?" Em resposta, ele disse: "É porque gosto de peixe que não o aceito de presente. Na verdade, se eu aceitar o peixe, ficarei na posição de devedor. Uma vez nessa posição, às vezes terei de alterar a lei. Se alterar a lei, perco o meu cargo de primeiro-ministro. E, desempregado, talvez não possa mais comprar peixe. Mas, se eu não aceito o peixe que querem me dar e não for despedido, por mais que goste de peixe, poderei sempre comprar o meu próprio peixe."
HAN-FEI-TZU, FILÓSOFO CHINÊS, SÉCULO III a.C.

Só explorei quem tinha dinheiro e estava disposto a entrar comigo em esquemas nos quais achavam que iam tosquiar os outros. Eles queriam o dinheiro pelo dinheiro. Eu, pelo luxo e pelos prazeres que ele poderia me dar. Eles raramente estavam preocupados com a natureza humana. Pouco sabiam – e se interessavam menos ainda – sobre seus semelhantes. Se tivessem estudado melhor a natureza humana, se tivessem dedicado mais tempo a serem companheiros e menos a correr atrás do dólar poderoso, não teria sido tão fácil enganá-los.
"YELLOW KID" WEIL, 1875-1976

que valesse tanto e, depois de muito barganhar, conseguiu reduzir o preço para 95 ryo. Dias depois, quando Suzutomo já tinha colocado em uso a xícara, o pajem lhe contou orgulhoso o que tinha feito.

"Você é um ignorante!", retrucou Suzutomo. "Uma xícara de chá que está sendo vendida por 100 moedas de ouro só pode ser herança de família, e uma coisa assim só se vende quando a família está precisando muito de dinheiro. E, nesse caso, ficam esperando que apareça alguém que dê até 150 moedas por ela. Que tipo de sujeito é esse que não leva em consideração o que eles estão sentindo? Fora isso, uma curiosidade pela qual se pagou 100 ryo vale a pena possuir, mas outra que custou apenas 95 causa má impressão. Portanto, não quero mais ver essa xícara de chá!" E mandou trancar a xícara no armário, e de lá ela não saiu mais.

Interpretação

Quando você insiste em pagar menos, pode estar economizando as suas cinco moedas, mas a afronta e a impressão mesquinha que você dá vai lhe custar a reputação, que é aquilo que os poderosos mais prezam. Aprenda a pagar o preço integral – será mais econômico no final.

Observância VII

No início do século XVII, no Japão, um grupo de generais se distraía antes de uma grande batalha encenando uma competição. Cada participante contribuía com um prêmio para o vencedor – arcos, flechas, selas e outros artigos que um guerreiro cobiçaria. O grande Sr. Date Masamune estava passando por ali e foi convidado a participar. Como prêmio, ele ofereceu a cuia que trazia pendurada no cinto. Todos riram, ninguém queria ganhar aquela peça tão barata. Um criado do anfitrião aceitou a cuia.

Mas, quando o grupo se despediu e os generais ficaram conversando fora da tenda, Masamune trouxe o seu magnífico cavalo e o deu ao criado. "Aqui", disse ele, "saiu um cavalo de dentro da cuia." De repente, os generais estupefatos lamentaram ter rido do presente de Masamune.

Interpretação

Masamune compreendeu o seguinte: o dinheiro dá a quem possui a capacidade de agradar aos outros. Quanto mais você puder fazer isto, mais admiração atrairá. Ao tirar o cavalo de dentro da cuia, você demonstra definitivamente o seu poder.

Imagem: O Rio. Para se proteger ou salvar o seu patrimônio, você constrói um dique. Em breve, porém, as águas ficam lodosas e pestilentas. Só as formas mais repulsivas de vida conseguem viver nessas águas estagnadas; nada trafega sobre elas, todo o comércio fica interrompido. Destrua o dique. A água que flui e circula gera abundância, riqueza e poder em círculos cada vez maiores. O Rio deve causar inundações periodicamente, para que boas coisas possam florescer.

Autoridade: O grande homem sovina é um grande tolo, e para o homem que ocupa altos postos não há vício pior do que a avareza. O sovina não conquista terras nem domínios, pois não possui amigos suficientes a quem impor a sua vontade. Quem quiser ter amigos não deve se apegar às suas posses, mas conquistá-los com belos presentes; pois da mesma forma que o ímã atrai sutilmente o ferro; o ouro e a prata, com os quais um homem presenteia, atraem os corações dos outros homens. (The Romance of the Rose, Guillaume de Lorris, c. 1200-1238)

O INVERSO

O poderoso jamais esquece que as coisas gratuitas são, inevitavelmente, um truque. Amigos que oferecem favores sem pedir pagamento, mais tarde vão querer algo que vai lhe custar muito mais caro do que a quantia que você lhes teria pagado na época. A barganha esconde problemas, materiais e psicológicos. Aprenda a pagar, portanto, e bem.

Por outro lado, esta Lei oferece grandes oportunidades para fraudes e trambiques, se você a aplicar ao inverso. Seduzir com a ideia de ganhar alguma coisa é a arma do trambiqueiro.

Ninguém fez isso melhor do que o charlatão de maior sucesso da nossa era, Joseph Weil, conhecido como "The Yellow Kid". Desde cedo, Yellow Kid aprendeu que a ganância dos seus semelhantes é que tornava as suas fraudes possíveis. "Este desejo de conseguir alguma coisa de graça", ele escreveu certa vez, "tem custado caro para muita gente que fez negócio comigo e com outros trambiqueiros... Quando as pessoas aprenderem – e duvido que aprendam – que é impossível ter alguma coisa sem dar nada em troca, a criminalidade diminuirá e viveremos com mais harmonia." Durante vários anos, Weil inventou meios de seduzir as pessoas com a perspectiva do dinheiro fácil. Ele lhes oferecia terras "de graça" – quem resistiria a tal oferta? –, e depois os otários ficavam sabendo que tinham de pagar vinte e cinco dólares para registrar a venda. Como a terra era de graça, pagar tanto por um documento parecia valer a pena. E Yellow Kid fez milhares de dólares com os registros falsos. Em troca, entregava a suas vítimas uma escritura forjada. Em outras ocasiões, ele falava de uma corrida de cavalos combinada, ou de uma ação que daria 200 por cento em poucas semanas. Conforme contava as suas histórias, ia vendo os olhos do otário se arregalarem com a ideia do ganho fácil.

A lição é simples: ao enganar as pessoas, use como isca a possibilidade de dinheiro fácil. As pessoas são essencialmente preguiçosas e preferem que o dinheiro lhes caia no colo a ter de trabalhar. Por uma pequena quantia, venda-lhes conselhos sobre como ficar milionário (P. T. Barnum fez isso no final da sua vida), e essa pequena quantia se transformará numa fortuna depois de multiplicada por milhares de otários. Seduza as pessoas com a perspectiva do dinheiro fácil e você terá espaço para continuar praticando suas fraudes, visto que a ganância é tão forte que as suas vítimas não enxergarão mais nada. E, como disse Yellow Kid, metade da graça está em dar uma lição de moral: a ganância não compensa.

LEI

41

EVITE SEGUIR AS PEGADAS DE UM GRANDE HOMEM

JULGAMENTO

O que acontece primeiro sempre parece melhor e mais original do que o que vem depois. Se você substituir um grande homem ou tiver um pai famoso, terá de fazer o dobro do que eles fizeram para brilhar mais do que eles. Não fique perdido na sombra deles, ou preso a um passado que não foi obra sua: estabeleça o seu próprio nome e identidade mudando de curso. Mate o pai dominador, menospreze o seu legado e conquiste o poder com a sua própria luz.

A VANTAGEM DE SER O PRIMEIRO

Muitos teriam brilhado como a fênix em seus ofícios se outros não tivessem chegado antes. Ser o primeiro tem uma grande vantagem; com fama, duas vezes melhor. Dê você as cartas primeiro, e ganhará no final...
Quem chega antes ganha fama por direito de primogenitura, e quem vem depois são como os segundos filhos, que se contentam com míseras porções...
Salomão optou sensatamente pelo pacifismo, deixando a guerra para o pai. Ao mudar de curso, foi mais fácil para ele se tornar um herói...
E nosso grande Filipe II governou o mundo inteiro com prudência, surpreendendo as gerações. Se o seu pai invicto foi um modelo de energia, Filipe foi um modelo de Prudência (...) Esta novidade tem ajudado os sensatos a conquistar o seu lugar no elenco dos grandes. Sem abandonar a própria arte, o criativo abandona o lugar comum e dá, mesmo em ofícios velhos como o tempo, novos passos em direção à celebridade. Horácio cedeu a poesia épica a Virgílio, e Marcial, a lírica a Horácio. Terêncio optou pela comédia, Pérsio pela sátira, cada um esperando ser

A LEI TRANSGREDIDA

Quando Luís XIV morreu, em 1715, depois de cinquenta e cinco anos de glorioso reinado, todos os olhares se concentraram no seu bisneto e sucessor escolhido, o futuro Luís XV. O menino, na época com apenas cinco anos de idade, seria um grande líder como o Rei Sol? Luís XIV tinha transformado um país à beira de uma guerra civil na principal potência da Europa. Os últimos anos do seu reinado foram difíceis – ele estava velho e cansado –, mas esperava-se que a criança se transformasse no tipo de governante enérgico que daria novo vigor ao país e solidificasse ainda mais as firmes bases construídas por Luís XIV.

Com este objetivo, o menino teve como tutores as melhores mentes da França, homens que o instruiriam na arte da estadística, nos métodos que o Rei Sol havia aperfeiçoado. Nada foi negligenciado na sua educação. Mas quando Luís XV subiu ao trono, em 1726, ocorreu nele uma súbita mudança: ele não precisava mais estudar ou agradar aos outros para provar quem era. Estava sozinho no topo de um grande país, com riqueza e poder às suas ordens. Podia fazer o que quisesse.

Nos primeiros anos do seu reinado, Luís se dedicou ao prazer, deixando o governo nas mãos de um ministro de confiança, André-Hercule de Fleury. Isto não causou muita preocupação, pois ele era jovem e precisava dar vazão à sua juventude, e de Fleury era um bom ministro. Mas aos poucos foi ficando evidente que aquela era mais do que uma fase passageira. Luís não tinha interesse em governar. Sua principal preocupação não eram as finanças da França, ou uma possível guerra com a Espanha, mas o tédio. Ele não suportava se sentir entediado. E quando não estava caçando veados, ou mocinhas, passava o tempo nas mesas de jogo, perdendo enormes quantias numa só noite.

A corte, como sempre, refletia os gostos do governante. Jogos e festas sofisticadas se tornaram uma obsessão. Os cortesãos não se preocupavam com o futuro da França – todas as suas energias estavam voltadas para encantar o rei, tentando obter ardilosamente títulos que lhes dessem pensões vitalícias e cargos no ministério que exigissem pouco trabalho, mas pagassem muito bem. Os parasitas afluíam à corte, e as dívidas do Estado inchavam.

Em 1745, Luís se apaixonou por Madame de Pompadour, mulher de classe média que conseguira ascender na sociedade por seus encantos, inteligência e um bom casamento. Madame de Pompadour se tornou a amante oficial do rei e também árbitro da moda e do bom gosto na França. Mas Madame tinha também ambições políticas, e acabou emergindo como o primeiro-ministro não oficial do país – era ela, não Luís, que exercia o poder de contratar e despedir os ministros mais importantes da França.

Com a idade, Luís só queria saber de mais diversões. Nos terrenos de Versalhes ele construiu um bordel, o Parc aux Cerfs, que abrigava algumas das moças mais bonitas da França. Passagens subterrâneas e escadarias ocultas davam acesso a Luís a qualquer hora. Quando Madame de Pompadour morreu, em 1764, foi substituída na função de amante real por Madame du Barry, que logo passou a dominar a corte e, como Pompadour antes dela, a se meter nos negócios de Estado. Se não gostava de um ministro, ele era exonerado. Toda a Europa ficou horrorizada quando Du Barry, filha de um padeiro, deu um jeito de demitir Étienne de Choiseul, ministro das Relações Exteriores e o diplomata mais hábil da França. Ele não demonstrava muito respeito por ela. Com o passar do tempo, vigaristas e charlatões se aninharam em Versalhes, despertando o interesse de Luís pela astrologia, pelo ocultismo e negociatas fraudulentas. O jovem e mimado adolescente que tinha assumido o governo da França anos antes só fez piorar com a idade.

O lema associado ao reinado de Luís foi "Après moi, le déluge" – "Depois de mim, o dilúvio", ou "Que se dane a França, quando eu não estiver mais aqui". E, na verdade, quando Luís se foi, em 1774, exaurido por uma vida de deboche, as suas próprias finanças e a do seu país estavam uma horrível confusão. Seu neto, Luís XVI, herdou um reino que precisava desesperadamente de reformas e de um líder enérgico. Mas Luís XVI era ainda mais fraco do que o avô, e ficou assistindo à decadência do país até a revolução. Em 1792, a república criada pela Revolução Francesa declarou o fim da monarquia e deu ao rei um novo nome, "Luís, o Último". Meses depois, ele se ajoelhava diante da guilhotina, e a cabeça prestes a ser cortada perdera o brilho e o poder de que o Rei Sol investira a coroa.

Interpretação

De um país que tinha chegado a uma guerra civil no fim da década de 1640, Luís XIV criou o reino mais poderoso da Europa. Grandes generais tremiam diante dele. Certa vez um cozinheiro errou na preparação de um prato e preferiu se suicidar do que enfrentar a ira do rei. Luís XIV teve muitas amantes, mas o poder delas terminava no quarto de dormir. Ele encheu a sua corte com as mentes mais brilhantes da época. O símbolo do seu poder foi Versalhes: recusando-se a aceitar o palácio que foi de seus antecessores, o Louvre, ele construiu o seu próprio palácio numa região que na época era longe de tudo e de todos, simbolizando que estava fundando uma nova ordem, uma ordem sem precedentes. Ele fez de Versalhes a peça central do seu reino, um lugar que todos os poderosos da Europa invejavam e visitavam com admiração e respeito.

---

o primeiro no seu gênero. A ousadia na criatividade jamais sucumbiu à imitação fácil.
A POCKET MIRROR FOR HEROES, BALTASAR GRACIÁN, TRADUZIDA PARA O INGLÊS POR CHRISTOPHER MAURER, 1996

A VIDA DE PÉRICLES
Quando jovem, Péricles tendia a se esquivar das pessoas. Um dos motivos era porque achavam nele uma forte semelhança com o tirano Psístrato, e quando os mais idosos observavam o encanto da sua voz e a suavidade e fluência do seu discurso, ficavam surpresos com a semelhança entre os dois. O fato de ser rico, vir de uma família distinta e possuir amigos extremamente ricos tornava o medo do ostracismo muito real para ele, e no início da sua carreira não participava das atividades políticas, dedicando-se ao serviço militar, no qual mostrava-se muito corajoso e empreendedor. Mas chegou uma hora em que Aristides estava morto, Temístocles exilado, e Cimon quase sempre ausente em campanhas distantes. Então, finalmente, Péricles decidiu se filiar ao partido do povo e

> assumir a causa dos pobres e muitos, em vez de defender os ricos e poucos, não obstante isso contrariasse o seu próprio temperamento aristocrático. Aparentemente, ele temia que suspeitassem de que ele estivesse visando a uma ditadura; portanto, ao ver que as simpatias de Cimon estavam fortemente do lado dos nobres e que Cimon era o ídolo do partido aristocrático, Péricles começou a tentar conquistar as graças do povo, em parte por autopreservação, em parte como uma forma de garantir o seu poder contra o rival. Naquele momento, ele iniciou um novo estilo de vida. Só era visto caminhando em ruas que levassem ao mercado e à câmara de conselho.
>
> A VIDA DE PÉRICLES, PLUTARCO, c. 46-120 d.C.

Em essência, Luís pegou um grande vazio – a monarquia decadente da França – e o encheu com seus próprios símbolos e poder radiante.

Luís XV, por outro lado, simboliza o destino dos que herdam alguma coisa grande ou seguem nas pegadas de um grande homem. Parece fácil para um filho ou sucessor continuar construindo sobre as bases deixadas para ele, mas, tratando-se do poder, o que acontece é o inverso. O filho mimado, cheio de vontades, quase sempre dilapida a herança, porque não parte da necessidade de preencher um vazio como aconteceu com o pai. Como diz Maquiavel, a necessidade é que leva o homem a agir, e quando ela deixa de existir sobra apenas podridão e decadência. Não havendo mais necessidade de aumentar a sua reserva de poder, Luís XV inevitavelmente sucumbiu à inércia. No seu governo, Versalhes, símbolo da autoridade do Rei Sol, se tornou um local de prazer extraordinariamente banal, uma espécie de Las Vegas da monarquia Bourbon. Passou a representar tudo o que a oprimida classe camponesa da França detestava no seu rei, e durante a Revolução eles a saquearam com satisfação.

Luís XV só tinha um jeito de escapar da armadilha que aguardava o filho ou sucessor de um homem como o Rei Sol: começar psicologicamente do nada, denegrir o passado e a sua herança, e seguir numa direção totalmente nova, criando o seu próprio mundo. Supondo que você possa escolher, é melhor evitar essa situação, colocando-se onde houver um vácuo de poder, onde você puder ser aquele indivíduo que vai criar a ordem a partir do caos sem nenhuma outra estrela no céu para competir. O poder depende de aparentar ser maior do que as outras pessoas, e quando se perde na sombra do pai, do rei, do grande antecessor, você não pode projetar essa presença.

> *Mas quando tornaram a soberania hereditária os filhos rapidamente degeneraram; e, longe de tentar igualar as virtudes de seus pais, eles consideraram que um príncipe só tinha de ser maior do que os outros na ociosidade, na indulgência e nas várias formas de prazer.*
>
> Nicolau Maquiavel, 1469-1527

> A VIDA DE PIETRO PERUGINO, PINTOR, c. 1450-1523
> Que às vezes a pobreza pode ser benéfica para os talentosos, e que ela pode servir como um ótimo estímulo para que sejam perfeitos ou famosos na ocupação que escolherem, pode

A LEI OBSERVADA

Alexandre, o Grande, foi dominado por uma paixão quando jovem – uma intensa aversão por seu pai, o rei Filipe da Macedônia. Ele odiava o seu estilo dissimulado e cauteloso de governar, seus discursos bombásticos, suas bebedeiras e libertinagens, e seu gosto por lutas corporais e outros desperdícios de tempo. Alexandre sabia que tinha de ser o oposto do seu pai dominador: ele se forçaria a ser corajoso e imprudente, controlaria a sua língua e seria um homem de poucas palavras, e não perderia o seu precioso tempo em busca de prazeres que não lhe comprariam a glória. Alexandre também se ressentia do fato de Filipe já ter conquistado a maior parte da Grécia: "Meu pai vai continuar conquistando até não sobrar nada de extraordinário para eu fazer", ele se queixou certa vez. Enquanto os outros filhos de homens poderosos se contentavam em herdar uma fortuna e viver uma vida de prazeres, Alexandre só queria superar o pai, apagar o nome de Filipe da história suplantando suas realizações.

Alexandre queria a todo custo mostrar que era superior ao pai. Um negociante de cavalos da Tessália certa vez levou um animal valioso, chamado Bucéfalo, para vender a Filipe. Nenhum dos cavalariços do rei conseguia se aproximar do cavalo – era muito selvagem –, e Filipe censurou o mercador por lhe trazer um animal tão inútil. Vendo tanta dificuldade, Alexandre observou mal-humorado: "Que cavalo eles estão perdendo por falta de habilidade e talento para domá-lo!" Depois de ouvi-lo dizer isso várias vezes, Filipe acabou perdendo a paciência e o desafiou a cuidar do cavalo. Chamou o mercador de volta, esperando no íntimo que o filho levasse um tombo feio e aprendesse a lição. Mas Alexandre é quem lhe daria uma lição: não só conseguiu montar Bucéfalo, como o conduziu a pleno galope, domando um animal que mais tarde o levaria até a Índia. Os cortesãos aplaudiram entusiasticamente, e Filipe ficou irritadíssimo vendo ali não o filho, mas o rival.

A atitude desafiadora de Alexandre com o pai foi ficando cada vez mais ousada. Um dia os dois tiveram uma forte discussão diante de toda a corte e Filipe sacou da espada como se quisesse atingir o filho, mas, já tendo bebido muito vinho, tropeçou. Alexandre apontou para o pai e zombou: "Homens da Macedônia, ali está o homem que se prepara para ir da Europa à Ásia. Não consegue nem ir de uma mesa a outra sem cair."

Quando Alexandre estava com dezoito anos, um cortesão descontente assassinou Filipe. À medida que a notícia do regicídio foi se espalhando por toda a Grécia, cidade após cidade se ergueu em rebelião contra seus governantes macedônios. Os conselheiros de Filipe sugeriram a Alexandre, agora rei, a agir com cautela, a fazer como Filipe tinha feito e conquistar pela astúcia. Mas Alexandre não ia fazer como ele: marchou até os pontos mais longínquos do reino, aniquilou as cidades rebeldes e reuniu o império com brutal eficiência.

Conforme o jovem rebelde envelhece, diminui a sua luta contra o pai e, aos poucos, ele vai ficando parecido com aquele mesmo homem que desejava desafiar. Mas a aversão de Alexandre pelo pai não terminou com a morte de Filipe. Depois de consolidar a Grécia, ele voltou

se ver claramente nas atitudes de Pietro Perugino. Desejando por meio da sua habilidade obter algum nível respeitável, depois de deixar para trás desastrosas calamidades em Perugia e vir para Florença, ele permaneceu ali muitos meses na pobreza, dormindo num baú, já que não tinha outra cama. Trocou o dia pela noite e, com o maior zelo, aplicava-se continuamente ao estudo da sua profissão. Depois que a pintura se enraizara dentro dele, o único prazer de Pietro era estar sempre trabalhando na sua arte e constantemente pintando. E como ele tinha sempre diante dos olhos a ameaça da pobreza, fez coisas para ganhar dinheiro que provavelmente não teria se preocupado em fazer não tivesse sido forçado a se sustentar. Talvez a riqueza tivesse fechado o caminho da fama para ele e para o seu talento, assim como a pobreza o abriu, mas a necessidade era um estímulo, visto que ele desejava sair de uma situação tão inferior e miserável – se não talvez para o auge supremo da fama, pelo menos até um ponto em que teria o suficiente para viver.

> *Por esta razão, ele não se importava com frio, fome, desconforto, inconveniências, labuta ou vergonha, se pudesse um dia chegar a viver em paz e tranquilidade; e ele sempre dizia – como se fosse um provérbio – que depois da tempestade, vem a bonança, e que durante a bonança é preciso construir abrigos para os tempos de privação.*
> LIVES OF THE ARTISTS, GIORGIO VASARI, 1511-1574

os olhos para a Pérsia, o troféu que escapara a seu pai, cujo sonho tinha sido conquistar a Ásia. Se derrotasse os persas, Alexandre finalmente superaria Filipe na glória e na fama.

Alexandre se dirigiu para a Ásia com um exército de 35 mil homens para enfrentar uma força persa de mais de um milhão. Antes de travar batalha contra os persas, ele passou pela cidade de Gordium. Ali, no principal templo da cidade, havia uma antiga carroça atada com cordas feitas com a casca de uma árvore chamada cornácea. Segundo a lenda, o homem que conseguisse desatar o enorme e complicado nó – o nó górdio – governaria o mundo. Muitos tinham tentado, mas ninguém teve sucesso. Alexandre, vendo que não conseguiria desfazer o nó com as mãos, pegou a espada e de um só golpe o cortou ao meio. Este gesto simbólico mostrou ao mundo que ele não faria como os outros, mas que abriria o seu próprio caminho.

Apesar da espantosa desigualdade, Alexandre conquistou os persas. A maioria esperava que ele parasse por ali – era um grande triunfo, suficiente para lhe garantir fama para toda a eternidade. Mas Alexandre lidava com seus próprios feitos da mesma forma como agira com o pai: a conquista da Pérsia era coisa do passado, ele não queria se deitar nos louros do passado, ou permitir que o passado eclipsasse o brilho do presente. Continuou seguindo para a Índia, ampliando o seu império para além de todos os limites conhecidos. Só os seus soldados cansados e descontentes o impediram de ir mais longe.

Interpretação

Alexandre representa um tipo extremamente raro na história: o filho de um homem famoso e bem-sucedido que consegue superar o pai na glória e no poder. A razão deste tipo ser raro é simples: o pai quase sempre consegue acumular a sua fortuna, o seu reino, porque inicia com pouco ou nada. Uma necessidade desesperada o impele para o sucesso – ele não tem nada a perder com a astúcia e a impetuosidade, e não tem um pai famoso para competir. Este tipo de homem tem motivos para acreditar em si próprio – acreditar que a sua maneira de fazer as coisas é a melhor, porque, afinal de contas, funcionou com ele.

> O PROBLEMA DE PAUL MORPHY
> *Basta um mínimo de conhecimento de xadrez para ver que é um jogo que imita a arte da guerra e, de fato, essa tem sido uma das recreações preferidas de alguns dos maiores*

Quando um homem assim tem um filho, torna-se dominador e opressivo, impondo o que aprendeu ao rapaz, que está começando a vida em circunstâncias totalmente diferentes daquelas em que o pai começou. Em vez de permitir que o filho tome um novo caminho, o pai tentará fazer com que ele siga as suas pegadas, talvez secretamente desejando que ele caia do cavalo, como parece que Filipe literalmente queria ver acontecer com Alexandre no episódio do cavalo Bucéfalo. Afinal de contas, os pais invejam a juventude e o vigor dos filhos, e o que eles querem é controlar e dominar. Os filhos desses homens tendem a se tornar acovardados e cautelosos, aterrorizados com a ideia de perder o que seus pais conquistaram.

O filho jamais sairá da sombra do pai se não adotar a estratégia implacável de Alexandre: destrua o passado, crie o seu próprio reino, coloque o pai na sombra em vez de deixar que ele faça isso com você. Se não puder materialmente começar do zero – seria tolice renunciar a uma herança –, você pode pelo menos começar do zero psicologicamente. Alexandre reconheceu instintivamente que os privilégios do berço são empecilhos ao poder. Seja impiedoso com o passado, portanto – não só com seu pai e o pai dele, mas com suas próprias conquistas anteriores. Só os fracos descansam sobre seus louros e idolatram triunfos passados; no jogo do poder não sobra tempo para descansar.

AS CHAVES DO PODER

Em muitos reinos antigos, por exemplo Bengala e Sumatra, depois que o rei já estava no governo havia vários anos, seus súditos o executavam. Isto era feito em parte como um ritual de renovação, mas também como uma forma de impedi-lo de ficar poderoso demais – pois quase sempre o rei tentaria estabelecer uma ordem permanente, às custas de outras famílias e dos seus próprios filhos. Em vez de proteger a tribo e liderá-la em tempos de guerra, ele tentaria dominá-la. E assim ele era espancado até a morte, ou executado num ritual elaborado. Depois que não estivesse mais ali para as homenagens lhe subirem à cabeça, ele podia ser adorado como um deus. Enquanto isso, o campo precisava ser limpo para uma ordem mais nova e jovial se estabelecer.

A atitude ambivalente, hostil, com relação à figura do rei ou pai também encontra expressão nas lendas dos heróis que não conhecem seus pais. Moisés, arquétipo do homem poderoso, foi encontrado abandonado entre os juncos e jamais soube quem eram seus pais; sem um pai para competir com ele ou limitar os seus passos, ele chegou ao auge do poder. Hércules não tinha um pai terreno – era filho do deus Zeus. No final da sua vida, Alexandre, o Grande, espalhou a história de que o deus Júpiter Amon é que o havia gerado, não Filipe da Macedônia. Lendas e rituais como estes eliminam a figura do pai porque ela simboliza o poder destrutivo do passado.

O passado impede o jovem herói de criar o seu próprio mundo – ele deve fazer o que o pai fez, mesmo quando ele já estiver morto ou impotente. O herói deve se inclinar servil diante do seu predecessor e se render à tradição e ao passado. O que teve sucesso no passado deve continuar acontecendo no presente, mesmo que as circunstâncias tenham

líderes militares, de Guilherme, o Conquistador, a Napoleão. Na competição entre exércitos adversários os mesmos princípios de estratégia e de tática são praticados como numa guerra de verdade, as mesmas previsões e os mesmos cálculos são necessários, a mesma capacidade de adivinhar os planos do adversário e o rigor com que às decisões se seguem as consequências são, na melhor das hipóteses, ainda mais implacáveis. Mais do que isso, está claro que o motivo inconsciente dos jogadores não é apenas o gosto pela belicosidade característica de todos os jogos competitivos, mas o aspecto mais sinistro do assassinato do pai. É verdade que a meta original da captura do rei deixou de existir, mas do ponto de vista de motivo não houve, exceto quanto à crueza, nenhuma mudança significativa no atual objetivo de imobilizá-lo... "Xeque-mate" significa literalmente "o rei morreu"... Nosso conhecimento da motivação inconsciente do jogo de xadrez nos diz que ele só poderia ser a representação do desejo de superar o pai de uma forma aceitável (...) É sem dúvida significativo o fato de a odisseia sublime de Morphy [Paul Morphy, campeão de xadrez do século XIX] às mais altas esferas do xadrez tenha começado apenas um ano depois da morte súbita e inesperada do seu pai, que foi um grande choque para ele, e podemos pressupor que o seu brilhante esforço de sublimação foi, como Hamlet *de Shakespeare e* A interpretação dos sonhos *de Freud, uma reação a esta crítica ocorrência... Agora é preciso que se diga algo sobre a repercussão dos sucessos de Morphy, pois foram de tal quilate que chegamos a duvidar se o seu subsequente colapso não tenha sido influenciado pelo fato de que ele talvez pertencesse ao tipo que Freud descreveu com o nome de* Die am Erfolge scheitern *("Aqueles arruinados pelo sucesso") (...) Numa linguagem mais psicológica, Morphy se assustou com a sua própria presunção diante da publicidade que tiveram [os seus grandes sucessos?]. Freud observou que as pessoas que não resistem à tensão de um grande sucesso é porque só o suportam na imaginação, não na realidade. Castrar o pai em sonhos é bem diferente de fazer isso na vida real. A situação real provoca a culpa*

mudado muito. O passado também sobrecarrega o herói com uma herança que ele tem pavor de perder, tornando-o tímido e cauteloso.

O poder depende da capacidade de preencher um vazio, de ocupar uma área que foi esvaziada do peso morto do passado. Só depois de a figura do pai ter sido devidamente suprimida pela força de vontade, você terá o espaço necessário para criar e estabelecer uma nova ordem. Existem várias estratégias que você pode adotar para conseguir isso – variações da execução do rei que disfarçam a violência do impulso canalizando-o em formas socialmente aceitáveis.

Talvez a maneira mais simples de fugir à sombra do passado seja simplesmente subestimá-lo, jogar com o eterno antagonismo entre as gerações, colocar o jovem contra o idoso. Para isso você precisa de uma figura mais velha conveniente para colocar no pelourinho. Mao Tsé-tung, diante de uma cultura que resistia ferozmente à mudança, jogou com o ressentimento reprimido contra a dominadora presença do venerável Confúcio na cultura chinesa. John F. Kennedy sabia dos riscos de se perder no passado; ele adotou um estilo radicalmente diferente do seu antecessor, Dwight D. Eisenhower, e também da década anterior, a de 1950, personificada por Eisenhower. Kennedy, por exemplo, não jogava o paternal e monótono golfe – símbolo de aposentadoria e privilégios, e a paixão de Eisenhower. Mas jogava futebol americano no pátio da Casa Branca. Em todos os aspectos a sua administração era a imagem do vigor e da juventude: os jovens são facilmente colocados contra os mais velhos, já que anseiam por definir o seu próprio espaço no mundo e se ressentem com a sombra dos pais.

O distanciamento entre você e o seu predecessor quase sempre exige um certo simbolismo, uma forma de se anunciar publicamente. Luís XIV, por exemplo, criou esse simbolismo ao rejeitar o palácio tradicional dos reis franceses e construir o seu em Versalhes. O rei Filipe II, da Espanha, fez o mesmo ao criar o seu centro de poder, o palácio de El Escorial, no meio do nada. Mas Luís foi ainda mais longe: ele não queria ser um rei como seu pai ou os seus ancestrais tinham sido, não usaria uma coroa ou carregaria um cetro e se sentaria num trono, ele estabeleceria uma nova maneira de impor autoridade com seus próprios símbolos e rituais. E transformou os rituais dos seus ancestrais em relíquias ridículas do passado. Siga o seu exemplo: não deixe que o vejam seguindo os passos do seu predecessor. Senão você jamais o suplantará. Você deve demonstrar fisicamente a diferença entre os dois, estabelecendo estilo e simbolismo distintos.

Augusto, o imperador romano sucessor de Júlio César, compreendeu isso muito bem. César tinha sido um grande general, um personagem teatral cujos espetáculos mantinham os romanos entretidos, um emissário internacional seduzido pelos encantos de Cleópatra – uma figura extraordinária. Então Augusto, apesar das próprias tendências dramáticas, não competiu com César tentando superá-lo, mas procurando ser diferente dele: baseou seu poder numa volta à simplicidade romana, a uma austeridade tanto de estilo quanto de essência. À memória da presença arrebatadora de César, Augusto contrapôs uma dignidade tranquila e máscula.

inconsciente em toda a sua intensidade, e o castigo pode ser o colapso mental.
THE PROBLEM OF PAUL MORPHY, ERNEST JONES, 1951

O problema do predecessor autoritário é que ele enche o cenário antes de você com símbolos do passado. Não sobra espaço para você criar a sua própria fama. Para resolver essa situação, você precisa buscar os vácuos – aquelas áreas na cultura que continuam vazias e onde você poderá ser o primeiro protagonista a brilhar.

Quando Péricles, em Atenas, estava para se lançar na sua carreira de estadista, procurou a única coisa que faltava na política ateniense. A maior parte dos grandes políticos da sua época tinha se aliado com a aristocracia; o próprio Péricles tinha tendências aristocráticas. Mas ele resolveu ficar do lado dos grupos democráticos da cidade. A escolha não teve nada a ver com suas crenças pessoais, mas o lançou numa carreira brilhante. Por necessidade, ele se tornou um homem do povo. Em vez de competir numa arena repleta de grandes líderes, tanto do passado quanto do presente, ele se tornaria famoso onde não houvesse sombras que pudessem obscurecer a sua presença.

No início da sua carreira, o pintor Diego Velázquez sabia que não podia competir em refinamento e técnica com os grandes pintores renascentistas anteriores a ele. Então preferiu adotar um estilo que, pelos padrões da época, parecia rude e grosseiro, e que jamais fora visto. E nisto ele foi excelente. Havia membros da corte espanhola querendo demonstrar o seu próprio rompimento com o passado; a novidade do estilo de Velázquez os emocionou. A maioria das pessoas tem medo de quebrar tão corajosamente a tradição, mas no íntimo admiram quem rompe com as antigas formas e revigora a cultura. É por isso que se pode obter tanto poder ocupando espaços vazios.

Existe uma espécie de teimosia idiota que é recorrente ao longo da história e um forte empecilho ao poder: a superstição de que se uma pessoa já teve sucesso fazendo A, B e C, você pode recriar esse sucesso fazendo a mesma coisa. Esta abordagem de produção em massa, sem individualidade, seduz os pouco criativos, pois é fácil e apela para a timidez e a preguiça dessas pessoas. Mas as circunstâncias não se repetem exatamente da mesma maneira.

Quando o general Douglas MacArthur assumiu o comando das forças americanas nas Filipinas, durante a Segunda Guerra Mundial, um assistente lhe entregou um livro contendo os precedentes estabelecidos pelos comandantes anteriores, os métodos que tinham dado certo com eles. MacArthur perguntou ao assistente quantas cópias existiam daquele livro. Seis, foi a resposta. "Bem", o general retrucou, "junte todas e queime – todas. Não vou me guiar por precedentes. Sempre que surgir um problema, decidirei na hora – imediatamente." Adote esta estratégia impiedosa com relação ao passado: queime todos os livros e aprenda a reagir às circunstâncias conforme elas forem aparecendo.

Você pode achar que se separou dos seus antecessores ou da figura do pai, mas com o avançar da idade deve se manter sempre atento a não se tornar o pai contra o qual se rebelou. Quando jovem, Mao Tsé-tung não gostava do pai e na luta contra ele descobriu a sua própria identidade e um novo conjunto de valores. Mas, à medida que foi envelhecendo, o estilo do pai voltou a se insinuar. O pai de Mao valorizara o trabalho manual de preferência ao intelectual; Mao tinha zombado disso quando jovem, porém, mais velho, retornou inconscientemente às ideias do pai e, repetindo conceitos ultrapassados, forçou toda uma geração de intelectuais chineses a fazer trabalhos manuais, um pesadelo pelo qual o seu regime pagou bem caro. Lembre-se: você é o seu próprio pai. Não fique anos se educando para depois baixar a guarda e deixar que os fantasmas do passado – pai, hábitos, história – se infiltrem novamente.

Finalmente, como se viu na história de Luís XV, a plenitude e a prosperidade tendem a nos tornar preguiçosos e inativos: quando o nosso poder está garantido, não temos necessidade de agir. Esse é o grave perigo, especialmente para os que alcançam o sucesso e o poder muito jovens. O dramaturgo Tennessee Williams, por exemplo, saiu vertiginosamente da obscuridade para a fama com o sucesso de *The Glass Menagerie*. "O tipo de vida que eu vivia antes deste sucesso popular", escreveu ele mais tarde, "exigia muita resistência, era uma vida de muita luta e muito esforço, mas era uma vida boa, porque era aquela para a qual o organismo humano foi criado. Eu não percebia quanta energia vital estava desperdiçando nesta luta até a luta não existir mais. Era a segurança finalmente. Sentei-me e olhei ao redor e, de repente, me senti muito deprimido." Williams teve um esgotamento nervoso, que talvez tenha sido necessário para ele: forçado até o limite psicológico, ele recuperou a antiga vitalidade e escreveu *Um bonde chamado desejo*. Fiodor Dostoievski, igualmente, sempre que escrevia um romance de sucesso sentia que a segurança financeira obtida tornava o ato de criação desnecessário. Ele levava todas as suas economias para o cassino e não saía antes de perder o último centavo. Reduzido à pobreza, ele podia voltar a escrever.

Não é preciso exagerar tanto, mas você deve estar preparado para voltar ao ponto inicial psicologicamente, em vez de engordar e ficar preguiçoso porque atingiu a prosperidade. Pablo Picasso sabia lidar com o sucesso, mas só porque mudava constantemente de estilo, com frequência rompendo totalmente com aquilo que lhe dera o sucesso antes. Quantas vezes os nossos primeiros triunfos nos transformam numa espécie de caricaturas de nós mesmos? Os poderosos reconhecem essas armadilhas; como Alexandre, o Grande, eles lutam constantemente para se recriar. Não se deve permitir que o pai retorne; ele deve ser morto a cada etapa do caminho.

Imagem: O Pai. Ele lança uma sombra gigantesca sobre seus filhos, que, mesmo depois de morto, os mantém escravizados ao passado, arruinando a sua juventude e forçando-os a seguir o seu mesmo caminho desgastado. São muitos os truques que ele usa. A cada encruzilhada você deve matar o pai e sair da sua sombra.

Autoridade: Cuidado para não pisar nas pegadas de um grande homem – você terá de fazer o dobro do que ele fez para superá-lo. Quem segue os outros é considerado um imitador. Por mais que se esforce, nunca se livrará dessa carga. É raro encontrar um novo caminho para a excelência, uma rota moderna para a fama. São muitos os caminhos da singularidade, nem todos bem percorridos. Os mais recentes podem ser árduos, mas são quase sempre atalhos para a grandeza. (Baltasar Gracián, 1601-1658)

O INVERSO

Pode ser vantajoso usar a sombra de um grande predecessor se ela for escolhida como um truque, uma tática de que se possa descartar depois de conquistado o poder. Napoleão III usou o nome e a lenda do seu ilustre tio-avô, Napoleão Bonaparte, para ajudá-lo a ser presidente, primeiro, e depois imperador da França. Uma vez no trono, ele não ficou preso ao passado; mostrou logo que o seu reinado seria diferente, e teve o cuidado de impedir que o público esperasse dele os mesmos sucessos de Bonaparte.

É possível encontrar no passado coisas de que vale a pena se apropriar, qualidades que seria tolice rejeitar por uma necessidade de ser diferente. Até Alexandre, o Grande, reconheceu a capacidade do pai de organizar um exército e foi influenciado por ela. Exagerar na ostentação de um estilo diferente dos seus antecessores pode fazer você parecer infantil e descontrolado, a não ser que as suas atitudes tenham uma lógica própria.

Joseph II, filho da imperatriz da Áustria, Maria Teresa, exibia-se fazendo exatamente o oposto da mãe – vestindo-se como um cidadão comum, hospedando-se em estalagens e não em palácios, mostrando-se como o "imperador do povo". Maria Teresa, por sua vez, tinha sido uma figura régia e aristocrática. O problema era que ela também tinha sido amada, uma imperatriz que governou com sabedoria depois de anos de duro aprendizado. Se você tiver a espécie de inteligência e de instinto capaz de orientá-lo no caminho certo, bancar o rebelde não será arriscado. Mas se você é medíocre, como era Joseph II comparado com a mãe, é melhor aprender com o conhecimento e a experiência do seu predecessor, que se baseiam em algo real.

Finalmente, é bom ficar de olho nos jovens, nos seus futuros rivais no poder. Assim como você tenta se livrar do seu pai, eles em breve estarão aplicando o mesmo truque com você, denegrindo tudo o que você conquistou. Enquanto você sobe de status rebelando-se contra o passado, não perca de vista os que estão vindo atrás, e não lhes dê chance de fazer o mesmo com você.

O grande artista e arquiteto barroco Pietro Bernini era mestre em farejar rivais mais jovens em potencial e mantê-los à sua sombra. Um dia, um jovem pedreiro chamado Francesco Borromini mostrou a Bernini os seus esboços de arquitetura. Reconhecendo logo o seu talento, Bernini contratou Borromini como seu assistente na mesma hora. O rapaz ficou encantado, mas isso foi apenas uma tática para mantê-lo por perto e criar nele um certo complexo de inferioridade. E de fato, apesar do brilhantismo de Borromini, Bernini é o mais famoso dos dois.

Ele usou essa estratégia a vida inteira: temendo, por exemplo, que o grande escultor Alessandro Algardi obscurecesse a sua fama, ele arrumou as coisas de tal forma que Algardi só pudesse conseguir trabalho como seu assistente. E o assistente que se rebelasse contra Bernini e tentasse se lançar por conta própria estava com a carreira arruinada.

LEI
42

ATAQUE O PASTOR E AS OVELHAS SE DISPERSAM

JULGAMENTO

Em geral, a origem dos problemas pode estar num único indivíduo forte – o agitador, o subalterno arrogante, o envenenador da boa vontade. Se você der espaço para essas pessoas agirem, outros sucumbirão a sua influência. Não espere os problemas que eles causam se multiplicarem, não tente negociar com eles – eles são irredimíveis. Neutralize a sua influência isolando-os ou banindo-os. Ataque a origem dos problemas e as ovelhas se dispersarão.

A LEI OBSERVADA I

Próximo do final do século VI a.C., a cidade-estado de Atenas derrubou a série de pequenos tiranos que durante décadas dominaram a sua política. No seu lugar, estabeleceu-se uma democracia que duraria mais de um século, uma democracia que foi a origem do seu poder e o seu orgulho. Mas com o desenvolvimento da democracia, surgiu também um problema novo para os atenienses: o que fazer com aqueles que não se preocupavam com a coesão de uma pequena cidade rodeada de inimigos, que não trabalhavam para a sua glória maior, mas só pensavam neles mesmos e nas suas próprias ambições e intrigas mesquinhas? Os atenienses compreenderam que estas pessoas, se deixadas à vontade, semeariam a discórdia, dividiriam a cidade em facções, atiçariam ansiedades, e tudo isso poderia ser a ruína da sua democracia.

Punições violentas não combinavam mais com a nova ordem civilizada que os atenienses tinham criado. E os cidadãos encontraram outra maneira, mais satisfatória e menos brutal, de lidar com os egoístas crônicos: todos os anos eles se reuniam na praça do mercado e escreviam num pedaço de lousa, um *óstrakon*, o nome do indivíduo que desejavam ver banido da cidade por dez anos. Se um determinado nome aparecesse em seis mil votos, aquela pessoa era imediatamente exilada. Se ninguém recebesse seis mil votos, a pessoa cujo nome aparecesse o maior número de vezes nas *ostraka* ficava dez anos em "ostracismo". Este ritual de expulsão virou uma espécie de festa – que alegria poder banir aqueles indivíduos irritantes, aqueles geradores de ansiedade que queriam ser superiores ao grupo a quem deveriam servir.

Em 490 a.C., Aristides, um dos grandes generais da história ateniense, ajudou a derrotar os persas na batalha de Maratona. Enquanto isso, fora dos campos de batalha, a sua integridade como juiz lhe granjeou o apelido de "O Justo". Mas, com o passar dos anos, os atenienses começaram a antipatizar com ele. Ele fazia muita ostentação dessa integridade, e isso, eles achavam, disfarçava o seu sentimento de superioridade e desprezo pelas pessoas comuns. Sua onipresença na política de Atenas começou a irritar; os cidadãos se cansaram de ouvi-lo ser chamado de "O Justo". Temiam que este fosse exatamente o tipo de homem – crítico, arrogante – que acabaria provocando fortes divisões entre eles. Em 482 a.C., apesar da inestimável perícia de Aristides na constante guerra com os persas, eles recolheram as *ostraka* e o baniram.

Depois do ostracismo de Aristides, o grande general Temístocles surgiu como principal líder da cidade. Mas as suas muitas honras e vitórias lhe subiram à cabeça, ele também se tornou arrogante e autoritário, sempre lembrando aos atenienses os seus triunfos nos campos de batalha, os templos que tinha construído, os perigos de que os havia li-

A CONQUISTA DO PERU

A luta agora se tornara mais intensa do que nunca em torno da liteira real [de Atahualpa, rei do império inca]. Ela crescia cada vez mais, e, no final, mortos vários nobres que a defendiam, ela virou e o príncipe índio teria caído violentamente ao chão não fosse o empenho de Pizarro e alguns outros cavaleiros, que o ampararam nos braços. A borla imperial foi logo arrancada das suas têmporas por um soldado, e o infeliz monarca, fortemente seguro, foi levado para um prédio vizinho onde ficou sob cuidadosa guarda. Cessaram todas as tentativas de resistência. O destino do inca [Atahualpa] não demorou a se espalhar, de cidade em cidade, por todo o país. O encanto que teria mantido unido o povo peruano se quebrara. Cada homem pensava apenas na própria segurança. Até a soldadesca [inca] acampada nos campos adjacentes ouviu o alarme e, sabendo das marés fatais, foi vista fugindo em todas as direções diante de seus perseguidores, os quais, no calor da vitória, não demonstravam nem

um pouco de misericórdia. Finalmente a noite, mais piedosa do que o homem, lançou o seu delicado manto sobre os fugitivos, e as tropas dispersas de Pizarro reuniram-se mais uma vez ao som da trombeta na praça sangrenta de Cajamarca (...) [Ataualpa] era reverenciado como sendo mais do que humano. Ele não era apenas o chefe do Estado, mas o ponto para o qual todas as suas instituições convergiam como para um centro comum – a pedra angular do tecido político que ruirá sob o próprio peso se a retiram. Passou-se então à execução de Ataualpa. Sua morte não só deixou vago o trono, sem um sucessor garantido, como a forma como tudo aconteceu anunciava aos peruanos que uma mão mais forte do que a dos seus incas tinha se apoderado do cetro, e que a dinastia dos Filhos do Sol tinha acabado para sempre.
A CONQUISTA DO PERU, WILLIAM H. PRESCOTT, 1847

vrado. Ele parecia estar dizendo que, sem ele, a cidade estaria arruinada. E assim, em 472 a.C., o nome de Temístocles foi gravado nas *ostraka* e a cidade se livrou da sua venenosa presença.

A maior figura política do século V em Atenas foi sem dúvida Péricles. Embora várias vezes ameaçado de ostracismo, ele fugia a este destino mantendo vínculos estreitos com o povo. Talvez ele tenha aprendido uma lição quando criança com o seu tutor favorito, o incomparável Damon, que sobressaía entre todos os outros atenienses por sua inteligência, habilidades musicais e retóricas. Foi Damon que treinou Péricles na arte de governar. Mas ele, também, sofreu o ostracismo, pois seu ar superior e seus modos ofensivos com os plebeus despertaram muitos ressentimentos.

Lá pelo fim do século, vivia em Atenas um homem chamado Hipérbolo. A maioria dos escritores da época o descreve como o cidadão mais inútil da cidade. Não ligava para o que os outros pensassem dele e caluniava aqueles de quem não gostasse. Havia gente que se divertia com isso, mas o número dos que se irritavam era bem maior. Em 417 a.C., Hipérbolo viu uma oportunidade de deixar as pessoas com raiva dos dois principais políticos da época, Alcibíades e Nícias. Ele esperava que um dos dois fosse colocado em ostracismo, e assim poderia ocupar o seu lugar. Sua campanha parecia ter chances de sucesso: os atenienses não gostavam do estilo exibido e despreocupado de Alcibíades, e desconfiavam da riqueza e do ar indiferente de Nícias. Parecia certo que um ou outro ia cair em ostracismo. Mas Alcibíades e Nícias, embora inimigos entre si, juntaram forças e conseguiram que Hipérbolo é que fosse para o ostracismo. A sua chatice, eles argumentaram, só terminaria com o seu exílio.

Os que padeceram no ostracismo antes dele tinham sido homens poderosos, formidáveis. Hipérbolo, entretanto, era um bufão medíocre, e com a sua expulsão os atenienses sentiram que o ostracismo estava desgastado. E assim acabaram com uma prática que, durante quase um século, tinha sido uma das soluções para manter a paz em Atenas.

Interpretação

Os antigos atenienses tinham instintos sociais desconhecidos hoje em dia – a passagem dos séculos os embotou. Cidadãos no verdadeiro sentido da palavra, os atenienses perceberam os riscos do comportamento antissocial, e viram que esse comportamento com frequência se disfarça assumindo outras formas: a atitude do que se julga mais santo do que os outros e silenciosamente procura impor os seus próprios padrões; a ambição cada vez maior às custas do bem comum; a ostentação de superioridade; a intriga silenciosa; a antipatia terminal. Alguns desses comportamentos corromperiam a coesão da cidade, criando facções e semeando divergências, outras arruinariam o espírito democrático ao gerar inveja e sentimentos de inferioridade no cidadão comum. Os atenienses não tentavam reeducar quem agia dessa forma, ou reintegrá-lo de alguma forma ao grupo, nem impunham punições violentas que só criariam mais problemas. A solução era rápida e eficaz: livravam-se deles.

Em qualquer grupo, a origem dos problemas é uma só: aquele sujeito infeliz, cronicamente insatisfeito, que sempre criará desavenças e contagiará o grupo com o seu mau humor. Antes mesmo que você perceba, a insatisfação já está disseminada. Aja antes que seja impossível resolver caso por caso, ou saber como tudo começou. Primeiro, reconheça os causadores de problemas por sua presença autoritária, ou por sua natureza lamurienta. Identificando-o, não tente corrigi-lo ou agradar-lhe – isso só vai piorar as coisas. Não o ataque, direta ou indiretamente, pois são venenosos e trabalharão em segredo para destruí-lo. Faça como os atenienses: exile-os antes que seja tarde demais. Separe-os do grupo antes que se tornem o olho do furacão. Não lhes dê tempo para gerar ansiedades e semear descontentamentos; não lhes dê espaço para agir. Que sofra um só, para que o resto possa viver em paz.

Quando a árvore cai, os macacos se espalham.

Ditado chinês

A LEI OBSERVADA II

Em 1296, os cardeais da Igreja Católica se reuniram em Roma para escolher um novo papa. Decidiram pelo cardeal Gaetani, pois ele era astuto como ninguém; um homem assim faria do Vaticano uma grande potência. Adotando o nome de Bonifácio VIII, Gaetani logo se mostrou merecedor do seu alto conceito entre os cardeais; ele armava cuidadosamente seus movimentos com antecedência e nada o impedia de conseguir o que desejava. Uma vez no poder, Bonifácio rapidamente esmagou seus rivais e unificou os Estados Papais. As potências europeias começaram a temê-lo e a enviar delegados para negociar com ele. O rei alemão Albrecht da Áustria até lhe cedeu algumas terras. Estava tudo seguindo conforme o plano do papa.

Uma das peças, entretanto, não se encaixava, e era a Toscana, a parte mais rica da Itália. Se Bonifácio conseguisse conquistar Florença, a cidade mais poderosa da Toscana, toda a região seria dele. Mas Florença era uma república orgulhosa, e seria difícil vencê-la. O papa tinha de ser hábil ao jogar as suas cartas.

OS LOBOS E AS OVELHAS
Certa vez os lobos enviaram uma embaixada às ovelhas, desejando que dali para a frente houvesse paz entre eles. "Por que", eles disseram, "devemos passar a vida toda nesta luta mortal? A culpa é daqueles cães malvados; estão sempre latindo para nós e nos provocando. Mande-os embora, e não haverá mais obstáculos para a nossa eterna paz e amizade." As tolas ovelhas escutaram, despediram os cães, e o rebanho, assim privado de seus melhores protetores, se tornou uma presa fácil para os seus traiçoeiros inimigos.
FÁBULAS, ESOPO, SÉCULO VI a.C.

> A VIDA DE TEMÍSTOCLES
> Os concidadãos [de Temístocles] chegaram a um ponto em que a inveja que sentiam os fazia dar ouvidos a qualquer calúnia a seu respeito, e por isso [ele] foi forçado a lembrar à assembleia tantas vezes as suas conquistas que ninguém mais conseguia suportar. Certa ocasião, ele disse aos que se queixavam dele: "Por que se cansam de receber benefícios com tanta frequência dos mesmos homens?" Além disso, ele ofendeu o povo ao construir o templo de Ártemis, pois não só reproduziu a deusa Ártemis Aristoboule, ou Ártemis a mais sábia do conselho – sugerindo que ele é quem melhor aconselhava atenienses e gregos –, como escolheu para ele um local perto da sua própria casa em Melite (…) Finalmente, os atenienses o baniram da cidade. Usaram o ostracismo para humilhar a sua grande reputação e a sua autoridade, como estavam habituados a fazer com aqueles cujo poder achassem opressivo, ou que tivessem atingido uma importância considerada imprópria ao conceito de igualdade de uma democracia.
> A VIDA DE TEMÍSTOCLES, PLUTARCO, c. 46-120 d.C.

Florença dividia-se em duas facções rivais, os Negros e os Brancos. Os Brancos eram as famílias de mercadores que tinham acabado de ficar ricas e poderosas muito rápido; os Negros eram as fortunas tradicionais. Devido à sua popularidade, os Brancos é que controlavam a cidade, para o crescente desagrado dos Negros. A disputa entre os dois partidos estava cada vez mais intensa.

Ali, Bonifácio viu a sua chance: ele armaria um esquema para ajudar os Negros a tomar a cidade, e Florença estaria nas suas mãos. E, ao estudar a situação, ele começou a prestar atenção num homem, Dante Alighieri, o famoso escritor, poeta e ardente defensor dos Brancos. Dante sempre se interessara pela república e com frequência repreendia seus concidadãos por sua falta de coragem. Ele era também o orador mais eloquente da cidade. Em 1300, enquanto Bonifácio tramava conquistar a Toscana, os concidadãos de Dante o escolheram para o cargo mais alto para o qual um homem poderia ser eleito em Florença, tornando-o um dos seis priores da cidade. Durante os seis meses em que ocupou o cargo, ele se manteve firme contra os Negros e contra todas as tentativas do papa de semear a desordem.

Em 1301, entretanto, Bonifácio tinha outro plano: convocou Carlos de Valois, o poderoso irmão do rei da França, para ajudar a colocar ordem na Toscana. Enquanto Carlos atravessava o norte da Itália, e Florença tremia de ansiedade e medo, Dante surgiu rapidamente como o homem que poderia unir o povo, discutindo com veemência contra a conciliação e tentando desesperadamente armar os cidadãos e organizar a resistência contra o papa e o seu príncipe fantoche francês. Seja como fosse, Bonifácio tinha de neutralizar Dante. E assim, mesmo que por um lado ele ameaçasse Florença com Carlos de Valois, por outro erguia o ramo de oliveira, a possibilidade de negociações, esperando que Dante mordesse a isca. E, de fato, os florentinos decidiram enviar uma delegação a Roma para tentar negociar a paz. Para chefiar a missão, como era de esperar, escolheram Dante.

Houve quem avisasse ao poeta de que aquilo era uma armadilha do astucioso papa para afastá-lo dali, mas Dante foi assim mesmo para Roma, chegando lá quando o exército francês parou diante dos portões de Florença. Ele tinha certeza de que a sua eloquência e a sua razão venceriam o papa e salvariam a cidade. Mas quando o papa recebeu o poeta e os delegados florentinos na mesma hora os intimidou, como já tinha feito com tantos outros. "De joelhos diante de mim!", ele berrou no primeiro encontro. "Submetam-se a mim! Eu lhes digo que, verdadeiramente, meu coração não deseja outra coisa senão promover a paz entre vós." Sucumbindo a sua poderosa presença, os florentinos ouviram o papa prometer olhar pelos interesses deles. Em seguida, ele os aconselhou a voltar para casa, deixando um dos seus membros para continuar as conversações. Bonifácio sinalizou que esse homem tinha de ser Dante. Ele falou com a maior polidez, mas, em essência, era uma ordem.

E assim Dante ficou em Roma. E enquanto ele e o papa continuaram o diálogo, Florença se dividiu. Sem ninguém para unir os Brancos, e Carlos de Valois subornando e semeando divergências com o dinheiro do papa, os Brancos se desintegraram, alguns defendendo as negociações, outros passando para o outro lado. Diante de um inimigo agora dividido e inseguro, os Negros facilmente os destruíram em poucas semanas, vingando-se violentamente. Tão logo os Negros se viram firmes no poder, o papa dispensou Dante de Roma.

Os Negros mandaram que Dante voltasse para casa para enfrentar as acusações e ser julgado. Como o poeta se recusou, os Negros o condenaram à fogueira se voltasse a pôr os pés em Florença. E assim Dante começou uma vida miserável no exílio, vagando pela Itália, desacreditado na cidade que ele amava, e nunca mais voltou a Florença, mesmo depois de morto.

Interpretação
Bonifácio sabia que se tivesse um pretexto para atrair Dante para fora de Florença, a cidade ruiria. Ele usou um dos truques mais antigos – ameaçar com uma das mãos e acenar, ao mesmo tempo, com um ramo de oliveira na outra – e Dante caiu. Uma vez o poeta em Roma, o papa o segurou ali o tempo necessário. Bonifácio conhecia uma das principais regras do jogo do poder: uma pessoa resoluta, de alma rebelde, pode transformar um bando de ovelhas num covil de leões. Portanto, ele isolou o causador de problemas. Sem a espinha dorsal da cidade para mantê-las unidas, as ovelhas rapidamente se dispersaram.

Aprenda a lição: não perca tempo chicoteando em todas as direções o que parece ser um inimigo de muitas cabeças. Descubra quem importa – a pessoa com força de vontade, ou esperteza, ou, o que é mais importante, com carisma. Por mais que isso lhe custe, tire este indivíduo dali, pois uma vez ausente os seus poderes perdem o efeito. O seu isolamento pode ser físico (exilando ou mantendo-o longe da corte), político (estreitando a sua base de apoio) ou psicológico (alienando-o do grupo por meio de calúnias e insinuações). O câncer começa com uma única célula; extirpe-a antes que se torne incurável.

AS CHAVES DO PODER
No passado, uma nação inteira era governada por um rei e um punhado de ministros. Só a elite tinha algum poder. Com o passar dos séculos,

o poder foi se tornando cada vez mais difuso e democratizado. Isto gerou, entretanto, uma ideia muito comum de que os grupos não possuem mais centros de poder – que o poder está espalhado e distribuído entre muitas pessoas. Mas, na verdade, o poder mudou em número e não em essência. Pode haver menos tiranos poderosos exercendo o poder de vida e morte sobre milhões, mas restam milhares de pequenos tiranos governando reinos menores e impondo a sua vontade indiretamente com jogos de poder, carisma e outras coisas mais. Em todos os grupos, o poder se concentra nas mãos de uma ou duas pessoas, pois nesta área a natureza humana não muda: as pessoas se congregam em torno de uma única personalidade forte, como os planetas giram em torno do Sol.

Viver na ilusão de que este tipo de poder centralizado não existe mais é cometer intermináveis enganos, desperdiçar tempo e energia, e não alcançar jamais a meta. Gente poderosa não joga o seu tempo fora. Externamente podem colaborar com o jogo – fingindo que o poder é dividido entre muitos –, mas, por dentro, ficam de olho nos inevitáveis poucos do grupo que dão as cartas. São esses que eles tentam influenciar. Quando surgem problemas, eles buscam a causa subjacente, a única personalidade forte que começou a agitação e cujo isolamento ou exílio acalmará as águas novamente.

Na sua prática de terapia familiar, Milton H. Erickson descobriu que se a dinâmica familiar estava perturbada e disfuncional, é porque havia inevitavelmente um agitador, o gerador de problemas. Nas suas sessões ele isolava simbolicamente esta maçã podre fazendo-a sentar-se mais afastada, nem que fosse alguns centímetros. Aos poucos os outros membros da família passavam a ver a pessoa fisicamente separada como a origem das suas dificuldades. Uma vez reconhecido o agitador, apontá-lo para os outros será bastante útil. Compreender quem controla a dinâmica do grupo é importantíssimo. Lembre-se: os agitadores prosperam escondendo-se no grupo, disfarçando suas ações entre as reações dos outros. Torne as suas ações visíveis e eles perdem o seu poder de perturbar.

Um elemento-chave nos jogos estratégicos é isolar o poder do inimigo. No xadrez você tenta encurralar o rei. No jogo chinês de *go* você tenta isolar as forças inimigas em pequenos bolsões, deixando-as imóveis e ineficazes. Quase sempre é melhor isolar os seus inimigos do que destruí-los – você parecerá menos brutal. O resultado, no entanto, é o mesmo, pois no jogo do poder o isolamento significa morte.

A forma de isolamento mais eficaz é quando você separa as suas vítimas da sua base de poder. Quando Mao Tsé-tung queria eliminar um inimigo da elite governante, não o enfrentava logo; trabalhava silenciosa e furtivamente para deixá-lo isolado, para dividir os seus aliados e afastá-los dele, reduzindo o apoio que lhe davam. Não demorava muito para o sujeito desaparecer.

Presença e aparência são peças importantíssimas no jogo do poder. Para seduzir, particularmente nos estágios iniciais, você precisa estar sempre presente, ou parecer que está. Se você fica desaparecido a maior parte do tempo, o encanto se desfaz. O primeiro-ministro da rainha Elizabeth, Robert Cecil, tinha dois grandes rivais: o favorito da rainha, o duque de Essex, e ex-favorito, Sir Walter Raleigh. Ele deu um jeito de enviar os dois numa missão contra a Espanha: com eles longe da corte, Cecil conseguiu envolver a rainha com seus tentáculos, garantindo a sua posição como principal conselheiro e enfraquecendo a afeição dela por Raleigh e pelo duque. Aqui aprendemos duas coisas: primeiro, ausentar-se da corte é perigoso, e não se deve abandonar a cena em época de tumulto, pois essa ausência pode tanto simbolizar quanto induzir uma perda de poder; mas, em segundo lugar, atrair seus inimigos para longe da corte em momentos críticos é uma ótima manobra.

O isolamento tem outros usos estratégicos. Ao tentar seduzir as pessoas, quase sempre é mais sensato isolá-las dos seus habituais contextos sociais. Uma vez isoladas, elas ficam vulneráveis a você, e a sua presença se amplia. Da mesma forma, os trapaceiros procuram um jeito de isolar suas vítimas do seu meio social normal, conduzindo-as para novos ambientes onde não ficam mais tão à vontade. Ali elas se sentem fracas e são mais facilmente enganadas. O isolamento, portanto, pode ser uma ótima maneira de deixar as pessoas enfeitiçadas por você, para seduzi-las ou passar-lhes o conto do vigário.

Você encontrará com frequência gente poderosa que se alienou do grupo. Talvez o poder lhes tenha subido à cabeça, e se considerem superiores; talvez tenham perdido o jeito de se comunicar com as pessoas comuns. Lembre-se: isto as torna vulneráveis. Embora poderosos, esses tipos podem ser úteis.

O monge Rasputin conquistou o seu poder sobre o czar Nicolau e a czarina Alexandra, da Rússia, aproveitando-se do tremendo isolamento em que os dois se encontravam com relação ao resto do povo. Alexandra, em particular, era uma estrangeira e bastante alienada dos russos comuns. Rasputin usou as suas origens camponesas para se insinuar e cair nas suas graças, pois ela desejava demais comunicar-se com seus súditos. Uma vez no círculo íntimo da corte, Rasputin se fez indispensável e conquistou enorme poder. Partindo direto para o centro, ele mirou a única figura na Rússia que tinha poder (a czarina dominava o marido), e descobriu que não precisava isolá-la, porque o trabalho já estava feito. A estratégia de Rasputin pode lhe dar um grande poder: procure sempre pessoas em altos cargos, mas que se encontrem isoladas no tabuleiro.

Elas cairão como frutas maduras no seu colo, facilmente seduzidas e capazes de lançar você mesmo ao poder.

Finalmente, ataca-se o pastor porque isso desanima totalmente as ovelhas. Quando Fernando Cortez e Francisco Pizarro lideraram seus pequenos exércitos contra os impérios asteca e inca, eles não cometeram o erro de lutar em várias frentes, nem se intimidaram com os números das tropas contra eles: eles capturaram os reis, Montezuma e Ataualpa. Vastos impérios caíram em suas mãos. Desaparecido o líder, desaparece o centro de gravidade. Não há nada em torno do qual girar e tudo se desmorona. Mire os líderes, derrube-os e procure as infinitas oportunidades na confusão que se seguirá.

> **Imagem:** Um Rebanho de Ovelhas Gordas. Não desperdice o seu precioso tempo tentando roubar uma ou duas ovelhas. Não arrisque a vida atacando os cães que guardam o rebanho. Mire no pastor. Atraia-o para longe e os cães o seguirão. Derrube-o e o rebanho se espalhará – você poderá recolher as ovelhas uma por uma.

> **Autoridade:** Se esticar um arco, estique o mais forte. Se usar uma flecha, use a mais longa. Para atirar num cavaleiro, atire primeiro no seu cavalo. Para pegar um grupo de bandidos, capture primeiro o líder. Assim como um país tem as suas fronteiras, a matança de homens tem o seu limite. Se for possível impedir o ataque de um inimigo [com um golpe na cabeça], por que matar e ferir mais gente do que o necessário? (Tu Fu, poeta chinês da dinastia Tang, século VIII)

O INVERSO

"O mal que fizer a um homem deve ser de tal forma a não temer a sua vingança", escreve Maquiavel. Se você agir isolando o inimigo, garanta que ele não tenha como lhe pagar na mesma moeda. Em outras palavras, se você aplicar esta Lei, que seja de uma posição superior, para não ter nada a temer com o ressentimento dele.

Andrew Johnson, sucessor de Abraham Lincoln na presidência dos Estados Unidos, via em Ulysses S. Grant um membro perturbador do seu governo. Então ele isolou Grant, num prelúdio para forçá-lo a se retirar. Isto só fez irritar o grande general, que reagiu formando uma base de apoio no Partido Republicano e trabalhando para ser o próximo presidente. Teria sido muito mais sensato manter um homem como Grant no rebanho, onde seria menos nocivo, do que despertar o seu sentimento de vingança. E assim você verá frequentemente que é melhor manter as pessoas do seu lado, onde poderá observá-las, do que arriscar-se a criar um inimigo irado. Mantendo-as por perto, você pode ir secretamente reduzindo a sua base de sustentação de tal forma que, na hora de soltá-las, elas caiam feio no chão sem nem saber o porquê.

LEI 43

CONQUISTE CORAÇÕES E MENTES

JULGAMENTO

A coerção provoca reações que acabam funcionando contra você. É preciso atrair as pessoas para que queiram vir até você. A pessoa seduzida torna-se um peão fiel. Seduzem-se os outros atuando individualmente em suas psicologias e pontos fracos. Amacie o resistente atuando em suas emoções, jogando com aquilo de que ele gosta muito ou teme. Ignore os corações e as mentes dos outros e eles o odiarão.

A LEI TRANSGREDIDA

Quase no final do reinado de Luís XV, a França inteira parecia desejar desesperadamente uma mudança. Quando o neto e sucessor escolhido do rei, o futuro Luís XVI, se casou com uma jovem de quinze anos, filha da imperatriz da Áustria, os franceses vislumbraram um futuro que parecia auspicioso. A jovem noiva, Maria Antonieta, era bela e cheia de vida. Ela mudou instantaneamente o humor da corte, que estava alinhada com os debochês de Luís XV; até o povo, que ainda não a tinha visto, falava entusiasmado de Maria Antonieta. Os franceses estavam descontentes com a série de amantes que haviam dominado Luís XV e ansiavam por servir a sua nova rainha. Em 1773, quando Maria Antonieta se mostrou publicamente nas ruas de Paris pela primeira vez, multidões cercaram a sua carruagem aplaudindo. "Que sorte", escreveu ela para a mãe, "estar numa posição em que se ganha tanto afeto por tão pouco."

Em 1774, Luís XV morreu e Luís XVI subiu ao trono. Assim que Maria Antonieta se tornou rainha entregou-se ao seu maior prazer – encomendar e vestir as roupas e joias mais caras do reino; usar os penteados mais elaborados da história, esculturas com um metro de altura sobre a cabeça; e oferecer uma constante sucessão de festas e bailes de máscaras. Todos esses caprichos ela pagava a crédito, jamais se preocupando em saber o quanto custavam ou quem pagava as contas.

O maior prazer de Maria Antonieta foi a criação e o projeto de um Jardim do Éden particular no Petit Trianon, um castelo no terreno de Versalhes com seu próprio bosque. O jardim do Petit Trianon deveria ser o mais "natural" possível, incluindo o musgo aplicado à mão nas árvores e pedras. Para acentuar o efeito pastoril, a rainha empregou camponesas para ordenhar as melhores vacas do reino; lavadeiras e queijeiros com roupas de camponeses especiais que ela ajudava a desenhar; pastores para cuidar das ovelhas com laços de seda no pescoço. Quando ela inspecionava os galpões, ficava observando as moças recolherem o leite em vasos de porcelana produzidos nas cerâmicas reais. Para passar o tempo, Maria Antonieta colhia flores nos bosques ao redor do Petit Trianon, ou observava os seus "bons camponeses" na sua "lida". O local se tornou um mundo separado, a sua comunidade restrita aos seus favoritos.

A cada novo capricho, aumentava o custo de manutenção do Petit Trianon. Enquanto isso, a França se deteriorava; havia fome e descontentamento geral – a rainha os tratava como crianças. Só os seus favoritos importavam, e estes em número cada vez menor. Mas Maria Antonieta não ligava para isso. Nem uma só vez, durante todo o seu reinado, ela leu o relatório de um ministro. Nem uma só vez viajou pelas províncias e chamou o povo para o seu lado. Nem uma só vez ela

---

A ARTIMANHA DE CIRO
Pensando qual seria a melhor maneira de convencer os persas a se revoltarem, [Ciro] resolveu adotar o seguinte plano, que ele achou mais adequado ao seu propósito. Escreveu num rolo de pergaminho que Astíages o havia indicado para comandar o exército persa; depois convocou os persas para uma assembleia, abriu o pergaminho diante deles e leu em voz alta o que estava escrito. "E agora", acrescentou, "tenho uma ordem para vocês: todos os homens devem desfilar com um podão..." A ordem foi obedecida. Todos os homens se reuniram com suas foices de cabo curto, e o próximo comando de Ciro foi que antes do amanhecer deveriam limpar um certo trecho de terra agreste coberta de arbustos espinhosos, com cerca de três ou quatro quilômetros quadrados. Isto também foi feito, depois do que Ciro deu mais uma ordem para que se apresentassem no dia seguinte, após o banho. Enquanto isso, Ciro recolheu e matou todas as cabras, ovelhas e vacas do seu pai, preparando-se para receber todo o

exército persa para um banquete, junto com o melhor vinho e pão que pudesse encontrar. No dia seguinte, os convidados se reuniram e foram informados de que podiam se sentar e se divertir. Depois da refeição, Ciro lhes perguntou o que preferiam – o trabalho do dia anterior ou a diversão daquele dia; e eles responderam que realmente havia uma diferença enorme entre a tristeza do dia anterior e os prazeres daquele dia. Era a resposta que Ciro esperava e ele aproveitou imediatamente a oportunidade expondo o que tinha em mente. "Homens da Pérsia", disse ele, "ouçam-me: obedeçam às minhas ordens e poderão gozar de mil prazeres como este sem jamais voltar a usar as mãos para trabalhos medíocres; mas, se desobedecerem, o trabalho de ontem será o modelo de inúmeros outros que serão forçados a fazer. Aceitem o meu conselho e ganhem a sua liberdade. Eu sou o homem destinado a libertá-los, e creio que vocês podem vencer os medos, tanto na guerra como em qualquer outra coisa. Estou lhes dizendo a verdade. Não demorem, abandonem o

se misturou com os parisienses, ou recebeu uma delegação enviada por eles. Ela não fazia nada disso porque, sendo rainha, achava que o povo lhe devia afeto e que ela não precisava retribuir esse amor.

Em 1784, a rainha se viu envolvida num escândalo. Como parte de uma elaborada fraude, o colar de diamantes mais caro da Europa foi comprado em seu nome e, durante o julgamento do vigarista, o seu estilo de vida luxuoso se tornou público: o povo ficou sabendo quanto ela gastava em joias, vestidos e bailes de máscaras. Deram-lhe o apelido de "Madame Déficit", e a partir daí ela se tornou o foco do crescente ressentimento do povo. Quando ela aparecia no seu camarote, na ópera, a plateia a recebia com vaias. Até a corte se virou contra ela. Pois enquanto ela acumulava gastos enormes, o país mergulhava na ruína.

Cinco anos depois, em 1789, aconteceu algo sem precedentes: o início da Revolução Francesa. A rainha não se preocupou – deixe que o povo tenha as suas pequenas rebeliões, ela parecia pensar; em breve se aquietariam e ela poderia retomar a sua vida de prazeres. Naquele ano o povo marchou sobre Versalhes, forçando a família real a deixar o palácio e ir morar em Paris. Era uma vitória para os rebeldes, mas dava à rainha uma oportunidade para curar as feridas que havia aberto e fazer contato com o povo. Mas a rainha não tinha aprendido a lição: nem uma só vez ela saiu do palácio durante a sua estada em Paris. Por ela, seus súditos podiam apodrecer no inferno.

Em 1792, o casal real foi transferido do palácio para uma prisão, quando a revolução declarou oficialmente o fim da monarquia. No ano seguinte, Luís XVI foi julgado, condenado e guilhotinado. Enquanto Maria Antonieta aguardava o mesmo destino, nem uma só alma veio em sua defesa – nem um dos seus antigos amigos na corte, nem um dos outros monarcas da Europa (que, sendo membros das famílias reais de seus próprios países, tinham todos os motivos do mundo para mostrar que a revolução não compensa), nem mesmo a sua própria família na Áustria, inclusive o seu irmão, que agora ocupava o trono. Ela tinha se tornado pária do mundo. Em outubro de 1793, ela finalmente se ajoelhou diante da guilhotina, impenitente e desafiadora até o amargo fim.

Interpretação

Desde o início, Maria Antonieta adotou as atitudes mais arriscadas: quando jovem princesa na Áustria ela foi incessantemente bajulada e mimada. Como futura rainha da corte francesa, ela foi o centro das atenções de todos. Nunca aprendeu a encantar ou agradar aos outros, a entrar em sintonia com suas psicologias individuais. Nunca precisou se esforçar para conseguir o que queria. Nunca teve de calcular, usar de astúcia ou praticar as artes da persuasão. E como todos que são tratados com indulgência desde cedo na vida, ela se transformou num monstro de insensibilidade.

Maria Antonieta se tornou o foco da insatisfação de todo um país, porque irrita ver alguém que não faz o menor esforço para seduzir ou convencer, mesmo que apenas com o intuito de enganar. E não imagine que ela representa uma era ultrapassada, ou que seja até um personagem raro. Hoje ele é mais comum do que nunca. Esses tipos vivem dentro das suas próprias bolhas – parecem que acham que já nasceram reis e rainhas, e que todos lhes devem atenção. Não consideram a natureza de ninguém, mas passam por cima dos outros com a arrogância prepotente de uma Maria Antonieta. Mimados e tratados com indulgência na infância, quando adultos continuam acreditando que tudo lhes pertence; convencidos do próprio encanto, não se esforçam para encantar, seduzir ou persuadir gentilmente ninguém.

Na esfera do poder, essas atitudes são desastrosas. O tempo todo você precisa estar atento às pessoas ao seu redor, aferir as suas psicologias particulares, adequando as suas palavras ao que você sabe que irá atraí-las e seduzi-las. Isto requer energia e arte. Quanto mais alto o seu posto, maior a necessidade de se manter sintonizado com os corações e mentes das pessoas abaixo de você, criando uma base de sustentação que o manterá no pináculo. Sem essa base, o seu poder oscila, e à mais leve mudança da sorte o pessoal lá embaixo vai assistir satisfeito a sua queda.

A LEI OBSERVADA

Em 225 d.C., Chuko Liang, mestre estrategista e primeiro-ministro do governante de Shu, na antiga China, se viu numa situação perigosa. O reino de Wei tinha armado um ataque geral a Shu partindo do norte. Mais perigoso ainda, Wei se aliara com os estados bárbaros ao sul de Shu, liderados pelo rei Menghuo. Chuko Liang tinha de enfrentar esta segunda ameaça do sul antes de ter esperanças de defender Wei no norte.

Enquanto Chuko Liang se preparava para marchar para o sul contra os bárbaros, um homem sábio no seu acampamento lhe deu um conselho. Seria impossível, disse esse homem, pacificar a região pela força. Liang provavelmente derrotaria Menghuo, mas, assim que ele voltasse para o norte para enfrentar Wei, Menghuo tornaria a invadir. "É melhor conquistar corações", disse o homem sábio, "do que cidades; melhor combater com corações do que com armas. Espero que consiga conquistar os corações desse povo." "Você leu os meus pensamentos", respondeu Chuko Liang.

jugo de Astíages imediatamente."
Os persas há muito se ressentiam da sua submissão aos medos. Finalmente tinham encontrado um líder, e aceitaram com entusiasmo a perspectiva de liberdade... Naquela ocasião, os persas liderados por Ciro se insurgiram contra os medos e desde então são os donos da Ásia.
AS HISTÓRIAS, HERÓDOTO, SÉCULO XV a.C.

A DELICADA ARTE DA PERSUASÃO
O vento do norte e o sol disputavam quem era o mais forte, e concordaram que o vencedor seria aquele que conseguisse fazer um viajante se despir. O vento tentou primeiro. Mas suas violentas rajadas só fizeram o homem fechar mais as suas roupas, e quando o vento soprou mais forte, o frio fez com que ele colocasse outro casaco. Finalmente o vento se cansou e deu a vez ao sol. O sol aqueceu primeiro com moderação, o que fez o homem tirar o sobretudo. Depois brilhou intensamente, até que, não suportando mais o calor, o homem se despiu e foi se banhar no rio

> *que passava ali por perto. A persuasão é mais eficaz do que a força.*
> FÁBULAS, ESOPO, SÉCULO VI a.C.

Como Liang esperava, Menghuo desencadeou um poderoso ataque. Mas Liang preparou uma armadilha e conseguiu capturar grande parte do exército de Menghuo, inclusive o próprio rei. Contudo, em vez de punir ou executar seus prisioneiros, ele separou os soldados do seu rei, mandou retirar as algemas, regalou-os com comida e vinho, e lhes disse: "Vocês são todos homens justos. Acredito que todos tenham pais, esposas e filhos esperando em casa. Sem dúvida choram lágrimas amargas pelo seu destino. Eu vou libertá-los, para que possam voltar para casa, para seus entes queridos, a fim de confortá-los." Os homens agradeceram a Liang com lágrimas nos olhos; e ele mandou chamar Menghuo. "Se eu o libertar", perguntou Liang, "o que vai fazer?" "Vou juntar o meu exército de novo", respondeu o rei, "e liderá-lo contra você numa batalha decisiva. Mas, se me capturar pela segunda vez, inclino-me diante da sua superioridade." Não só Liang ordenou que soltassem Menghuo, como lhe deu de presente um cavalo e uma sela. Diante do espanto dos tenentes zangados, Liang lhes disse: "Capturo esse homem tão facilmente quanto tiro algo do meu bolso. Estou tentando conquistar o seu coração. Quando conseguir isso, a paz virá naturalmente aqui no sul."

Como havia dito, Menghuo voltou a atacar. Mas os seus próprios oficiais, a quem Liang tratara tão bem, se rebelaram contra ele, capturaram-no e o entregaram a Liang, que lhe fez a mesma pergunta de antes. Menghuo respondeu que não fora derrotado justamente, tinha sido traído pelos seus próprios oficiais; ele voltaria a lutar, mas, se capturado pela terceira vez, se inclinaria diante da superioridade de Liang.

> *Os homens que mudaram o universo não conseguiram isso convencendo líderes, mas comovendo as massas. Tentar convencer os líderes é a intriga que só conduz a resultados secundários. Tentar convencer as massas, entretanto, é o golpe de gênio que muda a face do mundo.*
> NAPOLEÃO BONAPARTE, 1769-1821

Durante os meses, Liang passou a perna em Menghuo sempre, capturando-o uma terceira, uma quarta e uma quinta vez. A cada uma delas, as tropas de Menghuo ficavam mais insatisfeitas. Liang os havia tratado com respeito, tinham perdido o entusiasmo pela luta. Mas sempre que Chuko Liang pedia a Menghuo que cedesse, o grande rei vinha com outra desculpa: Você me enganou, perdi por falta de sorte, e assim por diante. Se me capturar de novo, prometia, juro que não o trairei. E assim Liang o soltava.

Quando ele capturou Menghuo pela sexta vez, tornou a fazer a mesma pergunta: "Se me capturar pela sétima vez", respondeu o rei, "eu lhe darei a minha lealdade e nunca mais me rebelarei." "Muito bem", disse Liang. "Mas se voltar a capturá-lo não o libertarei."

Agora Menghuo e seus soldados fugiram para um canto distante do seu reino, para a região de Wuge. Derrotado tantas vezes, a Menghuo só restava uma esperança: pediria ajuda ao rei Wutugu de Wuge, que tinha um exército imenso e feroz. Os guerreiros de Wutugu usavam uma armadura feita com galhos de videira tecidos bem apertados e encharcados de óleo, que depois era deixada secando até adquirir uma rigidez impenetrável. Com Menghuo do seu lado, Wutugu liderou este poderoso exército contra Liang, e, desta vez, o grande estrategista pareceu se assustar, conduzindo seus homens para uma retirada apressada. Mas estava simplesmente levando Wutugu para uma armadilha: ele encurralou os homens do rei num vale estreito, depois os cercou com fogueiras acesas. Quando as chamas alcançaram os soldados, todo o exército de Wutugu pegou fogo – o óleo das suas armaduras, é claro, era altamente inflamável. Todos morreram.

Liang tinha conseguido afastar Menghuo e sua companhia da carnificina no vale, mas o rei se viu cativo pela sétima vez. Depois dessa matança, Liang não suportava mais olhar para o seu prisioneiro. Enviou um mensageiro até o rei capturado: "Ele me mandou libertá-lo. Mobilize outro exército contra ele, se puder, e tente novamente derrotá-lo." Soluçando, o rei se jogou no chão, rastejou até onde estava Liang e se prostrou aos seus pés. "Oh, grande ministro", gritou Menghuo, "sua é a majestade dos céus. Nós homens do sul jamais voltaremos a lhe oferecer resistência." "Cede agora?", perguntou Liang. "Eu, meus filhos e meus netos estamos profundamente comovidos com a generosidade, com a misericórdia revigorante de Sua Excelência. Como não cederíamos?"

Liang ofereceu um grande banquete em honra a Menghuo, recolocando-o no trono, devolveu ao seu governo as terras conquistadas e voltou para o norte com seu exército, sem deixar para trás nenhuma força de ocupação. Liang nunca retornou – não precisava: Menghuo tinha se tornado o seu mais dedicado e inabalável aliado.

Interpretação

Chuko Liang tinha duas opções: tentar derrotar os bárbaros no sul de um só golpe ou conquistá-los lenta e pacientemente para o seu lado com o tempo. Muita gente com mais poder do que o inimigo agarra a primeira oportunidade e nem cogita na possibilidade de uma segunda, mas os verdadeiramente poderosos são precavidos: a primeira opção pode ser rápida e fácil, mas com o tempo desenvolvem-se emoções desagradáveis nos corações dos conquistados. O ressentimento deles se transforma em ódio; essa animosidade deixa você impaciente – você gasta a sua energia protegendo o que conquistou, ficando paranoico e defensivo. A segunda opção, embora mais difícil, não só lhe dá paz de espírito, como transforma o inimigo em potencial num pilar de sustentação.

A VIDA DE ALEXANDRE, O GRANDE
Esta longa e dolorosa busca de Dario – pois em onze dias ele marchou sessenta e seis quilômetros – deixou os seus soldados tão exaustos que a maioria estava prestes a desistir, principalmente por falta de água. Em meio a essa aflição, alguns macedônios, trazendo água em odres de pele sobre suas mulas de um rio que tinham encontrado, chegaram, perto do meio-dia, ao local onde estava Alexandre e, ao vê-lo quase desmaiado de sede, encheram um capacete com água e lhe ofereceram de beber (...) Ele então pegou o capacete nas mãos e, olhando ao redor, ver todos perto dele esticando a cabeça e olhando ansiosos para a bebida, a recusou agradecendo sem provar uma só gota. "Pois", disse ele, "se só eu beber, o resto ficará desanimado." Os soldados, assim que souberam da sua temperança e magnanimidade nesta ocasião, começaram a gritar para que ele continuasse chefiando-os corajosamente, e começaram a fustigar seus cavalos. Pois enquanto tivessem um rei como esse, disseram, desafiariam

sede e cansaço, e se veriam como quase imortais.
A VIDA DE ALEXANDRE, O GRANDE, PLUTARCO, c. 46-120 d.C.

Em todos os seus confrontos, dê um passo atrás – perca um pouco de tempo para calcular e sintonizar a estrutura emocional e os pontos fracos dos seus alvos. Usar a força só aumentará a resistência deles. Com a maioria das pessoas, a chave é o coração: elas são como crianças, comandadas por suas emoções. Para amolecê-las, alterne dureza com misericórdia. Jogue com seus temores básicos, e também com seus amores – liberdade, família, e outros mais. Uma vez amolecidas, você terá um amigo para a vida inteira e um aliado ferozmente fiel.

Os governos viam os homens apenas como massa; porém nossos homens, sendo irregulares, não eram formações, mas indivíduos... Nossos reinos residem na mente de cada homem.

Os sete pilares da sabedoria, T. E. Lawrence, 1888-1935

AS CHAVES DO PODER

No jogo do poder, você está rodeado de gente que não tem absolutamente nenhum motivo para ajudá-lo, a não ser que lucrem com isso. E se você não tiver nada que atraia o seu interesse, provavelmente despertará a sua hostilidade, pois será visto como mais um adversário, mais um para desperdiçar o tempo deles. Quem consegue vencer essa frieza encontra a chave que destranca o coração e a mente do estrangeiro, atraindo-o para o seu canto e, se necessário, amolecendo-o para receber o golpe. Mas a maioria das pessoas não aprende nunca este aspecto do jogo. Quando encontram alguém novo, em vez de dar um passo atrás e sondar para ver o que torna essa pessoa única, começam a falar de si mesmas, ansiosas para impor a sua própria vontade e preconceitos. Elas argumentam, se vangloriam e exibem o seu poder. Talvez não saibam disso, mas estão criando um inimigo, um resistente, porque não há nada mais irritante do que ver a própria individualidade ignorada, a própria psicologia não reconhecida. Torna-o triste e ressentido.

Lembre-se: a chave da persuasão é amolecer as pessoas, derrubá-las, gentilmente. Seduza-as com uma abordagem dupla: trabalhe as suas emoções e jogue com suas fraquezas intelectuais. Fique alerta tanto ao que as distingue dos outros (a sua psicologia individual) quanto ao que elas dividem com todo mundo (suas reações emocionais básicas). Mire nas emoções primárias – amor, ódio, ciúme. Quando você mexe com as emoções das pessoas, elas perdem o controle e ficam mais vulneráveis à persuasão.

Quando Chuko Liang quis convencer um importante general de um reino rival a não se aliar a Ts'ao Ts'ao, um terrível inimigo de Liang, ele não contou detalhes sobre a crueldade de Ts'ao Ts'ao, nem o atacou moralmente. Pelo contrário, Liang insinuou que Ts'ao Ts'ao estava atrás era da bela e jovem esposa do general. Isto atingiu fundo o general e o conquistou. Mao Tsé-tung igualmente apelava sempre para as emoções populares, usava palavras simples. Uma pessoa bem-educada e instruída, ele usava metáforas viscerais nos seus discursos, expressando as mais profundas angústias da plateia e encorajando-a a expor suas frustrações nas reuniões públicas. Em vez de discutir os aspectos práticos de um determinado programa, descrevia como ele os afetaria no nível mais primitivo, mais concreto. Não pense que esta abordagem funcione apenas com os analfabetos e incultos – funciona com todo mundo. Todos nós somos mortais e enfrentamos o mesmo terrível destino, e todos nós compartilhamos o desejo de estar ligado ou pertencer a alguma coisa. Mexa com essas emoções e conquistará corações.

A melhor maneira de fazer isso é com um solavanco dramático, como fez Chuko quando alimentou e libertou os prisioneiros que esperavam só o pior dele. Ao impressioná-los profundamente, ele amoleceu seus corações. Jogue com contrastes como este, deixe as pessoas desesperadas, depois lhes dê o alívio. Se elas esperam dor e você lhes dá prazer, você conquistou seus corações. Criar algum tipo de prazer, de fato, costuma lhe dar o sucesso, assim como acontece quando você acalma os temores e proporciona ou promete segurança.

Gestos simbólicos quase sempre bastam para conquistar a simpatia e a boa vontade. Um gesto de sacrifício, por exemplo – mostrando que você sofre tanto quanto os que o cercam –, fará com que as pessoas se identifiquem com você, mesmo que o seu sofrimento seja simbólico ou insignificante e o delas, real. Ao entrar num grupo, faça um gesto de boa vontade; amoleça o grupo para as ações mais duras que se seguirão.

Quando T. E. Lawrence estava combatendo os turcos nos desertos do Oriente Médio, durante a Primeira Guerra Mundial, ele teve uma revelação divina: pareceu-lhe que a guerra convencional tinha perdido o seu valor. O soldado de antigamente perdia-se nos enormes exércitos da época, no qual era mandado de um lado para o outro como se fosse um peão inerte. Lawrence quis mudar isso. Para ele, a mente de cada um dos soldados era um reino que precisava conquistar. Um soldado comprometido, psicologicamente motivado, lutaria melhor e com mais criatividade do que um boneco.

A percepção de Lawrence é ainda mais válida no mundo atual, onde tantos se sentem alienados, anônimos e com a autoridade questionada, tudo o que torna os jogos de poder e força ostensivos ainda mais contraproducentes e arriscados. Em vez de manipular peões inertes, desperte a convicção e o entusiasmo daqueles que estão do seu lado pela causa para a qual você os recrutou; isto não só facilitará o seu trabalho como lhe dará também uma margem de segurança maior para enganá-los depois. E, para isso, você precisa saber lidar com suas psicologias individuais. Não seja desajeitado a ponto de achar que a tática que funcionou com uma pessoa irá necessariamente dar certo com outra. Para encontrar a chave que irá motivá-los, faça com que se abram primeiro. Quanto mais falarem, mais revelarão sobre o que lhes agrada ou não – as manivelas e alavancas que servirão para movê-los.

A maneira mais rápida de cativar a mente das pessoas é demonstrar, com a maior simplicidade possível, como uma ação as beneficiará. Não há motivo maior do que o interesse pessoal: uma grande causa pode capturar mentes, mas passado o primeiro ímpeto de entusiasmo, o interesse diminui – a não ser que haja alguma coisa a se ganhar com isso. O interesse pessoal é a base mais sólida que existe. As causas com melhores resultados são as que disfarçam o apelo interesseiro com um verniz nobre; a causa seduz, mas o interesse garante o acordo.

Quem sabe fazer melhor esse apelo às mentes das pessoas são os artistas, os intelectuais e aqueles com uma natureza mais poética. Isso porque é mais fácil comunicar ideias usando metáforas e imagens. É sempre uma boa política, portanto, ter no bolso do colete pelo menos um artista ou intelectual que possa apelar concretamente para as mentes das pessoas. Os reis sempre tiveram os seus escritores particulares; Frederico, o Grande, tinha o seu Voltaire (até discutirem e se separarem), Napoleão conquistou Goethe. Ao contrário, a atitude alienada de Napoleão III com relação a escritores como Victor Hugo, a quem exilou da França, contribuiu para a sua crescente impopularidade e queda no final. É arriscado, portanto, afastar quem tem poder de expressão, e muito útil apaziguá-los e explorá-los.

Finalmente, aprenda o jogo dos números. Quanto mais ampla a sua base de sustentação, maior o seu poder. Compreendendo que uma alma alienada, insatisfeita, pode disparar a centelha do descontentamento, Luís XIV fazia questão de conquistar a estima das pessoas dos níveis mais baixos da sua equipe. Você também deve constantemente conquistar mais aliados em todos os níveis – vai chegar a hora, inevitavelmente, em que você precisará deles.

Imagem:
O Buraco da Fechadura. As pessoas constroem muros para deixar você do lado de fora; não force a passagem – só vai encontrar outros muros lá dentro. Existem portas nesses muros, portas para o coração e a mente, e elas possuem pequenas fechaduras. Espie pelo buraco da fechadura, encontre a chave que abrirá a porta, e você terá acesso à vontade delas sem os desagradáveis vestígios de um arrombamento.

Autoridade: A dificuldade da persuasão está em conhecer o coração do persuadido para assim adequar a ele as minhas palavras (...) Por essa razão, quem tentar persuadir o rei, deve observar cuidadosamente os seus sentimentos de amor e ódio, os seus desejos e temores secretos, antes de poder conquistar o seu coração. (Han-fei-tzu, filósofo chinês, século III a.C.)

O INVERSO
Não há inverso possível para esta Lei.

LEI
44

DESARME E ENFUREÇA COM O EFEITO ESPELHO

JULGAMENTO

O espelho reflete a realidade, mas também é a ferramenta perfeita para a ilusão. Quando você espelha os seus inimigos, agindo exatamente como eles agem, eles não entendem a sua estratégia. O Efeito Espelho os ridiculariza e humilha, fazendo com que reajam exageradamente. Colocando um espelho diante das suas psiques, você os seduz com a ilusão de que compartilha os seus valores; ao espelhar as suas ações, você lhes dá uma lição. Raros são os que resistem ao poder do Efeito Espelho.

EFEITO ESPELHO: Tipologia Preliminar
Os espelhos têm o poder de nos perturbar. Olhando o nosso reflexo no espelho, quase sempre vemos o que queremos ver – a imagem de nós mesmos que achamos mais agradável. Tendemos a não olhar muito de perto, ignorando rugas e espinhas. Mas, olhando bem para a imagem refletida, às vezes sentimos que estamos nos vendo como os outros nos veem, como uma pessoa entre outras pessoas, um objeto e não um sujeito. Essa sensação nos deixa arrepiados – nós nos vemos, mas de fora, sem as ideias, o espírito, a alma que preenche a nossa consciência. Somos uma coisa.

Ao usar o Efeito Espelho recriamos simbolicamente este poder perturbador espelhando as ações dos outros, imitando seus movimentos para perturbá-los e enfurecê-los. Forçados a se sentirem ridicularizados, clonados, como um objeto, uma imagem sem alma, eles ficam zangados. Ou faça a mesma coisa com uma ligeira diferença, e eles se sentirão desarmados – você refletiu perfeitamente os seus desejos e vontades. É esse o poder narcisista dos espelhos. Em ambos os casos, o Efeito Espelho perturba os seus alvos, seja deixando-os irritados ou extasiados, e nesse instante você tem o poder de manipulá-los ou seduzi-los. O Efeito tem um grande poder porque atua sobre as emoções mais primitivas.

Existem quatro Efeitos Espelho principais na esfera do poder:

O Efeito Neutralizador. Na antiga mitologia grega, a górgona Medusa tinha serpentes no lugar de cabelos, a língua estendida para a frente, dentes grossos e um rosto tão feio que aquele que a olhasse diretamente virava pedra, de tanto medo. Mas o herói Perseu conseguiu matar a Medusa usando como guia, para chegar furtivamente até ela e lhe cortar a cabeça fora, o reflexo no seu escudo que ele poliu até ficar como um espelho. Se o escudo neste caso serviu como espelho, o espelho também foi uma espécie de escudo: a Medusa não podia ver Perseu, ela só via as suas próprias ações refletidas, e por trás desta tela o herói se escondeu e a destruiu.

Esta é a essência do Efeito Neutralizador: faça o que seus inimigos fazem, imite suas ações da melhor maneira possível, e eles não entenderão o que você está querendo – o seu espelho os cega. A estratégia que usarão com você vai depender da sua maneira característica de reagir; neutralize-a brincando de mímica com eles. O efeito dessa tática é o de ridicularizar, até enfurecer. Quase todos nós lembramos de quando na infância alguém ficava repetindo exatamente as nossas palavras só para provocar – depois de um tempo, em geral não muito, a vontade era a de lhe dar um soco na cara. Trabalhando de uma forma mais sutil na

O MERCADOR E O SEU AMIGO
Um certo mercador desejava muito fazer uma longa viagem. Mas, como não era muito rico, pensou: "Antes de partir, é necessário que eu deixe parte dos meus bens na cidade, para que, acontecendo-me alguma desgraça durante a viagem, eu ainda tenha com que viver ao voltar para casa." Com este propósito, ele entregou uma boa quantidade de barras de ferro, quase toda a sua fortuna, nas mãos de um dos seus amigos, pedindo para guardá-las durante a sua ausência. E, despedindo-se, partiu. Tempos depois, não tendo tido sucesso nas suas viagens, ele voltou para casa. E a primeira coisa que fez foi procurar o amigo e pedir de volta o seu ferro. Mas o amigo, que devia muito dinheiro e tinha vendido o ferro para pagar as suas dívidas, respondeu: "Na verdade, meu amigo, tranquei bem o seu ferro num quarto junto com o meu ouro, imaginando que ali ficaria seguro. Mas aconteceu um acidente que ninguém esperava, um rato comeu tudo." O mercador, fingindo-se de ignorante, retrucou: "Que azar, mas há muito sei que os ratos adoram ferro. Já me fizeram sofrer muitas vezes por

causa disso, portanto posso suportar melhor a minha atual aflição." Esta resposta agradou muito ao amigo, que ficou feliz em ver o outro tão disposto a acreditar que um rato tinha comido o seu ferro. Mas, a fim de eliminar qualquer suspeita, convidou-o para jantar no dia seguinte. O mercador prometeu que iria, mas, nesse meio-tempo, encontrando na cidade um dos filhos do amigo, levou-o para sua casa e o trancou num quarto. No dia seguinte, ele foi ver o amigo, que estava aflitíssimo, e perguntou qual era a causa de tanta angústia, como se não soubesse de nada. "Oh, meu caro amigo", respondeu o outro, "peço-lhe que me desculpe se não estou tão animado quanto deveria estar. Perdi um dos meus filhos. Mandei tocar as trompetas para chamá-lo, mas não sei o que foi feito dele." "Oh!", respondeu o mercador, "isso muito me entristece; pois ontem à noite, quando saí daqui, vi uma coruja voando com uma criança nas garras; mas não posso dizer se era o seu filho." "Ora, que sujeito tolo e ridículo!", replicou o amigo. "Não se envergonha de tão deslavada mentira?

idade adulta, você ainda pode desestabilizar os seus adversários assim: protegendo a sua própria estratégia por trás do espelho, você coloca armadilhas invisíveis, ou empurra o adversário para a armadilha que ele planejou para você.

Esta poderosa técnica tem sido usada na estratégia militar desde os tempos de Sun Tzu; atualmente ela aparece com frequência nas campanhas políticas. É também útil para disfarçar aquelas situações em que você não tem nenhuma estratégia em particular. Este é o Espelho do Guerreiro.

Uma versão inversa do Efeito Neutralizador é a Sombra: você acompanha como uma sombra todos os movimentos dos seus adversários, sem que eles o vejam. Use a Sombra para colher informações que neutralizarão a estratégia deles mais tarde, quando você será capaz de frustrar todos os seus movimentos. A Sombra é eficaz porque, seguindo os movimentos dos outros, se obtém percepções valiosas de seus hábitos e rotinas. A Sombra é o expediente mais usado por detetives e espiões.

Efeito Narciso. Olhando uma imagem nas águas de um lago, o jovem grego Narciso se apaixonou por ela. E quando descobriu que era o seu próprio reflexo, e que portanto o seu amor não se consumaria, desesperado ele se afogou. Todos nós temos um problema semelhante: estamos profundamente apaixonados por nós mesmos, mas como este amor exclui um objeto amado fora de nós mesmos ele permanece sempre insatisfeito e irrealizado. O Efeito Narciso joga com este narcisismo universal: você olha bem fundo a alma dos outros; imagina seus desejos mais íntimos, seus valores, gostos, humores; e você os reflete de volta para eles, transformando-se numa espécie de imagem espelhada. A sua capacidade de refletir essa psique lhe dá um grande poder sobre eles; podem até sentir um leve toque de amor.

Esta é simplesmente a capacidade de imitar a outra pessoa, não fisicamente, mas psicologicamente, e é muitíssimo mais poderosa porque joga com o egoísmo insatisfeito da criança. Normalmente, as pessoas nos bombardeiam com *suas* experiências, *seus* gostos. Dificilmente elas se esforçam para ver as coisas com os nossos olhos. É desagradável, mas também cria uma ótima oportunidade: se você é capaz de mostrar que compreende a outra pessoa refletindo os seus sentimentos mais íntimos, ela ficará extasiada e desarmada, tanto mais porque é muito raro isso acontecer. Ninguém resiste à sensação de estar sendo harmoniosamente refletido no mundo exterior, mesmo que você esteja manipulando isso para benefício deles e com o propósito pessoal de iludir.

O Efeito Narciso faz maravilhas, tanto na vida social quanto nos negócios; ele nos dá o Espelho tanto do Sedutor quanto do Cortesão.

O Efeito Moral. O poder do argumento verbal é extremamente limitado e quase sempre resulta no oposto do que se pretendia. Conforme observa Gracián: "A verdade é geralmente vista, raramente ouvida." O Efeito Moral é a maneira perfeita de demonstrar suas ideias por meio de ações. Simplesmente você ensina os outros fazendo com que provem do seu próprio remédio.

No Efeito Moral, você espelha o que as outras pessoas fizeram para você, e faz isso de tal forma que percebem que você está fazendo com elas o mesmo que elas fizeram com você. Você as faz *sentir* que o comportamento delas tem sido desagradável, em vez de ficar ouvindo você se queixar e se lamentar por isso, o que só fará com que ergam as suas defesas. E ao sentir o resultado de suas ações refletidas de volta, elas percebem mais profundamente como magoam ou castigam os outros com seu comportamento antissocial. Você objetifica as qualidades das quais deseja que elas se envergonhem e cria um espelho onde poderão ver suas tolices e aprender uma lição sobre si mesmas. Esta técnica é muito usada por educadores, psicólogos e todos que precisam lidar com comportamentos desagradáveis e inconscientes. Este é o Espelho do Professor. Mas, havendo ou não algo de errado na maneira como você foi tratado, quase sempre você lucra refletindo isso de volta de uma forma que faça as pessoas se sentirem culpadas.

Efeito Alucinatório. Os espelhos são tremendamente enganadores, pois criam uma sensação de que se está vendo o mundo real. Na verdade, você está vendo apenas um pedaço de vidro, que, como todos sabem, não pode mostrar o mundo exatamente como ele é: tudo no espelho fica invertido. Quando Alice atravessa o espelho no livro de Lewis Carroll, ela entra num mundo que está de trás para a frente, e mais do que só visualmente.

O Efeito Alucinatório acontece quando se cria uma cópia perfeita de um objeto, um lugar, uma pessoa. Esta cópia funciona como uma espécie de manequim – as pessoas a tomam pela coisa real, porque tem a aparência física da coisa real. Esta é a técnica preferida dos ilusionistas, que estrategicamente imitam o mundo real para enganar você. E também é aplicada em qualquer área que exija camuflagem. É o Espelho do Enganador.

Uma coruja que não pesa mais de um quilo ou um quilo e duzentos, como pode carregar um menino com mais de vinte e dois?" "Por que tanto espanto?", atalhou o mercador. "Em um país onde um rato pode comer cem toneladas de ferro, não é uma surpresa que uma coruja consiga carregar uma criança com pouco mais de vinte e dois quilos!" O amigo, ouvindo isso, percebeu que o mercador não era assim tão tolo, implorou o seu perdão pela mentira pregada, devolveu-lhe o valor do seu ferro e teve o filho de volta.

FÁBULAS, PILPAY, ÍNDIA, SÉCULO IV

Quando está atracado com o inimigo e percebe que não pode mais avançar, você "penetra" no inimigo e vocês dois se tornam um só. Você pode vencer, aplicando a técnica adequada, enquanto estiverem enredados um no outro... Você pode vencer, decisivamente, porque tem a vantagem de saber "penetrar" no inimigo; ao passo

> *que, afastando-se dele, você perderia essa chance.*
> THE BOOK OF FIVE RINGS, MIYAMOTO MUSASHI, JAPÃO, SÉCULO XVII

A OBSERVAÇÃO DOS EFEITOS ESPELHADOS

Observância I

Em fevereiro de 1815, o imperador Napoleão escapou da ilha de Elba, onde fora aprisionado pelas forças aliadas da Europa, e voltou para Paris numa marcha que agitou a nação francesa, atraindo tropas e cidadãos de todas as classes para o seu lado e afugentando do trono o seu sucessor, o rei Luís XVIII. Em março, no entanto, depois de se restabelecer no poder, ele teve de reconhecer que a situação na França havia mudado muito. O país estava devastado, ele não tinha aliados entre as outras nações europeias, e os seus ministros mais fiéis e importantes o tinham abandonado ou deixado o país. Do velho regime sobrara apenas um homem – Joseph Fouché, seu ex-ministro da Polícia.

Napoleão dependera de Fouché para fazer o trabalho sujo durante todo o seu reinado anterior, mas nunca fora capaz de entender o seu ministro. Ele tinha uma equipe de agentes espionando todos os seus ministros, para estar sempre em posição mais vantajosa, mas nenhum tinha conseguido saber nada de Fouché. Quando suspeito de alguma iniquidade, o ministro não se zangava nem levava a acusação para o lado pessoal – rendia-se, abaixava a cabeça, sorria e mudava de cor como um camaleão, adaptando-se às exigências do momento. No início, essa atitude pareceu agradar, mas, depois de um certo tempo, ela deixou Napoleão frustrado, sentindo a superioridade daquele homem escorregadio. Ele já havia exonerado todos os seus ministros mais importantes, inclusive Talleyrand, mas jamais tocara em Fouché. E assim, em 1815, de volta ao poder e precisando de ajuda, ele viu que não tinha outra escolha senão nomear novamente Fouché para seu ministro da Polícia.

Já transcorridas várias semanas do novo reinado, os espiões de Napoleão lhe disseram acreditar que Fouché mantinha contatos secretos com ministros de países estrangeiros, inclusive Metternich, da Áustria. Temendo que o seu ministro mais valioso o estivesse traindo com seus inimigos, Napoleão precisava descobrir a verdade antes que fosse tarde demais. Não era possível confrontar Fouché diretamente – em pessoa, o sujeito era escorregadio como uma enguia. Napoleão precisava de provas concretas.

Estas surgiram em abril, quando a polícia particular do imperador capturou um cavalheiro vienense que tinha vindo a Paris passar informações a Fouché. Mandando que o trouxessem à sua presença, Napoleão o ameaçou com um tiro ali mesmo se não confessasse. O homem cedeu e admitiu que tinha entregado a Fouché uma carta de Metternich, escrita com tinta invisível, combinando uma reunião secreta de agentes especiais na Basileia. Napoleão então mandou que um dos seus próprios

> A RAPOSA E A CEGONHA
> *Um dia a raposa resolveu convidar a cegonha para jantar. A refeição era simples – sendo de hábito sovina, não lhe agradava a boa cozinha. De fato, foi apenas um mingau ralo servido num prato raso. Em um minuto a nossa espertalhona comeu tudo, mas a convidada, bicando*

agentes se infiltrasse na reunião. Se Fouché estava mesmo planejando traí-lo, seria finalmente apanhado em flagrante e enforcado.

Napoleão esperou pacientemente a volta do agente, mas, para seu espanto, o sujeito apareceu dias depois dizendo não ter escutado nada que evidenciasse o comprometimento de Fouché com uma conspiração. De fato, parecia que os outros agentes ali desconfiavam que Fouché estivesse traindo *a eles*, como se ele estivesse o tempo todo trabalhando para Napoleão, que não acreditou nisso – Fouché conseguira lhe passar a perna de novo.

Na manhã seguinte, Fouché foi visitar Napoleão e observou: "Por falar nisso, senhor, não lhe disse que recebi uma carta de Metternich há alguns dias; estava com a cabeça tão cheia de coisas mais importantes. Além do mais, seu emissário esqueceu de me dar o pó necessário para tornar a escrita legível... Aqui está a carta." Certo de que Fouché estava brincando com ele, Napoleão explodiu: "Você é um traidor, Fouché! Eu deveria mandar enforcá-lo." E continuou atacando Fouché com veemência, mas não podia exonerá-lo sem provas. Fouché só manifestou espanto diante das palavras do imperador, mas por dentro sorria, porque o tempo todo estivera fazendo o jogo do espelho.

Interpretação

Fouché sabia havia anos que Napoleão se mantinha no comando de todos a sua volta espionando-os dia e noite. O ministro tinha sobrevivido a este jogo porque tinha os seus próprios espiões espionando os de Napoleão, neutralizando assim qualquer ação que o imperador pudesse tomar contra ele. No caso da reunião em Basileia, ele até virou a mesa: sabendo do agente duplo de Napoleão, ele armou as coisas de tal forma que ficou parecendo que Fouché era um fiel agente duplo também.

Fouché ganhou poder e prosperou num período de grandes tumultos espelhando as pessoas ao seu redor. Durante a Revolução Francesa ele foi um jacobino radical; depois do Terror ele se tornou um republicano moderado; e no governo de Napoleão ele foi um imperialista comprometido a quem Napoleão concedeu o título de duque de Otranto. Se Napoleão usava as suas armas para insultar as pessoas, Fouché garantia que ele também levasse a sua parte, como todos os outros. Isto também lhe permitia prever os planos e desejos do imperador, de forma a ecoar os sentimentos do seu chefe antes mesmo que ele os expressasse. Protegendo suas ações por trás de uma estratégia de espelho, Fouché podia também tramar movimentos ofensivos sem ser apanhado no ato.

Este é o poder de espelhar as pessoas ao seu redor. Primeiro, você lhes dá a sensação de que compartilha de suas ideias e dos seus objetivos. Segundo, se elas desconfiarem de que você tem outros motivos, o espe-

aqui e ali, não conseguiu comer nada. Querendo retribuir a cruel brincadeira, a cegonha convidou a raposa para jantar na semana seguinte. "Ficarei encantada", respondeu, "tratando-se de amigos, não me faço de rogada." No dia combinado, ela correu pontualmente para a casa da sua anfitriã e começou a elogiar tudo: "Que gosto! Que elegância! E a comida – feita especialmente!" E sentou-se com apetite voraz (as raposas estão sempre prontas para comer), saboreando o delicioso aroma da carne. Era carne moída e servida – bem feito para ela! – num vaso de gargalo estreito e longo. A cegonha, curvando-se facilmente, degustou a sua porção com seu longo bico. O focinho da outra, entretanto, sendo do tamanho e do formato errado, teve de voltar ao seu covil de barriga vazia, arrastando a cauda, de orelhas caídas, envergonhada como uma raposa apanhada por uma galinha.
FÁBULAS SELECIONADAS, JEAN DE LA FONTAINE, 1621-1695

A CARTA ROUBADA
Quando quero saber se alguém é sábio, idiota, bom ou mau, ou em que

está pensando no momento, eu copio a mesma expressão que essa pessoa tem no rosto da maneira mais fiel possível, e então aguardo para ver que pensamentos ou sentimentos me surgem na cabeça ou no coração, iguais ou correspondentes àquela expressão.
EDGARD ALLAN POE, 1809-1849

LORENZO DE MEDICI SEDUZ O PAPA
Lorenzo [de Medici] não perdia a oportunidade de aumentar o respeito que o papa Inocêncio agora sentia por ele e de conquistar a sua amizade, e se possível o seu afeto. Ele tinha o trabalho de descobrir os gostos do papa e os satisfazia apropriadamente. Ele lhe enviou (...) garrafas do seu vinho preferido (...) Ele lhe enviava cartas corteses, enaltecedoras, nas quais lhe garantia, quando o papa estava doente, sentir as suas dores como se fossem as suas, encorajando-o com frases estimulantes, como "um papa é o que ele quer ser", e nas quais, como se por acaso, ele incluía suas opiniões sobre o curso adequado da política papal. Inocêncio se sentia gratificado com as

lho o protegerá, impedindo que entendam a sua estratégia. Finalmente isto as deixará enfurecidas e desestabilizadas. Bancando o duplo, você lhes rouba a ideia, suga a sua iniciativa, faz com que se sintam impotentes. Você também ganha a capacidade de escolher quando e como perturbá-las – outro caminho para o poder. E o espelho poupa a sua energia mental: ecoando simplesmente os movimentos dos outros, você fica com o espaço necessário para desenvolver a sua própria estratégia.

Observância II
No início da sua carreira, o ambicioso estadista e general Alcibíades de Atenas (450-404 a.C.), inventou uma arma formidável que se tornou a fonte do seu poder. Sempre que se encontrava com alguém, ele sentia o estado de espírito e o gosto dessa pessoa, depois adequava cuidadosamente suas palavras e ações para espelhar os seus desejos mais íntimos. Ele a seduzia com a ideia de que seus valores eram superiores aos de todo mundo, e que o objetivo dele era usá-la como modelo e ajudá-la a realizar seus desejos. Poucos resistiam ao seu charme.

O primeiro homem a cair no seu feitiço foi o filósofo Sócrates. Alcibíades representava o oposto do ideal socrático de simplicidade e retidão: ele vivia luxuosamente e era totalmente sem escrúpulos. Sempre que encontrava Sócrates, ele espelhava a sobriedade do homem mais velho, alimentando-se com simplicidade, acompanhando Sócrates em longas caminhadas e conversando apenas sobre filosofia e virtude. Sócrates não estava sendo totalmente enganado – ele sabia da outra vida de Alcibíades. Mas isso só o tornava mais vulnerável a uma lógica que o enaltecia: só na minha presença, ele achava, aquele homem se rendia a uma influência virtuosa; só eu tenho esse poder sobre ele. Este sentimento inebriou Sócrates, que passou a ser o mais fervoroso admirador e defensor de Alcibíades, chegando até a arriscar a própria vida para salvar o jovem numa batalha.

Os atenienses consideravam Alcibíades o seu maior orador, pois ele possuía uma incrível capacidade de entrar em sintonia com as aspirações da sua plateia e espelhar os seus desejos. Seus melhores discursos foram em apoio à invasão da Sicília, que ele achava traria uma grande riqueza para Atenas e glória ilimitada para ele mesmo. Os discursos deram expressão à sede dos jovens atenienses de conquistar terras eles mesmos, em vez de viver das vitórias de seus ancestrais. Mas ele também adequava as suas palavras para refletir a nostalgia que os mais velhos sentiam dos anos de glória, quando Atenas liderou os gregos contra a Pérsia e depois criou um império. Atenas inteira agora sonhava em conquistar a Sicília; o plano de Alcibíades foi aprovado, e ele foi nomeado comandante da expedição.

Mas, enquanto Alcibíades liderava a invasão da Sicília, certos atenienses o acusaram falsamente de profanar estátuas sagradas. Ele sabia que seria morto pelos seus inimigos se voltasse para casa, então, no último minuto, desertou da frota ateniense e passou para o lado do cruel inimigo de Atenas, Esparta. Os espartanos aceitaram aquele grande homem do seu lado, mas conheciam a sua reputação e desconfiavam dele. Alcibíades adorava o luxo; os espartanos eram um povo guerreiro que adorava a austeridade e temia que ele corrompesse os seus jovens. Para seu grande alívio, o Alcibíades que chegou a Esparta não era o que tinham esperado: não cortava nem penteava os cabelos (como eles), tomava banhos frios, alimentava-se de pão feito de farinha não refinada e caldo escuro, e vestia roupas simples. Para os espartanos, isto queria dizer que ele considerava o estilo de vida deles superior ao ateniense; mais importante do que eles, Alcibíades havia *escolhido* ser um espartano, em vez de ter nascido um, e por isso deveria receber mais honras do que os outros. Ficaram enfeitiçados por ele e lhe deram grandes poderes. Infelizmente, Alcibíades não sabia controlar muito bem os seus encantos – conseguiu seduzir a esposa do rei de Esparta e a engravidou. Quando isso veio a público, mais uma vez ele teve de fugir para salvar a pele.

Desta vez Alcibíades fugiu para a Pérsia, onde de repente passou da simplicidade espartana para o luxuoso estilo de vida persa até o último detalhe. Claro que era extremamente enaltecedor para os persas ver um grego da estatura de Alcibíades preferir a cultura deles em vez da sua, e o encheram de homenagens, terra e poder. Uma vez seduzidos pelo espelho, não perceberam que, por trás, Alcibíades fazia um jogo duplo, ajudando secretamente os atenienses na guerra contra Esparta e, assim, reintegrando-se à cidade para onde desejava desesperadamente voltar e que o aceitou de volta, de braços abertos, em 408 a.C.

> *atenções de Lorenzo e convencido com seus argumentos... Ele compartilhava de tal forma suas opiniões que, segundo o desgostoso embaixador de Ferrara, "o papa dorme com os olhos do Magnífico Lorenzo".*
> THE HOUSE OF MEDICI: ITS RISE AND FALL, CHRISTOPHER HIBBERT, 1980

Interpretação

No início da sua carreira política, Alcibíades fez uma descoberta que mudou todo o seu método de abordagem do poder: ele possuía uma personalidade interessante e enérgica, mas ao expor suas ideias afastava as pessoas muito mais do que as conquistava. O segredo para se ter ascendência sobre um grande número de pessoas, ele acabou acreditando, não era impor aos outros o seu próprio colorido, mas absorver o colorido dos outros, como um camaleão. Depois de iludidas, tudo mais que ele fizesse ficava invisível.

Compreenda: todos estão envoltos nas suas próprias conchas narcisistas. Quando você tenta lhes impor o seu próprio ego, o muro se ergue, a resistência aumenta. Espelhando-os, entretanto, você os leva a uma espécie de êxtase narcisista: eles estão vendo um duplo da sua pró-

> Wittgenstein tinha o extraordinário dom de adivinhar os pensamentos da pessoa com quem estava discutindo. Enquanto o outro lutava para colocar em palavras as suas ideias, Wittgenstein percebia o que era e falava por ele. Este seu poder, que às vezes parecia fantástico, era possível, tenho certeza, devido às suas longas e contínuas pesquisas.
>
> LUDWIG WITTGENSTEIN: A MEMOIR, NORMAN MALCOLM, 1958

> O médico deve ser opaco aos seus pacientes e, como um espelho, mostrar nada mais do que lhe é mostrado.
>
> SIGMUND FREUD, 1856-1939

pria alma. Este duplo na verdade foi totalmente produzido por você. Depois de usar o espelho para seduzi-los, você tem um enorme poder sobre eles.

Vale notar, não obstante, os riscos do uso promíscuo do espelho. Diante de Alcibíades, as pessoas se sentiam maiores, como se os seus egos estivessem duplicados. Mas depois que ele ia embora elas se sentiam vazias e diminuídas, e quando o viam espelhando pessoas completamente diferentes tão bem quanto tinha feito com elas, se sentiram não só diminuídas, mas traídas. O uso excessivo do Efeito Espelho de Alcibíades fez povos inteiros se sentirem usados, tanto que ele tinha constantemente de fugir de um lugar para o outro. Na verdade, Alcibíades irritou tanto os espartanos que eles acabaram por assassiná-lo. Ele tinha ido longe demais. O Espelho do Sedutor deve ser usado com cautela e discernimento.

Observância III

Em 1652, a baronesa Mancini, viúva recente, se mudou com a família de Roma para Paris, onde poderia contar com a influência e a proteção do irmão, o cardeal Mazarino, primeiro-ministro da França. Das cinco filhas da baronesa, quatro deixaram a corte tonta com a sua graça e beleza. Estas encantadoras sobrinhas do cardeal Mazarino ficaram conhecidas como as Mazarinettes, e logo passaram a ser convidadas para todas as funções mais importantes da corte.

A outra filha, Marie Mancini, não compartilhava da mesma sorte, faltando-lhe a graça e a beleza das irmãs – as quais, junto com a mãe e até o cardeal Mazarino, acabaram por antipatizar com ela, achando que estragava a imagem da família. Tentaram convencê-la a entrar para um convento, onde não causaria tanto constrangimento, mas ela se recusou. Em vez disso, aplicou-se aos estudos, aprendendo latim e grego, aperfeiçoando o seu francês e exercitando os seus talentos musicais. Nas raras ocasiões em que a família a deixava participar do que acontecia na corte, ela se esforçava para ser uma ouvinte atenta, medindo as fraquezas e os desejos secretos das pessoas. E quando, finalmente, ela conheceu o futuro rei Luís XIV, em 1657 (Luís tinha dezessete anos, Marie estava com dezoito), resolveu que, apesar da sua família e do tio, daria um jeito de fazer aquele jovem se apaixonar por ela.

Esta parecia ser uma tarefa impossível para uma moça tão comum, mas Marie estudou o futuro rei atentamente. Notou que a futilidade das irmãs não lhe agradavam e percebeu que ele detestava os esquemas e a politicagem mesquinha que fervilhava ao seu redor. E viu que ele tinha uma natureza romântica – lia romances de aventuras, insistia em marchar encabeçando as suas tropas, e tinha altos ideais e paixão pela glória. A corte não alimentava essas suas fantasias; era um mundo banal, superficial que o aborrecia.

A chave para o coração de Luís, Marie percebeu, seria um espelho que refletisse essas fantasias e anseios juvenis de glória e romance. Para começar, ela mergulhou nos romances, poemas e peças românticas dos quais ela sabia que o jovem rei era um leitor voraz. Quando Luís veio conversar com ela, percebeu encantado que ela falava das coisas que lhe tocavam a alma – não de moda ou fofocas, mas do amor cortês, dos feitos dos grandes cavaleiros, da nobreza de reis e heróis do passado. Ela alimentou a sua sede de glória criando a imagem de um rei augusto e superior, a que ele aspirava ser. Ela atiçou a sua imaginação.

Como o futuro Rei Sol passava cada vez mais tempo na companhia de Marie, acabou se tornando óbvio que ele estava apaixonado pela moça menos provável da corte. Para o desgosto das irmãs e da mãe, ele enchia Marie Mancini de atenções. Levava-a em suas campanhas militares e fazia questão de posicioná-la num local de onde podia ficar assistindo enquanto ele marchava para uma batalha. Até prometeu a Marie que se casaria com ela e a faria sua rainha.

Mazarino, entretanto, não ia deixar que o rei se casasse com sua sobrinha, uma mulher que não propiciaria à França alianças reais ou diplomáticas. Luís tinha de se casar com uma princesa da Espanha ou da Áustria. Em 1658, Luís sucumbiu à pressão e concordou em romper com o primeiro envolvimento romântico da sua vida. Ele lamentou muito ter de fazer isso e, no final da sua vida, reconheceu que jamais tinha amado ninguém como a Marie Mancini.

Interpretação
Marie Mancini fez o jogo do sedutor muito bem. Primeiro ela deu um passo atrás, para estudar a sua presa. A sedução quase sempre não vai adiante do primeiro passo porque é muito agressiva; o primeiro movimento deve ser sempre um recuo. Estudando o rei de longe, Marie viu o que o distinguia dos outros – os grandes ideais, a natureza romântica e desdém esnobe pela política mesquinha. O próximo passo de Marie foi espelhar esses anseios secretos de Luís, fazendo-o vislumbrar o que poderia ser – um rei divino!

Este espelho tinha várias funções: satisfazer o ego de Luís dando--lhe um duplo que ele podia ver, e também manter o foco tão exclusivamente voltado para ele a ponto de fazê-lo sentir que Marie existia para ele apenas. Cercado por um bando de cortesãos ardilosos, que só pensavam em seus próprios interesses, ele não conseguiu resistir a este foco devocional. Finalmente, o espelho de Marie estabeleceu um ideal a ser buscado: o do cavaleiro nobre da corte medieval. Para uma alma ao mesmo tempo romântica e ambiciosa, nada poderia ser mais inebriante do que ter alguém lhe mostrando um reflexo seu idealizado. Com efeito, foi ela quem criou a imagem do Rei Sol – Luís mais tarde admitiu a enorme participação de Marie na criação da sua imagem radiante.

Nisto está o poder do Espelho do Sedutor: ao duplicar os gostos e ideais do seu alvo, você mostra a sua atenção pela psicologia dele, uma atenção mais encantadora do que qualquer ação agressiva. Descubra o que torna a pessoa diferente dos outros, depois erga o espelho e lhe mostre o reflexo dessa diferença. Alimente as suas fantasias de poder e grandeza refletindo os seus ideais, e ela sucumbe.

Observância IV
Em 1538, com a morte da sua mãe, Helena, o futuro czar Ivan IV (ou Ivan, o Terrível), então com oito anos de idade, ficou órfão. Durante cinco anos ele observou como a classe nobre, os boiardos, aterrorizavam o país. De vez em quando, para ridicularizar o jovem Ivan, davam-lhe a coroa e o cetro e o colocavam no trono. Ao verem os pezinhos do menino balançando na borda da cadeira, eles achavam graça e o erguiam dali, e o passavam de mão em mão no ar, fazendo-o se sentir impotente diante deles.

Aos treze anos, Ivan assassinou corajosamente o líder dos boiardos e subiu ao trono. Durante muito tempo ele lutou para subjugar o poder dos boiardos, mas eles continuavam desafiando-o. Em 1575, ele já estava exausto de tentar modificar a Rússia e derrotar seus inimigos. Enquanto isso, seus súditos queixavam-se amargamente das guerras intermináveis, da sua polícia secreta, dos boiardos invencíveis e opressivos. Seus próprios ministros começaram a questionar seus movimentos. Finalmente ele deu um basta. Em 1564, ele havia abandonado temporariamente o trono, forçando os súditos a chamá-lo de volta ao poder. Agora ele iria ainda mais longe na sua estratégia, e abdicou.

Para substituí-lo, Ivan nomeou um dos seus generais, Simeão Bekbulatovich, para o trono. Mas apesar de Simeão ter se convertido recentemente ao catolicismo, era um tártaro por nascimento e a sua entronização foi um insulto para os súditos de Ivan, visto que os russos julgavam os tártaros inferiores e infiéis. Mas Ivan mandou que todos os russos, inclusive os boiardos, prestassem obediência ao seu governante. E enquanto Simeão se mudava para o Kremlin, Ivan vivia numa humilde casa nos arredores de Moscou, de onde às vezes saía para visitar o palácio, inclinava-se diante do trono, sentava-se entre os boiardos e solicitava humildemente os favores de Simeão.

Com o tempo ficou claro que Simeão era uma espécie de duplo do rei. Vestia-se como Ivan e agia como Ivan, mas não tinha poder real porque ninguém lhe obedecia realmente. Os boiardos da corte com idade suficiente para se lembrar de que tinham zombado de Ivan quando ele era menino, colocando-o sentado no trono, viram a relação: eles tinham feito Ivan se sentir como um fraco pretendente, agora ele os espelhava colocando o seu próprio fraco pretendente no trono.

Por dois longos anos ele ergueu o espelho de Simeão diante do povo russo. O espelho dizia: suas lamúrias e desobediências fizeram de mim um czar sem poder real, pois eu estou refletindo de volta para vocês a imagem de um czar sem poder real. Vocês me trataram desrespeitosamente, então eu farei o mesmo com vocês, fazendo da Rússia motivo de risos para o mundo inteiro. Em 1577, em nome do povo russo, os boiardos punidos mais uma vez imploraram a Ivan que voltasse ao trono, o que ele fez. Ele foi o czar até morrer, em 1584, e as conspirações, as queixas e as desconfianças desapareceram junto com Simeão.

Interpretação

Em 1564, depois de ameaçar abdicar, Ivan obteve o poder absoluto. Mas esse poder foi aos poucos se reduzindo conforme cada setor da sociedade – os boiardos, a Igreja, o governo – rivalizava por mais controle. As guerras no estrangeiro tinham exaurido o país, as disputas internas aumentaram, e as tentativas de Ivan para reagir tinham sido vistas com desprezo. A Rússia se transformara numa espécie de sala de aula barulhenta onde os alunos riam abertamente do professor. Se ele levantasse a voz ou se queixasse, a resistência era ainda maior. Ele tinha que lhes ensinar uma lição, fazê-los provar do seu próprio remédio. Simeão Bekbulatovich foi o espelho que ele usou para fazer isso.

Depois de dois anos em que o trono tinha sido objeto de ridículo e desgosto, o povo russo aprendeu a sua lição. Queriam o seu czar de volta, concederam-lhe toda a dignidade e respeito que a posição sempre deveria ter merecido. Pelo resto do seu reinado, a Rússia e Ivan se entenderam muito bem.

Compreenda: as pessoas estão presas às suas próprias experiências. Quando você se queixa de que elas estão sendo insensíveis, pode parecer que compreendem, mas, no íntimo, continuam impassíveis e até mais resistentes. A meta do poder é sempre diminuir a resistência das pessoas a você. Para isso você precisa de truques, e um deles é dar-lhes uma lição.

Em vez de ficar reprovando as pessoas verbalmente, portanto, crie uma espécie de espelho do comportamento delas. Com isso você lhes dá duas opções: elas podem ignorá-lo ou começar a pensar nelas mesmas. E mesmo que elas o ignorem, você terá plantado uma semente no inconsciente delas que acabará criando raízes. Ao espelhar o comportamento de uma pessoa, incidentalmente, não tenha medo de acrescentar um toque caricatural ou exagerado, como fez Ivan ao entronizar um tártaro – é o temperinho na sopa que abrirá os olhos dela e a fará ver o ridículo das suas próprias ações.

Observância V
Milton H. Erickson, pioneiro na psicoterapia estratégica, costumava educar seus pacientes de maneira enérgica, porém indireta, criando uma espécie de efeito espelho. Construindo uma analogia para que seus pacientes vissem a verdade sozinhos, ele contornava a resistência deles às mudanças. Ao tratar de casais que se queixavam de problemas sexuais, por exemplo, ele quase sempre constatava que os métodos tradicionais psicoterápicos da confrontação direta e da exposição de problemas só aumentavam a resistência dos esposos e acentuavam as suas diferenças. Em vez disso, ele levava o marido e a mulher a falar de outros assuntos, com frequência banais, tentando encontrar uma analogia para o conflito sexual.

Durante a primeira sessão de um desses casais, os dois discutiam seus hábitos alimentares, especialmente na hora do jantar. A esposa preferia o estilo descontraído – um drinque antes da refeição, algumas entradas, e depois um ligeiro prato principal, tudo num ritmo lento, civilizado. O marido se frustrava – ele queria jantar logo e começar direto com o prato principal, quanto maior melhor. No decorrer da conversa, o casal começou a perceber uma leve analogia com seus problemas na cama. Mas assim que a conexão era feita Erickson mudava de assunto, evitando cuidadosamente a discussão do verdadeiro problema.

O casal pensou que Erickson estava apenas querendo conhecê-los melhor e falaria diretamente do problema na próxima vez que os visse. Mas no final da primeira sessão Erickson orientou-os para que combinassem para dali a alguns dias um jantar que atendesse aos desejos de cada um: a esposa teria a sua refeição lenta, inclusive com tempo para se sentirem à vontade um com o outro, e o marido teria os grandes pratos que gostava de comer. Sem perceber que estavam agindo segundo uma delicada orientação médica, o casal participaria de uma situação espelhada do seu problema, e no espelho eles resolveriam sozinhos as suas dificuldades, terminando a noite exatamente como o médico tinha esperado – espelhando na cama a dinâmica aprimorada no jantar.

Ao lidar com problemas mais graves, tais como o mundo de fantasia espelhado que o esquizofrênico constrói, Erickson sempre tentava entrar no espelho e trabalhar dentro dele. Certa vez, ele tratou um paciente internado num hospital que acreditava ser Jesus Cristo – enrolando-se em lençóis, falando em parábolas vagas e bombardeando a equipe e os outros pacientes com um interminável proselitismo cristão. Nenhuma terapia ou droga parecia funcionar, até que um dia Erickson foi ver o jovem e disse: "Soube que tem experiência como carpinteiro." Sendo Cristo, o paciente teve de dizer que sim, e Erickson imediatamente o colocou para fazer prateleiras e outras peças úteis, permitindo que continuasse usando as suas roupas de Jesus Cristo. Durante algumas semanas, enquanto trabalhava, a mente do esquizofrênico ficou menos ocupada com as fantasias de Jesus, concentrando-se mais nas suas tarefas. À medida que a carpintaria foi prevalecendo, ocorreu uma mudança psíquica: as fantasias religiosas permaneceram, mas foram ficando confortavelmente em segundo plano, permitindo que o homem assumisse as suas funções na sociedade.

Interpretação
A comunicação depende de metáforas e símbolos, que são a base da própria linguagem. A metáfora é uma espécie de espelho do que é real e concreto, quase sempre expresso com mais nitidez e profundidade do que por meio de uma descrição literal. Quando você lida com a força de vontade refratária dos outros, a comunicação direta com frequência só faz acentuar essa resistência.

Isto acontece com mais nitidez quando você se queixa do comportamento das pessoas, particularmente em áreas sensíveis como a sua forma de amar. Você conseguirá uma mudança muito mais duradoura se, como Erickson, fizer uma analogia, um espelho simbólico da situação, e guiar o outro através dele. Como o próprio Cristo compreendeu, falar em parábolas costuma ser a melhor maneira de ensinar uma lição, pois deixa que as pessoas percebam a verdade sozinhas.

Ao lidar com pessoas perdidas nos reflexos de mundos de fantasia (inclusive um batalhão de gente que não vive em hospitais para doentes mentais), jamais tente empurrá-las para a realidade estilhaçando os seus espelhos. Pelo contrário, entre no mundo delas e opere lá de dentro, seguindo as suas regras, gentilmente guiando-as para fora da sala dos espelhos onde entraram.

Observância VI
O grande mestre do chá japonês do século XVI, Takeno Sho-o, certa vez passou por uma casa e notou um jovem regando as flores perto do portão de entrada. Duas coisas chamaram a atenção de Sho-o – primeiro, a maneira graciosa como o homem realizava a sua tarefa; e, segundo, as rosas Sharon lindíssimas no jardim. Ele parou e se apresentou ao homem, que se chamava Sen no Rikyu. Sho-o queria ficar, mas já tinha

um compromisso e estava com pressa. Antes de ir, entretanto, Rikyu o convidou para tomar chá no dia seguinte. Sho-o aceitou satisfeito.

No dia seguinte, ao abrir o portão do jardim, Sho-o viu horrorizado que não restava uma única flor. Mais do que tudo, ele tinha vindo por causa das rosas, que não tivera tempo de apreciar no dia anterior; agora, desapontado, preparava-se para ir embora quando, diante do portão, parou e resolveu entrar na sala de chá de Rikyu. Mal havia entrado e parou atônito: na sua frente estava um vaso pendurado no teto, e no vaso havia uma única rosa Sharon, a mais bela do jardim. Sen no Rikyu havia lido os pensamentos do seu convidado e, com este gesto eloquente, demonstrou que naquele dia convidado e anfitrião estariam em perfeita harmonia.

Sen no Rikyu acabou se tornando o mais famoso mestre da cerimônia do chá, e sua marca registrada era esta capacidade incrível de se harmonizar com os pensamentos de seus convidados e pensar com antecedência, encantando-os ao se adaptar ao gosto deles.

Certo dia, Rikyu foi convidado para o chá por Yamashina Hechigwan, admirador da cerimônia do chá, mas também um homem com um grande senso de humor. Quando Rikyu chegou à casa de Hechigwan, encontrou o portão do jardim fechado, então ele o abriu para procurar o seu anfitrião. Do outro lado do portão ele viu que alguém tinha cavado um fosso, cobrindo-o cuidadosamente depois com tela e terra. Percebendo que Hechigwan tinha planejado uma brincadeira, ele condescendentemente deu um passo e caiu no fosso, sujando assim as suas roupas de lama.

Aparentemente horrorizado, Hechigwan veio correndo e levou logo Rikyu para tomar um banho que, por algum motivo inexplicável, já estava preparado. Depois do banho, Rikyu se juntou a Hechigwan na cerimônia do chá, que ambos apreciaram muito, rindo bastante do acidente. Mais tarde, Sen no Rikyu explicou a um amigo que já tinha percebido a brincadeira de Hechigwan, "mas, como se deve sempre concordar com os desejos do anfitrião, eu caí no buraco conscientemente garantindo assim o sucesso do encontro. A cerimônia do chá não é, de forma alguma, mera demonstração de subserviência, mas não há chá quando convidado e anfitrião não estão em harmonia um com o outro". A Hechigwan, agradou muito ver a figura séria de Rikyu no fundo de um fosso, mas Rikyu também teve o seu prazer concordando com o desejo do seu anfitrião e observando-o divertir-se tanto assim.

Interpretação

Sen no Rikyu não era mágico nem visionário – ele observava atentamente as pessoas a sua volta, sondando os gestos sutis que revelavam um desejo oculto, depois produzindo a imagem desse desejo. Embora

Sho-o não tivesse mencionado o seu encanto com a rosa Sharon, Rikyu leu nos olhos dele. Se espelhar os desejos de uma pessoa significa cair num fosso, paciência. O poder de Rikyu estava nesta sua capacidade de usar o Espelho do Cortesão, que lhe dava a aparência de um inusitado poder de ver dentro das outras pessoas.

Aprenda a manipular o Espelho do Cortesão, pois ele lhe trará um grande poder. Estude o olhar das pessoas, acompanhe os seus gestos – barômetros mais garantidos de dor e prazer do que qualquer palavra. Note e lembre detalhes – as roupas, os amigos, hábitos diários, observações espontâneas – que revelam desejos ocultos e raramente satisfeitos. Misture tudo, descubra o que está sob a superfície, depois faça-se de espelho para seus egos abafados. Esta é a chave do poder: o outro não pediu a sua consideração, não mencionou o seu prazer com a rosa de Sharon, e quando você o reflete de volta esse prazer se acentua porque não foi solicitado. Lembre-se: a comunicação não verbal, o elogio indireto, é que tem mais poder. Ninguém resiste ao encanto do Espelho do Cortesão.

Observância VII
Yellow Kid Weil, extraordinário charlatão, usava o Espelho do Enganador nas suas fraudes mais brilhantes. A mais audaciosa de todas foi a sua recriação de um banco em Muncie, Indiana. Quando Weil soube que o Merchants Bank, em Muncie, tinha se mudado, ele viu uma oportunidade que não poderia deixar passar.

Weil alugou o prédio original do Merchants, ainda com os móveis do banco, completos com os guichês. Comprou sacolas para transportar dinheiro, imprimiu nelas um nome de banco inventado, encheu-as com arruelas de aço e as colocou imponentemente atrás dos guichês, junto com maços de dinheiro – notas de verdade escondendo tiras de jornal. Para a equipe e os clientes do seu banco, Weil contratou jogadores, bookmakers, garotas dos bordéis da região e outros cúmplices da mesma laia. Fez um bandido local posar de funcionário do banco.

Dizendo-se corretor de um certificado de investimentos que o banco oferecia, Weil jogava a isca e pescava o otário rico adequado. Levava o sujeito até o banco e pedia para falar com o presidente. Um dos "funcionários" do banco lhes dizia para esperar, o que só acentuava o realismo da fraude – sempre é preciso esperar para falar com o presidente do banco. E enquanto esperavam, o banco mostrava o alvoroço típico de atividades bancárias, com as garotas de programa e bookmakers disfarçados entrando e saindo, fazendo depósitos e retiradas e cumprimentando com o chapéu o caixa de mentira. Fascinado com esta cópia perfeita da realidade, o otário depositava 50 mil dólares no banco falso sem nem se preocupar.

Durante anos Weil fez a mesma coisa com um iate clube deserto, uma corretora abandonada, uma imobiliária realocada e um clube de jogo totalmente realísticos.

Interpretação
A técnica da realidade espelhada oferece imensos poderes ilusórios. O uniforme certo, o sotaque perfeito, os figurantes adequados – é impossível decifrar a ilusão porque está enredada em simulações da realidade. As pessoas querem e precisam muito acreditar em alguma coisa, e o primeiro instinto é o de confiar numa fachada bem construída, confundindo-a com a realidade. Afinal de contas, não podemos sair por aí duvidando de tudo – seria cansativo demais. Habitualmente aceitamos as aparências, e você pode usar essa credulidade.

Neste jogo em particular, é o primeiro momento que conta mais. Se as suspeitas dos seus otários não surgirem assim que eles veem o reflexo no espelho, elas permanecerão sufocadas. Quando eles entram na sua sala dos espelhos, não conseguem mais distinguir o real do falso, e fica cada vez mais fácil enganá-los. Lembre-se: estude a aparência do mundo e aprenda a espelhá-la em seus hábitos, modos, roupas. Como uma planta carnívora, para os insetos desatentos você se parecerá com todas as outras plantas do jardim.

Autoridade: A tarefa de uma operação militar é dissimuladamente concordar com as intenções do inimigo... chegar ao que eles querem primeiro, sutilmente antecipá-los. Manter a disciplina e adaptar-se ao inimigo... Assim, no princípio, você é como uma donzela, e o inimigo abre a porta; em seguida, você é como um coelho solto, para que o inimigo não possa impedi-lo de entrar. (Sun Tzu, século IV a.C.)

Imagem: O Escudo de Perseu. Polido até ficar como um espelho, a Medusa não vê você, só o reflexo dela, horrendo. Escondido atrás de um espelho você engana, ridiculariza e enfurece. De um só golpe você corta a cabeça da Medusa desatenta.

UM ALERTA: CUIDADO
COM AS SITUAÇÕES ESPELHADAS

Nos espelhos há muito poder, mas também arrecifes perigosos, inclusive a situação espelhada – uma situação que parece refletir ou se parecer muito com a anterior, principalmente no estilo e na aparência superficial. Você pode cair numa situação dessa e não compreender totalmente o que está acontecendo, enquanto as pessoas ao redor a entendem muito bem, e a comparam, e a você também, com o que aconteceu antes. Com frequência, você sofre com a comparação, parecendo mais fraco do que o ocupante anterior da sua posição ou então estigmatizado por associações desagradáveis que essa pessoa deixou para trás.

Em 1864, o compositor Richard Wagner se mudou para Munique por ordem de Ludovico II, conhecido ora como o Rei Cisne, ora como o Rei Louco da Baviera. Ludovico era o maior admirador de Wagner e o seu mais generoso patrono. A força do seu apoio virou a cabeça de Wagner – uma vez estabelecido em Munique sob a proteção do rei, ele poderia dizer e fazer o que bem quisesse.

Wagner se mudou para uma casa luxuosa, que o rei havia comprado para ele. O endereço era perto da antiga casa de Lola Montez, a notória cortesã que havia mergulhado o avô de Ludovico II numa crise que o forçou a abdicar. Alertado de que poderia se contagiar com esta associação, Wagner achou graça. "Eu não sou Lola Montez", disse. Mas não demorou muito e os cidadãos de Munique começaram a se ressentir com os favores e o dinheiro que chovia sobre Wagner, e o apelidaram de "segunda Lola", ou "Lolotte". Ele, inconscientemente, estava seguindo os passos de Lola – gastando dinheiro com extravagâncias, metendo-se em outros assuntos além da música, até dando os seus palpites na política e aconselhando o rei nas nomeações para o ministério. Enquanto isso, o afeto de Ludovico por Wagner parecia intenso e indigno de um rei – assim como o amor do seu avô por Lola Montez.

Finalmente os ministros de Ludovico lhe escreveram uma carta: "Vossa Majestade agora enfrenta uma decisão fatal: tem de escolher entre o amor e o respeito do seu leal povo e a 'amizade' de Richard Wagner." Em dezembro de 1865, Ludovico pediu educadamente ao amigo que fosse embora e nunca mais voltasse. Wagner havia inadvertidamente se colocado como reflexo de Lola Montez. Uma vez ali, tudo que fizesse lembrava aos obstinados bávaros aquela temível mulher, e não havia nada que ele pudesse fazer a respeito.

Evite esses efeitos-associações como uma praga. Numa situação espelhada você tem pouco ou nenhum controle sobre os reflexos e lembranças associados a você, e qualquer situação fora do seu controle é perigosa. Mesmo que a pessoa ou evento tenha associações positivas, você sofrerá pela incapacidade de estar a sua altura, visto que o passado, em geral, parece maior do que o presente. Se você notar que as pessoas o estão associando a algum evento ou pessoa do passado, faça tudo que puder para se separar dessa lembrança e estilhaçar esse reflexo.

LEI
45

PREGUE A NECESSIDADE DE MUDANÇA, MAS NÃO MUDE MUITA COISA AO MESMO TEMPO

JULGAMENTO
Teoricamente, todos sabem que é preciso mudar, mas na prática as pessoas são criaturas de hábitos. Muita inovação é algo traumático e conduz à rebeldia. Se você é novo numa posição de poder, ou alguém de fora tentando construir a sua base de poder, mostre explicitamente que respeita a maneira antiga de fazer as coisas. Se a mudança é necessária, faça-a parecer uma suave melhoria do passado.

DE ONDE VEM O NATAL

Comemorar a virada do ano é um costume antigo. Os romanos celebravam a Saturnália, o festival de Saturno, deus da colheita, entre os dias 17 e 23 de dezembro. Era a festa mais animada do ano. Ninguém trabalhava e o comércio fechava, as ruas se enchiam de gente e o clima era de carnaval. Os escravos eram temporariamente libertados, e as casas decoradas com ramos de louro. As pessoas se visitavam, levando de presente velas de cera e pequenas esculturas de barro. Muito antes do nascimento de Jesus, os judeus comemoravam durante oito dias o Festival das Luzes [na mesma estação], e acredita-se que os povos germânicos faziam um grande festival não só no verão, mas também no solstício de inverno, quando comemoravam o renascimento do sol e homenageavam os grandes deuses da fertilidade, Wotan e Freyja, Donar (Thor) e Freyr. Mesmo depois que o imperador Constantino (306-337 d.C.) declarou o cristianismo como a religião oficial do império romano, a evocação da luz e da fertilidade como um componente

A LEI TRANSGREDIDA

Certa vez, na segunda década de 1520, o rei Henrique VIII, da Inglaterra, resolveu se divorciar da mulher, Catarina de Aragão, porque ela não lhe dera um filho e porque estava apaixonado pela jovem e atraente Ana Bolena. O papa Clemente VII foi contrário ao divórcio e ameaçou excomungar o rei. O ministro mais poderoso do rei, o cardeal Wolsey, também não via necessidade de divórcio – e o seu apático apoio lhe custou o cargo e, em breve, a vida.

Um homem no gabinete de Henrique, Thomas Cromwell, não só o apoiou no seu desejo de se divorciar como teve uma ideia para concretizá-lo: o total rompimento com o passado. Ele convenceu o rei de que, rompendo os vínculos com Roma e se tornando o chefe de uma Igreja Anglicana recém-formada, poderia se divorciar de Catarina e casar com Ana. Em 1531, Henrique viu que esta era a única solução. Para recompensar Cromwell por sua simples, porém brilhante, ideia, ele elevou este filho de ferreiro ao posto de conselheiro real.

Em 1534, Cromwell tinha sido nomeado secretário do rei e, como o poder por trás do trono, ele se tornara o homem mais poderoso da Inglaterra. Mas para ele o rompimento com Roma significava mais do que a satisfação dos desejos carnais do rei: ele imaginava uma nova ordem protestante na Inglaterra, com o poder da Igreja Católica esmagado e as suas enormes riquezas nas mãos do rei e do governo. Naquele mesmo ano ele iniciou uma avaliação completa das igrejas e mosteiros da Inglaterra. E o resultado foi que os tesouros e o dinheiro que as igrejas tinham acumulado ao longo dos séculos eram muito mais do que ele tinha imaginado. Seus espiões e agentes voltaram com números espantosos.

Para justificar seus esquemas, Cromwell fez circular histórias sobre a corrupção nos mosteiros ingleses, sobre o abuso de poder, a exploração do povo a que eles supostamente serviam. Tendo conquistado o apoio do Parlamento para dissolver os mosteiros, ele começou a confiscar os seus bens e acabar com eles um por um. Ao mesmo tempo, começou a impor o protestantismo, introduzindo reformas no ritual religioso e punindo aqueles que insistissem em continuar católicos, chamando-os de hereges. Virtualmente da noite para o dia, a Inglaterra se convertera a uma nova religião oficial.

O terror tomou conta do país. Algumas pessoas haviam sofrido sob a Igreja Católica, que antes das reformas era poderosíssima, mas a maioria dos britânicos tinha vínculos muito fortes com o catolicismo e seus confortantes rituais. Esses assistiram horrorizados enquanto as igrejas eram demolidas, as imagens da Madonna e dos santos eram espatifadas, os vitrais eram estilhaçados e os tesouros eram confiscados. De repente, não existindo mais os mosteiros que costumavam abrigar os pobres, esses agora moravam nas ruas.

A crescente classe de mendigos inchava mais ainda com os ex-monges. Coroando tudo isso, Cromwell cobrava altos impostos para pagar as suas reformas eclesiásticas.

Em 1535, fortes revoltas no norte da Inglaterra ameaçaram derrubar Henrique do trono. No ano seguinte, ele já havia abafado as rebeliões, mas também tinha começado a ver os custos das reformas de Cromwell. O próprio rei não tinha desejado ir tão longe – ele só queria se divorciar. Agora era vez de Cromwell assistir constrangido ao rei ir lentamente desfazendo as suas reformas, restabelecendo os sacramentos católicos e outros rituais que Cromwell havia condenado.

Percebendo que estava caindo em desagrado, em 1540, Cromwell resolveu recuperar os favores de Henrique fazendo um jogo arriscado: ele encontraria uma nova esposa para o rei. A terceira esposa de Henrique, Jane Seymour, tinha morrido poucos anos antes e ele estava procurando uma nova e jovem rainha. Foi Cromwell quem a encontrou: Anne de Cleves, uma princesa alemã e, o mais importante para Cromwell, protestante. Sob encomenda de Cromwell, o pintor Holbein fez um quadro enaltecedor de Anne; ao vê-lo, Henrique apaixonou-se e concordou em se casar com ela. Cromwell parecia ter caído de novo nas boas graças do rei.

Mas, infelizmente, o quadro de Holbein estava muito idealizado, e quando o rei acabou conhecendo a princesa não gostou nem um pouco. E não era mais possível conter a raiva que sentia de Cromwell – primeiro pelas reformas malconcebidas e, agora, por lhe impingir uma esposa pouco atraente e protestante. No mês de junho daquele mesmo ano, Cromwell foi preso, acusado de extremismo protestante e de heresia, e enviado para a Torre. Seis semanas depois, diante de uma grande e entusiasmada multidão, o carrasco público lhe cortou fora a cabeça.

Interpretação

Thomas Cromwell teve uma ideia simples: ele dissolveria o poder e a riqueza da Igreja e lançaria as bases do protestantismo na Inglaterra. E faria isso num tempo impiedosamente curto. Ele sabia que as suas reformas aceleradas causariam dor e ressentimento, mas pensou que esses sentimentos desapareceriam em poucos anos. O mais importante é que, identificando-se com a mudança, ele seria o líder da nova ordem, tornando o rei dependente dele. Mas havia um problema na sua estratégia: como uma bola de bilhar lançada com muita força, suas reformas geraram reações e contra-ataques que ele não imaginou que aconteceriam, e não conseguiu controlar.

O homem que inicia grandes reformas com frequência vira bode expiatório de todas as insatisfações. E a reação às suas reformas pode

importante das comemorações pré-cristãs do inverno não puderam ser totalmente suprimidas. No ano de 274, o imperador romano Aureliano (214-275 d.C.) tinha estabelecido um culto oficial ao deus-sol Mitra, declarando a data do seu nascimento, 25 de dezembro, feriado nacional.

O culto a Mitra, o deus ariano da luz, havia se espalhado desde a Pérsia pela Ásia Menor até a Grécia, a Roma, chegando às terras germânicas e à Bretanha. Inúmeras ruínas dos seus santuários ainda testemunham a alta consideração com que este deus era tido, especialmente por parte das legiões romanas, como portador da fertilidade, da paz e da vitória. Portanto foi uma atitude inteligente quando, no ano de 354 d.C., a Igreja cristã sob o papa Liberius (352-366) cooptou o nascimento de Mitra e declarou o dia 25 de dezembro como a data de nascimento de Jesus Cristo.

NEUE ZÜRCHER ZEITUNG, ANNE-SUSANNE RISCHKE, 25 DE DEZEMBRO DE 1983

consumi-lo, porque as mudanças perturbam o mundo animal, mesmo quando são para o seu bem. Como o mundo é, e sempre foi, cheio de inseguranças e ameaças, nós nos agarramos a rostos familiares e criamos hábitos e rituais para torná-lo mais confortável. As mudanças podem ser agradáveis e até, às vezes, desejáveis, teoricamente, mas se exageradas geram uma ansiedade que provoca um tumulto interno que acaba vindo à tona.

Jamais subestime o conservadorismo oculto do ambiente em que você vive. Ele é forte e entranhado. Jamais permita que uma ideia sedutora embote a sua razão: assim como você não pode fazer as pessoas enxergarem o mundo da sua maneira, não pode arrastá-las para um futuro com mudanças dolorosas. Elas se rebelarão. Se a reforma é necessária, preveja as reações e descubra como disfarçar a mudança e adoçar o veneno.

A LEI OBSERVADA
Jovem comunista na década de 1920, Mao Tsé-tung compreendeu melhor do que os seus colegas as incríveis desvantagens de uma vitória comunista na China. Pouco numeroso, com fundos limitados, sem experiência militar e com um reduzido arsenal de armas, o Partido não tinha esperanças de sucesso a não ser que conquistasse a imensa população camponesa da China. Mas quem no mundo era mais conservador, com tradições mais enraizadas, do que os camponeses chineses? O histórico da civilização mais antiga do planeta era o de jamais afrouxar o seu poder, por mais violenta que fosse a revolução. As ideias de Confúcio continuavam vivas em 1920, como no século VI a.C., quando o filósofo viveu. Apesar das opressões do atual sistema, o camponês chinês abandonaria os seus valores profundamente arraigados do passado pelo grande desconhecido, o comunismo?

A solução, como Mao entendeu, envolvia um simples estratagema: revestir a revolução com as roupas do passado, tornando-a confortável e legítima aos olhos do povo. Um dos livros preferidos de Mao era o romance medieval chinês muito popular, *The Water Margin*, que relata as proezas de um Robin Hood chinês e do seu bando de ladrões na luta contra um monarca corrupto e mau. Na China da época de Mao, predominavam os vínculos familiares, pois continuava firme a hierarquia confuciana de pai e filho mais velho; mas *The Water Margin* pregava um valor mais alto – os vínculos fraternos do bando de ladrões, a nobreza da causa que une povos apesar dos laços de sangue. O romance teve uma grande ressonância emocional no povo chinês, que adora apoiar as vítimas da injustiça social. Repetidas vezes, portanto, Mao apresentou o seu exército revolucionário como uma extensão do bando de ladrões de *The Water Margin*, comparando a sua luta com o eterno conflito entre camponeses oprimidos e um imperador malvado. Ele fez com que o passado parecesse estar envolvendo e legitimando a causa comunista; os camponeses poderiam se sentir à vontade e até apoiar um grupo cujas raízes estavam no passado.

Mesmo depois que o Partido assumiu o poder, Mao continuou associando-o ao passado. Ele se apresentava às massas, não como um Lenin chinês, mas como um Chuko Liang moderno, o estrategista da vida real do século III, que figura predominantemente no popular romance histórico *O romance dos três reinos*. Liang foi mais do que um grande general – ele era poeta, filósofo e a imagem da firme retidão moral. Portanto, Mao se apresentou como um poeta-guerreiro igual a Liang, um homem que misturava estratégia com filosofia e pregava uma nova ética. Ele se apresentou como um herói da grande tradição chinesa de estadistas guerreiros.

Em pouco tempo, tudo nos discursos e escritos de Mao se referia a um período anterior da história da China. Ele lembrava, por exemplo, o grande imperador Ch'in, que unificou o país no século III a.C. Ch'in queimou as obras de Confúcio, consolidou e terminou a construção da Grande Muralha, e deu o seu nome à China. Como Ch'in, Mao também uniu o país e buscou reformas corajosas contra um passado opressivo. Ch'in fora tradicionalmente visto como um ditador violento de breve reinado. O brilhantismo da estratégia de Mao foi inverter isso, simultaneamente reinterpretando Ch'in, justificando o seu governo aos olhos dos atuais chineses e usando-o para justificar a violência da nova ordem que o próprio Mao estava criando.

Depois do fracasso da Revolução Cultural, no fim da década de 1960, surgiu uma disputa de poder dentro do Partido Comunista, na qual o principal inimigo de Mao era Lin Piao, antes seu amigo íntimo. Para esclarecer às massas a diferença entre a sua filosofia e a de Lin, Mao mais uma vez explorou o passado: deu ao seu adversário o papel de representante de Confúcio, filósofo que Lin de fato citava constantemente. E Confúcio significava o conservadorismo do passado. Mao se associou, por sua vez, ao antigo movimento filosófico conhecido como legalismo, exemplificado nos escritos de Han-fei-tzu. Os legalistas desdenhavam a ética confuciana; eles acreditavam na necessidade de violência para criar uma nova ordem. Eles adoravam o poder. Para ganhar peso nessa luta, Mao deslanchou uma propaganda em nível nacional contra Confúcio, usando os temas do confucionismo em oposição ao legalismo para incentivar os jovens a uma revolta frenética contra a geração mais velha. Este grande contexto encobriu uma luta pelo poder bastante banal, e Mao mais uma vez venceu as massas e triunfou sobre os seus inimigos.

Interpretação

Nenhum povo teve uma ligação mais profunda com o passado do que os chineses. Diante deste enorme obstáculo às reformas, a estratégia de Mao foi simples: em vez de combater o passado, ele tirou proveito disso, associando os seus comunistas radicais às figuras românticas da história chinesa. Entremeando a história da Guerra dos Três Reinos na luta entre Estados Unidos, União Soviética e China, ele se colocou no papel de Chuko Liang. Assim como tinham feito os imperadores, ele aceitou o culto pelas massas, compreendendo que os chineses não funcionariam sem uma figura paterna para admirar. E depois de ter dado uma terrível mancada com o Grande Salto para a Frente, tentando forçar a modernização do país e fracassando miseravelmente, ele não repetiu mais esse erro: a partir daí, mudanças radicais viriam vestidas com as roupas confortáveis do passado.

A lição é simples: o passado é poderoso. O que aconteceu antes parece maior, o hábito e a história dão peso a qualquer ato. Tire proveito disso. Quando você destrói o que é familiar, cria um vazio ou vácuo, e as pessoas temem o caos que virá para preenchê-lo. Você deve evitar a todo custo despertar esses temores. Tome emprestado o peso e a legitimidade do passado, embora remoto, para criar um presente confortável e familiar. Isto dará associações românticas às suas ações, aumentará a sua presença e encobrirá a natureza das mudanças que está tentando fazer.

> *Considere-se que não há nada mais difícil, nem de sucesso mais duvidoso, nem mais arriscado, do que iniciar uma nova ordem de coisas.*
>
> Nicolau Maquiavel, 1469-1527

AS CHAVES DO PODER

A psicologia humana contém muitas dualidades, e uma é que as pessoas, mesmo compreendendo a necessidade de mudar, sabendo como é importante que instituições e indivíduos se renovem de vez em quando, ficam irritadas e aborrecidas quando isso as afeta pessoalmente. Sabem que a mudança é necessária, e que a novidade alivia o tédio, mas no íntimo preferem o passado. Mudar teórica ou superficialmente, elas querem, mas a mudança que revira hábitos e rotinas essenciais é profundamente perturbadora.

Nenhuma revolução aconteceu sem uma forte reação posterior, porque, no longo prazo, o vazio que ela cria se torna desconfortável demais para o animal humano, que, inconscientemente, o associa à morte e ao caos. A oportunidade de mudança e renovação seduz as pessoas a tomar o partido da revolução, mas quando passa o entusiasmo – e ele vai passar – elas sentem um certo vazio. Saudosas do passado, elas abrem uma brecha para que ele volte furtivamente.

Para Maquiavel, o profeta que prega e traz mudanças só sobrevive pegando em armas: quando as massas inevitavelmente suspirarem pelo passado, ele deve estar pronto para usar a força. Mas o profeta armado não dura muito se não criar rapidamente um novo conjunto de valores e rituais para substituir os antigos, e aplacar as ansiedades daqueles que temem a mudança. É muito mais fácil, e menos sanguinário, aplicar uma espécie de conto do vigário. Pregue a mudança o quanto quiser, e até realize as suas reformas, mas que elas tenham a aparência confortável das tradições e dos eventos mais antigos.

Reinando do ano 8 ao 23 d.C., o imperador chinês Wang Mang veio de um período de grande turbulência histórica em que o povo ansiava por ordem, uma ordem representada para eles por Confúcio. Uns duzentos anos antes, entretanto, o imperador Ch'in havia mandado queimar os escritos de Confúcio. Alguns anos depois, espalhou-se a notícia de que certos textos haviam milagrosamente sobrevivido, escondidos na casa do erudito. Talvez não fossem autênticos, mas foram a oportunidade de Wang: primeiro ele os confiscou, depois mandou seus escribas inserirem passagens que pareciam apoiar as mudanças que ele vinha impondo ao país. Quando ele divulgou os textos, ficou parecendo que Confúcio aprovava as reformas de Wang, e o povo se sentiu melhor e as aceitou mais facilmente.

Compreenda: o fato de o passado estar morto e enterrado dá a você liberdade para reinterpretá-lo. Para defender a sua causa, manipule os fatos. O passado é um texto no qual você pode, com toda a segurança, inserir as suas próprias linhas.

Um gesto simples como o de usar um velho título, manter o mesmo número de pessoas num grupo, o ligará ao passado e o sustentará como autor da história. Como o próprio Maquiavel observou, os romanos usaram esse artifício quando transformaram a sua monarquia em república. Eles podem ter instalado dois cônsules no lugar de um rei, mas como o rei tinha sido atendido por doze litores eles mantiveram o mesmo número para servir aos cônsules. Todos os anos o rei tinha executado pessoalmente um sacrifício, num grande espetáculo que agitava o público; a república manteve a prática, só que a transferiu para um "chefe de cerimônia, a quem chamavam de *Rei* do sacrifício", especial.

Estes e outros gestos semelhantes satisfaziam o povo e impediam que ele exigisse a volta da monarquia.

Outra estratégia para disfarçar a mudança é fazer uma demonstração pública e ruidosa de apoio aos valores do passado. Mostre-se um ardoroso defensor das tradições do passado e poucos notarão o quanto você é realmente pouco convencional. A Florença renascentista tinha uma república com vários séculos de idade e desconfiava de quem zombasse de suas tradições. Cosimo de Medici exibia-se como um entusiástico defensor da república, enquanto na realidade trabalhava para colocar a cidade sob controle da sua rica família. Formalmente, os Medici mantinham a aparência de uma república; em substância, eles a tornavam impotente. Em silêncio, eles fizeram uma mudança radical, embora aparentassem estar protegendo as tradições.

A ciência clama por uma busca da verdade que supostamente a salvaria do conservadorismo e da irracionalidade do hábito: é uma cultura da inovação. Mas, ao publicar suas ideias evolucionistas, Charles Darwin enfrentou uma oposição mais violenta por parte de seus colegas cientistas do que das autoridades religiosas. Suas teorias desafiavam muitas ideias fixas. Jonas Salk esbarrou na mesma parede com suas inovações radicais na área da imunologia, como aconteceu também com Max Planck ao revolucionar a física. Planck mais tarde escreveu sobre a oposição científica que enfrentou: "Uma nova verdade científica não triunfa porque esclarece e convence os seus adversários, mas porque esses adversários acabam morrendo e uma nova geração surge já acostumada com ela."

A solução para esse conservadorismo inato é fazer o jogo do cortesão. Galileu fez assim no início da sua carreira; mais tarde ele ficou mais ousado e pagou por isso. Portanto, fale bem da tradição, mas só da boca para fora. Identifique os elementos na sua revolução que possam parecer estar baseados no passado. Diga as coisas certas, mostre conformidade, e enquanto isso deixe que suas teorias façam o seu trabalho radical. Jogue com as aparências e respeite o protocolo do passado. Isso vale para qualquer área – a ciência não é exceção.

Finalmente, pessoas de poder prestam atenção às tendências da época. Se as reformas que elas propõem forem muito avançadas, quase ninguém compreenderá, e isso vai gerar ansiedade e será irremediavelmente mal interpretado. As mudanças que você fizer devem parecer menos inovadoras do que são. A Inglaterra acabou se tornando mesmo uma nação protestante, como Cromwell desejava, mas para isso foi preciso mais de um século de evolução gradual.

Cuidado com as tendências da época. Se você trabalha com um período muito tumultuado, o poder poderá ser da pregação a uma volta ao passado, ao conforto, à tradição e aos rituais. Por outro lado, em períodos de estagnação, jogue com as cartas da reforma e da revolução – mas cuidado com o que você despertar. Raramente quem termina uma revolução é quem começou. Você não terá êxito neste jogo arriscado se não estiver disposto a impedir uma inevitável contrarreação, jogando com as aparências e baseando-se no passado.

Imagem: O Gato.
Criatura de hábitos, adora o conforto do que é familiar. Altere as suas rotinas, perturbe o seu espaço, e ele ficará intratável e psicótico. Acalme-o respeitando os seus rituais. Se a mudança for necessária, engane-o mantendo vivo o cheiro do passado; coloque objetos com que ele está familiarizado em locais estratégicos.

Autoridade: Quem deseja ou tenta reformar o governo de um Estado, e quer vê-lo aceito, deve pelo menos manter a semelhança com as formas antigas; de tal maneira que pareça às pessoas não ter havido mudança nas instituições, ainda que, de fato, elas tenham mudado totalmente. Pois a humanidade, na sua grande maioria, satisfaz-se com as aparências como se fossem realidade. (Nicolau Maquiavel, 1469-1527)

O INVERSO
O passado é um defunto para ser usado como você achar melhor. Se o que aconteceu no passado recente foi doloroso e sombrio, é autodestrutivo associar-se a ele. Quando Napoleão assumiu o poder, todos ainda tinham fresca na memória a lembrança da Revolução Francesa. Se a corte que ele estabeleceu tivesse alguma semelhança com o luxo da corte de Luís XVI e Maria Antonieta, seus cortesãos passariam o tempo preocupando-se com os próprios pescoços. Em vez disso, a corte de Napoleão foi notável por sua sobriedade e falta de ostentação. Era a corte de um homem que valorizava o trabalho e as virtudes militares. Esta nova forma parecia apropriada e tranquila.

Em outras palavras, preste atenção à época. Mas compreenda: se você fizer uma mudança ousada, deve evitar a todo custo a aparência de vácuo, ou criará o terror. Mesmo uma feia história recente parecerá preferível ao espaço vazio. Preencha esse espaço imediatamente com *novos* rituais e formas. Tranquilizando e tornando-se familiar, eles garantirão a sua nova posição entre as massas.

Finalmente, as artes, a moda e a tecnologia parecem áreas em que o poder se originaria de uma ruptura radical com o passado e uma de aparência avançada. Na verdade, essa estratégia pode trazer um grande poder, mas é muito arriscada. É inevitável que suas inovações acabem ultrapassadas por outra pessoa. Você tem pouco controle – alguém mais jovem e mais novo na área toma de repente uma outra direção, fazendo a sua ousada novidade de ontem parecer cansativa e tímida hoje. Você está sempre correndo atrás; o seu poder é tênue e efêmero. Você precisa de um poder baseado em algo mais sólido. Usando o passado, remontando as tradições, jogando com as convenções para subvertê-las, você dará às suas criações algo mais do que um encanto momentâneo. Períodos de mudanças estonteantes disfarçam o fato de que um anseio pelo passado voltará inevitavelmente aos poucos. Afinal, aproveitar o passado no que ele pode servir aos seus interesses pessoais vai lhe dar mais poder do que tentar eliminá-lo totalmente – um empreendimento fútil e autodestrutivo.

LEI
46

NÃO PAREÇA PERFEITO DEMAIS

JULGAMENTO

Parecer melhor do que os outros é sempre perigoso, mas o que é perigosíssimo é parecer não ter falhas ou fraquezas. A inveja cria inimigos silenciosos. É sinal de astúcia exibir ocasionalmente alguns defeitos e admitir vícios inofensivos, para desviar a inveja e parecer mais humano e acessível. Só os deuses e os mortos podem parecer perfeitos impunemente.

A PARÁBOLA DO GANANCIOSO E DO INVEJOSO
Um homem ganancioso e outro invejoso encontraram um rei. O rei lhes disse: "Um de vocês dois pode me pedir alguma coisa e eu lhe darei, desde que possa dar o dobro ao outro." O invejoso não quis ser o primeiro porque ficou com inveja do companheiro que receberia o dobro, e o ganancioso também não quis porque desejava tudo para ele. Finalmente, o ganancioso pressionou o invejoso para fazer o pedido. Aí o invejoso pediu ao rei para lhe furar um dos olhos.
JEWISH PARABLE, THE SEVEN DEADLY SINS, SOLOMON SCHIMMEL, 1992

O admirador que percebe que não será feliz renunciando ao objeto admirado prefere invejá-lo. Por conseguinte, ele fala outra língua – aquilo que ele realmente admira, chama de coisa idiota, insípida e esquisita. A admiração é a autorrenúncia feliz; a inveja é a autoafirmação infeliz.
SOREN KIERKEGAARD, 1813-1855

A LEI TRANSGREDIDA

Joe Orton conheceu Kenneth Halliwell na Royal Academy of Dramatic Arts, em Londres, em 1953, onde ambos estavam matriculados como alunos de teatro. Logo se tornaram amantes e foram morar juntos. Halliwell, com vinte e cinco anos na época, era sete anos mais velho do que Orton e parecia o mais seguro; mas nenhum dos dois tinha muito talento como ator e, depois da formatura, acomodados num apartamento úmido em Londres, resolveram desistir de representar e trabalhar em colaboração escrevendo. A herança de Halliwell era suficiente para sustentá-los sem ter que procurar emprego por alguns anos, e, no início, ele era a força motriz por trás das histórias e romances que escreviam. Ele ditava e Orton datilografava os manuscritos, ocasionalmente intercalando as suas próprias frases e ideias. Seus primeiros esforços atraíram algum interesse dos agentes literários, mas foi só alvoroço. A promessa não deu em nada.

Finalmente o dinheiro da herança acabou e o casal teve que procurar trabalho. Suas colaborações eram menos entusiasmadas e frequentes. O futuro parecia sombrio.

Em 1957, Orton começou a escrever por conta própria, mas só cinco anos depois, quando os amantes passaram seis meses na prisão por desfigurar dezenas de livros de bibliotecas, é que ele começou a encontrar a sua voz (talvez não por acaso: era a primeira vez que ele e Halliwell ficavam separados em nove anos). Ele saiu da prisão determinado a expressar o seu desprezo pela sociedade inglesa na forma de farsas teatrais. Ele e Halliwell foram morar juntos de novo, mas agora os papéis se inverteram: Orton escrevia enquanto Halliwell acrescentava comentários e ideias.

Em 1964, Joe Orton completou a sua primeira peça longa, *Entertaining Mr. Sloane*. A peça fez sucesso no West End de Londres, onde recebeu críticas brilhantes: um novo grande escritor surgira não se sabia de onde. Agora era um sucesso atrás do outro, num ritmo alucinante. Em 1966, Orton estourou com a peça *Loot*, e sua popularidade cresceu. Logo começaram a chegar encomendas de todos os lados, inclusive dos Beatles, que pagaram generosamente a Orton pelo roteiro de um filme.

Tudo ia muito bem, exceto o relacionamento entre Orton e Kenneth Halliwell. O casal ainda vivia junto, mas enquanto Orton tinha cada vez mais sucesso, Halliwell decaía. Assistindo ao amante tornar-se o centro das atenções, ele passava pela humilhação de se transformar numa espécie de assistente pessoal do teatrólogo, com seu papel de colaborador ficando cada vez menor. Na década de 1950, ele havia sustentado Orton com a sua herança; agora Orton o sustentava. Nas festas ou entre amigos, as pessoas se sentiam naturalmente atraídas por Orton –

ele era charmoso e sempre alegre. Ao contrário de Orton, Halliwell era careca e esquisito; por estar sempre na defensiva, as pessoas o evitavam.

Com o sucesso de Orton, pioraram os problemas entre o casal. O mau humor de Halliwell tornava impossível a vida dos dois juntos. Orton dizia que queria ir embora e tinha inúmeros casos, mas acabava sempre voltando para o seu velho amigo e amante. Ele tentou ajudar Halliwell a deslanchar uma carreira como artista plástico, até arranjou uma galeria para ele expor as suas obras, mas a mostra foi um fracasso, o que só acentuou a sensação de inferioridade de Halliwell. Em maio de 1967, o casal foi passar umas férias rápidas em Tanger, Marrocos. Durante a viagem, Orton escreveu no seu diário: "Ficamos conversando sobre como nos sentíamos felizes. E como isso não poderia, certamente, durar. Tínhamos que pagar por isso. Ou a desgraça cairia sobre nós porque éramos, talvez, felizes demais. Ser jovem, de boa aparência, saudável, famoso, relativamente rico e feliz é, sem dúvida, contra a natureza."

Halliwell externamente parecia tão feliz quanto Orton. Mas, por dentro, ele sofria. E, dois meses depois, na madrugada de 10 de agosto de 1967, dias depois de ter ajudado Orton a dar os toques finais na farsa maldosa *What the Butler Saw* (indubitavelmente a sua obra-prima), Kenneth Halliwell matou Joe Orton com vários golpes de martelo na cabeça. Engoliu em seguida vinte e uma pílulas para dormir e morreu, deixando um bilhete que dizia: "Se você ler os diários de Orton, tudo se explicará."

Interpretação
Kenneth Halliwell tinha tentado tratar a sua decadência como uma doença mental, mas o que os diários de Joe Orton lhe revelaram foi a verdade: a origem da sua doença era a inveja, pura e simplesmente. Os diários, que Halliwell lera escondido, relatavam os dias do casal quando os dois lutavam igualmente por reconhecimento. Depois Orton encontrou o sucesso, e os diários começaram a descrever o mau humor de Halliwell, os comentários grosseiros nas festas, a sua crescente sensação de inferioridade. Tudo isto Orton narrou com um distanciamento que beirava o desprezo.

Os diários deixaram evidente a amargura de Halliwell com o sucesso de Orton. Afinal, a única coisa que o deixaria satisfeito era o fracasso de Orton, uma peça sem sucesso talvez, para que pudessem chorar os seus fracassos, como faziam anos antes. Como estava acontecendo o oposto disso – Orton tinha cada vez mais sucesso e popularidade –, Halliwell fez a única coisa que os igualaria novamente: na morte eles ficaram iguais. Com o assassinato de Orton, ele ficou quase tão famoso quanto o amigo – postumamente.

É preciso muito talento e habilidade para dissimular o próprio talento e habilidade.
LA ROCHEFOUCAULD, 1613-1680

A INVEJA ATORMENTA AGLAUROS
A deusa Minerva se dirigiu para onde habita a Inveja, um lugar imundo coberto de limo escuro e fétido. Ela se esconde nas profundezas dos vales, onde os raios de sol não alcançam e o vento não sopra; morada melancólica, impregnada de uma friagem entorpecedora, sempre sem fogo, sempre amortalhada em espessa escuridão. Chegando lá, Minerva parou diante da casa... e bateu com a ponta da lança na porta, que se abriu revelando a Inveja entretida refestelando-se com a carne de serpentes, com que nutria a sua maldade. Diante desta cena, Minerva desviou o olhar. Mas a outra se ergueu pesadamente do chão, abandonando os corpos semidevorados, e se aproximou arrastando os pés. Ao ver a deusa em todo o esplendor da sua beleza, na sua armadura cintilante, ela rosnou... O rosto

da Inveja era pálido, o corpo magro e abatido, e os olhos horrivelmente envesgados; os dentes descoloridos e podres, o seio venenoso de um tom esverdeado, a língua destilando veneno. Só a visão do sofrimento levava um sorriso aos seus lábios. Desconhecendo o conforto do sono, ela se mantinha sempre em estado de alerta, preocupada e ansiosa, olhando com desânimo o sucesso dos homens, e emagrecendo com a visão. Consumindo e sendo consumida, ela mesma era o seu próprio tormento. Minerva, a despeito do nojo que sentia, falou rapidamente: "Instile o seu veneno numa das filhas de Cecrop – seu nome é Aglauros. Isto é o que lhe peço." Sem dizer mais nada, calcou o chão com a lança, deixou a terra e subiu aos céus. Com o canto dos olhos a outra ficou observando a deusa desaparecer de vista, resmungando e zangada porque o plano de Minerva tinha de ter sucesso. Em seguida, pegou o seu bastão rodeado de espinhos e se pôs a caminho, envolta em nuvens escuras. Por onde passava ia esmagando com os pés os campos floridos, secando a

Joe Orton só compreendeu em parte a decadência do amante. Suas tentativas para ajudar Halliwell a deslanchar uma carreira artística deixaram o seu registro: caridade e culpa. Orton tinha, basicamente, duas soluções possíveis para o problema. Ele poderia ter reduzido o seu sucesso, exibindo algumas falhas, desviando a inveja de Halliwell; ou, tendo percebido a natureza do problema, fugir de Halliwell como se foge de uma víbora, o que de fato ele era – uma víbora de inveja. Com alguém corroído pela inveja, tudo que você fizer só vai piorar as coisas, e a cada dia a ferida vai se inflamando. Finalmente, essa pessoa ataca.

Só uma minoria consegue ter êxito no jogo da vida, e essa minoria inevitavelmente desperta a inveja das pessoas ao redor. Quando o sucesso acontecer no caminho, as pessoas mais perigosas são aquelas do seu próprio círculo, os amigos e conhecidos que você deixou para trás. Os sentimentos de inferioridade os corrói; a ideia do seu sucesso só acentua a sensação que eles têm de estagnação. A inveja, que o filósofo Kierkegaard chama de "admiração infeliz", toma conta. Você pode não ver, mas sentirá um dia – se não aprender as estratégias de desvio, os pequenos sacrifícios aos deuses do sucesso. Seja abafando o seu brilho ocasionalmente, revelando de propósito um defeito, uma fraqueza ou ansiedade, ou atribuindo o seu sucesso à sorte; ou apenas procurando novos amigos. Jamais subestime o poder da inveja.

A LEI OBSERVADA

A classe dos mercadores e as guildas de artesãos a que a Florença medieval devia a sua prosperidade tinham criado uma república que os protegia da opressão da nobreza. Visto que só era possível ocupar os altos cargos por alguns meses, ninguém tinha o domínio permanente, e, embora isso significasse luta constante pelo controle entre as facções políticas, o sistema afastava os tiranos e pequenos ditadores. A família Medici viveu vários séculos sob este sistema sem fazer grandes progressos. Eram boticários de origem modesta e cidadãos típicos de classe média. Só no final do século XIV, quando Giovanni de Medici fez uma pequena fortuna com negócios bancários, é que eles surgiram como uma força a ser considerada.

Com a morte de Giovanni, seu filho Cosimo assumiu os negócios da família e logo mostrou o seu talento. Comandados por ele, os negócios prosperaram e os Medici se tornaram uma das famílias de banqueiros mais importantes da Europa. Mas tinham um rival em Florença: apesar do sistema republicano, uma família, os Albizzi, conseguira com o tempo monopolizar o controle do governo, forjando alianças que lhe permitia constantemente preencher cargos importantes com seus próprios homens. Cosimo não lutou contra isto, e de fato deu aos Albizzi o seu apoio tácito. Ao mesmo tempo, enquanto os Albizzi estavam começando a ostentar o seu poder, Cosimo fazia questão de ficar nos bastidores.

Mas, finalmente, foi impossível continuar ignorando a fortuna dos Medici, e, em 1433, sentindo-se ameaçado pela família, os Albizzi usaram a sua força no governo para mandar prender Cosimo sob acusação de conspirar para derrubar a república. Alguns da facção dos Albizzi queriam executar Cosimo, outros temiam que isto detonasse uma guerra civil. Acabaram por exilá-lo de Florença. Cosimo não se opôs à sentença e saiu calmamente. Às vezes, ele sabia, é mais sensato aguardar a sua hora e se manter discreto.

Durante o ano seguinte, os Albizzi começaram a dar motivos para se temer que estivessem preparando uma ditadura. Enquanto isso, Cosimo, tirando proveito da sua riqueza, continuava influenciando os negócios de Florença, mesmo no exílio. Estourou uma guerra civil na cidade e, em setembro de 1434, os Albizzi foram derrubados do poder e exilados. Cosimo imediatamente voltou para Florença, restaurada a sua posição. Mas ele percebeu que agora a situação era delicada: se parecesse ambicioso, como os Albizzi, geraria oposição e inveja, o que poderia colocar em risco os seus negócios. Por outro lado, mantendo-se discreto, deixaria uma brecha para outras facções surgirem, como tinha acontecido com os Albizzi, e punirem os Medici pelo seu sucesso.

Cosimo solucionou o problema de duas maneiras: usou secretamente a sua riqueza para influenciar os cidadãos mais importantes, e colocou os seus próprios aliados, todos espertamente recrutados nas classes médias para disfarçar essa aliança, nos principais postos do governo. Quem se queixasse da sua crescente influência política era taxado com impostos até ceder, ou suas propriedades eram compradas por banqueiros aliados de Cosimo. A república sobrevivia apenas no nome. Cosimo é quem tinha o controle da situação.

Enquanto trabalhava nos bastidores para ganhar o controle, publicamente a imagem de Cosimo era outra. Andando pelas ruas de Florença, ele se vestia modestamente, tinha um criado apenas e inclinava-se respeitosamente diante de magistrados e cidadãos mais velhos. Montava uma mula em vez de cavalo. Não se manifestava sobre questões públicas importantes, mesmo controlando os negócios exteriores de Florença por mais de trinta anos. Contribuía com dinheiro para obras de caridade e mantinha seus vínculos com a classe de mercadores de Florença. Financiava todos os tipos de prédios públicos que alimentavam o orgulho dos florentinos pela sua cidade. Quando construiu um palácio para ele mesmo e para sua família na vizinha Fiesolo, rejeitou o projeto rebuscado que Brunelleschi tinha feito especialmente e preferiu

grama, cortando o topo das árvores e manchando com seu hálito os povos, suas cidades e casas, até chegar a Atenas, lar dos ricos e inteligentes, dos pacíficos e prósperos. Mal conteve as lágrimas ao ver que não havia nada a lamentar. Em seguida, entrando no quarto da filha de Cecrop, executou as ordens de Minerva. Tocou no peito da moça com a mão úmida de malícia, encheu seu coração de espinhos pontudos e, soprando um veneno negro e maligno, o dispersou pelos seus ossos, instilando a maldade no fundo do seu coração. Para que não fosse difícil encontrar o motivo da sua tristeza, ela colocou diante dos olhos de Aglauros a visão da sua irmã, do feliz casamento daquela irmã [com o deus Mercúrio], e do deus em toda a sua beleza; e exagerou a glória de tudo isso. Assim Aglauros ficou atormentada com esses pensamentos e a inveja que escondia lhe consumia o coração. Dia e noite ela suspirava, num constante infortúnio, e na sua extrema tristeza foi lentamente definhando, como o gelo que se derrete sob o sol intermitente. O fogo que, dentro dela, a ideia da sorte

> *da irmã alimentava era como o queimar das ervas daninhas, que não explodem em chamas, mas, não obstante, se consomem em fogo lento.*
> METAMORFOSES, OVÍDIO, 43 a.C. -c. 18 d.C.

uma estrutura modesta desenhada por Michelozzo, um florentino de origem humilde. O palácio foi o símbolo da estratégia de Cosimo – o máximo de simplicidade por fora, o máximo de elegância e opulência por dentro.

Cosimo finalmente morreu em 1464, depois de governar por trinta anos. Os cidadãos de Florença quiseram construir para ele um túmulo grandioso e celebrar a sua memória com complicadas cerimônias fúnebres, mas no seu leito de morte ele pedira para que o enterrassem sem "pompas nem demonstrações". Uns sessenta anos depois, Maquiavel saudou Cosimo como o mais sábio de todos os príncipes, "pois ele sabia que as coisas extraordinárias vistas e mostradas a toda hora despertam muito mais inveja do que aquilo que se faz de fato, mas o pudor encobre".

Interpretação

> *O invejoso oculta-se com o mesmo zelo do pecador secreto e lascivo e se torna um inventor de infindáveis truques e estratagemas que usa para se esconder e disfarçar. Assim, ele consegue fingir que ignora a superioridade dos outros que lhe corrói a alma, como se não a visse, não a ouvisse, não tivesse dela consciência, nem tivesse escutado comentários a seu respeito. Ele é um mestre da simulação. Por outro lado, ele tenta com todas as suas forças ser conivente e, por conseguinte, impedir o aparecimento de qualquer forma de superioridade em qualquer situação. E quando ela surge, lança sobre ela a obscuridade, a hipercrítica,*

Um amigo íntimo de Cosimo, o livreiro Vespasiano da Bisticci, certa vez escreveu sobre ele: "E sempre que desejava fazer algo, cuidava para que, fugindo ao máximo da inveja, a iniciativa parecesse partir de outras pessoas, não dele." Uma das expressões preferidas de Cosimo era "A inveja é uma erva daninha que não deve ser regada". Compreendendo o poder da inveja num ambiente democrático, Cosimo evitava a aparência de grandeza. Isto não significa sufocar a grandeza, ou que sobrevive apenas o medíocre; apenas que é preciso fazer o jogo das aparências. Na verdade, é fácil desviar a inveja insidiosa das massas: aparente ter o mesmo estilo e valores delas. Faça alianças com quem está abaixo de você, e eleve-os a posições de poder para garantir o seu apoio em épocas de necessidade. Não faça alarde da sua riqueza, e dissimule cuidadosamente até que ponto ela tem comprado influência. Mostre estar se submetendo às opiniões dos outros, como se fossem mais poderosos do que você. Cosimo de Medici aperfeiçoou este jogo, ele era um consumado artista das aparências. Ninguém podia avaliar a extensão do seu poder – o seu exterior modesto escondia a verdade.

Não seja tolo a ponto de acreditar que desperta admiração gabando--se das qualidades que o fazem superior. Ao tornar as pessoas conscientes da sua posição inferior, você só está despertando "admiração infeliz", ou inveja, que as corroerá de uma tal forma que elas o prejudicarão como você nunca imaginou fosse possível. O tolo desafia os deuses da inveja alardeando as suas vitórias. O mestre do poder compreende que aparentar superioridade é irrelevante comparado com a realidade.

> *De todos os distúrbios da alma, a inveja*
> *é a única que não se confessa.*
>
> Plutarco, c. 46-120 d.C.

AS CHAVES DO PODER.

É muito difícil para o ser humano lidar com sentimentos de inferioridade. A ideia de uma capacidade, talento ou poder superior quase sempre nos deixa perturbados e constrangidos. Isto porque a maioria de nós tem uma noção inflada de si mesmo e, se encontramos alguém superior, vemos claramente que somos de fato medíocres ou, pelo menos, não tão brilhantes quanto pensávamos ser. Essa perturbação da imagem que temos de nós mesmos desperta logo emoções desagradáveis. No início sentimos inveja: se tivéssemos a qualidade ou habilidade da pessoa superior seríamos felizes. Mas a inveja não conforta nem torna as pessoas iguais. Nem podemos reconhecer que a sentimos, pois é malvista socialmente – mostrar inveja é admitir estar se sentindo inferior. Para os amigos íntimos, podemos confessar nossos desejos ocultos frustrados, mas jamais confessaremos que sentimos inveja. Portanto, ela permanece em segredo. Nós a disfarçamos de várias maneiras, como, por exemplo, encontrar motivos para criticar a pessoa que nos faz sentir assim: ele pode ser mais esperto do que eu, dizemos, mas é uma pessoa sem moral nem escrúpulos. Ou, ele pode ter mais poder, mas é um trambiqueiro. Quando não é a calúnia, é o excesso de elogios – outro disfarce da inveja.

Existem várias estratégias para lidar com a emoção insidiosa e destrutiva da inveja. Primeira, aceite o fato de que haverá pessoas que desejarão superá-lo de alguma forma, e também de que você é capaz de invejá-las. Mas faça desse sentimento um caminho para se forçar a igualar ou superar *essas pessoas* um dia. Deixe que a inveja se volte para dentro e ela envenenará a sua alma; empurre-a para fora, e ela poderá levá-lo a grandes alturas.

Segunda, compreenda que enquanto você ganha poder, quem fica lá embaixo vai invejar *você*. Podem não mostrar, mas é inevitável. Não aceite ingenuamente a fachada que eles mostram – leia nas entrelinhas das suas críticas, das suas pequenas observações sarcásticas, os sinais do golpe traiçoeiro, o elogio exagerado que está preparando você para a queda, a expressão ressentida no olhar. Grande parte da dificuldade com a inveja surge quando a reconhecemos tarde demais.

Finalmente, pode contar que as pessoas que o invejam vão trabalhar contra você insidiosamente. Colocarão obstáculos no seu caminho que você será incapaz de prever, ou que não conseguirá descobrir a sua

---

> o sarcasmo e a calúnia como o sapo cuspindo veneno de dentro da sua toca. Por outro lado, ele louvará infinitamente homens insignificantes, pessoas medíocres e até aquele que lhe é inferior no seu mesmo ramo de atividade.
> ARTHUR SCHOPENHAUER, 1788-1860

> Pois é raro, diz o provérbio, o homem que consegue amar o amigo que prospera sem invejá-lo; e, na mente do invejoso, o frio veneno se agarra e ele sente em dobro todas as dores que a vida lhe traz. Das suas próprias feridas ele tem de tratar, e a felicidade do outro para ele é como uma maldição.
> ÉSQUILO, c. 525-456 a.C.

JOSÉ E A SUA TÚNICA
Ora, Israel amava mais a José que a todos os seus filhos, porque era filho da sua velhice; e lhe fez uma túnica de muitas cores... E seus irmãos o invejaram (...) E quando de longe o viram, conspiraram para matá-lo. E dizia um ao outro: "Vem lá o tal sonhador! Vinde, pois, agora, matemo-lo e lancemo-lo numa destas cisternas, e diremos, Um animal selvagem o comeu; vejamos o que será dos seus sonhos."
VELHO TESTAMENTO, GÊNESIS, 37:3-20

origem. É difícil se defender deste tipo de ataque. E quando você percebe que a inveja está na raiz do sentimento que uma pessoa tem por você, quase sempre já é tarde: as desculpas que você der, a sua falsa humildade, as suas atitudes defensivas, só exacerbam o problema. Visto ser muito mais fácil procurar não despertar a inveja logo de início, do que se livrar dela depois que ela já existe, você deve usar estratégias para impedir que ela aumente. Quase sempre são as suas ações que despertam a inveja, a sua própria falta de percepção. Tomando consciência dessas ações e qualidades geradoras de inveja, você lhes arranca os dentes antes que possam devorá-lo.

Kierkegaard acreditava que existem certos tipos de pessoas que provocam inveja, e quando ela surge, quem provoca é tão culpado quanto o que sente. O tipo mais óbvio todos conhecemos: mal acontece alguma coisa boa com elas, por acaso ou intencionalmente, saem cantando vitória. De fato, sentem prazer em fazer as pessoas se sentirem inferiores. Esse tipo é óbvio e irremediável. Mas existem outras que despertam a inveja de uma maneira mais sutil e inconsciente, e são parcialmente culpadas por seus problemas. A inveja quase sempre é um problema, por exemplo, para quem possui um grande talento natural.

Sir Walter Raleigh foi um dos homens mais brilhantes da corte da rainha Elizabeth I, da Inglaterra. Era um hábil cientista, escreveu poesias ainda reconhecidas entre os textos mais belos da época, foi um comprovado líder, um empreendedor ousado, um grande capitão do mar e, para culminar, um cortesão vistoso e simpático que conquistou com seu charme o lugar de favorito da rainha. Aonde ele ia, entretanto, tinha gente bloqueando o seu caminho. Acabou caindo em desgraça, o que o levou à prisão e depois ao encontro do machado do carrasco.

A TRAGÉDIA DO TÚMULO
[Quando o papa Júlio viu o projeto de Michelangelo para o seu túmulo] gostou tanto que o mandou imediatamente a Carrara buscar os mármores necessários, instruindo Alamanno Salviati, de Florença, para lhe pagar mil ducados. Michelangelo ficou naquelas montanhas mais de oito meses com dois operários e o seu cavalo, e sem outras provisões

Raleigh não conseguiu entender a teimosa oposição que enfrentava por parte dos outros cortesãos. Não percebeu que, além de não disfarçar o grau das suas habilidades e qualidades, ele as impunha a todos, exibindo a sua versatilidade, pensando que assim impressionava as pessoas e conquistava amigos. De fato, ele conquistou foi inimigos secretos, gente que se sentia inferior a ele e fazia o possível para arruiná-lo ao menor tropeço ou erro. No final, ele foi executado, acusado de traição, mas a inveja lança mão de qualquer artifício para encobrir a sua destrutividade.

O tipo de inveja que Sir Walter Raleigh despertou é o pior: foi inspirada por seu talento natural e graça, que ele gostava de ostentar na sua plenitude. Dinheiro qualquer um pode ter; poder, também. Mas superioridade de inteligência, boa aparência, charme – essas qualidades não se compram. O naturalmente perfeito deve se esforçar muito para disfarçar o seu brilho, exibindo um defeito ou dois para desviar a inveja antes que ela se enraíze. É um erro grave e ingênuo pensar que está encantando as pessoas com seus talentos naturais, quando de fato elas estão detestando você.

Um grande perigo na esfera do poder é quando a sorte parece sorrir de repente – uma promoção inesperada, uma vitória ou sucesso que parece vir não se sabe de onde. Isto certamente despertará inveja entre seus antigos pares.

Quando o arcebispo de Retz foi promovido a cardeal, em 1651, ele sabia muito bem que muitos dos seus ex-colegas o invejavam. Compreendendo que era tolice evitar quem estava em posição inferior, De Retz fez o possível para diminuir o seu mérito e enfatizar o papel da sorte no seu sucesso. Para não deixar as pessoas constrangidas, ele agia com humildade e deferência, como se nada tivesse acontecido. (Na realidade, é claro, agora ele tinha muito mais poder do que antes.) Ele escreveu que estas sábias políticas "tiveram um bom efeito, reduzindo a inveja que alimentavam de mim, que é o maior de todos os segredos". Faça como De Retz. Enfatize sutilmente a sorte que você teve, para tornar a sua felicidade mais acessível aos outros, e menos intensa a necessidade de invejar. Mas cuidado para não fingir uma falsa modéstia que as pessoas possam perceber. Isto só as tornará mais invejosas. A atuação tem de ser boa; a sua humildade e a sua franqueza com aqueles que ficaram para trás têm de parecer autênticas. Qualquer sugestão de insinceridade só tornará o seu novo status mais opressivo. Lembre-se: apesar da sua posição elevada, não lhe fará bem afastar-se dos seus antigos colegas. O poder requer uma base de apoio ampla e sólida, que a inveja pode destruir silenciosamente.

Qualquer tipo de poder político gera inveja, e uma das melhores maneiras de desviá-la antes que tome raízes é parecer pouco ambicioso. Quando Ivan, o Terrível, morreu, Boris Godunov sabia que ele era o único em cena capaz de liderar a Rússia. Mas se agisse com muita sofreguidão despertaria inveja e suspeita entre os boiardos, então ele recusou a coroa, não uma vez, mas várias. Ele fez o povo insistir para que ele subisse ao trono. George Washington usou a mesma estratégia com grande efeito, primeiro recusando-se a manter o cargo de comandante em chefe do exército americano, depois, dizendo que não queria ser presidente. Em ambos os casos ele aumentou ainda mais a sua popularidade. Não se pode invejar o poder que se deu a quem parecia não estar querendo.

Segundo o estadista e escritor elizabetano Sir Francis Bacon, a política mais sensata do poderoso é criar uma espécie de pena dele mesmo, como se as suas responsabilidades fossem um peso e um sacrifício. Como alguém pode invejar um homem que assumiu uma carga tão pesada em prol do interesse público? Disfarce o seu poder

exceto comida (...) Depois de escavado e escolhido o mármore em quantidade suficiente, ele o levou para a costa, incumbindo um de seus homens de tratar do embarque. E voltou para Roma. (...) A quantidade de mármore era imensa, de forma que, espalhada por toda a praça, foi a admiração de todos e a alegria do papa que cobriu Michelangelo de incomensuráveis privilégios, e quando o escultor começou a trabalhar neles incessantemente, ia vê-lo em sua casa e conversavam como se fossem irmãos. E para facilitar ainda mais o seu acesso até ele, o papa mandou construir uma ponte levadiça ligando o Corridor aos aposentos de Michelangelo, pela qual poderia visitá-lo em particular. Estes muitos e frequentes favores foram motivo (como costuma acontecer nas cortes) de muita inveja e, acompanhando a inveja, de infindáveis perseguições, visto que Bramante, o arquiteto, que era amado pelo papa, o fez mudar de ideia quanto ao monumento dizendo-lhe, como diz o povo, que dá azar construir o próprio túmulo ainda em vida, e outras

histórias mais. O medo e a inveja estimulavam Bramante, pois as críticas de Michelangelo haviam exposto muitos de seus erros (...) Ora, como ele não duvidava que Michelangelo conhecesse esses seus erros, ele sempre procurou afastá-lo de Roma, ou, pelo menos, privá-lo dos favores do papa e da glória e da utilidade que poderia ter alcançado com sua arte. Ele teve êxito na questão do túmulo. Certamente, se Michelangelo tivesse tido permissão para terminá-lo, de acordo com o seu desenho original, com tanto espaço para mostrar o seu valor, nenhum outro artista, por mais festejado que fosse (seja dito isso sem inveja), poderia ter lhe arrebatado a alta posição em que se encontraria.
VITA DI MICHELANGELO, ASCANIO CONDIVI, 1553

como uma espécie de sacrifício autoimposto, em vez de um manancial de felicidade, e você se tornará menos invejável. Enfatize os seus problemas e transformará um perigo em potencial (a inveja) numa fonte de apoio moral (pena). Manobra semelhante é sugerir que sua sorte será benéfica para as pessoas ao seu redor. Para fazer isto você precisa soltar os cordões da bolsa, como Cimon, um general rico da antiga Grécia que presenteava generosamente para impedir que o povo se ressentisse da sua influência na política de Atenas. Ele pagou um alto preço para evitar a inveja, mas no final isso o salvou do ostracismo e de ser exilado.

O pintor J. M. W. Turner imaginou uma outra forma de presentear para evitar a inveja dos seus companheiros artistas, que ele reconhecia como o maior obstáculo ao seu sucesso. Notando que a sua incomparável habilidade no uso das cores os fazia temer que seus quadros fossem pendurados ao lado dos dele nas exposições, ele percebeu que esse medo acabaria se transformando em inveja e teria dificuldade depois para achar galerias onde expor. Portanto, é sabido que Turner escurecia temporariamente as cores dos seus quadros com fuligem para conquistar as boas graças dos seus colegas.

Para desviar a inveja, Gracián recomenda que o poderoso exiba uma fraqueza, uma insignificante imprudência social, um vício inofensivo. Dê aos que o invejam algo com que se alimentar, distraindo-os dos pecados maiores que você comete. Lembre-se: é a realidade que importa. Você talvez tenha de jogar com as aparências, mas no final terá o que conta: o verdadeiro poder. Em alguns países árabes, um homem evita despertar inveja fazendo como Cosimo de Medici e mostrando a sua riqueza só dentro de casa. Aplique esta sabedoria ao seu próprio personagem.

Cuidado com alguns disfarces da inveja. O elogio exagerado é quase sempre um sinal certo de que a pessoa que está elogiando inveja você: está preparando você para uma queda – será impossível você se manter à altura desses elogios – ou afia as lâminas pelas suas costas. Ao mesmo tempo, é provável que aqueles que o criticam demais, ou que o caluniam em público, também tenham inveja de você. Reconheça o comportamento dessas pessoas como inveja disfarçada e fique longe da armadilha das ofensas mútuas, ou das críticas levadas a sério. Vingue-se ignorando a sua presença mesquinha.

Não tente ajudar ou prestar favores a quem o inveja; vão pensar que você está sendo condescendente. A tentativa de Joe Orton de ajudar Halliwell a encontrar uma galeria para expor suas obras só acentuou os sentimentos de inferioridade e a inveja do amante. Quando a inveja se revela como tal, quase sempre a única solução é fugir da presença dos invejosos, deixando-os arder no inferno que eles mesmos criaram.

Finalmente, saiba que certos ambientes são mais propícios à inveja do que outros. Os efeitos da inveja são mais graves entre colegas e pares, onde existe um verniz de igualdade. A inveja também é destrutiva em ambientes democráticos, onde as manifestações públicas de poder são alvo de desprezo. Tenha uma dose extra de sensibilidade nesses ambientes. O cineasta Ingmar Bergman foi caçado pelo fisco por ficar em evidência num país onde se vê com maus olhos quem se distingue da multidão. É quase impossível evitar a inveja nesses casos, e só lhe resta aceitá-la gentilmente, sem levá-la para o lado pessoal. Como disse Thoreau certa vez: "A inveja é o tributo que tudo que se distingue tem de pagar."

> Alguém já confessou seriamente sentir inveja? Há nela algo que se considera universalmente mais vergonhoso até do que o crime perverso. E não só todos a repudiam, como os mais agraciados inclinam-se a não acreditar quando é atribuída com sinceridade a um homem inteligente. Mas como ela se aloja no coração e não no cérebro, a inteligência não é garantia contra ela.
> BILLY BUDD, HERMAN MELVILLE, 1819-1891

Imagem: Um Jardim de Ervas Daninhas. Você não as alimenta, mas elas se espalham quando você rega o jardim. Você não as vê agora, mas elas tomam conta, altas e feias, impedindo tudo que é belo de florir. Antes que seja tarde, não regue indiscriminadamente. Destrua as ervas daninhas da inveja recusando-lhes o alimento.

Autoridade: Ocasionalmente, revele um defeito inofensivo no seu caráter. Pois o invejoso acusa o mais perfeito de pecar por não ter pecado. Ele se torna um Argos, só olhos para encontrar falhas na excelência – é o seu único consolo. Não deixe a inveja explodir com seu próprio veneno – desarme-a de antemão afetando alguma falha de valor ou inteligência. Assim você agita a sua capa vermelha diante dos Cornos da Inveja, para salvar a sua imortalidade. (Baltasar Gracián, 1601-1658)

> Saiba como triunfar sobre a inveja e a malícia. Aqui o desprezo, embora prudente, conta muito pouco; é melhor a magnanimidade. Defender alguém que fala mal de você será sempre louvável; não há vingança mais nobre do que a que se origina

O INVERSO

O motivo para se ficar atento com os invejosos é que eles são muito dissimulados, e encontrarão inúmeras formas de destruí-lo aos poucos.

> *daqueles mesmos méritos e conquistas que frustram e atormentam o invejoso. A cada golpe de sorte mais se retorce a corda com que o mal--intencionado se enforca, e o paraíso do invejado é o inferno do invejoso. Converter a sua sorte em veneno para seus inimigos é o pior castigo que eles podem sofrer. O invejoso não morre apenas uma vez, mas várias, sempre que o invejado escuta um elogio; a eternidade da fama deste é a medida da punição daquele: este é imortal na sua glória, aquele na sua miséria. Os clarins da fama que soam pela imortalidade de um, anunciam a morte do outro, condenado a morrer engasgado com a própria inveja.*
> BALTASAR GRACIÁN, 1601-1658

Mas ficar rondando, cheio de cuidados, normalmente só aumenta a inveja que eles sentem. Percebem que você está sendo cauteloso, e isso lhes parece ser mais um sinal da sua superioridade. Por isso, é preciso agir antes que a inveja fixe as suas raízes.

Quando já existir a inveja, por sua culpa ou não, às vezes é melhor usar abordagem inversa: mostre um desprezo total por aqueles que o invejam. Em vez de ocultar a sua perfeição, torne-a óbvia. Faça de cada triunfo uma chance para deixar os invejosos se contorcendo. A sua sorte e o seu poder serão o inferno para eles. Se você alcançar uma posição de poder incontestável, a inveja deles não terá nenhum efeito sobre você, e será a sua melhor vingança: eles ficam presos à inveja, enquanto você fica livre com o seu poder.

Foi assim que Michelangelo triunfou sobre o virulento arquiteto Bramante, que fez o papa Júlio recusar o projeto que ele tinha feito para o seu túmulo. Bramante invejava a habilidade divina de Michelangelo, e a este triunfo – o projeto do túmulo abortado – ele pensou acrescentar outro, insistindo para que o papa encomendasse a pintura dos murais da Capela Sistina a Michelangelo. O projeto levaria anos, durante os quais Michelangelo não poderia mais esculpir as suas maravilhosas estátuas. Além disso, Bramante considerava que Michelangelo não era tão bom pintor quanto escultor. A capela arruinaria a sua imagem de artista perfeito.

Michelangelo percebeu a armadilha e quis recusar a encomenda, mas, como não podia negar um pedido do papa, concordou sem se queixar. Mas aí, então, ele usou a inveja de Bramante para chegar ao auge, fazendo da Capela Sistina a sua obra mais perfeita. Sempre que ouvia falar dela, ou a via, Bramante sentia-se ainda mais oprimido pela própria inveja – a forma mais agradável e permanente de se vingar do invejoso.

LEI
47

NÃO ULTRAPASSE A META ESTABELECIDA; NA VITÓRIA, APRENDA A PARAR

JULGAMENTO
O momento da vitória é quase sempre o mais perigoso. No calor da vitória, a arrogância e o excesso de confiança podem fazer você avançar além da sua meta e, ao ir longe demais, você conquista mais inimigos do que derrota. Não deixe o sucesso lhe subir à cabeça. Nada substitui a estratégia e o planejamento cuidadoso. Fixe a meta e, ao alcançá-la, pare.

A LEI TRANSGREDIDA

Em 559 a.C., um jovem chamado Ciro reuniu entre as tribos espalhadas pela Pérsia um imenso exército e marchou contra seu avô Astíages, rei dos medos. Ele derrotou Astíages com facilidade, fez-se coroar rei da Média e da Pérsia, e começou a construir o império persa. Uma vitória após a outra, em rápida sucessão. Ciro derrotou Creso, governante da Lídia, depois conquistou as ilhas jônicas e outros reinados menores, marchou sobre a Babilônia e a arrasou. Ficou logo conhecido como Ciro, o Grande, Rei do Mundo.

Depois de se apossar das riquezas da Babilônia, Ciro voltou seus olhos para o Oriente, para as tribos semibárbaras do Massagetai, um vasto reino às margens do mar Cáspio. Uma feroz raça de guerreiros, liderados pela rainha Tomiris, os Massagetai não tinham as riquezas da Babilônia, mas Ciro resolveu atacá-los assim mesmo, acreditando-se sobre-humano e invencível. Os Massagetai cairiam facilmente diante dos seus vastos exércitos, tornando o seu império imenso.

Em 529 a.C., então, Ciro marchou em direção ao largo rio Araxes, porta de entrada do reino dos Massagetai. Enquanto montava acampamento na margem ocidental, ele recebeu uma mensagem da rainha Tomiris: "Rei dos medos", dizia, "aconselho-o a desistir desta aventura, pois não pode saber se no final ela lhe trará algum benefício. Governe o seu próprio povo, e tente suportar a ideia de me ver governar o meu. Mas certamente recusará o meu conselho, pois a última coisa que deseja é viver em paz." Tomiris, confiante na força do seu exército e não desejando retardar uma batalha inevitável, ofereceu-se para retirar suas tropas do seu lado do rio, permitindo que Ciro atravessasse com segurança e combatesse o seu exército na margem oriental, se assim o desejasse.

Ciro concordou, mas, em vez de enfrentar logo o inimigo, ele resolveu aplicar um golpe. Os Massagetai conheciam poucos luxos. Depois de atravessar o rio e montar acampamento na margem oriental, Ciro pôs à mesa um sofisticado banquete, com fartura de carnes, doces e vinho forte. Em seguida, deixou ali as suas tropas mais fracas e retirou o resto para o rio. Logo em seguida um grande destacamento Massagetai atacou o acampamento, matando todos os soldados persas numa feroz batalha. Depois, não conseguindo resistir ao fabuloso festim abandonado, todos comeram e beberam à vontade. E aí, inevitavelmente, caíram no sono. Naquela mesma noite o exército persa voltou ao acampamento, matando muitos dos soldados que estavam dormindo e capturando o resto. Entre os prisioneiros estava o seu general, um jovem chamado Spargapises, filho da rainha Tomiris.

Quando a rainha soube o que tinha acontecido, enviou uma mensagem a Ciro, repreendendo-o por usar um truque para derrotar o seu

---

O FRANGOTE VAIDOSO
Dois frangotes brigavam num monte de esterco. Um era mais forte, venceu o outro e o arrastou para fora dali. As galinhas se reuniram todas em volta do frangote e começaram a aplaudir. O frangote então quis que no quintal vizinho soubessem da sua força e da sua glória. Voou até o topo do celeiro, bateu as asas e cacarejou bem alto: "Olhem para mim, todos vocês. Sou um frangote vitorioso. Não há no mundo frangote mais forte do que eu." O frangote ainda não havia terminado quando uma águia o matou com suas garras e o levou para o ninho.
FÁBULAS, LEON TOLSTÓI, 1828-1910

exército. "Agora, ouça-me", escreveu ela, "e o conselho é para o seu bem: Devolva-me o meu filho e saia do meu país com suas forças ilesas, e contente-se com o seu triunfo sobre uma terça parte dos Massagetai. Se recusar, juro pelo sol nosso mestre dar-lhe mais sangue do que conseguirá beber, apesar de toda a sua gulodice." Ciro zombou dela; não libertaria o seu filho. Ele ia acabar com aqueles bárbaros.

O filho da rainha, vendo que não seria libertado, não suportou a humilhação e se suicidou. A notícia da morte do filho arrasou Tomiris. Ela reuniu todos os exércitos que conseguiu convocar no seu reino, e excitando-os a um desejo frenético de vingança, travou com as tropas de Ciro uma violenta e sanguinária batalha. Finalmente, os Massagetai prevaleceram. Na sua raiva, dizimaram o exército persa, matando o próprio Ciro.

Depois da batalha, Tomiris e seus soldados vasculharam o acampamento em busca do corpo de Ciro. Quando o encontraram, ela cortou a sua cabeça e a mergulhou num odre de vinho cheio de sangue humano, gritou: "Embora eu o tenha vencido e continue viva, você me arruinou tomando traiçoeiramente o meu filho. Veja agora – cumpro o que prometi: Você tem a sua dose de sangue." Depois da morte de Ciro, o império persa rapidamente se desmantelou. Uma atitude arrogante desfez todo o trabalho de Ciro.

Interpretação

Não há nada mais inebriante do que a vitória, e nada mais perigoso. Ciro tinha construído o seu império sobre as ruínas do anterior. Cem anos antes, o poderoso império assírio fora totalmente destruído, e da sua esplêndida capital Nínive só restavam ruínas na areia. Os assírios tinham sofrido este destino porque exageraram, destruindo uma cidade-estado após a outra até perderem de vista o objetivo das suas vitórias, e também dos custos. Eles se expandiram demais e fizeram muitos inimigos, que acabaram se unindo para destruí-los.

Ciro ignorou a lição da Assíria. Não deu atenção aos avisos de oráculos e conselheiros. Não se importou em ofender uma rainha. Suas muitas vitórias tinham-lhe subido à cabeça, toldando-lhe a razão. Em vez de consolidar o seu já vasto império, ele continuou em frente. Em vez de reconhecer as diferenças entre as situações, ele sempre achava que uma nova guerra teria o mesmo resultado da anterior desde que usasse os métodos que já conhecia: a força e a astúcia impiedosa.

Compreenda: na esfera do poder, você deve se guiar pela razão. Deixar que uma emoção momentânea, ou uma vitória emocional, influencie ou oriente os seus movimentos será fatal. Quando você alcançar o sucesso, recue. Tenha cautela. Saindo-se vitorioso, compreenda o

---

A SEQUÊNCIA DO INTERROGATÓRIO
Em todos os seus interrogatórios... o mais importante de tudo, deixe-me repetir a ordem para estar sempre alerta para o melhor momento de parar. Nada pode ser mais importante do que encerrar o seu interrogatório com um triunfo. São tantos os advogados que conseguem pegar uma testemunha em grave contradição, mas, não satisfeitos com isso, continuam fazendo perguntas, e seguem interrogando até anular o efeito da sua vantagem anterior sobre o júri.
THE ART OF CROSS-EXAMINATION, FRANCIS L. WELLMAN, 1913

O GENERAL AMBICIOSO
Lemos sobre muitos casos como este; pois o general que, por sua bravura, conquistou para seu senhor um estado e, pela vitória sobre o inimigo, obteve para si próprio muitas glórias e encheu seus soldados de ricos despojos de guerra, adquire

necessariamente junto com seus próprios soldados, assim como os do inimigo e com os súditos do príncipe, uma tão elevada reputação, que a sua própria vitória pode se tornar desagradável, e motivo de apreensão para seu príncipe. Como a natureza do homem é ambiciosa e desconfiada, e não coloca limites a sua própria sorte, não é impossível que a suspeita que a vitória do general possa ter de repente originado na mente do príncipe tenha se agravado por algumas expressões insolentes de sua parte; de forma que o príncipe naturalmente será levado a pensar em se defender da ambição deste general. E, para isso, os meios que lhe vêm à mente são mandar matar o general ou privá-lo dessa reputação adquirida junto com o exército e o povo do príncipe, fazendo de tudo para provar que a vitória do general não se deveu a sua habilidade e coragem, mas ao acaso e à covardia do inimigo, ou à sagacidade dos outros capitães que estavam com ele em ação.
NICOLAU MAQUIAVEL, 1469-1527

que as circunstâncias particulares de uma situação representam, e não fique repetindo simplesmente as mesmas ações. Ao longo de toda a história veem-se espalhadas as ruínas de impérios vitoriosos e corpos de líderes que não aprenderam a parar e consolidar seus ganhos.

A LEI OBSERVADA

Ninguém na história ocupou uma posição mais delicada e precária do que a amante do rei. Em épocas difíceis, ela não tinha nenhum poder real ou legítimo em que se apoiar; vivia cercada por um bando de cortesãos invejosos esperando ansiosamente que ela caísse em desgraça. E, como o seu poder estava, em geral, na sua beleza física, para a maioria das amantes reais essa queda era inevitável e desagradável.

O rei Luís XV, da França, começou a manter amantes oficiais logo no início do seu reinado, e a sorte dessas mulheres raramente durava mais do que alguns anos. Mas aí veio Madame de Pompadour, que ouvira uma cartomante dizer, quando ainda era uma criança de nove anos numa família de classe média e se chamava Jeanne Poisson, que um dia seria a favorita do rei. Este parecia um sonho absurdo, visto que as amantes reais eram sempre da aristocracia. Jeanne, não obstante, acreditava-se destinada a seduzir o rei, e isso se tornou a sua obsessão. Ela se dedicou a desenvolver os talentos esperados de uma favorita do rei – música, dança, teatro, equitação – e era excelente em todos. Jovem ainda, casou-se com um homem que possuía um título inferior de nobreza, o que lhe permitiu o ingresso nos melhores salões de Paris. Logo estavam todos comentando a sua beleza, o seu talento, encanto e inteligência.

Jeanne Poisson se tornou amiga íntima de Voltaire, Montesquieu e outros grandes intelectuais da época, sem jamais perder de vista a sua meta desde menina: conquistar o coração do rei. Seu marido possuía um palacete no meio de uma floresta onde o rei costumava caçar, e ela começou a passar muito tempo ali. Estudando os movimentos dele como um gavião, ela se certificava de que os dois se esbarrassem "por acaso" quando ela saía para dar os seus passeios a pé ou na sua esplêndida carruagem, vestida com suas roupas mais atraentes. O rei começou a notá-la, a lhe presentear com os animais que caçava.

Em 1744, a atual amante de Luís, a duquesa de Châteauroux, morreu. Jeanne passou para a ofensiva. Ela se punha onde quer que ele estivesse: nos bailes de máscaras em Versalhes, na ópera, onde seus caminhos se cruzassem e onde ela pudesse exibir seus muitos talentos: dançando, cantando, montando a cavalo, sendo coquete. O rei finalmente sucumbiu aos seus encantos e, numa cerimônia em Versalhes, em setembro de 1745, esta moça de vinte e quatro anos, filha de um agente bancário de classe média, foi oficialmente apresentada como amante do rei. Ela ganhou o seu quarto particular no palácio, onde o rei podia entrar a qualquer hora por uma escada secreta e pela porta dos fundos. E como alguns cortesãos se zangaram porque ele tinha escolhido uma mulher de origem inferior, ele a fez marquesa. A partir de então, ela ficou conhecida como Madame de Pompadour.

O rei era um homem que se sentia imensuravelmente oprimido à mais leve sensação de monotonia. Madame de Pompadour sabia que mantê-lo sob o seu fascínio significava mantê-lo entretido. Com essa finalidade, ela montava constantemente produções teatrais em Versalhes, nas quais atuava. Organizava caçadas sofisticadas, bailes de máscaras, e tudo mais que o mantivesse entretido fora do quarto. Foi benfeitora das artes e árbitro do bom gosto e da moda em toda a França. Seus inimigos na corte aumentavam a cada novo sucesso, mas Madame de Pompadour se desviava deles com um estilo totalmente novo para uma amante do rei: com extrema polidez. Os esnobes que se ressentiam da sua origem mais simples ela conquistou com seu encanto e graça. E o mais inusitado, ficou amiga da rainha, e insistia com Luís XV para que fosse mais atencioso com sua esposa e a tratasse com mais delicadeza. Até a família real, a contragosto, lhe deu apoio. Para coroar a sua glória, o rei a fez duquesa. A sua influência se fez sentir até na política: na verdade, ela foi um ministro das relações exteriores sem título.

Em 1751, quando estava no auge do seu poder, Madame de Pompadour vivenciou a sua pior crise. Fisicamente enfraquecida pelas responsabilidades da sua posição, ela achava cada vez mais difícil satisfazer as exigências do rei na cama. Era aí que normalmente as amantes chegavam ao fim, lutando para manter a sua posição enquanto a beleza desaparecia. Mas Madame de Pompadour usou uma estratégia: encorajou o rei a montar uma espécie de bordel, o Parc aux Cerfs, nos jardins de Versalhes. Ali o rei de meia-idade poderia ter ligações com as mais belas jovens do reino.

Madame de Pompadour sabia que o seu encanto e a sua perspicácia política a tornavam indispensável ao rei. O que teria a temer de uma jovem de dezesseis anos que não tinha nem o seu poder nem a sua presença? Que importância teria ela perder a sua posição no quarto, desde que continuasse sendo a mulher mais poderosa da França? Para garantir essa posição ela estreitou a amizade com a rainha, com quem começou a frequentar a igreja. Embora os seus inimigos na corte conspirassem para derrubá-la da sua posição oficial de amante do rei, ele continuava com ela, pois precisava do seu efeito tranquilizador. Só quando a sua

---

Um homem, conhecido por sua habilidade em galgar árvores, ajudava alguém a subir numa árvore muito alta. Ele mandou o sujeito cortar os ramos da copa e, nesse momento aparentemente tão perigoso, não disse nada. Só quando o sujeito começou a descer e chegou à altura dos beirais é que o especialista gritou: "Cuidado! Veja onde pisa ao descer!" Eu lhe perguntei: "Por que disse aquilo? Naquela altura ele poderia pular se quisesse." "É essa a questão", disse o especialista. "Quando ele estava lá em cima numa altura estonteante, e os ramos ameaçavam quebrar, o seu medo era tão grande que eu não disse nada. Os erros são cometidos sempre quando as pessoas chegam aos lugares fáceis." Era um homem simples, mas suas palavras estavam de acordo com os ensinamentos de homens sábios. Também no futebol, dizem, quando se consegue dar um chute de um lugar difícil e se acha que o seguinte vai ser fácil, certamente é bola perdida.

ENSAIO SOBRE O ÓCIO, KENKO, JAPÃO, SÉCULO XIV

participação na desastrosa Guerra dos Sete Anos foi muito criticada é que ela aos poucos foi se afastando dos assuntos públicos.

A saúde de Madame de Pompadour sempre foi muito delicada, e ela morreu aos quarenta e três anos, em 1764. Seu reinado como amante teve a duração inédita de vinte anos. "Ela foi lamentada por todos", escreveu o duque de Croy, "pois era gentil e atenciosa com todos que se aproximavam dela."

Interpretação
Consciente da efemeridade do seu poder, a amante do rei costumava entrar numa espécie de frenesi depois de conquistá-lo: ela procurava juntar o máximo de dinheiro possível para se garantir depois da sua inevitável queda. E para estender ao máximo o seu reinado, ela era impiedosa com seus inimigos na corte. Sua situação, em outras palavras, parecia exigir dela atitudes gananciosas e vingativas que frequentemente eram a sua ruína. Madame de Pompadour teve sucesso onde outras falharam porque jamais forçou a sua sorte. Em vez de provocar os cortesãos do alto da sua posição de amante do rei, ela tentava conquistar o apoio deles. Jamais revelou o mais leve toque de cobiça ou arrogância. Quando não pôde mais cumprir os seus deveres físicos como amante, não se atormentou com a ideia de ser substituída na cama. Simplesmente usou algumas estratégias – incentivou o rei a tomar amantes jovens, sabendo que quanto mais jovens e bonitas menos perigosas seriam, visto não poderem se comparar com ela em charme e sofisticação e, em pouco tempo, o rei se cansaria delas.

O sucesso prega peças estranhas na mente. Faz você se sentir invulnerável, deixando-o ao mesmo tempo mais hostil e sensível às pessoas que desafiam o seu poder. A sua capacidade de se adaptar às circunstâncias diminui. Você começa a achar que o seu caráter é o responsável pelo seu sucesso, mais do que as suas técnicas de estratégia e planejamento. Como Madame de Pompadour, você precisa entender que o seu momento de triunfo é também aquele em que deve confiar ainda mais na astúcia e na estratégia, consolidando a sua base de poder, reconhecendo o papel do acaso e das circunstâncias no seu sucesso, e permanecendo atento aos reveses da sorte. É na vitória que você precisa fazer o jogo do cortesão e ficar mais atento do que nunca às leis do poder.

O momento mais perigoso é o da vitória.

Napoleão Bonaparte, 1769-1821

AS CHAVES DO PODER
O poder tem os seus próprios ritmos e padrões. Aqueles que têm sucesso nesse jogo são os que controlam os padrões e os variam à vontade, mantendo as pessoas em desequilíbrio enquanto definem o tempo. A essência da estratégia é controlar o que vem em seguida, e o entusiasmo da vitória pode atrapalhar a sua capacidade de controlar isso que vem em seguida de duas formas. Primeiro, você deve o seu sucesso a um padrão que estará apto a tentar repetir. Você tentará continuar seguindo na mesma direção, sem parar para ver se este ainda é o melhor caminho para você. Segundo, o sucesso tende a lhe subir à cabeça e o torna mais sensível às emoções. Sentindo-se invulnerável, você faz movimentos agressivos que acabam arruinando a vitória conquistada.

A lição é simples: o poderoso varia seus ritmos e padrões, muda de curso, adapta-se às circunstâncias e aprende a improvisar. Em vez de deixar que os seus pés de dançarino o impulsionem para a frente, eles dão um passo atrás e olham para onde estão indo. É como se em suas veias corresse um antídoto para a intoxicação com a vitória, permitindo que controlem suas emoções e deem uma espécie de parada mental quando atingem o sucesso. Eles se aprumam, abrem espaço para refletir sobre o que aconteceu, examinam o papel da sorte e das circunstâncias no seu sucesso. Como se diz nas escolas de equitação, para poder dominar um cavalo é preciso antes ter domínio sobre si próprio.

A sorte e a circunstância têm sempre o seu papel no poder. Isto é inevitável, e torna o jogo mais interessante. Mas, a despeito do que se pensa, a sorte é mais perigosa do que o azar. O azar dá lições preciosas sobre paciência, tempo oportuno e a necessidade de estar preparado para o pior; a sorte ilude ensinando o contrário, fazendo você pensar que o seu brilhantismo vai sustentá-lo até o fim. A sorte vira, isso é inevitável, e aí você estará totalmente despreparado.

Segundo Maquiavel, essa foi a ruína de César Bórgia. Ele teve muitos triunfos, foi na verdade um hábil estrategista, mas teve o azar de ter tido sorte: teve um papa como pai. Então, quando teve azar de verdade – o pai morreu –, não estava preparado para isso e foi devorado pelos muitos inimigos que tinha feito. A mesma sorte que o põe lá em cima ou sela o seu sucesso mostra que é hora de abrir os olhos: a roda da fortuna o lançará para baixo com a mesma facilidade com que o coloca lá no alto. Preparando-se para a queda, é menos provável que ela o arruíne quando acontecer.

Quem vivencia uma sequência de sucessos pode pegar uma espécie de febre e, até quando tenta manter a calma, se vê pressionado a ultrapassar a meta estabelecida e mergulhar em águas perigosas por aqueles que se encontram em situação inferior. É preciso ter uma estratégia para lidar com gente desse tipo. Pregando simplesmente a moderação, você vai parecer fraco e simplório; mostrando que não dará continuidade a uma vitória você pode diminuir o seu poder.

Quando Péricles, general e estadista ateniense, liderou uma série de campanhas navais no mar Negro, em 436 a.C., a facilidade dos seus triunfos inflamou o desejo dos atenienses por mais vitórias. Eles sonhavam em conquistar o Egito, invadir a Pérsia e partir para a Sicília. Por um lado, Péricles refreava estas perigosas emoções alertando sobre os riscos do orgulho excessivo. Por outro, ele os alimentava travando pequenas batalhas que sabia que ia vencer, criando a aparência de estar preservando o ímpeto de sucesso. A habilidade de Péricles neste jogo pode se ver no que aconteceu na sua morte: os demagogos assumiram, forçaram Atenas a invadir a Sicília e, num só movimento precipitado, destruíram um império.

O ritmo de poder exige uma alternância entre força e astúcia. Força em demasia gera uma contrarreação; astúcia em excesso, por melhor que seja, torna-se previsível. Trabalhando em nome do seu senhor, o shogun Oda Nobunaga, o grande general japonês do século XVI (e futuro imperador) Hideyoshi certa vez planejou uma vitória surpreendente sobre o exército do formidável general Yoshimoto. O shogun queria ir mais adiante, conquistar e arrasar mais um inimigo poderoso, mas Hideyoshi o fez lembrar de um antigo provérbio japonês: "Depois de conquistar uma vitória, aperte os cordões do capacete." Para Hideyoshi, aquele era o momento em que o shogun deveria trocar a força pela astúcia e dissimulação, fingindo uma série de alianças para indispor seus inimigos uns contra os outros. Assim, ele evitaria oposições desnecessárias geradas por uma aparência demasiadamente agressiva. Estas mudanças de ritmo são muito eficazes.

Quem ultrapassa a sua meta quase sempre está motivado por um desejo de agradar a um mestre comprovando a sua dedicação. Mas esforçando-se demais você corre o risco de despertar a desconfiança do mestre. Em várias ocasiões, os generais sob as ordens de Filipe da Macedônia caíram em desgraça e foram rebaixados de posto imediatamente depois de terem conduzido suas tropas a uma grande vitória; mais uma vitória como essa, pensava Filipe, e esse homem poderá se transformar num rival em vez de subordinado. Quando você serve a um mestre, é melhor dimensionar cuidadosamente as suas vitórias, deixando que ele fique com as glórias e não permitindo jamais que ele se sinta constrangido. É também sensato estabelecer um padrão rígido de obediência para conquistar a sua confiança. No século IV a.C., um capitão sob as ordens do notoriamente severo general chinês Wu Ch'i se adiantou, atacando antes do início de uma certa batalha e voltou com várias cabeças inimigas. Ele achou que tinha mostrado o seu ardoroso entusiasmo, mas Wu Ch'i não se impressionou. "Um oficial talentoso", disse o general, suspirando ao mandar decapitá-lo, "mas desobediente."

Outro momento em que um pequeno sucesso pode estragar as chances de outro maior é quando o mestre ou superior lhe concede um favor: é um erro perigoso pedir mais. Você parecerá inseguro – talvez não se sinta merecedor, e tenha de agarrar o máximo que puder enquanto tem chance, o que pode não acontecer novamente. A reação adequada é aceitar o favor delicadamente e se retirar. Qualquer favor subsequente você deve ganhar sem ter de pedir.

Finalmente, o momento em que você para tem uma grande importância dramática. O que vem por último fica marcado na lembrança como um ponto de exclamação. Não há ocasião melhor para parar e se afastar do que depois de uma vitória. Continue e se arriscará a reduzir o efeito, até a terminar derrotado. Como dizem os advogados sobre os interrogatórios: "Pare sempre com uma vitória."

Imagem: Ícaro Despencando do Céu. Seu pai, Dédalo, confecciona asas de cera que permitem aos dois homens sair voando do labirinto e escapar do Minotauro. Entusiasmado com a fuga triunfante e a emoção do voo, Ícaro sobe cada vez mais alto, até que o sol derrete a cera das asas e ele morre na queda.

Autoridade: Príncipes e repúblicas deveriam se contentar com a vitória, pois quando almejam mais do que isso, em geral, perdem. O hábito de insultar o inimigo com palavras surge da insolência da vitória, ou da falsa esperança de vitória, a qual frequentemente desorienta os homens tanto nas suas ações quanto nas suas palavras: pois, quando esta falsa esperança se apossa da mente, faz os homens ultrapassarem o seu alvo, e sacrificarem um bem garantido por outro melhor incerto. (Nicolau Maquiavel, 1469-1527)

O INVERSO
Como diz Maquiavel, destrua um homem ou o deixe em paz de vez. Infligir meios castigos ou leves injúrias só criará um inimigo cuja amargura crescerá com o tempo e que acabará se vingando. Ao derrotar um inimigo, portanto, faça com que essa vitória seja total. Acabe com a existência dele. No momento da vitória, você não se impede de esmagar um inimigo que derrotou, mas de avançar desnecessariamente contra outros. Seja implacável com o seu inimigo, mas não crie outros indo além do necessário.

Há os que ficam ainda mais cautelosos depois de uma vitória, cujo resultado consideram ser apenas o de ter mais posses para proteger e com que se preocupar. A prudência depois da vitória não deve jamais fazê-lo hesitar, ou perder o impulso, mas protegê-lo de atitudes precipitadas. Por outro lado, exagera-se o valor do ímpeto. Você cria os seus próprios sucessos, e se eles se seguirem um após outro, o mérito é seu. Acreditar em ímpetos só o fará mais emotivo, menos disposto a agir estrategicamente, e mais apto a repetir os mesmos métodos. Deixe o ímpeto para quem não pode confiar em coisa melhor.

LEI
48

EVITE TER UMA FORMA DEFINIDA

JULGAMENTO

Ao assumir uma forma, ao ter um plano visível, você se expõe ao ataque. Em vez de assumir uma forma que o seu inimigo possa agarrar, mantenha-se maleável e em movimento. Aceite o fato de que nada é certo e nenhuma lei é fixa. A melhor maneira de se proteger é ser tão fluido e amorfo como a água; não aposte na estabilidade ou na ordem permanente. Tudo muda.

A LEI TRANSGREDIDA

No século VIII a.C., as cidades-estado da Grécia tinham crescido tanto e eram tão prósperas que ficaram sem terras para sustentar as suas crescentes populações. Então elas se voltaram para o mar, fundando colônias na Ásia Menor, na Sicília, na península itálica, até na África. A cidade-estado de Esparta, entretanto, não tinha acesso ao mar e estava cercada de montanhas. Sem poder alcançar o Mediterrâneo, os espartanos jamais foram um povo marítimo, atacando em vez disso as cidades vizinhas, e, numa série de conflitos brutais e violentos que duraram mais de cem anos, conseguiram conquistar uma imensa área com terra suficiente para seus cidadãos. Esta solução para seus problemas, entretanto, trouxe um outro, bem maior: como manter e policiar os territórios conquistados? Os povos subordinados que agora governavam eram dez vezes mais numerosos. Sem dúvida esta horda se vingaria terrivelmente.

A solução encontrada por Esparta foi criar uma sociedade dedicada à arte da guerra. Os espartanos seriam mais valentes, fortes e ferozes do que seus vizinhos. Só assim poderiam garantir a sua estabilidade e sobrevivência.

Aos sete anos de idade, o menino espartano era afastado da mãe e colocado num clube militar onde era treinado para lutar e passava por uma rígida disciplina. Os meninos dormiam em camas feitas de caniços e tinham direito apenas a uma roupa para usar durante um ano inteiro. Não estudavam nenhuma das artes; na verdade, os espartanos baniram a música, e só aos escravos era permitido praticar os ofícios necessários para sustentá-los. As únicas habilidades que os espartanos ensinavam eram as da guerra. As crianças consideradas fracas eram deixadas em cavernas nas montanhas para morrer. Não se permitia nenhum sistema de moedas ou comércio em Esparta; a riqueza adquirida, eles acreditavam, semearia o egoísmo e as dissidências, enfraquecendo a sua disciplina guerreira. A única maneira de um espartano ganhar a vida era com a agricultura, na maior parte em terras de propriedade do Estado, que escravos, chamados hilotas, cultivavam para ele.

A simplicidade dos espartanos permitiu que formassem a infantaria mais poderosa do mundo. Eles marchavam em ordem perfeita e lutavam com incomparável bravura. Suas falanges estreitamente cerradas venciam exércitos dez vezes maiores, como demonstraram ao derrotarem os persas nas Termópilas. Uma coluna espartana em marcha aterrorizava o inimigo; parecia não ter pontos fracos. Mas, apesar de se mostrarem guerreiros poderosos, não estavam interessados em criar um império. Só queriam manter o que já haviam conquistado e defendê-lo de invasores.

Nas artes marciais, é importante a estratégia ser incompreensível, a forma oculta e os movimentos inesperados, para que não se possa estar preparado para eles. O sucesso de um bom general na vitória depende sempre da sua sabedoria insondável e de um modus operandi sem pistas. Só a falta de forma não pode ser afetada. Os sábios ocultam-se na incompreensibilidade, para que seus sentimentos não possam ser observados; eles operam na informidade, para que suas ações não possam ser interceptadas.

THE BOOK OF THE HUAINAN MASTERS, CHINA, SÉCULO II a.C.

O CÃO COM AS ORELHAS CORTADAS

"Que crime cometi para ser assim mutilado por meu próprio dono?!", exclamou pensativamente Jowler, um jovem mastim. "Que bela condição para um cão com as minhas pretensões! Com que cara vou aparecer diante dos meus amigos? Oh!, rei dos animais, ou melhor, seu tirano, quem

Décadas se passavam sem que houvesse uma única mudança no sistema que funcionara tão bem para preservar o *status quo* de Esparta.

Ao mesmo tempo que os espartanos desenvolviam a sua cultura guerreira, outra cidade-estado ascendia a igual importância: Atenas. Ao contrário de Esparta, Atenas tomara o caminho do mar, não só com o objetivo de criar colônias como de fazer comércio. Os atenienses se tornaram grandes mercadores; a sua moeda, as famosas "moedas de coruja", espalhou-se por todo o Mediterrâneo. Ao contrário de Esparta, os atenienses reagiam a todos os problemas com uma consumada criatividade, adaptando-se às ocasiões e criando novas formas sociais e artísticas num ritmo incrível. A sua sociedade era um fluir constante. E conforme aumentava o seu poder, passaram a representar uma ameaça para os defensivos espartanos.

Em 431 a.C., a guerra entre atenienses e espartanos, que havia tanto tempo vinha sendo cozinhada em fogo brando, finalmente explodiu. Durou vinte e sete anos, mas, depois de muitas viradas da sorte, a máquina de guerra espartana finalmente venceu. Os espartanos agora comandavam um império, e desta vez não poderiam continuar dentro da casca. Se desistissem do que tinham conquistado, os derrotados atenienses se reagrupariam e avançariam sobre eles, e os longos anos de guerra teriam sido inúteis.

Depois da guerra, choveu dinheiro ateniense em Esparta. Os espartanos tinham sido treinados para o combate, não para política ou economia, e como não estavam acostumados com isso, a riqueza e seus consequentes estilos de vida os seduziram e dominaram. Os governantes espartanos foram enviados para governar as terras que antes eram atenienses; longe de casa, sucumbiram às piores formas de corrupção. Esparta tinha derrotado Atenas, mas o estilo de vida fluido dos atenienses estava lentamente minando a sua rígida disciplina e afrouxando a sua ordem rígida. E Atenas, enquanto isso, adaptava-se à perda do seu império, tratando de prosperar como um centro cultural e econômico.

Confusa com a mudança no seu *status quo*, Esparta foi enfraquecendo cada vez mais. Uns trinta anos depois de derrotar Atenas, ela perdeu uma batalha importante com a cidade-estado de Tebas. Quase da noite para o dia, esta nação, uma vez poderosa, entrou em colapso, para nunca mais se recuperar.

Interpretação

Na evolução das espécies, a armadura de proteção quase sempre foi sinônimo de desastre. Embora existam algumas poucas exceções, a casca com frequência se torna um impasse para o animal encapsulado nela; reduz a atividade do animal, dificultando a sua busca de alimento e fa-

---

ousaria tratá-lo dessa forma?" Suas queixas não eram infundadas, pois naquela mesma manhã o seu dono, apesar dos ganidos estridentes do nosso jovem amigo, cortou-lhe barbaramente as longas orelhas pendentes. Jowler só queria morrer. Com o avançar dos anos, ele percebeu que a sua mutilação lhe fora mais benéfica do que prejudicial; pois, sendo naturalmente inclinado a lutar com os outros, teria diversas vezes voltado para casa com esta parte desfigurada em vários pontos. Um cachorro briguento sempre tem as suas orelhas dilaceradas. Quanto menos deixarmos que os outros nos agarrem, melhor. Quando só se tem um ponto a defender, este deve ser protegido de acidentes. Veja o exemplo de Jowler, que, armado com uma coleira pontiaguda, e não tendo mais orelhas do que um pássaro, deixaria um lobo intrigado sem saber onde atacar.

FÁBULAS, JEAN DE LA FONTAINE, 1621-1695

> *Um caminho sedutor e sempre fatal tem sido o desenvolvimento de um casco de proteção. Um organismo pode se proteger escondendo-se, fugindo rapidamente, atacando com eficácia, unindo-se para atacar e se defender de outros indivíduos da mesma espécie e também encapsulando-se em placas e espinhas ósseas... Quase sempre a experiência da armadura falhou. As criaturas que a adotaram tendem a ficar desajeitadas. Elas têm de se mover com relativa lentidão. São obrigadas, portanto, a se alimentar basicamente de vegetais, ficando assim, em geral, em desvantagem comparadas com inimigos que se nutrem de alimentos de origem animal mais rapidamente "aproveitáveis": os sucessivos fracassos da armadura mostram que, mesmo num nível de evolução um tanto lento, a mente triunfou sobre a simples matéria. Este é o tipo de triunfo do qual o Homem tem sido o exemplo supremo.*
> SCIENTIFIC THEORY AND RELIGION, E. W. BARNES, 1933

zendo-o alvo de predadores mais velozes. Os animais que fogem para o mar ou para o céu, e que se movem de maneira rápida e imprevisível, são infinitamente mais poderosos e seguros.

Diante de um sério problema – controlar uma população mais numerosa do que a sua – Esparta reagiu como um animal que desenvolve uma casca para se proteger do ambiente. Mas, como a tartaruga, os espartanos sacrificaram a mobilidade pela segurança. Eles conseguiram preservar a estabilidade durante trezentos anos, mas a que custo? Não tinham outra cultura senão a da guerra, nenhuma arte que aliviasse as tensões, estavam em constante ansiedade quanto ao *status quo*. Enquanto seus vizinhos foram para o mar, aprendendo a se adaptar a um mundo em constante movimento, os espartanos enterraram-se no seu próprio sistema. A vitória significaria novas terras para governar, o que eles não queriam; a derrota seria o fim da sua máquina militar, o que eles também não queriam. Só a estase lhes permitia sobreviver. Mas nada no mundo pode permanecer estável para sempre, e a casca ou sistema que você desenvolve para se proteger acaba sendo a sua ruína.

No caso de Esparta, não foram os exércitos de Atenas que a derrotaram, mas o dinheiro ateniense. O dinheiro flui onde existem oportunidades para isso; não pode ser controlado ou forçado a se encaixar num padrão predeterminado. É inerentemente caótico. E, no longo prazo, o dinheiro fez de Atenas o conquistador ao se infiltrar no regime espartano e corroer a sua armadura de proteção. Na batalha entre os dois sistemas, Atenas foi fluida e criativa o suficiente para assumir novas formas, enquanto Esparta só conseguiu se tornar cada vez mais rígida até se quebrar.

É assim que o mundo funciona, seja com animais, culturas ou indivíduos. Diante da severidade e dos perigos do mundo, os organismos de qualquer espécie desenvolvem proteções – um escudo de armas, um sistema rígido, um ritual confortador. No curto prazo pode funcionar, mas com o tempo isso significa desastre. O povo sobrecarregado por um sistema e um estilo inflexível não se move com rapidez, não percebe nem se adapta às mudanças. Vai se arrastando cada vez mais lentamente até seguirem o caminho do brontossauro. Aprenda a se mover rápido e a se adaptar, ou será devorado.

A melhor maneira de fugir a este destino é não assumir formas. Nenhum predador vivo pode atacar o que não consegue ver.

A LEI OBSERVADA

Quando a Segunda Guerra Mundial terminou e os japoneses foram finalmente expulsos da China, que tinham invadido em 1937, os nacionalistas chineses, liderados por Chiang Kai-shek, decidiram que era hora de acabar com os comunistas chineses, seus odiados rivais, de uma vez por todas. Em 1935, eles já haviam quase conseguido, forçando os comunistas a empreenderem a Longa Marcha, a extenuante retirada que reduziu imensamente seus números. Embora os comunistas tivessem de certa forma se recuperado durante a guerra contra o Japão, não seria difícil derrotá-los agora. Eles controlavam apenas áreas isoladas no interior, tinham armas pouco sofisticadas, faltava-lhes experiência militar ou treinamento além dos combates nas montanhas, e não controlavam partes importantes da China, exceto áreas da Manchúria, que haviam conseguido tomar depois da retirada dos japoneses. Chiang decidiu confiar a Manchúria às suas melhores forças. Ele tomaria suas principais cidades e dessas bases se espalharia pela região industrial ao norte, varrendo dali os comunistas. Com a queda da Manchúria, os comunistas entrariam em colapso.

Em 1945 e 1946, o plano funcionou perfeitamente: os nacionalistas tomaram com facilidade as principais cidades da Manchúria. Curiosamente, entretanto, a despeito dessa campanha crítica, a estratégia comunista não fazia sentido. Quando os nacionalistas começaram a sua investida, os comunistas se dispersaram para os cantos mais distantes da Manchúria. Suas pequenas unidades atormentaram os exércitos nacionalistas, fazendo uma emboscada aqui, batendo em retirada inesperadamente ali, mas como essas unidades dispersas nunca se juntavam era cada vez mais difícil atacá-las. Elas capturavam uma cidade só para devolvê-la semanas depois. Sem formar retaguardas nem vanguardas, elas eram como azougue, jamais permanecendo num só lugar, esquivas e sem forma definida.

Os nacionalistas atribuíam isto a duas coisas: covardia diante de forças superiores e inexperiência em estratégia. Mao Tsé-tung, o líder comunista, era mais poeta e filósofo do que general, enquanto Chiang tinha estudado técnicas de guerra no Ocidente e era discípulo do escritor militar alemão Carl von Clausewitz, entre outros.

Mas um padrão acabou se revelando nos ataques de Mao. Depois que os nacionalistas tomaram as cidades, deixando os comunistas ocuparem o que em geral se considerava um espaço inútil da Manchúria, esses começaram a usar aquele grande espaço para cercar as cidades. Se Chiang enviasse um exército de uma cidade para reforçar outra, os comunistas rodeavam o exército libertador. As forças de Chiang foram lentamente se partindo em unidades cada vez menores, isoladas umas das outras, com as linhas de suprimento e comunicação cortadas. O poder de fogo dos nacionalistas ainda era superior, mas, se não podiam se mover, de que adiantava?

A LEBRE E A ÁRVORE
O sábio não procura imitar os passos dos antigos nem estabelecer padrões fixos que sejam eternos, mas examina o que é da sua época e aí, então, prepara-se para lidar com isso. Havia em Sung um homem que lavrava um campo onde se erguia o tronco de uma árvore. Certa vez uma lebre, correndo veloz, esbarrou no tronco, quebrou o pescoço e morreu. O homem então largou o arado e ficou observando a árvore, esperando conseguir uma outra lebre. Mas não conseguiu nunca outra lebre e foi alvo dos risos do povo de Sung. Ora, supondo que alguém quisesse governar o povo na era atual com as políticas dos primeiros reis, estaria agindo exatamente como o homem que ficou observando a árvore.
HAN-FEI-TZU, FILÓSOFO CHINÊS, SÉCULO III a.C.

O general Rommel superou Patton em inteligência criativa... Rommel evitava o formalismo militar. Não tinha planos fixos além dos pretendidos para o embate inicial; a partir daí, ele montava suas táticas para enfrentar as situações específicas conforme elas iam surgindo. Era rápido como um relâmpago na hora de decidir, mantendo-se fisicamente no mesmo ritmo da sua atividade mental. Num mar de areia ameaçador, ele operava num ambiente livre. Depois de romper as linhas britânicas na África, toda a parte norte do continente se abriu para ele. Comparativamente livre da autoridade incapacitante de Berlim, desrespeitando ordens até do próprio Hitler ocasionalmente, Rommel implementou uma operação vitoriosa após outra até ter quase todo o norte da África sob seu controle e o Cairo tremendo aos seus pés.
THE ART OF
WINNING WARS,
JAMES MRAZEK,
1968

Uma espécie de terror tomou conta dos soldados nacionalistas. Os comandantes que se encontravam confortavelmente distantes do front podiam rir de Mao, mas os soldados tinham combatido os comunistas nas montanhas e temiam a sua indefinição. Agora estes soldados ficavam estagnados nas suas cidades observando seus velozes inimigos, fluidos como a água, inundando-os por todos os lados. Parecia haver milhões deles. Os comunistas também cercavam o espírito dos soldados, bombardeando-os com propaganda para baixar o seu moral e pressioná-los a desertar.

Os nacionalistas começaram a se render mentalmente. Suas cidades cercadas e isoladas começaram a ruir antes mesmo de serem atacadas diretamente; uma após outra, elas foram caindo em rápida sucessão. Em novembro de 1948, os nacionalistas entregaram a Manchúria aos comunistas – um golpe humilhante para o exército nacionalista tecnicamente superior, e que se mostrou decisivo para a guerra. No ano seguinte, os comunistas controlavam toda a China.

Interpretação

Os dois jogos de tabuleiro que mais se aproximam das estratégias de guerra são o xadrez e o go, um jogo asiático. No xadrez o tabuleiro é pequeno. Comparado com o go, o ataque é feito relativamente rápido, forçando uma batalha decisiva. Raramente vale a pena recuar, ou sacrificar suas peças, que devem se concentrar em áreas-chave. O go é bem menos formal. É jogado sobre um quadriculado grande, com 361 intersecções – quase seis vezes mais posições do que no xadrez. Pedras brancas e pretas (uma cor para cada lado) são colocadas nas intersecções, uma de cada vez, onde você quiser. Depois que todas as suas pedras (52 para cada lado) estiverem no tabuleiro, o objetivo é isolar as pedras do adversário cercando-as.

Uma partida de go – chamada na China de *wei-chi* – pode chegar até a trezentos movimentos. A estratégia é mais sutil e fluida do que a do xadrez, desenvolvendo-se lentamente; quanto mais complexo o padrão que as suas pedras inicialmente criarem no tabuleiro, mais difícil para o seu adversário compreender a sua estratégia. Não vale a pena lutar para controlar uma determinada área: você precisa pensar em termos mais amplos, estar preparado para sacrificar uma área para, no final, dominar o tabuleiro. Você busca não uma posição entrincheirada, mas a mobilidade. Com mobilidade você pode isolar o adversário em pequenas áreas, para depois cercá-las. O objetivo não é tomar logo as peças do adversário, como no xadrez, mas induzir uma espécie de paralisia e colapso. O xadrez é linear, orientado para posições e agressivo; o go é não linear e fluido. A agressão é indireta até o fim do jogo, quando o vencedor pode cercar as pedras do adversário em ritmo acelerado.

Os estrategistas militares chineses foram influenciados pelo go durante séculos. Seus provérbios foram várias vezes aplicados à guerra; Mao Tsé-tung era viciado em *wei-chi*, e os preceitos desse jogo encontram-se entranhados em suas estratégias. Um conceito-chave de *wei-chi*, por exemplo, é tirar proveito do tamanho do tabuleiro, espalhando-se em todas as direções para que seu adversário não possa imaginar seus movimentos de uma forma simples linear.

"Todo chinês", escreveu Mao certa vez, "deveria se lançar conscientemente nesta guerra como num quebra-cabeça" contra os nacionalistas. Coloque seus homens num padrão de quebra-cabeça no go, e seu adversário se perde tentando imaginar o que você pretende. Ou ele perde tempo correndo atrás de você ou, como Chiang Kai-shek, supõe que você é incompetente e não está se protegendo. E se ele se concentrar em áreas isoladas, como aconselha a estratégia ocidental, torna-se um alvo fácil para cercar. No estilo de guerra *wei-chi*, você cerca o cérebro do inimigo, usando jogos mentais, propaganda e táticas que irritam para confundir e desanimar. Esta foi a estratégia dos comunistas – uma aparente informidade que desorientou e aterrorizou o inimigo.

Enquanto o xadrez é linear e direto, o antigo jogo de go está mais próximo do tipo de estratégia que se mostrará relevante num mundo onde as batalhas se travam indiretamente, em áreas vastas e desconexas. Suas estratégias são abstratas e multidimensionais, habitando um plano além do tempo e do espaço: a mente do estrategista. Nesta forma fluida de guerrear, você valoriza mais o movimento do que a posição. A sua velocidade e mobilidade tornam impossível prever seus movimentos; incapaz de compreendê-lo, o inimigo não consegue definir uma estratégia para derrotá-lo. Em vez de se fixar em determinados pontos, esta forma indireta de guerrear se espalha, assim como você pode tirar proveito da grande e desconecta natureza do mundo real. Seja como o vapor. Não dê aos seus adversários nada de concreto para atacar; observe-os se exaurindo, correndo atrás de você, tentando competir com a sua intangibilidade. Só a intangibilidade permite a você realmente surpreender os seus inimigos – quando eles descobrem onde você está e o que pretende, já é tarde demais.

Quando vocês querem nos combater, nós não permitimos e vocês não conseguem nos encontrar. Mas quando nós queremos combater vocês, garantimos que vocês não fujam e os atacamos categoricamente... e os exterminamos... O inimigo avança, nós recuamos; o inimigo acampa, nós hostilizamos; o inimigo se

| ARMADURA DE CARÁTER
Para colocar em prática a inibição instintiva exigida pelo mundo moderno e aguentar a estase de energia resultante desta inibição, o ego tem de sofrer uma mudança.
O ego, isto é, aquela parte da pessoa que se expõe ao perigo, enrijece, como dizemos, se submetida continuamente aos mesmos ou semelhantes conflitos entre a necessidade e um mundo exterior atemorizante.
Ele adquire neste processo um modo de reação crônico automático, isto é, o seu "caráter". É como se a personalidade afetiva se colocasse dentro de uma armadura, como se a casca dura que ele desenvolve tivesse a intenção de desviar e enfraquecer os golpes do mundo exterior assim como o clamor de necessidades interiores. Esta armadura torna a pessoa menos sensível ao desprazer, mas também restringe a sua motilidade libidinosa e agressiva para as conquistas e o prazer. Dizemos que o ego se tornou menos flexível e mais rígido, e que a habilidade para regular a economia de energia depende da extensão da armadura.
WILHELM REICH, 1897-1957

cansa, nós atacamos;
o inimigo recua, nós perseguimos.

Mao Tsé-tung, 1893-1976

AS CHAVES DO PODER

O animal humano se diferencia por sua constante criação de formas. Raramente expressando suas emoções diretamente, ele lhes dá forma por meio da linguagem, ou de rituais socialmente aceitáveis. Não conseguimos comunicar nossas emoções sem uma forma.

As formas que criamos, entretanto, mudam constantemente – na moda, no estilo, em todos aqueles fenômenos humanos representando o estado de espírito do momento. Constantemente alteramos as formas herdadas de gerações anteriores, e estas mudanças são sinais de vida e vitalidade. Na verdade, o que não mudamos, as formas enrijecidas, nos lembram a morte, e as destruímos. Os jovens mostram isto com bastante clareza: inconformados com as formas que a sociedade lhes impõe, sem estarem com uma identidade definida, eles jogam com seus próprios personagens, experimentando uma diversidade de máscaras e atitudes para se expressar. É esta vitalidade que mobiliza as formas, criando mudanças constantes de estilo.

Os poderosos são quase sempre pessoas que na juventude se mostraram imensamente criativos ao expressar algo novo de uma nova forma. A sociedade lhes concede poder porque tem fome deste tipo de novidade e a recompensa. O problema surge mais tarde, quando frequentemente se tornam conservadores e possessivos. Não sonham mais em criar novas formas; suas identidades estão definidas, seus hábitos congelaram, e a sua rigidez os torna alvos fáceis. Todos sabem qual será o seu próximo movimento. Em vez de exigir respeito, eles evocam a monotonia: Saia de cena!, dizemos, deixe que outro, mais jovem, nos divirta. Quando se tranca no passado, o poderoso é cômico – é uma fruta que passou do ponto, prestes a despencar do galho.

O poder só pode prosperar se for flexível em suas formas. Não ter forma definida não é ser amorfo; tudo tem forma – isso é impossível de evitar. A informidade do poder é mais como a da água, ou do mercúrio, que assume a forma do que a contém. Mudando constantemente, ela nunca é previsível. Os poderosos estão constantemente criando forma, e o seu poder vem da rapidez com que conseguem mudar. Sua falta de forma está no olho do inimigo que não consegue ver o que eles pretendem e, portanto, não tem nada concreto para atacar. Esta é a principal postura de poder: impossível de agarrar, tão esquivo e veloz como o deus Mercúrio, que era capaz de assumir a forma que quisesse e usava esta habilidade para causar a maior confusão no Monte Olimpo.

As criações humanas evoluem para a abstração, para serem mais mentais e menos materiais. Vê-se bem esta evolução nas artes, que, neste século, fizeram a grande descoberta do abstrato e do conceitual; pode ser vista também na política, que ao longo do tempo tem se tornado menos obviamente violenta, mais complicada, indireta e cerebral. A arte de guerrear e a estratégia também seguiram o mesmo padrão. A estratégia começou na manipulação dos exércitos em terra, posicionando-os em formações ordenadas; em terra, a estratégia é relativamente bidimensional e controlada pela topografia. Mas todas as grandes potências acabaram indo para o mar, em busca de comércio e colonização. E para proteger suas rotas comerciais tiveram de aprender a lutar no mar. A guerra marítima requer uma tremenda criatividade e pensamento abstrato, visto que as linhas estão constantemente mudando. Os capitães navais se distinguem por sua habilidade em se adaptar à literal fluidez do terreno e confundir o inimigo com uma forma abstrata, difícil de prever. Eles operam numa terceira dimensão: a mente.

De volta a terra, a arte da guerrilha também demonstra esta evolução para a abstração. T. E. Lawrence foi talvez o primeiro estrategista moderno a desenvolver a teoria que sustenta este tipo de guerra e a colocá-la em prática. Suas ideias influenciaram Mao, que descobriu nos seus escritos um fantástico equivalente do *wei-chi*. Lawrence estava trabalhando com árabes que lutavam pelo seu território contra os turcos. A sua ideia era fazer os árabes se confundirem com a vastidão do deserto, jamais proporcionando um alvo, jamais se reunindo em um só lugar. Conforme os turcos lutavam desordenadamente para combater este exército vaporoso, foram se desgastando cada vez mais, desperdiçando energia indo de um lado para o outro. Eles eram superiores na potência de fogo, mas os árabes mantinham a iniciativa no jogo de gato e rato, não dando nada de concreto aos turcos, destruindo o seu moral. "A maioria das guerras foi guerras de contato... A nossa deve ser uma guerra de destacamento", Lawrence escreveu. "Tínhamos de conter o inimigo com a silenciosa ameaça de um vasto e desconhecido deserto, sem nos revelar até sermos atacados."

Esta é a forma suprema de estratégia. A guerra de combates travados se tornou muito perigosa e cara; a dissimulação e indefinição têm resultados muito melhores com um custo bem inferior. O principal custo, de fato, é o mental; o exercício intelectual necessário para alinhar seus exércitos em padrões dispersos e avaliar mental e psicologicamente os seus adversários. E nada os enfurecerá e desorientará mais do que a indefinição. Num mundo onde as guerras de destacamento são a ordem do dia, a indefinição é crucial.

O primeiro requisito psicológico para a informidade é aprender a não levar nada para o lado pessoal. Jamais revele defensividade. Quando age na defensiva, você mostra suas emoções, revelando uma forma nítida. Seus adversários perceberão que tocaram um nervo, um calcanhar de aquiles. E voltarão a atacar repetidas vezes. Portanto, aprenda a não levar nada para o lado pessoal. Não deixe que ninguém o veja pelo avesso. Seja uma bola escorregadia impossível de agarrar; que ninguém saiba o que o atinge, ou onde estão os seus pontos fracos. Cubra o rosto com uma máscara indefinida, e deixará furiosos e desorientados seus ardilosos colegas e adversários.

O barão James Rothschild usava esta técnica. Judeu alemão, em Paris, vivendo numa cultura decididamente hostil aos estrangeiros, Rothschild jamais se julgou pessoalmente atacado ou se mostrou ressentido de alguma maneira. Ele se adaptava ainda mais ao clima político, seja qual fosse – a monarquia rigidamente formal de Luís XVIII, o reinado burguês de Luís Filipe, a revolução democrática de 1848, o presunçoso Luís Napoleão, coroado imperador em 1852. Rothschild os aceitou a todos e se misturou a eles. Podia se dar ao luxo de parecer hipócrita ou oportunista porque era valorizado por seu dinheiro, não pela sua política; seu dinheiro era a moeda do poder. Enquanto ele se adaptava e prosperava, jamais mostrando externamente uma forma, todas as outras grandes famílias que tinham começado o século riquíssimas se arruinaram nas complicadas reviravoltas do destino naquele período. Prendendo-se ao passado, elas revelavam estar submetidas a uma forma.

Ao longo de toda a história, o estilo sem forma de governar tem sido mais fervorosamente praticado pela rainha que reina sozinha. A posição da rainha é radicalmente diferente da do rei. Por ser mulher, seus súditos e cortesãos tendem a duvidar da sua capacidade para governar, da sua força de caráter. Se ela favorece um partido em alguma luta ideológica, dizem que está agindo emocionalmente. Mas se reprime as suas emoções e banca a autoritária, no estilo masculino, gera críticas piores ainda. Seja por natureza ou por experiência, portanto, as rainhas tendem a adotar um estilo flexível de governar que acaba quase sempre se mostrando mais eficaz do que a forma direta, masculina.

Duas líderes femininas, exemplos do estilo de governar sem forma definida, são a rainha Elizabeth da Inglaterra e a imperatriz Catarina, a Grande, da Rússia. Nas violentas guerras entre católicos e protestantes, Elizabeth tomou o caminho do meio. Ela evitava alianças que a comprometessem com um dos lados e que, com o tempo, prejudicariam o país. Conseguiu manter o seu país em paz até estar forte o bastante para a guerra. Seu reinado foi um dos mais gloriosos da história devido a sua incrível capacidade de adaptação e sua ideologia flexível.

Catarina, a Grande, também desenvolveu um estilo de governo improvisador. Depois de destronar o marido, o imperador Pedro II, e assumir sozinha o controle da Rússia, em 1762, ninguém pensou que ela sobrevivesse. Mas ela não tinha ideias preconcebidas, nenhuma filosofia ou teoria ditando a sua política. Apesar de estrangeira (viera da Alemanha), ela compreendia os humores da Rússia e como eles mudavam com o passar dos anos. "Deve-se governar de maneira tal que o povo pense que deseja mesmo fazer o que se lhe ordena que faça", dizia ela, e para fazer isso ela precisava adiantar-se sempre ao que o povo queria e se adaptar às suas resistências. Jamais forçando uma decisão, ela reformou a Rússia num espaço de tempo surpreendentemente curto.

Este estilo feminino, sem forma, de governar pode ter surgido como um meio de prosperar em circunstâncias difíceis, mas se mostrou por demais sedutor aos que o serviram. Sendo fluido, torna-se relativamente fácil para os súditos obedecer, pois se sentem menos coagidos, menos dobrados à ideologia do seu governante. E também dá opções enquanto a adesão a uma doutrina as nega. Sem compromisso com nenhum partido, ele permite ao governante indispor um inimigo contra o outro. Governantes rígidos podem parecer fortes, mas com o tempo a sua inflexibilidade irrita e os súditos descobrem logo como empurrá-los para fora de cena. Governantes flexíveis, informes, serão muito criticados, mas perdurarão, e o povo acabará se identificando com eles, visto que são como seus súditos – mudando ao sabor do vento, abertos às circunstâncias.

Apesar de aborrecimentos e atrasos, o estilo permeável de poder, em geral, acaba triunfando, assim como Atenas acabou vencendo Esparta com o seu dinheiro e a sua cultura. Quando se vir em conflito com alguém mais forte e mais rígido, conceda-lhe uma vitória momentânea. Aparente estar se inclinando diante da sua superioridade. Depois, lentamente, informe e adaptável, vá se insinuando no seu coração. Assim você os apanhará desprevenidos, pois as pessoas rígidas estão sempre prontas para se defender de golpes diretos, mas são impotentes diante do que é sutil e insinuante. Para ter sucesso nessa estratégia, você deve bancar o camaleão – adapte-se superficialmente, enquanto destrói o inimigo por dentro.

Durante séculos os japoneses aceitaram os estrangeiros cortesmente e pareciam suscetíveis às culturas e influências que vinham de fora. João Rodriguez, um padre português que chegou ao Japão em 1577, e lá viveu vários anos, escreveu: "Estou pasmo com a disposição dos japoneses em provar e aceitar tudo que é português." Ele via os japoneses nas ruas usando roupas portuguesas, com contas de rosário no pescoço e cruzes nos quadris. Essa atitude poderia parecer a de uma cultura fraca e mutável, mas a adaptabilidade dos japoneses, na verdade, os protegeu da imposição de uma cultura alienígena através de uma invasão militar. Ela seduziu os portugueses e outros ocidentais fazendo-os acreditar que os japoneses estavam cedendo a uma cultura superior, quando na verdade os costumes estrangeiros eram apenas moda. Sob a superfície, a cultura japonesa prosperava. Tivessem os japoneses sido rígidos em relação às influências estrangeiras e tentado combatê-las, talvez sofressem os danos que o Ocidente causou à China. Esse é o poder da informidade – o agressor não tem nada a que reagir, nada a atacar.

No processo evolutivo, ser grande é quase sempre o primeiro passo para a extinção. O que é imenso e inchado não tem mobilidade, mas deve estar sempre se alimentando. O menos inteligente frequentemente é levado a acreditar que tamanho é poder, quanto maior melhor.

Em 483 a.C., o rei Xerxes, da Pérsia, invadiu a Grécia acreditando que poderia conquistar o país em uma única campanha. Afinal de contas, ele tinha o maior exército já reunido para uma só invasão – o historiador Heródoto estimou-o em mais de cinco milhões de soldados. Os persas planejavam construir uma ponte sobre o Helesponto para invadir a Grécia por terra, enquanto a sua armada igualmente enorme atacaria os navios gregos no porto, impedindo que fugissem para o mar. O plano parecia garantido, mas, enquanto Xerxes se preparava para a invasão, seu conselheiro, Artabanus, alertou-o sobre sérias desconfianças: "As duas maiores potências do mundo estão contra você", disse ele. Xerxes riu – que potências se comparariam com o seu exército gigantesco? "Vou lhe dizer quais são", respondeu Artabanus. "A terra e o mar." Não havia porto seguro suficientemente grande para comportar a frota de Xerxes. E quanto mais terras os persas conquistavam, e quanto mais extensas se tornavam as suas linhas de suprimento, mais desastroso seria o custo de alimentar este imenso exército.

Achando que o seu conselheiro era um covarde, Xerxes deu prosseguimento à invasão. Mas, como Artabanus previra, o mau tempo no mar dizimou a frota persa, grande demais para se abrigar em qualquer porto. Por terra, enquanto isso, o exército persa destruía tudo no seu caminho, o que tornava impossível alimentá-lo, visto que a destruição incluía colheitas e silos. Era também um alvo fácil e lento. Os gregos praticaram todos os tipos de manobras dissimuladas para desorientar os persas. A derrota final de Xerxes nas mãos dos aliados gregos foi um imenso desastre. A história é um símbolo de todos aqueles que sacrificam a mobilidade pelo tamanho: quase sempre vence quem é flexível e rápido, pois tem mais opções estratégicas. Quanto mais gigantesco o inimigo, mais fácil é levá-lo ao colapso.

A necessidade de não termos uma forma definida cresce ainda mais com a idade, conforme tendemos a nos tornar mais definidos e adotar uma forma muito rígida. Ficamos previsíveis, sempre o primeiro sinal de decrepitude. E a previsibilidade nos faz parecer cômicos. Embora o ridículo e o desdém possam parecer formas suaves de ataque, são na verdade armas potentes e acabam minando as bases do poder. O inimigo que perde o respeito fica ousado, e a ousadia torna até o menor dos animais perigoso.

A corte da França no fim do século XVIII, exemplificada por Maria Antonieta, estava tão irremediavelmente presa a formalidades rígidas que, no conceito do francês médio, ela era uma relíquia absurda. Esta depreciação de uma instituição com séculos de existência foi o primeiro indício de uma doença terminal, pois representava um afrouxamento simbólico dos vínculos do povo com a monarquia. À medida que a situação ia piorando, Maria Antonieta e o rei Luís XVI se apegavam cada vez mais rigidamente ao passado – o que apressou o seu caminho para a guilhotina. O rei Carlos I, da Inglaterra, reagiu similarmente à onda de mudanças democráticas que fervilhava na Inglaterra na década de 1630: ele dispersou o Parlamento, e os seus rituais da corte foram ficando cada vez mais formais e distantes. Ele queria retornar a um estilo mais antigo de governo, adotando todos os tipos de protocolos fúteis. Sua rigidez só acentuava o desejo de mudança. Em pouco tempo, é claro, ele foi arrastado a uma guerra civil devastadora, e acabou literalmente perdendo a cabeça.

Com a idade, você deve confiar ainda menos no passado. Esteja alerta para que a forma que o seu caráter tomou não o faça parecer uma relíquia. Não se trata de imitar as modas da juventude – isso também é ridículo. Mas a sua mente deve estar constantemente se adaptando a cada circunstância, até à mudança inevitável quando chega a hora de dar a vez aos mais jovens. A rigidez só fará você parecer sinistro como um cadáver.

Não se esqueça, entretanto, de que a indefinição da forma é uma atitude estratégica. Ela lhe dá espaço para criar surpresas táticas; enquanto lutam para adivinhar qual será o seu próximo movimento, os seus inimigos estarão revelando as suas próprias estratégias, colocando-se em desvantagem. Lembre-se: a forma indefinida é uma ferramenta. Não a confunda com o estilo maria vai com as outras, ou com resignação religiosa aos reveses da sorte. Você a utiliza não porque ela proporciona harmonia e paz interior, mas porque ela aumenta o seu poder.

Finalmente, aprender a se adaptar a cada nova circunstância significa ver os acontecimentos com seus próprios olhos, e com frequência ignorar os conselhos que as pessoas estão sempre dispostas a dar. Isso significa que você deve jogar fora as leis que os outros pregam e os livros que elas escrevem para lhe dizer o que fazer, e o sábio conselho dos idosos. "As leis que governam as circunstâncias são abolidas por novas circunstâncias", escreveu Napoleão, o que significa que é você quem tem de avaliar cada nova situação. Confie demais nas ideias dos outros e acabará assumindo uma forma que não é sua. O respeito excessivo pela sabedoria alheia fará você desvalorizar a sua própria sabedoria. Seja cruel com o passado, especialmente o seu, e não leve em consideração filosofias impingidas de fora para dentro.

Imagem: Mercúrio. O mensageiro alado, deus do comércio, padroeiro dos ladrões, dos jogadores, e de todos aqueles que iludem com a velocidade. No mesmo dia em que nasceu, Mercúrio inventou a lira; à noite já tinha roubado o gado de Apolo. Ele percorria veloz o mundo, assumindo a forma que desejasse. Como o metal líquido do qual recebeu o nome, ele personifica o esquivo, o impalpável – o poder da informidade.

Autoridade: Portanto, o objetivo da formação de um exército é chegar à informidade. A vitória nas guerras não é repetitiva, mas adapta a sua forma infinitamente... Uma força militar não tem formação constante, a água não tem forma constante: à habilidade de obter a vitória mudando e se adaptando segundo o adversário chama-se gênio. (Sun Tzu, século IV a.C.)

O INVERSO

Usar o espaço para dispersar o seu poder e criar um padrão abstrato não significa desistir de concentrá-lo quando isso lhe for útil. A informidade faz seus inimigos correrem atrás de você, espalhando para todos os lados as suas próprias forças, mentais e físicas. Quando você finalmente os reúne, atinge-os com um golpe forte e concentrado. Foi assim que Mao venceu os nacionalistas: ele partia os exércitos deles em unidades pequenas e isoladas, as quais podia em seguida arrasar facilmente com um forte ataque. A lei da concentração prevalecia.

Quando você joga com a informidade, mantenha-se no comando do processo e com a sua estratégia no longo prazo em mente. Ao assumir uma forma e atacar, use concentração, velocidade e poder. Como disse Mao: "*Quando* nós o combatemos, nos certificamos de que não possa fugir."

BIBLIOGRAFIA

Bloodworth, Dennis e Ching Ping, *The Chinese Machiavelli*. Nova York: Farrar, Straus and Giroux, 1976.

Bowyer, J. Barton. *Cheating: Deception in War and Magic, Games and Sports, Sex and Religion, Business and Con Games, Politics and Espionage, Art and Science*, Nova York: St. Martin's Press, 1982.

Castiglione, Baldesar. *The Book of the Courtier*. Trad. para o inglês por George Bull. Nova York: Penguin Books, 1976.

Clausewitz, Carl von. *On War*. Org. e trad. para o inglês por Michael Howard e Peter Paret. Princeton: Princeton University Press, 1976. [Ed. bras. *Da guerra*. São Paulo: Martins Fontes, s. d.]

de Francesco, Grete. *The Power of the Charlatan*, Trad. para o inglês por Miriam Beard. New Haven: Yale University Press, 1939.

de Retz, cardeal. *Memoirs of Jean François Paul de Gondi, Cardinal de Retz*. 2 vols, Londres: J. M. Dent & Sons, 1917.

Elias, Norbert. *The Court Society*. Trad. para o inglês por Edmund Jephcott. Oxford: Basil Blackwell Publishers, 1983.

Esopo. *Fábulas de Esopo*. Trad. para o inglês por S. A. Hanford. Nova York: Penguin Books, 1954.

Haley, Jay. *The Power Tactics of Jesus Christ and Other Essays*. Nova York: W. W. Norton, 1989.

Han-fei-tzu. *The Complete Works of Han-fei-tzu*. Trad. para o inglês por W. K. Liao. 2 vol. Londres: Arthur Probsthain, 1959.

Heródoto. *The Histories*. Trad. para o inglês por Aubrey de Sélincourt. Nova York: Penguin Books, 1987.

Isaacson, Walter. *Kissinger: A Biography*. Nova York: Simon & Schuster, 1992.

La Fontaine, Jean de. *Selected Fables*. Trad. para o inglês por James Michie. Nova York: Penguin Books, 1982.

Lenclos, Ninon de. *Life, Letters and Epicurean Philosophy of Ninon de Lenclos, The Celebrated Beauty of the 17th Century*. Chicago: Lion Publishing Co., 1903.

Ludwig, Emil. *Bismarck: The Story of a Fighter*. Trad. para o inglês por Eden e Cedar Paul. Boston: Little, Brown, 1928.

Mao Tsé-tung. *Selected Military Writings of Mao Tse-tung*. Beijing: Foreign Languages Press, 1963.

Maquiavel, Nicolau. *The Prince and The Discourses*. Trad. para o inglês por Luigi Ricci e Christian E. Detmold. Nova York: Modern Library, 1940.

Millan, Betty. *Monstrous Regiment: Women Rulers in Men's Worlds*. Windsor Forest, Berks, U.K.: Kensal Press, 1983.

Montaigne, Michel de. *The Complete Essays*. Trad. para o inglês por M. A. Screech. Nova York: Penguin Books, 1987.

Mrazek, Col. James. *The Art of Winning Wars*. Nova York: Walker and Company, 1968.

Nash, Jay Robert. *Hustlers and Con Men*. Nova York: M. Evans and Co., 1976.

Nietzsche, Friedrich. *The Birth of Tragedy and The Genealogy of Morals*. Trad. para o inglês por Francis Golffing. Garden City: Doubleday Anchor Books, 1956. [Ed. bras. *Genealogia do mal*. São Paulo: Companhia das Letras. s. d.]

Orieux, Jean. *Talleyrand: The Art of Survival*. Trad. para o inglês por Patricia Wolf. Nova York: Knopf, 1974.

Plutarco. *Makers of Rome*. Trad. para o inglês por Ian Scott-Kilvert. Nova York: Penguin Books, 1965.

_____. *The Rise and Fall of Athens*. Trad. para o inglês por Ian Scott-Kilvert. Nova York: Penguin Books, 1960.

Rebhorn, Wayne A. *Foxes and Lions: Machiavelli's Confidence Men*. Ithaca: Cornel. University Press, 1988.

Sadler, A. L. *Cha-no-yu: The Japanese Tea Ceremony*. Rutland, Vermont: Charles E. Tuttle Company, 1962.

Scharfstein, Ben-Ami. *Amoral Politics*. Albany: State University of New York Press, 1995.

Scheibe, Karl E. *Mirrors, Masks, Lies and Secrets*. Nova York: Praeger Publishers, 1979.

Schopenhauer, Arthur. *The Wisdom of Life and Counsels and Maxims*. Trad. para o inglês por T. Bailey Saunders. Amherst, Nova York: Prometheus Books, 1995.

Senger, Harro von. *The Book of Stratagems: Tactics for Triumph and Survival*. Ed. e trad. por Myron B. Gubitz. Nova York: Penguin Books, 1991.

Siu, R. G. H. *The Craft of Power*. Nova York: John Wiley & Sons, 1979.

Sun Tzu, *The Art of War*. Trad. para o inglês por Thomas Cleary. Boston: Shambhala, 1988. [Ed. bras.: *A arte da guerra*. Rio de Janeiro: Record, 1997.]

Tucídides. *The History of the Peloponnesian War*. Trad. para o inglês por Rex Warner. Nova York: Penguin Books, 1972.

Weil, "Yellow Kid". *The Con Game and "Yellow Kid" Weil: The Autobiography of the Famous Con Artist as told to W. T. Brannon*. Nova York: Dover Publications, 1974.

Zagorin, Perez. *Ways of Lying: Dissimulation, Persecution and Conformity in Early Modern Europe*. Cambridge: Harvard University Press, 1990.

Formado em estudos clássicos, Robert Greene foi editor da *Esquire*, entre outras revistas, e é dramaturgo. Com *As 48 leis do poder*, conquistou milhões de leitores interessados em sabedoria antiga e filosofia por meio de textos essenciais para aqueles que buscam poder, influência e maestria. Sua especialidade é analisar as vidas e filosofias de figuras históricas como Sun Tzu e Napoleão. É também autor de *As leis da natureza humana*, *Maestria* e *A arte da sedução*. Mora em Los Angeles.

Joost Elffers é produtor gráfico de diversos livros e vive em Nova York.

Impressão e Acabamento:
GEOGRÁFICA EDITORA LTDA.